麥禮謙著

從華僑到華人

——二十世紀美國華人社會發展史

三聯書店(香港)有限公司

責任編輯　莊錦清
裝幀設計　阿　奇

書　　名　從華僑到華人──二十世紀美國華人社會發展史
著　　者　麥禮謙
出版發行　三聯書店(香港)有限公司
　　　　　香港域多利皇后街九號
　　　　　JOINT PUBLISHING (H.K.) CO., LTD.
　　　　　9 Queen Victoria Street, Hong Kong
印　　刷　陽光印刷製本廠
　　　　　香港柴灣嘉業街十號12樓
版　　次　1992年1月香港第一版第一次印刷
規　　格　大32開(140×203 mm)564面
國際書號　ISBN 962·04·0952·3

作者近照

作者簡介

麥禮謙（Him Mark Lai）祖籍廣東省海南縣，1925年生於美國加州三藩市一個華僑的家庭。父麥沃炳於1910年以黎姓商人之子身份移民美國，故其兒女之英文名皆以黎爲姓。

麥禮謙1947年畢業於美國加州大學柏克利分校機械工程學系，獲學士學位。1953年受聘於貝克特爾工程建造公司，歷時31年。自六十年代起，利用業餘時間從事美國華人史的研究，並在報刊介紹美國華人的史蹟。七十年代歷任美國華人僑美歷史學會會長，又先後於三藩市州立大學及加州大學柏克利分校講授美國華人史課程。1980年參與主持美國華人歷史文物大型展覽"甘苦滄桑兩百年"的設計工作。1984年退休後，專心致力於美國華人史研究，多次參加國際學術交流。目前是三藩市州立大學亞美研究系兼職教授，是美國知名度頗高的研究美國華人歷史的專家。

麥禮謙的著作頗豐，主要有《加州華人史綱》（合著）、《美國華人左派組織歷史概論》、《美加圖書館庫藏北美洲中文報聯合目錄》（合著）、《埃崙詩集》（合著）、《哈佛美國族裔百科全書》美國部份、《關於美國華人的中文資料提要》、《中華會館系統發展史》、《美國華人報業史》、《夏威夷華人報業發展史》、《第二次大戰後美國加拿大華文報業發展史》、《第二次世界大戰前駐美國國民黨發展史》等，本書是他近年的力作。

目　　錄

序

一

　　研究和整理華僑華人歷史，是一項艱巨的工作，但卻是值得我們重視的工作。麥禮謙自五十年代開始即在這方面從事辛勤的勞動，並獲得了可喜的成就。他曾和陳參盛、胡垣坤先生合編了一冊《加州華人歷史提綱》，又與第四頻道電視台合作攝製了《金山客: 居美華人歷史》片集，並在舊金山州立大學及柏克萊加州大學當了多年的《美國華人歷史》講師，可見他在這方面的研究工作，作出了很大的貢獻。現在，他的著作《從華僑到華人》即將出版發行，和廣大海內外讀者見面了。

　　作者要求我寫個序言，我欣然答允。一則我和麥禮謙早於五十年代便成爲摯友; 二則從七十年代中期開始，他便在我主持的《時代報》先後發表過多篇研究華僑歷史的文章，包括這一部即將出版的《從華僑到華人》，於一九八〇年四月二日開始以《美國華僑簡史》的題目連載。當時他是用英文寫的，由我負責翻譯成中文。但我馬上就發現，對這項艱巨的翻譯工作有力不從心之感。我只好鼓勵他自己用中文來寫。這對一個在美國土生土長的人來說，無疑是十分吃力的。但麥禮謙最可敬之處是他具有一股驚人的毅力和韌力。他花了五年多時間完成了這本著作。從八五年開始，他又花了三年多時間對原作做了必要的修改，補充了大量史實和新的資料，終於把美國華僑的二百年歷史，較完整而概

1

括地呈現在讀者面前。

一九八八年爲紀念華人移民美國二百週年，亞利桑那州菲尼克斯市（又稱鳳凰城）、加州舊金山、洛杉磯及夏威夷州火奴魯魯分別舉行集體宣誓入籍儀式，共有二千七百名華人宣誓加入美國籍。幾乎在同一時間，在舊金山華埠的沙加緬度街（又稱唐人街）夾乾尼街角的聯邦房貸銀行建築工地底下，發掘出無數淘金期的中國工藝品，推斷該處是當年華人經營的一間商店的地下室。被掘出來的文物，包括有中國古代銅幣、中國陶瓷、碗碟、酒瓶、鴉片管、藥瓶、骨牌、印章盒等等。舊金山市長亞格諾斯在參加了華人宣誓入籍儀式後來到現場參觀這一批出土文物時，說：“這些發現提供了線索說明最早的中國移民是如何對加州歷史作出了貢獻。”

可以這樣說，《從華僑到華人》的出版，視作紀念華人移民來美二百週年的獻禮，也很有意義。

二

美國二百多年的歷史，也是我們華裔的血汗史和奮鬥史，特別是在美西，華裔先輩們來到“金山”，他們不僅是建築鐵路的開路先鋒，也是處女地的開拓者，美國初期工農業的發展，華裔是一股不可忽視的原動力。但是，所有這一切豐功偉績，在美國史冊上卻隻字不提，一筆抹殺了。一九六九年五月十日，美國交通部長在紀念橫貫大陸的中央太平洋鐵路建築工程竣工一百週年時，發表講話，他說：“我們今天在這裏重溫人類偉大的意志和堅毅不拔的精神。一百年前在這裏完成的艱巨工程，是美國最優良傳統的表現，除了美國人之外，誰能在三十呎雪覆蓋之下鑽通十一條總長二十哩的隧道呢? 誰能鑿通一哩長的花崗岩呢? 誰能在十二小時之內鋪上十哩長的軌道，而在六年之內總共鋪了二千哩長的鐵路呢？"

　　他的這段話是不符歷史事實的。麥禮謙在他的這本著作中向我們展示：早於一八五〇年，美商計劃建築橫渡巴拿馬地頸的鐵路時，便曾在中國招募了八百名華工，但這些華工在瘧癘流行的工地操作，不久死亡殆盡。大規模僱用華工，是為了橫貫大陸的中央太平洋鐵路即美西由薩克拉門托（沙加緬度）到鹽湖城一段的建築工程。從一八六五年到一八六九年鐵路完成的數年間，共僱用了一萬二千到一萬四千名華工。他們沿途在極惡劣的條件下工作，估計大約有百分之十因水土不服或意外而死亡。自此以後，華工又建築了南太平洋和北太平洋鐵路橫貫南北大陸的西線部份，以及若干幹支線和地方性鐵路。

　　華人對美國農業、漁業和工業的發展所作的貢獻雖然沒有載入史冊，但也是不容抹殺的。在一八六〇年代中期開始，墾荒公司僱用大量華工開拓加州薩克拉門托——聖華金河三角洲地區，把四十二萬五千英畝的沼澤地變為良田。從一八七〇年代初期到一八九〇年代，華工還廣泛受僱在葡萄園、槐花園、果園、農場工作，他們對加州農業的發展，亦功不可沒。

　　同一時期，在加州從事羊毛織工、雪茄烟、製鞋和製衣業的華工幾乎佔百分之八十。加州的捕蝦業及鮑魚業，華人是始創者。今年年初，考古學家在舊金山市東北面沿海地帶，發現了一個"淘金熱"時期的中國漁村，並掘出了大批中國文物，證明華人對加州漁業的發展，功績是偉大的。

　　究竟中國人在建築鐵路和開墾荒地方面，對加州創造了多少財富？加州一位總測量工程師估計達二億八千九百萬美元。這在當年的確是一個驚人的數目！

三

　　麥禮謙曾經在不同的場合說過，居美華人是美國人民的一部份，美國是他們的家，他們的問題是美國的問題，他們的鬥爭，也是美國人民在蛻變中的美國社會的共同鬥爭。這是說，居美華人和美國人民一道，二百年來在共同鬥爭中創造了美國歷史，在今後的長遠歲月中，也將和美國人民一道，不斷地在鬥爭中改變美國社會。美國既是居美華人的家，就必須有當家作主的精神，以主人翁的身份投身於美國的政治主流中去。《從華僑到華人》一書即以此為"經"，從一七八○年代早期來美華人參與美國西部的拓展為起點，以華僑團體的形成及其作用，華僑經濟、文化、教育的發展為"緯"，透過大量史實闡述了美國華僑二百年的業績。在現有有關美國華僑近代史的著作中，能夠把耳聞目睹的事，有時間、有地點、有人物地寫出來，還不多見。麥禮謙作為三十年代到八十年代的歷史見證人，掌握了第一手材料。特別是美國華僑對抗日救亡運動、對家鄉建設、對家鄉教育等等所作的貢獻；對國共兩黨長期對美國華僑社會的影響；對中美恢復外交關係前後美國華僑社會的狀況與變化，他都有極深刻的體會與認識，所以寫來得心應手。這段時期所闡述的突出事例，其前因後果，社會反應等等，寫得亦較具體。這是本書的一大特點。

　　本書的另一個特點，是作者既寫華僑社會進步方面的問題，也寫對立面的情況，並客觀地分析了這些存在的歷史因素。例如，早期華僑會館的組織及屬下的善堂，是以所屬地區組成的。而秘密會社，即華僑通常稱做"堂號"，其成員則是那些被僑社的既得利益者所排擠或鄙棄的人物，有流氓、乞丐、妓女等。作者指出：這些組織和姓界、邑界團體對壘也意味着與華人上層社會支配者的商人階級的對抗。又如華僑洗衣工人組成的"西福堂"與洗衣業老闆組成的"東慶堂"的糾紛;加州華工合作會、紐約華人衣館聯合會等進步組織與華僑社會的保守勢力的抗爭;孫中山領導的革命黨與康有為、梁啟超領導的保皇會壁壘分明,處於敵對狀態;國民黨與華僑社會親大陸的團體及人士的對立面;華僑與美國司法部及移民局的鬥爭,等等。本書不僅闡述詳盡,而且見解獨特,立場鮮明。

四

　　華人社會是一個十分複雜的組合體。海峽兩岸的政治態勢對華人社會的影響是巨大的。美國華僑、華人,絕大多數都不願看到祖國長期分裂。因為這種分裂是造成我們社區不團結的重要因素。我們很高興地看到,目前海峽兩岸的人民正在通過探親訪問的渠道展開了對話,增加相互的了解。這是一個令人振奮的開始。就美國華僑、華人的切身利益而言,去異存同,共謀福利,確是我們面臨的一個挑戰。因為種種跡象顯示,美國一旦經濟不景,反對民權的勢力便更囂張,少數民族的權利就會遭到踐踏,反亞裔的逆流繼續滋長,對亞裔的騷擾、恐嚇和暴力行為就必然增加。華人爭取雙語教育,雙語選舉和雙語服務以及平等就業,每前進一步都遇到極大的阻力。據全國性的民意測驗顯示,每三個美國人當中有兩個人反對平等就業。由於政治上和經濟上不平等現象仍然普遍存在,表面看來種族歧視雖然沒有普遍惡化,但另一種形式的種族歧視則有冒頭之勢,比較明顯的是工作分配的變化。遠的不提,即就舊金山市長任命審計長人選來說,他拒絕提升已有三十五年工作經驗、原任副審計長、被稱譽為"審計活字典"的華裔鄺傳盛,卻選中一名白人就任該職。華人權益促進會批評市長此舉含有種族歧視成份。

　　可見,一個嚴峻的現實是,在美國總有一小撮人要維護白人

的所謂"優越感"。這些種族主義者把所有少數民族的任何合理
要求看作是對他們的一種"威脅"，他們便千方百計地、或明或
暗地阻撓少數民族爭取他們的應享權益。美國民權法案已經實施
了快二十五年了，平等就業機會是民權法案的重要組成部份，它
是為糾正美國長期對少數民族的不平等待遇而制定的一項措施。
但是，二十五年後的今天，少數民族在政治上和經濟上雖然獲得
了一些改善，但與白人相比，離真正的平等地位還差得很遠。

因此，反對種族主義，爭取公平待遇，仍然是這一代華人沉
重的任務。為了達到這個目的，華人積極參政是一條正確可行的
途徑。近年來，已有一部份華人帶頭朝這個方向作出了努力。吳
仙標、謝國翔等人便是突出的例子。華人要成為美國主流的一部
份還要經過長期的艱苦奮鬥，關鍵是我們華人社區要消除歧見，
不分左右，緊密團結一致，才能顯示華人參政的實力。

願這一天早日到來。是為序。

黄運基
寫於舊金山一九八八年除夕

自　序

在二十世紀八十年代，華人是美國境內一個佔全民人口比例不大的族裔羣體。但他們在美國卻已經有悠久的歷史，差不多與美國建國的同時，這片國土上就有他們的蹤迹。這兩百年來，華人不斷對美國社會有所貢獻，尤其是自十九世紀中葉以來，他們在一些領域上更起着重要的作用。例如在十九世紀華工是加州基本建設的主要勞動力；到了二十世紀，華人專業人員又是太空科技、電子計算機及其他先進科學領域研究的核心人才。另一方面，華人曾是種族主義的打擊對象。排華運動終於導致美國國會通過排華工法案，使美國從自由移民政策轉向以種族為準則的限制移民入境的政策。由此可見，美國華人歷史是美國民族發展史中不可缺少的重要一章。

《從華僑到華人》一書是根據上述論點用通史形式，廣泛採納文字和口述資料，以客觀立場敘述和分析美國華人二百多年來由僑寓到落地生根以至進入主流社會的錯綜複雜的過程。這歷史的發展可按照美國移民政策的變化而分為五個階段：

一、一八四九年以前：少量華人通過美中貿易抵達美國。

二、一八四九年至一八八二年：大量華工無限制入境，參加美西的開拓工作。

三、一八八二年至一九四三年：嚴厲限制華人入境；華人遭受次等種族的待遇。

四、一九四三年至一九六五年：撤銷排華移民法例及其他排華措施。

五、一九六五年至現在: 實行各族平等的移民政策。

本書內容包括華人由最早到美國的年代到二十世紀八十年代期間的歷史經驗。由於有關十九世紀華工的貢獻已經有多篇詳實的專著，毋庸贅述。所以，本書的論述重點是放在美國實施禁華工移民法例之後，現代美國華人社會形成過程，以及在政治、經濟、文化領域產生的人物、事件和現象。

值得注意的是在這期間，美國華人發展的方向雖然相當一致，但地方因素也起了影響作用，以致各地區華人社會有着不同的發展步伐和現象。這些地方因素也就形成美西、美東、美中、美南等華人社會發展的一些特點。不過，最顯著的還是夏威夷（即檀香山）與美國大陸華人社會之間的差異。本書在敘述華人社會發展歷史之同時，也盡可能列舉史實以示各地區的異同。不過，因為各地區華人史的研究剛在起步，所以很多地方也只能夠勾劃其輪廓而已。

著者的本職是工程師，對於史學研究只是業餘的嗜好。我與華人史研究搭上關係的淵源可以追溯到六十年代。當時在美國華裔中，中產階級的族裔自覺意識在黑人倡導的民權運動影響下正在迅速滋長。其中產生的一個要求就是加強對本族團的歷史傳統的重視。這樣，在一九六三年華人僑美歷史學會（後改名美國華人歷史學會）也就應運而生了。著者也在一九六五年加入該會，並啟發了我對美國華人史的重視。其後，一九六七年劉池光先生創辦《東西報》來表達華裔的心聲。這週報的總編輯黃運基是著者的多年朋友。不久，他就向著者提出為《東西報》撰寫一些有關美國華人史迹的稿件，以饗讀者。著者當時以缺乏治史和寫稿經驗為理由，還在猶豫不決，但在黃先生鼓勵下，終於毅然答應，開始踏上歷史研究的寫作道路。

一九六九年春，華人僑美歷史學者在舊金山召開《加州華人歷史講習會》。著者參加了籌備講習會的史料編撰工作，在三四個月時間內，與陳參盛、胡垣坤等完成編撰《加州華人史綱》一冊，部份內容是曾在《東西報》發表的文章加以補充而成的。同年，舊金山灣區的大學創辦美國最早的美亞裔研究學系。著者也先後被聘去舊金山州立大學和柏克萊加州大學講授《美國華人史》課程。這情況也促使著者在《東西報》文章和《加州華人史綱》基礎上更積極搜集史料，並對史料作深一層的分析。剛好在這期間至七十年代中期，著者經常有機會得到已故美國華人史學先進區寵賜先生的輔導，區君熟悉中西典籍，而又長於現代治史方法。在他的關鍵性影響下，我也漸摸索到治史的門路。

到一九八〇年，《哈佛美國族裔羣體百科全書》出版。其中選收拙著長約一萬五千字的特約稿。這時黃運基先生已經是舊金山《時代報》的經理兼總編輯。不久，他就要求著者在《時代報》用中文撰寫有關美國華人歷史的稿件。初時，筆者滿以爲將《百科全書》的文章譯成中文，就可以完成了這項任務，所以就以《美國華僑簡史》爲題在報章上連續發表。但刊登了幾期之後，著者卻感覺這些文章只有概括的叙述，"有骨無肉"，稍嫌史料不夠翔實，因此就決定採用在大學講課時期所編寫的講義稿，再作不少資料補充，而編撰成較具體詳盡的華人史，每週發表一次。不料這稿連載了四年多，共有二十多萬字，遠遠超過原用題目《簡史》的範圍了！

到一九八四年初，這稿件已經接近完成。著者當年到廣州渡春節。行前舊金山東風書店黃達經理提議著者將未完成的稿件交給香港三聯書店編輯部，探聽是否有出版單行本的可能。當時著者對這稿的出版，也沒有存着很高的期望，不料三聯書店編輯部卻給了一個肯定的承諾，並簽了合約。這時著者任職的工程承造公司已經顯示出業務衰退的跡象，於是乘機告假半年改稿，後來也就索性提前退休，以便集中精力於美國華人史的研究。

由於著者低估了這稿的改寫、補充和作注解所需的時間，所以延誤了脫稿日期，直到一九八九年底才全部完成。在修改期間，筆者得到多位朋友的熱情幫助，其中李永協和李士君兩位先生提供了不少寶貴意見；更得到張德建、陳北超、吳斌幾位先生和蕭國安先生及其夫人協助謄寫書稿；黃運基先生則賜序。最後還有內子張玉英，她多年來全力支持著者的研究工作，多方面奔走，從無怨言。

由此可見，此書得以面世還是要靠多方面人士的合作支持，因此著者特向這些友好致以衷心的謝意。不過，此書的論點有不詳盡和不正確之處，當然還是著者的責任。

著者是以社會發展觀點來看美國華人社會的發展。由於水平所限，疏忽謬誤實所難免，希望學者先進不吝指正。著者也希望這書能夠起拋磚引玉的作用，促使學術界先進編寫更完善、更高質量的一本美國華人史。

麥禮謙

一九八九年十二月六日

第一章　二十世紀前的美國華人

一、零星的先驅者

在二十世紀八十年代，華人是美國人口最多的亞裔族羣
（ethnic group）。同時，他們也是在美國歷史最悠久的亞裔族
羣之一。據一些學者考據的結論，華人在新大陸登岸，可能比哥
倫布早了一千年。這結論是根據中國七世紀著作《梁書》裏的一
段記載：「扶桑國者，齊永元元年（公元449年），其國有沙門慧
深來至荆州，說云：‘扶桑在大漢國東二萬餘里，地在中國之東，
其土多扶桑木，故以爲名。’」①

一七六一年，法國著名漢學家德金（Joseph De Guignes）
發表論文，認爲這段文字是叙述公元五世紀中國僧人渡過太平洋
到美洲的事迹。據德金的推斷，扶桑即美洲西部，現代墨西哥的
地方。這說法引起不少學者的注意，不過迄今由於還沒有找到一
些更確鑿的證據，所以未爲史學界普遍接納。但可靠的歐西文獻
卻肯定華人在美洲已經有超過四百年的歷史。他們的抵達與歐西
國家在亞洲和美洲擴展有很密切的關係。

先是，西班牙人在十六世紀初佔領菲律賓羣島，在那裏展開
與中國和東印度羣島的貿易。在一五六五年他們又開闢墨西哥和
菲島之間的航線，進行官辦貿易，每年由菲律賓東航歸墨西哥的
大帆船（galleons），船艙都滿載中國絲綢和遠東地區的珍貴工
藝品和貨物。船上經常僱用華人海員和技工，一些搭客又攜帶華

人僕從。抵達墨西哥後，這些華人往往會留下，在阿卡普爾科港從事造船或其他行業。在十七世紀，也有些漂泊到墨西哥城當理髮師。

到十八世紀末，美國和加拿大的東西兩岸也開始有華人蹤跡。在一七八一年可能已經有華人在西班牙統治下的上加利福尼亞（Alta California）地區的洛杉磯鎮謀生。但據美國檔案館的文獻，華人在美加最早停留的地方是美國東岸。他們來臨的媒介是美中貿易。這時候歐西各國正趕着與中國建立貿易關係。在一七八三年才獨立的美利堅合衆國也急不及待，在一七八四年即參加這行列，希望能夠分享這貿易的巨額利潤。

這年紐約商人集資派遣帆船"中國皇后號"（Empress of China）到廣州，開始美中直接貿易。翌年，一七八五年，美國船"帕勒斯號"（Pallas）由廣州回到美國東岸的巴爾的摩港。船上三十五名海員中有亞成，亞全和亞官（Ashing, Achun, Accun）三個人。他們就是現存記錄裏最早來美國的華人。②

數年後，華人又到加拿大西岸，在一七八八年，英國船長約翰・米爾斯（John Meares）在今英屬哥倫比亞省（粵人稱卑詩省）溫哥華島的諾特加海灣（Nootka Sound）設立貿易站，與當地印第安人進行獸皮交易。米爾斯船長帶來的人員包括華人海員和工匠五十名。③隨後的數十年，個別華人繼續到現在美國和加拿大的國境居住或作短暫的停留。一八一五年亞南（Ah Nam音譯）到上加利福尼亞省的蒙特雷鎮擔當德索拉（De Sola）總督的廚師，是現在加利福尼亞地區（以下簡稱加州）境內最早有記載的華人。個別華人也以僕從、商人、馬戲班成員、中文教師等身份到美國東部。不過由美國開國至一八五〇年，到美國大陸的華人只有五十人左右，對美國社會的影響微不足道。到十九世紀下半葉，美國西部的華人人口激增，才對這地區的經濟發展起重大作用。

華人初到加拿大西岸的期間，也是他們首次到夏威夷羣島的年代。上述米爾斯船長到諾特加海灣貿易站後，就安排一些隨從人員留駐這站，其餘人員，包括一部份華人，則啟程歸廣州。船的航線經過桑德威奇羣島（Sandwich Islands，今夏威夷羣島），在那裏作短暫的停泊。這是華人首次抵達這羣島的記載。翌年年底，美國商船"埃莉諾拉號"（Eleanora）在這羣島停泊渡冬，船上有華籍海員四十五名及美籍海員十名。這船在春季離開，但有一兩名華人卻留下，成為在夏威夷最早居留的華人。

　　約一七九〇年，英國船長開始採伐島上叢生的檀香木運到廣州兜售。到一八一〇年以後，檀香木已經成為由夏威夷大量載運到中國推銷的商品之一。中國人因此稱夏威夷為檀香山。

　　由於這羣島有太平洋北部的唯一良港，所以成為太平洋往來航行歐美船隻麕集下碇與土人進行貿易或渡冬憩息的場所。這期間繼續有華人海員或商賈留下在這裏，華人人口慢慢增加。到十九世紀二十年代中，檀香山已經有百多名華人經商，自辦絲綢，本色布，亞麻布衣，蓆子，絲絨鞋，摺扇，瓷器等中國貨品進口。較早的華人商店是"三盛號"。

　　不過，直到一八五三年，夏威夷羣島的華人人口仍然不及四百。華人對檀香山社會經濟有顯著的影響，還是屬於十九世紀下半葉的歷史了。

二、十九世紀中葉後的出洋潮

　　十九世紀中葉，美國墨西哥戰事剛結束，美國奪取了墨國半壁河山，包括今美西的亞利桑那、加利福尼亞、內華達、猶他等州全部土地，與及德克薩斯、科羅拉多、新墨西哥、懷俄明等州的部份地方。和約還未簽訂，美國人占姆士·馬歇爾（James W. Marshall）已經在加州亞美利堅河的支流尋獲塊金。這消息很快傳到世界各角落，轟動寰宇，數以萬計的人們被黃金夢的吸引湧入加州。

發現金礦的時候，很可能已經有少數華人在加州，但淘金熱卻推動更多華人動程到新大陸來。當時產金地區的主要入口港聖弗法蘭西斯科（華人稱金山，金山大埠，或三藩市）。由於美國加拿大西部地區都先後發現金藏，後來"金山"這名詞也有用來泛指美加兩國。十九世紀五十年代中又在澳洲發現金礦，為了識別這兩個地區，華人遂稱三藩市為"舊金山"，澳洲金產區的入口港墨爾本則稱為"新金山"。

十九世紀中葉以後來美國的華人，不過是這期間大量由中國廣東、福建兩省出洋到東南亞，大洋洲和美洲移民的一部份，中國國內和國際形勢的發展，也就是推動這大規模國際性民族移徙的主要因素。

十九世紀初，中國的滿清皇朝，已經趨向沒落。國內土地所有權日益集中，農民生活每下愈況。專制統治者貪污腐化，殘酷的壓榨使人民生活陷於水深火熱狀況，民間不滿現狀的情緒十分普遍。

與此同時，以英國為首的西方新興資本主義國家正向世界各地擴張，他們到中國進行貿易，受中國統治者多方面限制。因此他們有強烈的要求打開中國門戶，開闢市場。後來英國終於用炮艦外交手段強迫中國開放五口通商。跟着，西方列強加緊向中國進行政治、經濟和文化侵略，促使中國自然經濟和封建社會秩序崩潰。

專制皇朝在侵略者面前所顯示的昏庸、無能，更助長民間的不安情緒，推動羣眾揭竿起義，進行反抗行動。一八五一年，在華南爆發了大規模的太平天國起義，動搖了清朝的統治基礎。

太平天國革命所引起的政治動盪，上海、閩南的小刀會（一八五三年）和廣東的珠江三角洲、西江流域的三合會（一八五四至

4

一八六一年）相繼乘機發動了數次武裝起義，這情況也導致廣府與客家人之間發生尖銳的矛盾，促使珠江三角洲西南鶴山四邑等地區的土客鄉民在這期間（一八五四至一八六八年）發生殘酷的械鬥。這種政治動亂和經濟破產的局面，使很多人民不得不離鄉別井，另尋出路。

在十九世紀中葉，世界局勢亦發生了巨大變化；英國已經完成了工業革命，其他主要的西方國家亦正在工業化；越來越多的殖民地和其他經濟較落後的國家，被發展較先進的國家利用為供給原料的地區。與此同時，美國等新興國家亦在開拓他們的邊疆地區。所有這些活動，都極需大量的廉價勞動力，而中國破產農村的農民正好符合這需要。因此在十九世紀，尤其是由一八四七到一八八二年期間，約有二三百萬華人出洋到東南亞、大洋洲、南北美洲等地區。[①]

出洋的華人只有少數是商人或技工，絕大多數是閩粵兩省的農民。由於這地區很早就有海運貿易和對外的接觸，所以也提供了很多移民出洋所需要的中介關係。他們大部份人的目的地是東南亞，但由於香港和澳門都是國際港口，這也便利了珠江三角洲地區的人民可以移徙到更遙遠的澳洲，檀香山和美洲。因此來自這地區的移民散佈得最廣。在很多國家，他們成為中國人的典型形象。在很多外國人心目中，他們的風俗習慣，也就是中國文化的典範。

遠涉重洋到北美洲的華僑主要來自廣東省珠江三角洲一帶，以毗連三角洲西南潭江流域的四邑地區佔多數，但其他各縣亦有不少出洋到美國的鄉民。這些僑民主要操粵語方言，但也有小部份是客家方言或閩語系方言。

在十九世紀，小部份出洋的僑民可以自費或借貸所需盤費，而很多華工卻要靠中間人"協助"才能夠出國。所謂"協助"不外兩種方式：賒票制和契約勞工制。前者由華人經紀給華工預支盤費，待到達目的地之後，以勞力贖還所欠款項。這制度以東南亞、澳洲及北美洲較爲普遍。契約勞工則由西人經紀在通商口岸招募華人簽訂契約，到外國之後出賣勞力若干年，以償還所欠盤費。這制度以秘魯、古巴、夏威夷等地區最普遍。

以上兩個制度在執行過程中產生很多流弊，不少人在通商口岸被拐騙或被強迫上船出洋。他們到了外國之後，便被迫當勞工。華僑稱這制度，尤是契約勞工制及東南亞的賒票制，爲"賣豬仔"，是一個臭名昭著，慘無人道的制度。

在十九世紀五十年代初來到加州的一些華工是契約工人，但當時在加州具有相當人數及政治力量的小生產者卻意識到這變相奴隸制會威脅到他們的切身利益，提出強烈的反對。所以不久經紀們就轉而採用較折衷的賒票制度，先由經紀支出盤費，華工抵達目的地之後找到工作，經紀就扣除工資一部份償還所欠債項。不過在夏威夷，由於甘蔗園主需要廉價勞動力，所以在十九世紀五十年代以後，直到世紀末仍繼續執行契約勞工制。在七十年代，一些華商也用賒票方式到中國招募華工。

十九世紀五、六十年代來夏威夷和北美洲的華人，一般是乘歐美僱主的大帆船遠渡重洋。不過據一些口傳的家史，也有少數人乘中國式的"大眼雞"冒險橫渡太平洋。⑤在這些配備簡陋的船隻，乘客要捱受九個星期到三個月的折磨，困在擠迫的船艙裏，經歷顛簸的長途航程才抵達目的地。六十年代末，速度較高的輪船代替了帆船，旅程所需時間才稍爲縮短。

三、美國大陸的華人

(一)開礦淘金走遍美西

加州未發現金藏以前就已經有華人經商，但直到一八五〇年，淘金的華人人數仍然很少。當時在加州有五萬八千名淘金者之中，華人不過佔五百名左右。但到一八五一年，由於一些華商開始擔當移民經紀，方便了華人出洋，入境的華人激增。他們源源湧入金礦區，很快就惹起白種人的排外情緒，不久，在白人壓力之下，加州州議會在一八五二年重新通過"外籍礦工賦稅法案"，目的是限制華人採金活動。(按：這法案在一八五○年曾一度實施，但當時的主要對象是墨西哥人。)

直到一八七○年，由於這法律與美國憲法有抵觸，所以宣佈作廢。但在這法律有效執行的期間，華人繳納的稅款幾乎達五百萬元，佔加州這期間總稅收入的一半。在淘金熱高潮期間華人礦工又經常被白人排擠，很多地區禁止華人開採富饒的礦藏，有些地區甚至驅逐華人礦工，當地暴徒無賴也乘機欺凌殘害華人。

華人雖然遭受這種不友善的待遇，但當美洲西部相繼發現新的金礦坑，華人仍然紛紛湧到這些新礦區。這包括內華達（十九世紀五十年代中期），俄勒岡西南部（五十年代中期），英屬哥倫比亞（五十年代後期），哥倫比亞河流域上游（六十年代早期），愛達荷和俄勒岡東北部(六十年代中期)，蒙大拿(六十年代中期)，科羅拉多（七十年代早期），甚至遠至南達科他的布萊克山（七十年代中期)。這樣，華人就散佈到美國西北和加拿大西岸的礦區。當時這些地區還是未曾開拓的、荒蕪的深山野嶺或不毛之地。在那裏華人礦工不但要和殘酷的大自然搏鬥，而且在一些地區還要提防土著印第安人的襲擊。

美西各礦區對待華人的歧視態度一般都傚尤加州，但當一些地區易採的金藏將近告竭，白人礦主每每就放棄礦地或轉售給華人。白人離開了，華人則還在當地繼續淘金活動，所以到十九世紀七十年代，在這些舊礦區的華人礦工就已經佔很高的百分比。據美國聯邦一八七○年人口統計，美西五個州及準州共有一萬七千零六十七名華人礦工，佔總數的百分之二十七點五。其中在俄勒岡及愛達荷的百分比高達百分之六十一點二及五十八點五，在加州也佔礦工的四分之一。

(二)開發美西發展經濟

當大部份人還在美西荒野中追逐黃金夢，一些企業家卻已經開始籌劃開發加州的豐富資源，也有人倡議中國破產農村的農民可以提供這艱巨開荒工作所需要的勞動力。

當時太平洋海岸地區距離人口稠密、經濟發達的美國東部數千英里，又被重重崇山峻嶺，廣漠平原所隔絕；要促進美東美西物資交流的發展，就必須克服這些天險的障礙。一些投資者早已倡議興建鐵路連接東西兩岸。當時主要目的是促進美中貿易的發展，及至加州加入美國版圖，這鐵路的完成更成為促進加州經濟發展的先決條件。

到十九世紀六十年代，由於美國南北戰爭戰略上的需要，促使美國聯邦政府在一八六二年通過法案鼓勵私營企業投資，興建由美中到加州的鐵路。從加州薩克拉門托市（Sacramento，粵人稱沙加緬度或二埠）向東建築的一段則由"中央太平洋鐵路公司"（Central Pacific Railroad Co.）負責。由於當時美西勞動力短缺，三年後，西段的施工還沒有顯著的進展，鐵路公司迫於無奈，不得不試用華工。不久，他們就成為築路的主要勞動隊伍了。

僱用華工築鐵路並不是一個新穎的提議，早在一八五○年，美商興建橫渡巴拿馬地峽的鐵路，曾招募八百多華工參加築路工作。一八五五年，舊金山傳教士辦的《東涯新錄》也倡議僱用華工建築橫貫美洲大陸的鐵路。⑥一八五八年前後，有些公司也開始僱用少數華工建築地方鐵路。⑦但"中央太平洋鐵路公司"還是第一個大規模僱用華工的企業。從一八六五年到一八六九年四年間，約有一萬四千多名華工參加由薩克拉門托市到鹽湖的築路工作，他們歷盡嚴冬的風雪和酷暑的炎熱，與大自然搏鬥，終於戰勝了大自然的挑戰。一八六九年五月十日中央太平洋鐵路在猶他州鹽湖附近的普羅蒙特里波因特（Promontory Point）和從東部而來的"聯合太平洋公司"的鐵軌啣接，將美國的東西岸連接起來。

華工的辛勤勞動，使這偉大的工程勝利完成。他們付出很大的代價。由於疾病，或在工地遇到意外而死亡的工人佔一成以上。但在鐵路公司心目中，華工不過是僱傭的廉價工具，所以沒有一個華人被邀請參加接軌通車的典禮。慶功的歌頌演辭也很少提及華工的汗馬功勞。但鐵路公司卻認識到華工對他們有利，這工程結束後，鐵路公司就繼續招募大量華工參加由"南太平洋鐵路公司"（Southern Pacific Railroad Co.）和"北太平洋鐵路公司"（Northern Pacific Railroad Co.）分別舉辦的美國西段鐵路建築工程。在美國南方和北方橫貫美洲大陸其他支幹線和地方性的鐵路建設，也僱用了華工。其後在八十年代，連接加拿大東西部的加拿大太平洋鐵路（Canadian Pacific Railroad）建築工程，也從美國招募熟練築路華工到英屬哥倫比亞擔當鋪軌工作。⑧這些工程完成之後，大部份華工在工地被解僱，因而他們也就留下在沿路地區謀生。這樣華人散佈到美國西北和西南鐵路沿線的市鎮，有些又利用這新交通線而移徙到美中和美東的大都市謀生。

橫貫大陸的鐵路完成後，美西產品可以迅速運到美東市場，同時也方便了美東人民移徙到美西。這些因素促進美國西部的經濟發展，尤其是加州。早在鐵路未竣工之前，美國政府在一八六八年和中國簽訂蒲安臣條約，容許華人大量移民來美，這樣，缺乏勞動力的美國西部，可以有充分勞動力的供應。所以到十九世紀七十年代，來美國的華人人數激增。由一八六八年到美國國會通過禁華工法案的一八八二年，約有二十萬華人移居美國，（其中包括部份曾回中國探親而重來美國的"舊客"）。這些華人主要集中在加州，佔當地人口約百分之九，且大部份是勞工。

華人的勞動力對於發展在加州經濟佔重要地位的農業是起一

個決定性的作用。早在十九世紀六十年代中葉，加州墾荒公司就用華工開拓薩克拉門托河和聖華金河（San Joaquin River）三角洲，把沼澤改造爲良田。從七十年代到九十年代加州的莊園農場普遍大量僱用華工擔當農場耕作和收割工作。另外一些華人卻當佃農，主要種植瓜菜供銷於市場。所以，這期間華人瓜菜小販在美西各市鎮觸目皆是。

華人由中國農村帶來豐富的農作經驗和技術知識，對加州農業的發展貢獻良多，但不多見錄於史冊。從一些零星資料可以知道他們的勞動使糖蒿菜，柑橙，芹菜成爲加州的重要經濟作物。每年在市場上暢銷的炳氏櫻桃（Bing Cherry）也是十九世紀七十年代俄勒岡州米爾沃基（Milwaukie）果園主西夫・盧威爾靈（Seth Lewelling）的工頭亞炳（Ah Bing音譯）最先所栽植的。⑨華人多方面參加開發美西的資源。他們被僱在北加州的汞礦，猶他準州、懷俄明準州和華盛頓準州的一些煤礦，以及加州、內華達州和俄勒岡的硼砂田從事開採工作。他們又在漁業的發展扮演重要的角色。捕蝦（在加州和路易斯安那州）和採鮑魚（在太平洋沿岸）都是華人始創而長期專利的高產值行業。此外，在美國西北部，英屬哥倫比亞和阿拉斯加準州，華工是鮭魚罐頭廠不可缺少的勞動力。

六十年代前後，在加州的大都市，尤其是舊金山，華工又成爲羊毛織造、捲雪茄烟、製造皮鞋、皮靴、拖鞋和縫紉等行業的主要勞動力，使這些工業的產品可以在市場上和美東大工廠的產品競爭。此外，也有很多華人在都市或鄉鎮從事洗衣行業或任廚師和僕役。

在十九世紀的後半葉，加州華人人口從未超過加州總人口的一成，但大部份華人都是靠勞力謀生，所以華人卻佔加州勞工的五分之一至四分之一。這是促進美西，尤其是加州經濟發展的一個重要因素。

白人僱主是通過華人承辦人或工頭來僱用華工的。承辦人或工頭通常跟僱主預先議定這項工作的報酬，然後他們就以廉價招募同胞。這包工制度又名"華人契約制度"（Chinese Contract System），後來在加州被廣泛採用來僱聘日本、菲律賓、墨西哥移民擔當農場或罐頭廠裏一些季節性的工作。

華工一般遭受殘酷的剝削，報酬低，而工作條件差，不過他們也並不是無限度忍受這種待遇，例如在一八六七年，中央太平洋鐵路兩千多名華工為了要求得到和白人同等的待遇曾舉行罷工。不過他們得不到白種工人的支持，所以在一個星期後罷工便失敗了。⑩加州農場工人也常在收穫季節期間停止工作要求加薪。⑪在城市的工廠裏的華工又組織行會來保障本身利益。

可是，華人在美國是少數族團，而族裔間的隔閡妨礙了他們與廣大白人勞工階級的關係，彼此不能同舟共濟。因此，他們雖然曾為改善自身的境況而鬥爭，但成效不大。結果華人仍然是被僱主剝削的廉價勞工。

(三)散佈到美南及美東

美南一些莊園主目睹華工在加州所起的重要作用，也有意倣尤。在一八六九年，美南莊園主和企業家曾在田納西州孟菲斯市集會，倡議僱用華工代替解放了的黑奴。跟着，路易斯安那州，阿肯色州和密西西比的莊園主由中國和加州招募了數百名華工。在一八六九年和一八七○年，休士頓與德克薩斯中央鐵路（Houston & Texas Central Railroad）和亞拉巴馬與查塔努加鐵路（Alabama & Chattanooga Railroad）的建築工程又僱用了千多名華工。喬治亞州奧古斯塔（Augusta）在一八七三年則僱用二百名華工開鑿運河。但這些地區遠離西岸，而運送華工來美南的費用也頗鉅，同時華工亦不是如僱主想像中那麼馴服，所以幾年後便中止僱用。不過有小部份華工卻留在當地謀生。

與此同時，華工也來到美東。在一八七○年馬薩諸塞州北亞當姆斯市（North Adams），新澤西州貝利維爾市（Belleville），以及在一八七二年賓夕法尼亞州的比弗福爾斯市（Beaver Falls）相繼發生工潮，老闆就從美西招募華工，來對付白人工會。但到七十年代中，美國發生經濟恐慌，美東出現大批失業工人，工會力量遭受嚴重的打擊，以致僱用華工的要求不久也隨之消失了。

在這期間，華人也有到美中、美東和美南營商或開辦洗衣館。但直到十九世紀八十年代，在這廣大地區的華人人口仍然很少，只佔美國大陸華人人口的百分之三點二，對當地經濟發展所起的作用不及美西華人那麼顯著。但華人這些為找尋謀生機會而遷徙的行動，卻使他們散佈全美各地。到一八九○年，美國各州和準州都有華人的蹤迹了。

（四）華人社會的結構

華商比華工更早來到加州。加州還未發現金礦之前，舊金山已經有華人經商，但由於當時舊金山還是一個偏僻小鎮，故此商業不很發達。到了淘金時期，加州人口激增，經濟迅速發展，華商的業務才飛躍擴展。

十九世紀五十年代，大量華工開始湧入加州，他們雖然身處異地，但卻盡量保持中國的傳統生活方式，所以成為"唐山貨"的市場，因而保證這種商店的業務得以發展。

進出口商在加州最大的港口舊金山設雜貨店（general merchandise store），但業務卻不限於舊金山一帶。他們在廣州、香港等地設有聯號。同時又以舊金山為樞紐，和美洲各地華人雜貨店組織成幅員極廣的貿易網。這撮為數不多的商號是十九世紀獲利最厚的華人企業，這些商人構成華人社會裏的富有階層。據舊金山稅局一八七五年資料，佔全市華人業主總數百分之六點二的二十家商號擁有的地產，佔全市華人地產的百分之三十五點四。

而這二十家商號之中，就有十八家是經營進出口貿易的商號。據當時一些觀察家所指，大商號的估值大約會在十萬至二十萬美元之間。

這些商人在美國商場也很活躍。在一八七六年舊金山商人交易所（San Francisco Merchants Exchange）就有七名華人經紀和二十四個華人商號參加爲會員。這些華人在同業之間享有良好的信譽，他們經常進行數十萬美元的交易。據估計，到一八七六年爲止，單與加利福尼亞銀行的交易總數就已經達一百萬至一百五十萬美元了。[12]

在蓬勃發展的加州社會，華人可以盈利的範圍不僅限於商品交易，商人也很靈活應其所需，提供各種服務項目，從中獲利。十九世紀五十年代初，華人開始大量來美，一些華商租賃或購買船隻載華客橫渡太平洋。接着，由於加州經濟的發展需要大量勞動力，一些商人就招募勞工承包各種工作項目，如建築石牆、河堤、鐵路、裝鮭魚和蔬菜入罐以及收割農作物等。大部份承包活動是由華人商店或經紀辦理的，一些承包商不僅供應附近僱主，而且跑到很遠的地區去推廣業務。一八六六年舊金山的"衛元"號（Ware, Yune & Co. 音譯）曾派代表到路易斯安那州調查引進華工到美南的可能性。一八六九年"聯和"店和"濟隆"店又派員到美中、美東考察承包市場。到一八七〇年，舊金山的廣昌榮號和美東皮鞋廠老闆簽合約遣送七十五名華工到馬薩諸塞州的北亞當姆斯鎭工作三年。但如前文所叙，美東、美南的華工承包業務由於各種原因，不久就停頓了。

另一方面，承包業務也超越國界。一八八〇年加拿大太平洋鐵路開始興建，鐵路公司就到波特蘭招募老練的築路華工。後來波特蘭的華工承包商李天沛（新寧縣人）移徙到加拿大維多利亞設立"聯昌公司"，才開始到香港招募工人。在一八八五年，舊金山華人衛滋德（新寧縣人）組織"榮華公司"，與美商訂合同，招募美國、加拿大華工二百四十名南下墨西哥。抵達後，大部份人充當礦工。一八八九年，華人經紀又爲墨西哥鐵路公司招募千名華工。⑬總而言之，當北美洲需要大量勞工從事基本建設的時候，承包商就生意興隆了。

其後，加州輕工業開始發展，華人亦相繼投資。到六十年代，華人經營的捲雪茄烟、縫紉服裝和製造拖鞋的工場相繼在舊金山出現。到七十年代，很多白人廠商在排華分子的壓力下解僱了大量華工。這些失業工人構成華人企業家可以僱用的勞動後備隊伍，所以，在這期間華資又投入製造皮靴皮鞋行業。當時華資的捲雪茄烟和製造拖鞋及廉價皮鞋的工場在舊金山還佔了多數。這些工場絕大部份都是僱用幾名至三四十名工人的中小型企業。這樣，一部份華人資金已經開始由商業轉向產業投資，一個華人資產階級開始萌芽了。

可是，華人的產業資本卻不能夠在加州得到正常發展。加州在這一時期已經形成一個經濟實力充裕且有政治勢力的白人資產階級，而這階級早已經支配了整個社會的主要企業。人數較少而資本有限的新興華人企業家唯有投資一些在加州經濟中只佔次要地位的行業而已。這些投資對象一般是不需要固定的巨額資本，對工人技術水平的要求不高，而又可以僱用大量廉價勞動力的輕工業。同時，加州在七十年代的排華氣氛也給華人企業發展造成不少阻力。他們往往要用西人名字作商標來掩飾，才能夠在市場上推銷產品。⑭初期，華人企業家的艱苦經營，在當時同類工業的總生產量中，佔着重要地位，可是到了十九世紀末，由於美東成本較低的產品輸入而奪取了美西市場之後，這些工業也隨着在美西衰落而淘汰了。

商業資本家在華人經濟裏仍繼續佔着重要地位。華人進出口商店的主要市場是美國華人，故此，排華運動的杯葛措施對這些商店的營業影響較輕。所以當華人產業資本家受到打擊時，這些進出口商一時能夠經營如常，而且還加强了他們對產業資本家之間相對的經濟優勢。由於這些商店的市場特質，造成了他們有限度的發展，所以，只有小部份利潤用作爲擴張業務，其他大部份所得均滙回中國去了。其後，排華移民法案的實施，使華人市場更爲縮小，而這些商店的業務也隨之衰落。

華人社會裏地位最低而人數最多的是工人。他們所得的待遇比白種工人更差更低，報酬通常大約爲每天一美元。華工的貧苦生活，和前述上層社會的富裕商人相比，可謂有天壤之別。

華工是排華運動打擊的對象，所以到十九世紀八十年代以後，他們謀生的出路越來越窄。當時美西的基本建設階段也接近結束，而與這方面有關的工作日益減少。與此同時，華人經營的工業又走向下坡。在這情況下，華工的唯一出路是投身一些白人不願意加入的服務行業，如家庭僕役、洗衣等。

與工人同處在社會低層的，亦有着一羣不從事生產的游民流氓。這階層跟男女懸殊的畸形華人社會所產生的嫖、賭、烟等社會陋習有着密切的關係。一些人當保鏢、打手或刺客；有不少也經常從事勒索敲詐和恫嚇甚至殺害同胞的犯罪行爲。當華人社會在十九世紀八九十年代被排華運動圍攻的時候，這些流氓的不法活動也達到了高峯。這些事件往往就被排華分子渲柒誇大作爲反華宣傳資料。

介乎大商家和工人之間的是一些從事個人經營或合股經營的小生產者。這是在淘金業、漁業、農業、洗衣業中很普遍的經營形式。這些人自食其力，辛勤勞動。但其所得的報酬亦只可說是比工人多一點兒罷了。而一些工匠和專業人員卻有較高的收入，最高的是中醫和傳譯員（粵人稱爲“出番”或“通事”）。在十九世紀華人社會裏流行中醫中藥，所以各地的華埠一般會設有藥材店，通常也延聘草藥醫生懸壺候診。此外，一些自設唐番醫館接診病人的中醫卻有更可觀的收入。梁啟超的《新大陸遊記節錄》

對這些醫師曾有這樣的評述:

> ……西人性質有大奇不可解者……莫如嗜用華醫。華醫在美洲起家
> 至十餘萬以上者, 前後殆百數十人, 現諸大市殆無不有著名華醫二三
> 焉……（美洲華醫）所用皆中國草藥, 以值百數十錢之藥品, 售價至一
> 金或十金不等。而其門如市, 應接不暇, 咄咄怪事……

最著名的唐番醫館是舊金山的黎普泰（Li Po Tai, 順德縣人）
所設。這醫生每年診金的收入估計達七萬五千多美元, 是華人社
會裏殷富之一。據一八七五年舊金山稅務局華人動產估值的名單,
黎普泰就名列第十三位, 和一些唐山雜貨店並駕齊驅。他的外甥
譚富園（Tom Foo Yuen, 順德縣人）也是洛杉磯的著名中醫。

"通事"也屬於十九世紀美國華人社會的中上階層。十九世
紀華人大部份不諳英語, 不熟悉美國社會制度。"通事"卻能夠
幫助商店發展業務或為社團保障法律上應有的權益, 所以這些人
在華人社會裏有着一定的影響力。他們的社會地位及作用大致上
與中國十九世紀的買辦相類似。例如曾是香港馬禮遜學校學生的
李根（Lee Kan, 香山縣人）, 在一八五二年來美國之後, 就先
後做過報館編輯、經紀、翻譯員、銀行"通事"和商人。同一期
間來美的唐廷植⑮（Tong K. Achick, 即唐茂枝, 香山縣人, 後
來回中國成為怡和洋行的買辦）曾是陽和會館的"通事"。一八
五二年加州州長比格勒（Bigler）發表咨文倡議排斥華人入境,
唐廷植就在報紙發表公開信, 並親自謁見州長為華人申辯。他又
為州政府將外籍礦工賦稅法例譯為中文。另一名著名的傳譯員是
梅振文（Moy Jin Mun）, 他在一八六一年來美國, 在教會學習
英文, 後來為鐵路公司招募華工。到七十年代, 他在舊金山定居,
一八八四年被委任為聯邦政府第一名法定華人傳譯員。他是華人
社團中一名有影響力的領導人物。⑯此外, 美國主流社會的公司
也找這些懂英語和美國社會制度的華人幫助發展華人業務。所以,
有華人顧客的銀行和企業, 都設有華務部, 僱聘華人擔當職任。

例如在一八九四年，太平洋電話公司就委任盧金蘇（Loo Kum Shu，番禺縣人）為華埠代理。他管理的"差拿電話局"（China Exchange）是美國唯一僱用粵英語接線員的電話局。

在十九世紀，中醫、"通事"和華務代理人都是收入比較豐裕的，他們往往將積蓄的資金投入工商業，成為華人資產階級成員。

四、發展夏威夷經濟

華人在十九世紀夏威夷的經濟建設所起的作用也不遜於他們在美國大陸的表現。在十八世紀末至十九世紀初，夏威夷是一個仍保持濃厚氏族社會遺風的封建制土人王國，生產力很低，物資交流不發達。但由於這羣島是北太平洋的交通要衝，所以成為歐美航行太平洋船隻必須停泊的港口。歐美傳教士，商人和其他外國人也乘機到這裏定居活動。這些因素推動了夏威夷走向資本主義道路，刺激了工商業的發展。在這過程華人也扮演重要的角色。

十九世紀初，在夏威夷已有很茂盛的野生蔗叢。據說在一八〇二年一名華人帶來石磨和汽甑，在蘭奈伊島設工場榨蔗產糖，首創夏威夷的蔗糖業。直到十九世紀中葉，華人師傅相繼在各島製糖。不過夏威夷還是一個經濟未開發的地區，市場的承受能力有限，所以蔗糖產量在這期間沒有很大的增長。初期，華人在製糖業還能夠有些作為，但到十九世紀中葉之後，夏威夷蔗糖業大幅度發展，有政治勢力為後盾和擁有雄厚資本的白人莊園主在夏威夷蔗糖業中佔了上風。華人製糖業遭受排擠而終於被淘汰了。在十九世紀，華人在夏威夷蔗糖業稍有成就的只有陳芳（Chun Afong，香山縣人）一個，他創設了佩佩凱奧蔗園（Pepeekeo Sugar Plantation，粵人稱庇庇嬌糖榨），資產估值超過百萬美元。

華人在夏威夷蔗糖業最大的貢獻還是他們的勞動力。早在十九世紀三十年代白人莊園主已經僱用少數華工從事榨糖工作。到十九世紀中葉，美國西部人口激增，爲夏威夷蔗糖開闢市場，促使蔗園主要求增加產量。但當時夏威夷土人人口已經銳減，而且他們一般也不大願意在莊園裏被人驅使工作。這樣就造成莊園裏勞動力短缺，阻礙蔗糖業的迅速發展，於是夏威夷皇家農業協會（Royal Hawaiian Agricultural Society）和船長約翰・卡斯（John Cass）簽訂合同招募契約工人。於一八五二年他的船"特蒂斯號"（Thetis）由廈門載華工一百九十五人回火奴魯魯，上岸後就安排到蔗園裏工作。這是契約華工到夏威夷的開始。同年，這船長再載來九十八名華工。但由於銷售蔗糖的利潤不如期望，蔗園的擴張速度轉緩，招募契約華工的活動也停頓了。由一八五三至一八六四年，到檀香山（即夏威夷）的華人也不過是四百一十一名而已。

到十九世紀六十年代，美國發生南北戰爭，糖的價格在三年內漲了五倍。一八七五年夏威夷王國與美國簽訂互惠條約，夏威夷產的糖得以免稅入美境，故此蔗糖業又恢復發展，莊園主就派人到珠江三角洲招募華工，由香港"和興"號代理。此後，華工源源入境，到八十年代，成爲蔗園及榨糖的主要勞動力。在一八九七年最高峯時期，就有八千多人。

華工在莊園裏待遇很差，常遭受莊園主、管工的鞭撻苛待，他們也相對作出請願或暴動的反抗行爲。但亦有很多華工設法脫離莊園，走投當時已經在鄉村或市鎮裏定居的同胞。因此到九十年代，白人莊園主已開始放棄僱用華工而改用日本人了。

除了在經濟上佔最重要地位的糖業是由白人所控制之外，華人在夏威夷農業的其他各方面，卻扮演很重要的角色。

華人到夏威夷不久，就開始種植水稻。最初的農夫可能是契約滿期而脫離了蔗園的華工。在十九世紀後半期，由於檀島及美國大陸太平洋沿岸的華人人口增加，夏威夷出產的稻米有市場，刺激了水稻生產的發展。不久產值已佔夏威夷農產品的第二位，在一九〇〇全盛時期，稻米的產量高達五千四百萬磅，農忙時僱用五千多名工人。這行業從開始至二十世紀二十年代衰落為止（由於美國大陸開始出現大量成本較低的稻米），一直是由華人所控制。主要的產米地區是考愛島（粵人稱道威島）（Kauai）和瓦湖島（粵人稱柯湖島）（Oahu）。後者的稻米產量佔全檀香山總產量的約三分之二。

華人以米業著名的有唐舉，號稱米業大王。他在一八六九年和盧岳、梁南、林社根、林清華等人合股創設昇昌公司（Sing Chong Co.），是夏威夷最大的米業公司。這企業所產佔夏威夷米產量的半數，耕地有四千多英畝。其他較大的水稻農場的面積，平均只有一百至三百英畝而已。

除水稻之外，十九世紀夏威夷華人曾大量種植出產蕉、芋、咖啡、烟草、蔬菜、木耳、豬肉、牛奶、以及水產等農副產品以供應市場的需要。

由於這羣島的氣候酷似珠江三角洲，所以華人又由廣東傳入不少花、果、蔬菜良種，例如荔枝（一說是陳芳傳入）、龍眼（一說是盧岳傳入）、白花檸檬、柚、柿、桃、沙梨、菱角、檳榔芋、蓮藕、馬蹄、沙葛、甕菜、莧菜、米穗蘭、白蘭花、水仙花、夜來香、金銀花、茉莉花、玉繡球等，使夏威夷的植物花果品種更為豐富。

隨着夏威夷經濟的發展對物資供應的要求也不斷提高。當時夏威夷的白人人口佔少數，土人又缺乏經營工商業的經驗，華人就把握時機進入這些行業，發展生產，促進物資交流，成為夏威夷新興中產階級的一部份。由一八六六年至一八八九年，火奴魯魯的商業飛躍發展。這期間政府發出的零沽許可證增加三倍，但領這些許可證的華人卻增加七倍，由不及總數的百分之三十上升到超過百分之六十。這時候華人差不多壟斷了餐館、屠場、食品等行業。土人日常食品如魚、芋、芋漿等也是多由華人的營業所提供。

這樣華人資產階級的雛型在夏威夷逐步形成，他們的社會地位會比美國大陸同胞更穩固，他們所奠定的基礎就促使夏威夷華人在二十世紀有了更進一步的發展。

注釋:

① 《諸夷列傳》，見姚思廉《梁書》，卷54。

② Thomas La Fargue, "Some Early Visitors to the United States," 見《天下月刊》（1940年12月—1941年1月）第128—第139頁。

③ George I. Quimby, "Culture Contact on the Northwest Coast (1785—1795)," 見《美國人類學者》新第50卷第2期（1948年4—6月），第247—255頁。

④ 出洋華人人數缺乏精確的統計數字，據陳澤憲在19世紀有235萬華工出洋到世界各地，其中東南亞地區佔154.5萬，美洲58.6萬，澳洲及新西蘭7.8萬，夏威夷3萬（《19世紀盛行的的契約華工制》，見《歷史研究》1963年第1期，第161—179頁），如加入非工人身份的移民（商人，專業人員，婦孺等），這數字應會更高。

⑤ 據老土生許喬治（George Hee 音譯）口述，1967年5月27日。他的父親約在1851—1852年間，由中國香山縣乘中國帆船航行到美國。當時有7隻船出發，但只有兩隻船到達加州，一隻在門多西諾（Mendocino）縣海岸下碇，另一隻到了蒙特雷。

⑥ 見《東涯新錄》，1955年1月4日。

⑦ 見《薩克拉門托聯合報》，1958年6月15日。

⑧ 據《薩克拉門托記者報》，1870年6月30日，在29日載約1200名華工遺骸的火車經過該市，準備運送回中國安葬。

⑨ Thomas C. McClintock, "Henderson Luelling, Seth Lewelling and the Birth of the Pacific Coast Fruit Industry", 見《俄勒岡歷史季刊》第48卷第2期（1967年6月）第153—174頁。

⑩ 見《舊金山商業先驅及市場評論報》，1867年7月10日。

⑪ 《太平洋農村新聞報》，1872年11月9日以及《聖海倫娜星報》，1887年9月20日都載有當地農工與白人僱主勞資糾紛的消息。

⑫ Linda Pomerantz, "The Chinese Bourgeoisie and the Anti-Chinese Movement in the United States, 1850—1905", 見《美亞雜誌》，第11卷第1期（1984年春/夏），第1—34頁。

⑬ 《墨西哥華僑營業情形》，見《大同日報》，1922年9月19、20、21、22日; Wu Paak-shing, "China's Diplomatic Relations With Mexico," 見《中國季刊》（*China Quarterly*）第3卷第3期（1939年夏季），第1—21頁。

⑭ 華人雪茄烟公司往往採用西班牙文名字，如 Cabanes & Co., Ramirez & Co. 等，見 Langley《舊金山指南》（1875年）第793頁。在19世紀90年代馮正初開辦 F. C. Peters & Co. 皮鞋廠，見陳參盛、麥禮謙、胡垣坤合編，*A History of the Chinese in California, A Syllabus*（舊金山，美國華人歷史學會，1969年），第52頁。

⑮ 李根及唐廷植都是馬禮遜學堂的學生，《馬禮遜教育會報告》，見《中國叢報》（*China Repository*）第12卷620—630頁。唐廷植是唐廷樞（唐景星）的長兄。

⑯ 見《華美週刊》，1936年5月15日。

美西地區的華人菜販普遍得到家庭主婦的歡迎
（圖片來源：加州大學美亞裔研究系圖書館收
藏）

十九世紀華工參與興建中央太平洋鐵路的一景
（圖片來源：美國南太平洋公司收藏）

十九世紀舊金山的縫紉工人（圖片來源：麥禮
謙收藏）

十九世紀加州華裔漁民（圖片來源：加州大學
美亞裔研究系圖書館收藏）

一九〇〇年在夏威夷蔗園勞動的契約華工（圖
片來源：夏威夷州檔案館收藏）

二十世紀籌建新寧鐵路的西雅圖華
商陳宜禧（圖片來源：麥禮謙收藏）

第二章　華人社會體系的確立

一、華人社會的特徵

十九世紀後半期，華人大量移民到海外，人地生疏，舉目無親，語言隔閡。心理上、社會上和經濟上的需要促使他們集體聚居，許多城鎮出現華人區（Chinatown，又稱華埠、唐人街或唐人埠）。在這裏華人設有華人商業機構和團體組織，其中歷史最悠久的華埠是設在華人出入境的口岸舊金山，在五十年代初已經形成，時人稱為"小中國"。這華人區是公認的美國華人經濟、政治和文化中心。

十九世紀五十年代，及以後美西金礦區很多市鎮都出現華人區。在六十至八十年代，美西建築鐵路網各線完成之後，不少華人在鐵路沿線農村市鎮留下謀生，形成當地華埠。同一期間，華人也開始移徙到美中、美東，紐約、波士頓、費城、芝加哥等大都市都先後出現華埠的雛型。在太平洋的夏威夷羣島（即檀香山），十九世紀五十年代的火奴魯魯（當地華人稱檀山正埠）也形成華人較集中的地區，後來就發展成為華埠。不過，夏威夷的種族矛盾沒有美國大陸那麼尖銳，種族之間的隔離現象也沒有大陸那麼嚴重，所以火奴魯魯的華埠基本上是一個多種族雜居的區域。在十九世紀八十年代，華人也只不過佔這地區居民大約四成。

十九世紀的美國華人，大部份來自中國的農村，他們有濃厚的地方和家族觀念，移民在一個地區立足，就設法將鄉親遷徙到同一地區謀生。經過一個時期，這種連鎖式互相提攜的移民形式就形成同鄉在同一地區居留的現象。例如在二十世紀初，加州休松鎮（Suisun，粵人稱蘇宣）附近的華農多是中山縣隆都人，但加州漢福特鎮（Hanford，粵人稱軒活）卻特別多番禺縣人。同樣，芝加哥有眾多台山縣梅姓梓里，但亞利桑那州菲尼克斯（Phoenix，粵人稱斐匿或鳳凰城）的華人社會卻是開平縣鄺姓的天下。同一因素推動較多四邑人移徙到美國大陸，而檀香山卻以中山縣人佔多數。

地域與宗族觀念也形成華人社會有一些行業由某些地區同鄉控制的迹象。不過這不是美國華人社會的特徵，而在中國已經是一個相當普遍的社會現象。華人在瀰漫排華氣氛的美國社會裏謀生不易，往往要找同鄉親屬的照顧幫忙。所以經過一個時期的發展，也就形成一些行業被某籍貫同鄉控制的現象了。例如在十九世紀舊金山的進出口行業全部被三邑商人所壟斷，在各地區的洗衣館卻大部份是操縱在台山縣人手裏。在二十世紀初，舊金山華人牛肉店的老闆及工人，大部份都是南海縣九江人；魚肆員工則多是中山縣隆都人；而在舊金山半島，中山縣黃梁都人卻控制了菊花的耕植。

十九世紀到二十世紀初的美國華人社會，表面上和中國當時的社會沒有很大的差別。男的一般循依滿清薙髮留辮的制度；婦女很多仍然遵守纏足的風俗。華人的服飾起居飲食都保持廣東民間的生活習慣，他們吃的是中國產的米，中國菜，說的是粵方言，寫的是中文，閱讀的是中文書刊，舞台上表演的是廣東大戲，在喜慶喪事奏的是中國鑼鼓吹打樂，死後也要求運遺骸回故里作永久安葬。

他們深染中國儒家禮教和宗族主義意識，但民間的神權思想也同樣流行。由十九世紀五十年代開始，舊金山和其他華人聚居點已出現神廟，這些廟大部份奉祀關帝，但也有祀天后、北帝、觀音、金花夫人、城隍等其他神祇。像中國社會一樣，這些廟經常也舉行打醮，燒炮等民間宗教儀式。每逢中國民間節日，例如農曆新年（春節）、清明、端午等，華人也循例祭祀或慶祝。

不過，美國社會環境畢竟跟中國不同。在美國，華人只佔當地人口的少數，他們的社區不過是當地社會的一個組成部份，所以美國華人社會的發展會不能避免被當地社會發展的規律所支配。華人雖然帶來中國社會的傳統觀念和生活習慣，但到頭來，只有那些符合當地社會條件的事物才能夠生根開花；不符合的就必須改變才可以繼續存在，不然，就終於會被淘汰。

美國華人社會有幾個特點與中國社會不同：

一、十九世紀的美國華人社會是一個以男性為主的社會。男女的差額在一八九〇年高達二十六點七十九比一。有兩個因素促成這現象：

（一）當時中國人有濃厚的鄉土觀念，他們認為來美國謀生不過是短暫的僑居，所以一般都留下家屬在中國，等到他們在海外有點積蓄才還鄉團聚。美國的排華氣氛也不約而同地加強了這種僑居心態。

（二）美國西部的經濟建設吸引大量華人壯丁入境，但低廉的工資，昂貴的生活費，以及很多工作的流動性和季節性，都嚴重地妨礙華工在當地組織家庭，過正常的家庭生活。

以上情況促使華人在美國不作永久居留的打算，不大願意主動放棄中國傳統生活方式，同化於美國社會。

在這男女人數極懸殊的畸形華人社會裏，社團的組織形式和社會裏的各種活動都是被這情況所決定，為數極少的婦女主要是商人或一些有較固定職業華人的妻妾，也有女傭、"妹仔"（即婢女），和妓女。

二、美國華人社會的性質跟中國社會有很大的差別。十九世紀的中國是一個正在走向崩潰的封建社會。社會支配權基本上還是在地主階級手裏。土地的佔有是這權力的源泉，所以地主階級分子一般不會自動放棄這基地移居海外。出洋的大部份是破產農村的農民、商人以及小市民和手工業者。這些人移居到美國，多數成為資本主義社會裏出賣勞動力的工人；少數成為小生產者或搞小本生意的商人；個別人也淪為當地的流氓地痞。在這社會裏商人**財產**富裕，社會關係廣闊，文化水平也較高，所以也上升為社會的上層。

他們的商店在華人社會裏也起重要的作用。商人不但經營雜貨飲食，而且也是招募華工的經紀。商店裏的員工，一般都是同鄉，所以，該店經常成為同鄉敘會聊天的場所。在那裏，他們可以接觸鄉親，或探聽同鄉近況。有些老闆還代同鄉保管存款，代他們滙款回鄉，或代理他們來往家信。路過的同鄉可以在店裏作短暫的寄宿。商店經常是這地區同鄉集會的場所；有些店舖有時還成為當地同鄉公益事業進行募捐的臨時辦事處。由於這種種活動，商店老闆自然成為同鄉最有權威的領導人物，也是當地華人社區領導集團的成員。①

商人很早就以領導者姿態在華人社會裏策劃各種活動。一八四九年舊金山華商曾召集當地三百多人開會，成立街坊組織。一八五〇年，華商又發動華人參加泰勒總統的追悼會、加州進入美國版圖與及華盛頓總統誕辰等慶祝活動。不久，在商人倡導下，華人進一步成立同鄉組織。

二、華人僑團的發展

(一)邑界、姓界

美國華人社團分地緣性組織（美國華人稱邑界）、血緣性組織（美國華人稱姓界）、幫會（美國華人稱堂界）和行會四大類型。這些組織基本概念的來源是中國的傳統社會，但具體組織形式卻是海外華僑社會的產物。

最早被美國朝野人士注意的華人社團是地緣性的會館。會館組織概念是借鑒於明、清時代中國在各地的同鄉組織或工商界同鄉的集會館舍。在美國，這些組織在商人領導下成立，在十九世紀也自稱公司（Company）。②

在美國最早見記載的會館是一八五一年在舊金山成立的三邑會館和四邑會館。隨着一八五二年，香山（即今的中山縣）、東莞和增城縣僑梓組織陽和會館。一八五二年，新安縣人又組織新安會館（後來改稱人和會館，主要成員是客籍人）。四邑會館也屢次分裂和組合，衍變成寧陽、合和、岡州、肇慶四間會館，每間會館統屬下的僑梓也隨着這些分合而有變動。（請參閱表2.1）

在十九世紀，會館是美國華人社會上層的權力機構，是負有保護照顧屬下同鄉的責任。在這組織，大權把握在商人手裏，商人也通過會館組織支配同鄉。各會館在舊金山設有總館，也在其他地區按照具體需要而設分館。當移民初乘船到美國舊金山，所屬會館就派員到碼頭接應到會館註冊，並在館舍留宿，等待安排工作。在淘金熱期間，會館貸款協助資金短絀的僑梓前往礦區，並購置所需工具及其他設備。會館的作用向外是抵禦外侮，對內是維持內部秩序，排難解紛，同時也提供一些慈善服務。不過，會館成立不久，就分設善堂處理慈善福利項目，例如為僑梓設墳場，組織同鄉掃墓致祭亡魂，檢執先友遺骸送回故里安葬，資助貧老患病邑僑還鄉與家人團聚等。

會館的一個重要任務是維護同鄉的利益。但會館的存在，也加強華人社會裏的畛域偏見，鼓勵一些人有恃無恐，惹事爭端。像當時廣東農村一樣，這些衝突也有可能升級為流血的械鬥。較早的一宗是在一八五四年發生。當時加州北部韋弗委爾（Weaverville）陽和會館人在賭場發生爭執，就集合同鄉與三

表2.1 舊金山會館及統屬地區及宗族的沿革

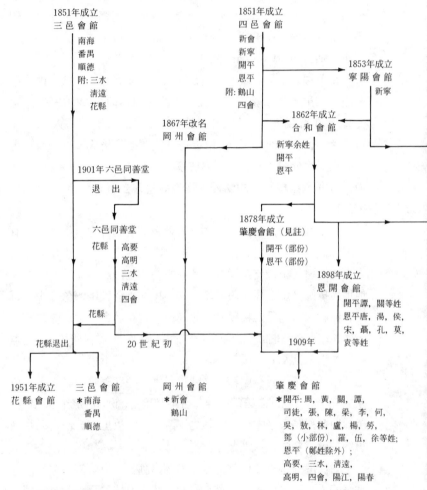

*佔多數的縣籍

註: 十九世紀七十年代,合和會館發生內部糾紛,導致分裂。
　　到1879年這會館已分為四;肇慶會館,恩開會館,譚怡怡
　　堂,及余風采堂。到八十年代初,經過黃遵憲領事從中斡
　　旋,除肇慶會館外,其它三組織重新合併為合和會館。

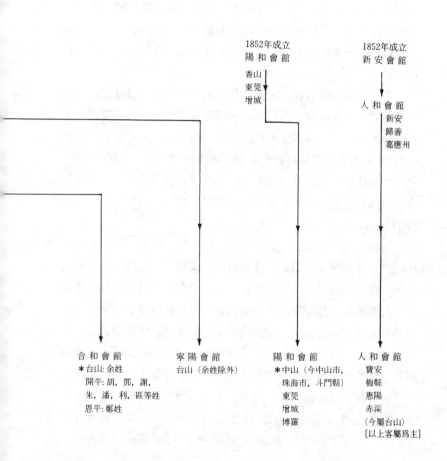

1852年成立
陽和會館
香山
東莞
增城

1852年成立
新安會館

人和會館
新安
歸善
嘉應州

合和會館
＊台山: 余姓
開平: 胡，鄧，謝，
朱，潘，利，區等姓
恩平: 鄭姓

寧陽會館
台山（余姓除外）

陽和會館
＊中山（今中山市，
珠海市，斗門縣）
東莞
增城
博羅

人和會館
寶安
梅縣
惠陽
赤溪
（今屬台山）
[以上客屬爲主]

邑會館、四邑會館和寧陽會館分子幾百人在郊外發生大規模武鬥。③跟着在一八五六年，三邑會館與人和會館爲爭淘金地盤就糾合二千五百人在加州中部索諾拉（Sonora）附近會戰；④一八五七年，四邑會館和陽和會館分子又在舊金山街頭打鬥。⑤不過，到五十年代末，會館分子割據的勢力範圍大致上已經確定，所以大規模的械鬥事件也漸寢息。但華人社會裏的地域偏見仍嚴重存在。

會館也有共同合作的一面，早在五十年代，各會館已經訂制度集體處理華人社會對外關係。美國社會人士也公認這集團是華人社會的代言人。到六十年代，舊金山的六間會館，成立"六會館公所"，由各會館職員經常集會調解不同會館成員之間的糾紛，同時也集體代表華人社會應酬美國、中國官員及要人，以及與美國官員進行交涉，美國人士稱這公所爲"華人六公司"（Chinese Six Companies）。

各會館很早也成立一套管束同鄉的制度，當華人要買船票回中國，必需先到會館報到。經由會館查清楚他已經償清在美國的債務，並繳納所定的費用支助會館經費，會館負責人才發給出港票，許可購船票離開美境。這樣，會館可以杜防負債的華人或曾以賒票方式來美的華人企圖逃債出境，維護商人債主的利益。⑥

會館的成員都由中國封建社會出身，內部的組織關係也反映這社會背景，領導人是以家長式專制態度嚴待屬下。在初年，他們"……教誨〔移民〕如父師焉，不率則答以儆之……"，"……其於游惰生事，恃強不法者，約束之尤嚴……"⑦到1853年，舊金山大陪審團揭露這些非法的私刑措施之後，⑧會館領導人才取消這殘酷的刑罰制度，但家長式的領導作風卻依舊，流弊繼續出現。其中最惹人非議的是會館對財政的處理，會館最大的一筆收入是來自出港票，"……然而各館辦事向少章程。所收銀數亦無可稽考。董事、通事得其人，則辦理較善；否則，族大豪強者盤踞其間，不肖之徒或購產業，從中漁利，藉充私橐……"，所以會館往往只是虛有其表，"……斂錢而未見有醫館書塾之設。老病貧民流離於道路者，會館又不爲收恤……"。華人羣衆雖然沒有積極行動反對會館的腐敗，但會館的聲譽卻愈來愈下降。美國社會排華分子也執着這些弊端，攻擊會館是販賣契勞工的機構。所以清政府在舊金山設領事館之後，就着手整頓會館。

　　與會館有密切合作關係是華人社會裏的血緣性組織。這類型組織是以中國傳統的宗族觀念爲基礎；概念近似中國的宗祠，但在外國這組織的成員卻不必同宗，只須同姓就有參加的資格了。同鄉同宗間的團結互助的小組織"房口"，很早已經在華人人口比較多的地區存在。但在弱肉强食的華人社會裏，房口維護成員利益的能力有限。所以同姓房口就聯合起來，擴大組織範圍與實力，成立宗親團體或姓氏公所，各房口成爲公所的基層組成單位。房口與姓氏公所對成員的服務大致上與會館相同。較大的宗親團體又分爲掌握族務的父老房以及備有武裝，負起護衛及報復責任的"散仔"（指沒有家庭負擔，而較年靑的人）組織。

　　宗族團體在什麼年代開始，現在很難稽考。但從各種迹象，最早的單姓制公所，大約在十九世紀七十年代初次出現。其後人數較少的宗族，爲了增加實力對付大姓，也聯合起來成立聯姓制的姓氏公所。聯姓的根據一般是來自中國歷史或神話，例如劉、關、張、趙四姓就這樣據三國演義桃園結義的故事而成立龍岡公所。

（二）堂界

　　幫會是華人社會另外一個重要組織體系。幫會或秘密會社（參加者須先發誓對外界保密，故名）是中國以社會下層分子爲基礎的組織。入了這些組織的成員，不管他們原來的社會背景、姓氏、籍貫，在會裏是手足昆仲關係，有互相扶持的責任。這概念跟會館及姓氏公所的基本精神有很大的分別，幫會這種義氣相助的精神對被壓迫的貧苦羣眾是具備有很大的吸引力; 所以幫會在中國歷史上發動反抗强暴的鬥爭中經常扮演重要的角色。在海外也經常與由上層社會領導的會館與姓氏團體對立。

海外華僑社會裏的幫會都是起源於中國的洪門系統（又稱三合會、三點會）。據傳說，這幫會本來是十七世紀中在福建成立的反清復明組織。在十八、十九世紀洪門分子分別在廣東、台灣活動，反對滿清統治，多次發動武裝起義，是清政府嚴禁的地下組織。

十九世紀海禁大開，一些洪門分子不堪清政府的追迫，就乘機出洋到東南亞及美洲各地區另謀發展。據美洲致公堂的傳聞，一八四八年，林迎大佬已經在加州舊金山"開山"。不過當時華人總人口不過幾百人，所以這初期洪門對社會不能夠有很大的影響。但跟着淘金熱吸引各國人士蜂擁到加州，華人人口也激增，這時候加州各市鎮及礦區也出現其他洪門組織。洪門分堂爲了爭地盤，發生械鬥; 他們又和一些商人發生摩擦，這樣才初次惹起美國社會人士的注視。⑨五十年代中，紅巾軍在中國珠江三角洲起義失敗，無數會黨被株連，有許多逃亡海外。這樣，加强華僑社會裏幫會的隊伍，使洪門組織更迅速發展。華人散佈到北美洲大陸各金礦區，洪門組織也就在這些地區出現。到一八六二年，三合會組織已經越過美國加拿大邊界到英屬哥倫比亞。約在這期間，又在檀香山開山立堂。橫貫北美洲大陸的鐵路通車後，這幫會也到美東美中的新興華人社區立足。北美洲及檀香山的洪門組織都是屬於洪門二房洪順堂的派別，旗幟爲紅色，跟領導紅巾軍的會黨屬同一個組織系統。在初期各分堂名稱並不劃一，有義興公司、洪順堂⑩、聯義堂、同興公所、保良社、和安會館等等不同名稱。致公堂名稱似在十九世紀七十年代中在北美洲創始，其後在美洲大陸流行。⑪但在檀香山這名稱遲到一九一九年才正式採用。

洪門分子遠離中國，很多人不再將反清復明的宗旨放在第一位。隨着理想的消逝，洪門各堂也失去中心目標，形成組織渙散，內部產生離心因素。如秉公堂（初名督公堂）在一八七八年，脫離致公堂自立就是一個例子。在美國大陸，另一些人又採用洪門的儀式結社，但與洪門卻有較疏遠的組織關係。一八五二年，四邑人在舊金山成立的廣德堂就是這類型幫會或堂號的嚆矢。緊跟着廣德堂，又出現三邑人的協義堂及香山縣人的丹山堂。這類型的幫會卻只見於美國大陸。

在淘金時代，華人社會裏的一些地域、姓氏、幫會集團曾經發生武力衝突，但在十九世紀七十年代以前，這種動武行動還未對華人社會的秩序構成嚴重的威脅。到七十年代，華人人口增加，社會矛盾日趨尖銳，在當時美國種族主義排擠與壓迫情況下，華人是美國社會鄙視的種族集團。華人社會也淪為一個貧困而罪惡滋生的淵藪。各勢力集團互相傾軋，爭奪地盤成為華人社會的常態，最嚴重的衝突形式是堂號間的"堂鬥"（tong war）。

堂號成員背景很複雜，有小商人，有工人，有社會上被排擠、壓迫、鄙視的小市民，有包庇烟窟、賭館、妓寨的地痞，也有這組織豢養的打手"斧頭仔"（早期堂間打鬥多用利斧為武器，故名），堂號的宗旨雖然是團結互助，支持正義，但這些組織不久便變質，主要成為保護少數人經營烟、娼、賭利益的機關。堂號的紀律，要求成員一視同仁，昆仲互相支持，所以個別成員與其他團體的成員相爭，往往就會升級為兩個堂號之間的鬥爭。堂鬥有些起因於個人恩怨，但最大部份是由於爭奪經營烟、賭、娼妓的支配權。在堂鬥的過程，對立的堂號儼然如敵國，所有的成員都是對方斧頭仔伏擊、行刺、暗殺的對象。由十九世紀到二十世紀初，堂鬥多次發生，嚴重地威脅華人社會的治安，這種堂鬥最早見記錄的是廣德堂與萃勝堂分子一八七五年在舊金山的打鬥。但堂鬥不只牽涉堂號與堂號，有時對立的兩方是堂號與地域或宗親團體。

由六十年代中至九十年代,堂號如雨後春筍在華人社區出現。這些堂號中歷史最早的一個是萃勝堂,從這些堂號成立的經過也可以見當時華人社會權力集團的複雜關係。

一八六二年,台山余姓及開平恩平同鄉退出四邑會館另成立合和會館,剩下的新會、鶴山、四會梓里,旋將四邑會館改組為岡州會館,當時新會人余亞大(Yee Ahtye)就將他的一塊地捐贈給後者為館址。合和會館的余姓人士卻持異議,極力反對,而且向余亞大行兇。余亞大與友人為自衛計,在一八六六年於舊金山成立萃勝堂。

跟着其他堂號也相率出現,如協勝堂(約一八七〇年),合勝堂(一八七五年),秉公堂等,萃勝堂後來內部分裂,一些分子又先後脫離成立新萃英、瑞端、安益等堂號。舊金山是堂號活動的中心,到十九世紀末有十二大堂。堂號很快就擴散到美西各地區設立分堂,美東、美中華人社區的發展比較晚,長期只有洪門的分堂,但到九十年代,協勝堂已經在紐約立足,到一八九三年,洪門分子又在紐約成立安民堂。當堂號迅速發展期間,洪門致公堂卻趨向中立,較少介入堂鬥。

在同一時期,地域性宗族集團也積極成立武裝組織來捍衛本身利益。於是三邑人有華亭山房及松石山房;南海縣九江人有繼善社;南海縣獅山人有保善社;南海縣西樵人有西安社;番禺人有昭義堂;香山縣人有俊英堂;香山縣斗門人有儀英堂及協善堂;岡州會館分子有保安堂;黃姓有雲山公所;李姓有敦宗堂;吳、周兩姓有三德堂;陳、胡、袁三姓有篤親堂;雷、方、鄺三姓有原宗堂;劉、關、張、趙四姓有親義公所;譚、談、許、謝四姓有聯義堂等。除外,還有以致公堂分子為主的金蘭公所及竹林公所。

各類型幫會的總機關多設在舊金山,至是各類型的武裝集團在華人社會裏不斷捍衛被侵犯的地盤或積極爭取對自己有利的地位。"……諸團體軋轢無已時,互相仇讎,若不共戴天者然。忽

焉數團體相合爲一聯邦; 忽焉一團體分裂爲數敵國, 日夕以短槍、
匕首相從事, 每歲以是死者十數人乃至數十人……"。這情況嚴
重地威脅華人社會的治安。

但當這局勢還在開展中, 美國國會通過排華移民法案, 大大
削弱邑界、姓界、堂界團體的整個組織基礎。

(三)行會

邑界、姓界、堂界組織之外, 還有主要是保護經濟利益的行
會組織。這組織形式的概念起源於中國封建社會裏客商或手工業
者同行在各地成立的行會。早在十九世紀五十年代初, 舊金山的
華商組織有"中國客商會館", 曾發表公開信反駁州長比格勒禁
華人入境的倡議。⑫這社團式微, 又有昭一公所出現。這類團體
處理商人之間的交涉, 排解難紛; 也劃定價格, 杜防同業之間發
生消耗性的惡性競爭。除舊金山之外, 在波特蘭、紐約, 甚至加
拿大的維多利亞及溫哥華也有同名組織。⑬其宗旨大致上都相同。

舊金山的昭一公所是由三邑進出口商店包攬大權; 所以當四
邑人和三邑人九十年代在華人社區裏對立期間, 四邑商人就乘機
脫離這組織, 在一八九五年另創辦四邑客商公所, 宗旨與昭一公
所相似。

隨着美西社會經濟的發展, 各行業的競爭日趨劇烈, 同業也
就組織起來保障本身利益。早在六十年代末, 舊金山的洗衣行業
已經設有行會規定洗衣收費額和每間洗衣店營業地區的界限。在
七十年代這行會名廣同堂; 在八十年代是東慶堂。在十九世紀裁
縫也組織有同業堂。這些傳統式的行會兼收老闆、個體營業者和
工人入會, 所以不能夠處理老闆與工人之間的對立矛盾。因此在
一些行業裏就分別組織有東西兩家的行會。由老闆或個體營業者
歸東家; 工人則歸西家。

西家行會在某些特徵是很接近美國的行業工會的, 甚至他們

可能曾經受美國行業工會的組織形式與活動的一些影響。像行業
工會一樣，華人西家行業工會不惜用集體罷工，抵制老闆等手段，
甚至動武來捍衛行會全體成員的利益。從十九世紀到二十世紀初，
舊金山製雪茄烟的工人組織有同德堂，製皮鞋皮靴工人組織有履
勝堂，縫紉白襯衫工人組織有烱衣行，縫紉和服裝工人組織有錦
衣行等。這些行會爲了改善工人生活進行過不少鬥爭。不過由於
十九世紀美國大陸華工與白種工人之間存在着很深的種族隔閡，
因此，華人工人運動完全被排斥於美國工人運動主流之外。他們
只能夠孤軍作戰，其鬥爭的效果，就受到很大的限制。後來由於
很多行業走向沒落，因此大部份行會到二十世紀初就已經被淘汰。

　　舊金山華人人口集中，在十九世紀，華人就業範圍相當廣，
所以行會組織也特別多，不過其他地區的華人，同樣有組織起來
捍衛經濟利益的需求，在華人經濟有較好發展的夏威夷，華人行
會數目也可以和舊金山相比，不過成立時間比舊金山較遲，有些
行會在二十世紀初還能夠起作用。在美東華人就業的範圍不廣，
行會也較少，但十九世紀八十年代初，紐約洗衣館同業已經成立
有集成堂和新美堂兩個行會。

（四）中華會館的領導地位

　　美國國會通過排華移民法案之後，華人成爲美國法定不受歡
迎的移民，招募大量華工開拓美西的時代成爲過去，以華工作爲
主要活動對象的邑界、姓界、堂界團體也蒙受影響，但由禁例實
施的初年直到二十世紀初，留在美國的華工人數仍然不少，所以
排華移民法例對這些團體活動還未有很明顯的影響。在當時清政
府駐美的新設使領館也開始積極控制他們。

　　當加州排華運動正走向高潮期間，清政府在一八七五年派陳
蘭彬爲首任駐美公使，他在一八七八年到任後，在各地設立領事
館；一八八〇年陳樹棠上任爲舊金山總領事；一八八三年歐陽明成

爲美東紐約總領事，不久，陳蘭彬也在檀香山委派商人陳國芬（即陳芳）爲商董，試辦華僑事務，到一八八一年，改商董爲領事。後陳芳的蔗園發生工潮，陳蘭彬就撤銷了陳芳的差使，裁了領事館。一八八六年張蔭垣公使才恢復檀香山領事職，並札派檀香山中華總會館正副商董程汝楫和古今輝兼正副領事銜。到一八九八年才正式設立領事館，第一任總領事是楊蔚彬。

中國使領館的設立，使清政府有了跟僑民接觸的據點。清公使、領事上任不久，就着手駕馭僑團，並整頓僑團一些流弊。由於華人團體的總機關多設在舊金山，所以這裏的總領事館對這些工作起着關鍵性的作用。在陳樹棠總領事任內，六會館公所設總董（即主席）制度，⑭第二任總領事、維新分子黃遵憲（一八八二～一八八五年在任）在這方面更爲積極。他上任不久，就進行調查，發覺"……會館進項較大，而不以公衆捐資辦公衆善事，各館實有不能辭其責者，其聲名之壞……實有以面謗之處，無怪乎人之惡之……"。他認爲"……（會館）本應加以裁抑……"，但由於已經長期存在"……根深蒂固，非伊朝夕，欲盡舉而裁撤之，勢固有所不能……"。所以使領館只能夠利用政府的威信，勸導這些團體改善制度，爲成員提供一些的慈善措施。他也經常積極調解這些團體的一些內部糾紛。在這期間，各會館先後設立地域或姓氏的輪值制度，緩和了組織裏各集團的衝突。又開始從中國延聘舉人貢生充當會館的司事（即主席）。這些人擁有功名，所以幫助提高了這職位的威信(這制度執行到二十世紀二十年代。當時美國外交部提出這制度不合外交體例。在一九二四年，中國外交部不肯發外交護照給寧陽會館的新任主席來美（經過中華會館長期交涉，中國政府結果只肯發遊歷護照。當這事還在交涉中，陽和會館決定推薦當地華人任主席; 一九二七年選出陳景山。隨後，其他會館先後也開始在美國華人社區物色人選)。

美國國會通過排華移民法案的同一年，黃遵憲總領事爲了集中華人社會的力量應付排華運動，又推動會館另外組織總會館，代替了六會館公所。

先是華人在十九世紀中葉初到加州的時期，當時清廷還未有外交使節駐在海外。因此華人社區和美國社會官員接觸應酬或進行交涉，就由會館集體負責。日久，美國社會人士也公認這集團就是華人社區的代表。

在五十年代初，舊金山有會館四間，所以西人統稱爲"四大機構"（Four Great Houses）。這時候也設有總會所，是全僑組織的雛型。五十年代中，寧陽會館成立，這集體稱謂改爲"五公司"（Five Companies）。到六十年代初，合和會館成立，這時候六大會館正式成立"六會館公所"。美國社會稱之爲"六華人公司"（The Six Chinese Companies），後來才改稱著名的"華人六公司"（The Chinese Six Companies）。

舊金山組織總會館代替"六會館公所"之後不久，鄭藻如公使把它定名爲"金山中華會館"。可是美國社會仍沿舊習，稱之爲"華人六公司"。

金山中華會館是美國華人社會最高的權力機關，向外界是華人社會的代言人，它也成爲中國使領館與華人社區之間的媒介。在領事館鼓勵之下，這機關設立制度由各紳董（即各會館的司事）輪值充當中華會館司事。通事（即英文秘書）及火頭（即庶務），也由各會館輪派。這樣減少各集團的爭執。這組織的商董都由總領事札派，這制度直到中華民國元年才撤銷。

金山中華會館成立後，美東紐約也在一八八三年成立中華公所。

一八八二年，中國公使鄭藻如派員到檀香山倡議創辦全僑機構。到一八八四年，檀香山中華會館（United Chinese Society）向夏威夷王國政府立案。同年在舊金山總領事館指導下，加拿大的維多利亞（粵人稱域多利）也組織了中華會館。不久，美國俄勒岡州的波特蘭也有中華會館出現。

清官員上任，也擬約束堂號的跋扈。一八八六年，張蔭桓公使到美國就發諭禁止堂鬥，警告舊金山的堂號，"……倘經此次曉諭之後，尚復不知悛改，仍有尋毆互鬥等事，一經領事稟報，本大臣惟有按名咨會原籍，設法究治，以儆效尤，而安良善，……"。但堂號成員，逍遙海外，皇法鞭長莫及，兇殺打鬥案件，繼續如故。不久，華人受排華移民法案的打擊，在美國的地位更惡化，堂號的不法活動隨之也增加。

一八九二年，美國國會修訂排華移民法案，規定華工須在一年內向美國政府登記。中華會館在三邑會館陳大照（南海縣人）司事推動下，向華僑籌集巨款駁例，同時通告美國華人在訴訟期間拒絕登記。一年後，全美國十多萬華人之中，只有一成多完成了登記手續。但美國最高法院在一八九三年，卻判決這移民法案完全符合美國憲法，因此沒有登記的華人有全部被撥出境的可能。華人社會得到這消息，為之嘩然，一時人心惶恐，不知所措，而中華會館的威信也大降。這時候，堂號更無所顧忌，氣焰倍加囂張，在華人社會裏煽動不滿羣衆攻擊陳大照，大有篡奪中華會館在華人社會領導地位的意圖。

不久，三邑與四邑人集團的矛盾，又轉尖銳化，使華人社會秩序更混亂。先是三邑人恃有財勢，經常欺凌四邑人，其中馮正初（南海縣九江人）尤為兇狠。他勾結舊金山警察局，到處封閉四邑人經營的賭館妓寨，企圖造成獨家壟斷的局面。四邑人看見不容易打擊馮正初，便遷怒於馮的梓里，號召人數衆多的四邑人抵制三邑人的商店。一八九七年，四邑人復以重資僱聘兇手，伺機會在理髮店裏槍殺馮正初。馮死後，四邑人繼續抵制運動。後來到一八九八年，經過清官吏施加壓力及中華會館的努力調停，這風潮才宣告結束。

在抵制運動過程，一些三邑人的商店陷入困境，關閉了。另一些三邑人恐受株連，又遷移到墨西哥，古巴，中南美洲等地區另起爐灶。這三邑人四邑人的衝突，不只是堂號爭奪地盤那麼簡單一回事，而且是關係到新興四邑企業家向三邑商人集團的挑戰，所以抵制運動發動起來，就得四邑人的廣泛支持。在抵制期間，四邑人也開始能夠進入以前由三邑人壟斷的進出口行業。這場鬥爭，顯示四邑人經濟集團在美國抬頭，有足夠實力可以跟三邑商人集團一比雌雄。在這鬥爭中，四邑人在美國的眾多人口成為四邑集團對付三邑人商店的有利武器。

在這期間，社會秩序雖然混亂，但華人社會上的領導人物，卻不斷努力找尋辦法遏止堂號的不法行為，使社會安定。在一八九三年，中華會館在陳大照領導下設衛民局，籌定基金，懸賞緝兇，保護善民。但不久三邑人與四邑人的矛盾尖銳化，衛民組織等於虛設，後來，三邑人與四邑人糾紛雖然和解，但不久堂號又肇事，使中華會館更忙於奔走調停，衛民局仍然難於起作用。

（五）二十世紀上半葉的衍變

一九一二年辛亥革命成功，中華民國的成立，革新的氣象推動美國華人能夠進一步設立機構專門調解糾紛。當時舊金山總領事黎榮耀倡議組織和平總會，調停堂鬥。到一九一三年，和平總會成立，是中華會館的一個附設機構。首屆主席是岡州會館的李寶湛。參加蓋章的有舊金山二十七個秘密會社，以及地域姓氏自衛組織。[15]

翌年，波特蘭也成立和平會。其他地區因人口不夠集中，所以沒有成立和平會，不過當地中華會館，中華公所仍然繼續擔負起調停糾紛的任務，而且與舊金山的和平會也建立密切的合作關係。

這時候，華人社會已經有了顯著的變化，禁華工法例實施了三十一年，對華人人口結構有了明顯的影響，華工人數銳減，而且平均年齡也增高了。堂號能夠招募為"斧頭仔"的人也隨之減少。

相對地，在這同一時期，商人在社會裏的百分比漸漸增加，家庭多了。同時自十九世紀末二十世紀初，中國的民族主義思想，也影響美國華人，增加了他們對社區，對中國大事的關懷，也提高了華人的族團覺悟與自尊。他們開始超出狹隘的地域、宗族觀念，趨向一致認同為華人。這些因素都加強了安定社會的力量。

和平會出現之後，堂鬥雖然沒有立即絕迹，但調解往往能夠起作用，阻止糾紛升級為堂鬥，再加上當時基督教會領導對堂號販賣娼妓等不法行為進行的鬥爭，⑯以及各城市的警察局對堂鬥的嚴加鎮壓等措施，⑰促使華人社會治安的好轉，所以堂鬥次數日漸減少。美西最後一次堂鬥，是一九二六年合勝堂與秉公堂之爭。到一九三三年，協勝還與安良發生堂鬥，但不久也言和平息，這是美東最後一次。在這時期，堂號一些領導人物從事商業活動，利益漸與邑界姓界商人接近，很多堂號改名工商會，希望給社會一個較好的形象。堂號的成員也日漸減少，到第二次世界大戰前夕，美西只剩下六大堂：秉公、萃勝、合勝、協勝、萃英與瑞端（後兩個堂在一九四六年又合併為英端工商會）。美東美中部則只有安良，協勝兩堂。

檀香山的發展情形卻跟美國大陸不同，這裏的幫會組織，都屬於洪門系統，從十九世紀六十年代末到一九一〇年，洪門分子在這羣島各地區先後成立三十多個公所，迎合華工社交活動的需要，夏威夷政府曾一度指控這些組織危害社會，但這些公所雖然有些成員包庇烟賭，卻很少涉及販賣娼妓，檀香山也沒有像美國大陸那樣有一些分子脫離洪門另立門戶，所以這地區也倖免美國大陸那種堂號爭奪地盤，互相殘殺的厄運。

美國大陸社會秩序趨向安定，地域及宗族的自衛組織逐漸失去了作用，逐漸變為社交娛樂的團體。一些組織成員減少、淘汰了。從二十年代開始，一些姓氏的自衛組織，與父老堂合併。在一九二五年，至孝堂與篤親堂合併為至孝篤親公所。跟着，朱沛國堂與朱家公所合併爲朱沛國堂（一九二七年），至德堂與三德公所合併爲至德三德公所（一九二七年），龍岡公所與親義公所合併爲龍岡親義公所（一九二八年），昭倫堂與聯義公所合併爲昭倫聯義公所（一九三〇年），黃江夏堂與黃雲山公所合併爲黃江夏雲山公所（一九四二年），李氏公所與敦宗公所合併爲李氏敦宗公所（一九四六年）。

大的宗族團體，一般在舊金山設有總公所，其他地區按同姓人數多寡而設立分公所。第一次世界大戰之後，一些宗親團體，也定期召集總公所及分公所代表，輪流在各城市舉行懇親會（即代表大會），討論一些與本宗族全體成員有關的問題，同時也藉此加強各地同宗的聯繫。一九二〇年，至孝堂在舊金山召開首屆懇親大會，是較早的一次。⑱

會館的發展，卻比宗親團體遜色。在十九世紀，華工是會館最主要的工作對象。華工被禁入境，會館活動大受影響，在全盛時期，設在舊金山的總會館，經常與美西各地區的梓里聯繫，或按照當地需要設分館執行館務，但當一些地區的梓里人數下降，分館也不得不關閉。例如三邑會館十九世紀在美西先後設分館十一間，但到一九四〇年只剩下四間了。不過在二十世紀，會館在美國社會裏仍然對團結及聯繫梓里還起着作用，也能夠提供一些慈善措施，例如管理墳場等，所以在很多地區都能夠繼續存在。

有些地區也成立新的會館，例如二十年代末到三十年代中，舊金山的寧陽總會館與國民黨黨報《少年中國晨報》發生糾紛，寧陽總會館就先後召開兩次懇親會，決定在美國各地區廣設分館及通訊處，成立了各會館之中最廣的組織網。⑲在檀香山中山縣人佔華人人口的七成以上。這縣各地區的僑民則分別組織幾個會館或會館級的團體。例如來自縣治石岐的移民設艮都會館；石岐以東四大都的移民設四大都會館等。但地域觀念對團結所起的作用，卻不及宗族觀念。除了上述寧陽會館的兩次懇親會，其他各會館或地域團體，在二十世紀上半葉卻沒有召開過這類集會。

在這時期，各地的中華會館或中華公所的地位相對地提高了，被公認爲全體華人的領導機構。在二十世紀，這組織形式散佈到美國各華人社區，所以到第二次世界大戰前夕，很多有幾百至一千多華人的地區都設有這組織，這是當地華人社會討論解決各種問題的決策機構。而在各地中華會館和中華公所當中，舊金山的中華會館居首位，是全美國華人社會的代言人。

舊金山的中華會館的組織結構，是經過十九世紀多年的衍變，由當地七大會館（二十世紀初一度改爲八大會館）組成，宗親團體及善堂都隸屬每間會館之下。堂界與邑界、姓界當時有尖銳的矛盾，所以被排斥在這組織系統之外，這組織也沒有包括其他較晚出現的一些社團，如商會、政黨等。在二十世紀成立的其他中華會館，中華公所卻出自不同的時代背景。當時美國華人的思想已經在改變，華人社會也發生變化，堂界與邑界、姓界的矛盾已經緩和，利益日趨接近。所以這些中華會館，中華公所招收成員的條件也寬廣得多。很多中華會館，後來差不多包羅當地所有組織；有會館，有宗親團體，有堂號，有政黨，有商會，甚至有敎會及公民團體。成爲當地華人社會各界的大聯盟。

中華會館，中華公所一般是相當鬆散的組合。梁啓超一九〇三年遊美國之後，就提出過以下的評語：

……吾見其各會館之規條，大率皆仿西人黨會之例，甚文明，甚縝密。及觀其所行，則無一與規條相反悖。即如中華會館者，其猶全市之總政府也。而每次議事，其所謂各會館之主席及董事，到者不及十之一，百事廢弛，莫之或問，或以小小意見，而各會館抗不納中華會館之經費，中華無如何也。至其議事，則更有可笑者，吾嘗見海外中華會館之議事者數十處，其現象不外兩端，（其一）則一二上流社會之有力者，言莫予違，衆人唯諾而已，名爲會議，實則布告也，命令也。若是者名之爲寡人專制政體；（其二）則所謂上流社會之人，無一有力者，遇事曾不

敢有所決斷，各無賴少年，環立於其旁，一議出則羣起而噪之，而事終
不得決。若是者，名之為暴民專制政體，若其因議事而相撲臂操戈者，
又數見不鮮矣。……。

　　在以後的幾十年，這情況也沒有很大的改變，這組織形式對
中華會館，中華公所辦事的效能有一定的限制，但儘管有這些弱
點存在，中華會館，中華公所在二十世紀上半葉，對當地華人社
會一般仍然能夠起肯定的作用。在中華會館，中華公所領導下，
一些地區能夠舉辦社區的公益事業。最普遍的是辦學校。此外，
在一八九七年，檀香山中華會館曾聯同當地華商創辦惠華醫院救
濟貧病華人。不久，卻因為經費短絀停辦。到一九二〇年，中華
會館又與中華總商會募款買地段，建築巴羅羅華僑老人院，收容
無所依附的老華僑。舊金山的中華會館則在一九〇〇年成立東華
醫局，救恤貧病。在一九二五年又與十二個僑團舉辦東華醫院。
這是當時美國唯一華人興辦的現代化醫院。

　　這期間，中華會館，中華公所也着手改善美國華人的形象，
當時在一般美國人腦海裏，華人社會是一個神秘的地方，報紙雜
誌將有關華人烟，賭，娼妓，堂鬥的報導大加渲染，更給美國社
會人士一個壞的印象，認為華人社會是藏污納垢的場所。這形象
對華人在美國社會的待遇是起嚴重的負面作用的。所以在這方面，
中華會館，中華公所經常出面代表華人社會，就一些辱華的書刊
文章或影片提出強烈的抗議，糾正美國社會的視聽。其他如維護
華人安全，排解難紛，向中國反映華僑意見，提出國是主張，為
中國慈善公益事業發動捐款等，也是屬於中華會館、中華公所的
活動範圍。

三、早期的華文報業

　　華人與美國社會的接觸也刺激新生事物的出現。報業就是其

中之一項。

在一八五四年四月廿二日，美國人威廉・霍華德（William Howard，粵人譯爲侯活）出版美國第一份華文報刊《金山日新錄》（Golden Hills News）。刊旨如下：

> 原夫新聞紙之設也，所以利商賈，資見聞，達輿情，而通官事者也。今加利科爾一埠乃四方雲集之區，各國均有新文（按：應作聞）附刊，而唐人獨不行焉，故商賈雖多，操縱無術、見聞不廣，取舍乏權，物情則習而不通，任棍徒之狎侮。官事則懵然罔覺，聽奸役之欺凌。夫以歷數百萬里之身，而艱於營謀，屈於掣肘，能不慨然？愚因有感，特設華夷日新錄一張，將逐日華夷貨物，官衙事件，一一用唐字繕寫，每遇禮拜六日印發，以便知曉。倘諸君有貨物事件，皆可代爲附刊，如此則商賈利見聞資，輿情達，官事通，而於唐人未必無小補云耳。
>
> 未士侯活謹啓

在同刊物英文社論，霍華德又提出“教堂與報紙的目的是減少華人在宗教上的愚昧，要向華人解釋美國法律，幫助解決華人的需要，並使華人有柔和，尊嚴，及更高尚的人格。”

這週刊幾個月後就停刊了。承繼任務的是長老會斯卑爾牧師辦的《東涯新錄》（Tung Ngai San-Luk, The Oriental），在一八五五年正月四日創刊。這週報華英文合刊。華文編輯李根曾是香港摩里遜學校的學生。英文版是由斯卑爾牧師負責，對象是美國商界，內容經常介紹華人社會或風俗，幫助溝通美國人社會和華人社會，但到一八五七年初斯卑爾患病，這報紙也停辦。在一八五六年十二月，司徒源（Ze Too Yune）在薩克拉門托又出版美洲第一份華文日報《沙架免度新錄》。（Chinese Daily News）這也是世界上第一份中文日報，比向來公認爲中國最早的日報，即香港的《中外新報》，早了一年。報人司徒源也是英語教師和翻譯。這報紙在一八五八年停刊。

所有這些早期報刊的失敗，主要原因是當時華人人口不多，文盲率也很高，所以報紙的銷路有很大的限制。而這些刊物之所以能夠支持一個時期，都是靠少數人對這些事業所抱的熱忱而已。

此後的十多年，華文報壇十分沉寂。到七十年代，入境的華人增加，加州華人人口升至十多萬，華人工商業也發展起來，信息的流通成為社會上的需要，做成華文報業發展的有利客觀條件，在一八七四年西人博卡迪斯和戈登（Bocardus & Gordon）捷足先登，創辦《舊金山唐人新聞紙》（San Francisco China News）。一年後華人黃卓（Chock Wong）與西人霍夫曼（J. Hoffman）也出版《唐番公報》（The Oriental），是第一家華人經營的報館，跟着也有兩份其他華文報紙出現。所以在七十年代，舊金山是西半球唯一的華文報業中心。到八十年代，其他地區才出現華文報刊。

一八八三年，黃清福（Wong Ching Foo）在紐約市刊印這市第一份華文報紙《華美新報》（Chinese American）；其後一八九三年在芝加哥創辦另一同名的報紙。到一八九六年又在同市創辦《美華新報》（The Chinese News）。但美東、美中華人人口少而且分散，所以這些報刊的壽命很短。華文報業要等到二十世紀才能夠在這地區紮根。在太平洋中的夏威夷華文報業卻有比較順利的發展。一八八三年程蔚南（C. Winam）在火奴魯魯出版第一份《隆記檀山新報》。由於這地區華人人口較多，辦報條件較成熟;所以華文報業落地生根，這地區就發展為西半球在舊金山以外的另一個華文報業中心。[20]

這些早期的報紙一般是週報。營業規模很小，而且沒有很明顯的政治立場。

到二十世紀，中國民族主義興起，華人的政治覺悟提高，所以這期間排華移民法例雖然一度曾使華人人口下降，但同一期間的華文報館卻能夠由週報改為日報。華人各政治集團對中國局勢的不同看法也導致各派自設喉舌。這就推動華文報業向前跨進一步。

四、華文敎育的興起

華裔土生受美國生活方式所感染，很多對中國風俗習慣、禮敎語言的了解程度比不上中國生長的華人，所以在移民人數佔優勢的華人社會，華裔土生處在少數地位，往往被看待爲次等華人，在美西動輒被譏諷爲"椰菜仔"或"土煮"，也有被罵爲"冇（粵語，'沒有'的意思）腦"。美東又嗤他們爲"竹升"。㉑

但他們的父兄都希望後代能夠保持中國傳統，同時華人在種族主義流行的美國社會謀生並不容易，所以華人家長也要求子弟學習中文，使他們有能力在華人社會甚至中國社會適應，而可以尋找出路。

華人居留美國的初期，家庭不多，而且散居各地，所以家長要求子弟受華文敎育，就需要遣送他們到中國入學或在當地自聘敎師。到七、八十年代，在華人人口最集中的舊金山，青少年人口逐漸增加，一些知識分子迎合客觀的要求，先後創設私塾或專館授課，當時有專館十多間，以塾師的姓稱呼，例如曾館、蔣館等。每間專館能收學生二、三十名。中國資產階級民主革命家廖仲愷（原名恩煦，祖籍惠陽）少年時期就曾在陳館做過學生。不過這些私塾學費相當高，每月四、五元，並不是一般低收入家庭所能夠負擔得起，所以華人子弟的學業還是一個急待解決的問題。

到一八八六年，舊金山華商擬借西人學校校舍舉辦中西學堂，中國公使張蔭桓卻不同意，批飭他們另擬辦法，工作進展很不理想；所以，到一八八七年張蔭桓在他的日記發牢騷："……金山學堂歲籌專款，得千三百金，約可敷用，惟敎習脩脯尚缺其半，須續商也，金山華商最盛之地，而窘澀乃爾，華人爭訟鬥殺，釀金助虐，頃刻可數萬，此等培植人材之事，乃如蟻穿九曲，良可慨嘆!……"不過，到一八八八年大清書院終於招生開學。

大清書院依照傳統舊學制辦學。學生大約有60人。這書院的程度大致上可以和中國當時的專館相比，所以有些在大清書院肄業的華裔子弟回中國升學也可以跟得上，例如土生張北祥（即張藹蘊；祖籍番禺）在一八九二年入大清書院，十三歲隨父母回廣東，十七歲考入兩廣西學堂，一九〇四年應全省會試，得庠生（秀才）。㉒

檀香山也是華人人口較多的地區，但在十九世紀六、七十年代，華人多從事農業，仍然散居檀香山各鄉鎮，所以不容易辦學。到八十年代，華人漸集中火奴魯魯，才產生設立中文學校的條件。

在這時期，一些傳教士在教會學校裏開始附設華文班。一八八二年，夏威夷政府的報告提及教會辦的華童學堂（Chinese Children's English School, 意譯）。一八八三年，傳教士達蒙牧師推動基督教青年會聘請舊金山牧師薛滿興（Sit Moon）來檀香山主持福音堂書室的中文班，但兩年後就停辦了。跟着一些熱心教友再組織尋真書室，不數年也停辦。一八八七年刁俊卿牧師又倡設聖彼得小學堂，後來在三十年代，這是火奴魯魯唯一以客方言授課的學校。

不久，傳統式的私塾也出現來迎合不信仰基督教家長的要求。其中最早是約一八八六年麥水在火奴魯魯成立的書塾。

但到十九世紀末年，學齡華童人數的不斷增加，促使華人家長要求擴充華文教育設備；另一些人也感覺到傳統式的華人教育內容已經不符合現代社會的需要，於是基督教徒王香谷，陳蘭生等倡議教會與華人街坊人士合作辦學。一八九九年創辦中西學院（Honolulu Anglo-Chinese Academy），以英文華文授課。開學時招生一百五、六十名，是檀香山華人社區辦學的濫觴。但中西學院開辦不及一年，內部迭次發生糾紛。再過一年，華人社區人士表示不大熱心繼續支持經費。隨着，華文班停辦，而且學院開始兼收各族裔學童。到一九○四年，中西學院也停辦了。

這時期，中國國內形勢的變化卻對海外華文教育的發展起了一個推動作用。在十九、二十世紀之交，中國封建秩序在帝國主義不斷施加壓力情況下已經趨向全部崩潰。要求改革的呼聲愈來愈高。清廷為了要維持統治地位，便不得不對這些要求表示讓步，實行"新政"。在教育方面這包括廢八股及科舉制度，又下令各省設立學堂，遣派學生出國留學，並設學部管理全國學堂等措施。這政策也符合海外華人的切身利益，所以受到他們的歡迎，但由於人力物力財力的限制，他們一時還未能夠籌款設立學堂。清政府出洋考察五大臣之一戴鴻慈（南海縣人）在一九○五年路經舊金山，就有這樣的觀感："舊金山華人雖多，而無自立之學校。其國文之不講，人格之卑下，有由來也。彼國比方別營一校，以專收華僑之子弟，程度愈降，教法敷衍，而陰即以沮吾人之入彼學。是以有志裹足，聞者撫膺，謂宜急建自立之校，廣開研究國文之會，若半日學堂，庶有濟也。此地華商具勢力者不乏人，奈之何不早謀焉？"

隨後，在一九○七年初（光緒32年12月），清政府委任內閣侍讀梁慶桂到北美洲興學。興學的動機和目的在梁氏上學部的手摺闡述得清楚：

謹將北美興學情由開具說帖恭呈鈞鑒：

伏念西國殖民政策無不以文字語言為化合力。觀於各埠各省教會之西學堂，不下百數；若香港之皇仁書院、上海之聖約翰書院，規模尤鉅。蓋一國有一國之風俗，綱常倫教各有不同。若使旅外僑民於祖國之文字語言道德習尚渺無所知，則習外之見愈深，愛國之情愈淡。查北美僑民以十萬計，彼此所得工值，實較內地為優。除養事俯蓄外，大半能擔任學費，惟限於教育無人，不得不附入彼國之學校。若能提倡激勵，則中文學堂之成立，可計日期。況美國學校之多，甲於他國；科學程度，亦以美為最良。我國學生凡普通畢業後，欲習專門者，尚須咨送赴美就

學; 若以該處僑民，就近附學，其經費豈非較省? 惟慮其自幼即入美國
學校，於國文普通未能諳習，勢將楚材晉用，不無可惜。且恐歸國時授
以職業，殊多扞格。擬請奏派專員馳赴北美，提倡華僑學堂，俾僑民博
通中學。俟畢業後再入彼完美之學校，或使彼中已習專門科學者補習國
文，則中西融洽，造成全材，足備國家官人之選; 因勢利導，莫便於此。
是否有當? 恭候鈞裁。謹略。

　　梁慶桂在一九〇八年啟程赴北美洲，第一站是舊金山。舊金
山在一九〇六年曾經歷地震火災，大清書院成為一片瓦礫。後來
中國公使借款給中華會館重建校舍，但梁侍讀抵達舊金山，復校
日子仍然是遙遙無期，當時一些關心社區的人士希望他的來臨可
以促進重建校舍的工作，西美留學生會發表公開信向他呼籲:

　　……金山一埠華人，無一規模完備，中西兼授之學堂。從前所有之
　　大清書院，徒具虛名，鮮有實效。是以華僑子弟，大半未受教育，人格
　　欠缺。即間有數人肄業美國大學，得有外國學位，然不嫻漢文，中國之
　　書籍公牘報紙，均不能成誦。雖具有專門西學，然與外國人無異，於中
　　國大局，既屬無甚補救; 在彼等個人，亦失無限利益。就國家公益，與
　　華僑私利兩面計之，設立學校，誠為今日莫大之急務。……㉓

不久，在中國駐美公使伍廷芳催促之下，中華會館成立學務公所，
選出二十一名商董籌辦學務。

　　經過五個多月的籌備工作，興學計劃終於草成: 大清學堂改
名大清僑民公立小學堂，學校地面層讓給中華會館用為會所。㉔
僑民學堂在一九〇九年春節後開學，有學生一百一十名報名。㉕
由於經濟條件的限制，校方放棄了原擬中西文並重的計劃。教學
以中文為主，課文包括經學、修身、國文、歷史、地理、習字、
體操、唱歌共八門。僑民學堂成立之後，用人理財，全由中華會
館主持，但學部答應每年津貼五百元。

　　梁慶桂離開舊金山又到美國加拿大其他華人人口較集中的城
市。通過他的推動，舊金山、薩克拉門托、紐約、芝加哥、波特

蘭、西雅圖、溫哥華、維多利亞八個城市都先後開辦僑民學堂。他在舊金山又囑咐憲政黨人黃金在僑民學堂外設法再設一間學堂。

這期間，舊金山的金巴崙長老會和華人浸信會也在一九〇八及一九一〇年先後主辦華文學校。一九〇九年，程祖彝、黃芸蘇、黃超五及張藹蘊又成立金門兩等學堂。跟着張藹蘊在附近的奧克蘭成立求是學堂及明新書塾。

在檀香山維新分子伍平、譚宗銳、唐玉、黃憲等十多人，在一九〇一年在火奴魯魯組織青年務學會，提倡孔道，研究學問。一九〇四年，陳宜庵、李啟輝、黃綿鳳、陳滾等人又成立青年俱樂部，學習文化及武備。由於兩個組織宗旨相同，因此同年就合併為青年務學俱樂部。一九〇八年，梁慶桂路經檀香山赴北美洲，曾經和俱樂部會員唐球等接觸，敦促他們辦學。同年，青年務學俱樂部向檀香山政府申請辦學憑照。

當初，發起人是打算學校成立之後，就由華人社區公辦，他們也得到清領事梁國芬的支持。但當時正在籌辦另一間學校的同盟會分子，卻煽動羣眾極力反對，所以公立學校作罷論。到一九一一年二月，明倫兩等學堂正式開幕（中華民國成立之後改名為明倫學校〔Mun Lun School〕）。

當明倫學堂還在籌備的過程，檀香山一些同盟會會員也擬設華文學校。一九一〇年，孫中山到檀香山，同意這建議，並答應出面找鍾工宇、楊廣達等人領銜募款。一九一一年二月華文學校在明倫學堂開幕後幾天也開幕。這兩間學校，華文和明倫就成為檀香山兩大華文學校。

一九一一年，辛亥革命推翻中國二千年的帝制，跟着一九一九年爆發反帝國主義反封建的五四運動，提倡民主及新文化。這些發展正符合海外華人希望改革中國，把它變為個個富強而可以幫助改善提高海外華人地位的要求，民族主義思想推動他們重視華文教育，因此直到第二次世界大戰前夕，海外各地華人紛紛辦學培育子弟。這些設備很多是社區或街坊公立的，但也有社團、教會或政黨舉辦的學校。美國大陸和檀香山都有同樣的發展，加州的舊金山及檀香山的火奴魯魯卻仍然是美國華文教育最發達的兩個地方。

舊金山的晨鐘劇社以異軍突起，在一九一九年創辦晨鐘學校（Morning Bell School）。辦學的人都是受中國資產階級民主革命影響而同情或參加國民黨的知識分子。這學校是以新姿態出現，從它的校歌歌詞可以多少領略到這學校的基本精神：

大哉晨鐘，鏜、鏜、鏜的驚人夢。

鳥課雞鳴頻催起，

三竿紅日已升東。

最是惱人衆生未醒，

何能以振聵發聾？

今世界弱肉強食，

怒潮來洶湧；

圖強自立，非教育不爲功。

祖鞭猛著，奮志爲雄。

人世百年易過，

鵬程萬里難通。

莫等閒，虛老韶華悲功空。

勖哉齊努力，

振我華國之宗風。

將見金門港上，

我校人材蔚起與世大同。

晨鐘學校的課程都是改學制以後新訂的科目，其中國語科目還是在華人社區裏較早設立的一門課。晨鐘學校也是舊金山較早一個以廣州白話爲標準發音的學校。

晨鐘學校首倡男女同校，又首創學生自治會，根據發展德、智、體、羣四育的原則，舉辦青年愛好的各種文娛康樂活動。由一九二〇年開始，學生又組織演講團，每週五晚上穿制服，張旗鼓，列隊到華埠鬧區作有關中國國事的演講。

學校的經費，大部份是由晨鐘劇社定時演劇籌款募集。但多年來總是入不敷出；所以到一九二四年，學生人數雖然已經由初期的八十多人增加到二百多人，而這學校也被社區人士公認爲較高質量的學校，但劇社社員覺得長期的赤字經營，不能夠這樣繼續下去，所以不得不決定把學校關門了。㉖不過晨鐘學校雖然停辦，但所介紹的各種新式教育措施，如男女同校，學生自治，對其他華文學校是起了示範作用。

到這時期，承繼大清僑民學堂的中華僑民公立學校也受新風所及而整頓校務。一九二七年，中華會館籌款購買樓宇，擴充校舍，改名中華中學校。到一九二八年改用初小、高小、初中、高中新學制，選林始亨爲校長。林始亨在中國曾經有辦學的經驗，他任職七年，校務蒸蒸日上，發展爲美國舊金山學生多，水平較高的華文學校。

二、三十年代，舊金山還有由地緣團體或宗教團體主辦的學校，南海福蔭堂設的金門南僑學校是地緣團體較早主辦的學校，在一九二〇年成立。舊金山最早的教會學校是華埠天主教堂在一九二一年設的聖瑪利中英文學校（St. Mary's School）。跟着，耶穌教牧師李熊推動長老會及綱紀愼會在一九二四年創辦金門協和學校（Chinese Union Christian Academy），後來浸信會（一九二九年退出自辦小學）及美以美會也加入主辦團體之列。宣揚孔孟之道的孔教總會也在一九三一年參加辦學宗教團體的行列，創設孔教學校（一九四六年停辦）。至於國民黨，在二、三十年代很多黨員都在教育界很活躍，但國民黨本身卻要等到一九三七年才由右派總支部成立建國中學，提供黨化教育。

在美國僅次於舊金山的另外一個華人最集中的地區是檀香山的火奴魯魯，這裏最大的華文學校是明倫學校，學校當局辦學認真，很早就兼收男女學生，對改變社會上重男輕女的觀念起肯定作用。在一九一五年，首屆校長陳宜庵辭職旋唐，由鄭任先繼任（香山縣人，日本橫濱大同學校的畢業生）。鄭校長在職五十二年，在明倫共五十六年，為發展華文教育鞠躬盡瘁。在他主持校政期間，明倫學校在華人社會樹立很高的聲譽，成為檀香山最著名的華文學校。在一九三六年，這學校的人數達到最高峯，各級教員有三十三名，學生一千三百四十八名，居美國華文學校第一位。㉗

在檀香山學生人數居第二位的華文學校則和國民黨有深切的淵源關係，孫中山在中國逝世之後，這學校在一九二六年改名檀山中山學校。明倫和中山學校的學生的總和約佔檀香山華文學校青少年的六成以上。在二十世紀上半葉，檀香山的火奴魯魯也有其他一些有數十至一、二百名學生的學校，這些學校以個人名義開辦的居多數。這是檀香山和舊金山辦學歷史不同的地方。

中華民國成立之後，辦學風氣傳遍美國各地華人社區，其他地區也紛紛成立教育設備，希望這樣能夠推動下一代保持華語及中華文化傳統。有三數百華人的市鎮往往設有中華學校或其他適當名稱的學校。這些一般是由社區人士通過街坊中華會館或中華公所主辦。在一些地方社團也負起為社區辦學的任務，例如安良工商會在波士頓（一九一六年），克利夫蘭（一九二八年）及芝加哥（一九二八年），協勝公會在明尼阿波利斯（一九三二年），秉公堂在波特蘭（一九三九年）曾辦小學。除此外還有個別熱心人士或教會辦的小學。

二十世紀前半葉，是美國華文教育全盛的時期。當時加州舊金山及檀香山的火奴魯魯的辦學成績還算是差強人意，個別學生的水平可以跟得上中國一些學校，可是從大體上來看，在美國辦華文教育有很多限制，學生上課時間不多，師資不高，經費有限；所以水平一般也不能夠跟中國的學校相比。不過，華文學校的存在，卻能夠鼓勵更多家長響應而遣送子女入學。二十年代初，檀香山華文學校的學生總人數約等於英文學校學生的30％，但跟着華文學校的發展，到四十年代初，這比例已經增加到約36％（在這期間，檀香山日文學校學生總數卻等於英文學校日裔學生的八成以上），不過仍然過半華裔青少年沒有得到華文教育，或只入學兩三年就輟學。很明顯很多檀香山華人已經深受美國生活方式影響，開始進入美國社會主流，不再將保持中華文化放在第一位，加上華人不集中居住，也成為華人學童上學的一個障礙。美國大陸很多地區也有同樣的現象，但在華文教育最發達的舊金山，入學的比例卻比其他地區高。在一九四○年，舊金山五歲至十五歲的華人，大約有三千八、九百人，當時華文學校的學生就有二千人左右。當然當地華人高度集中在華埠居住是形成這現象的重要因素。

由於美國社會當時對華人有很深的偏見，小部份華裔通過華文教育接受了中國的文化傳統，能夠與中國認同，但大多數華裔學生卻只有限度的影響，他們的思想作風有部份受中國文化的影響，另部份則受美國文化的影響。有些人因此而能夠在華人與白人社會之間起一個橋樑作用，但往往亦有些人，在兩個不同文化的矛盾現象嚴重衝擊下，造成了思想上的混亂。

儘管華文教育對華裔只有有限度的影響，學校課程在二十世紀上半葉一些民族意識內容卻引起白人狹隘國家主義者的猜忌，指控這種外國語文學校教導學生效忠外國，慫恿政府立法機構通過立法制裁外國語文學校。反對外國語文學校最活躍的地區是亞裔最集中的檀香山及加州。實際上，主要攻擊對象是學生眾多而具備有濃厚的大日本主義色彩的日文學校。一九二○年，在檀香山就設有一百四十四間日文學校。不過城門失火，殃及池魚。那幾間華文學校及爲數更少的朝鮮文學校也一樣受到排斥。第一次世界大戰之後，美國國內的排外情緒抬頭，在加州及檀香山存在着嚴重地排亞種族主義的思想，因此發展成爲鼓吹取締外國語學校的運動。

在一九一九，檀香山議會議員提出制裁外語學校的法案，到一九二○年由議會通過，一九二一年生效。這法案主要內容如下：（1）外語學校必須向教育廳登記，才能開辦。（2）外語學校教員必須向教育廳通過考試形式證明他對於民主主義思想、美國歷史及憲法制度有充分了解，且熟悉英文。（3）外語學校不能在公立學校同時間上課，且限每星期上課六天，每天一小時。（4）外語學校的課程與教科書必須經過教育廳檢閱審定，才能應用。一九二一年，加州議會步檀香山後塵，也通過議案規定外國語文學校要譯繳教科書及每月課程；教師需要考試合格才能夠領得教學許可證書。一九二三年，加州及夏威夷議會又通過更苛刻的修正條例，最終目的很明顯是完全取消亞裔移民所辦的外國語學校。這引起亞裔人士極力反對。在檀香山七十一間日文學校聯合上訴到華盛頓。結果在一九二七年聯邦最高法院判決制裁外國語學校法案違背了美國憲法第十四條修正條例。於是反對外國語文學校分子暫時受挫。但十四年後，國際局勢的變化卻幫助他們達到目的。一九四一年日本空襲珍珠港。美國參加第二次世界大戰，檀香山進入軍管戒嚴狀態，下令所有外國語文學校停課。華文學校亦不例外。戒嚴令雖然到一九四三年就撤消了，但當時美國國家主義者卻趁着戰時的排外情緒，重新通過取締外國語文學校。

到一九四五年，盟軍勝利，檀島的中華總工會提出要爭取恢復華文學校。由務學俱樂部（即明倫學校）、大公學校和中山學校，聯同家長教員代表譚華燦（Wah Chan Thom），張華超（Wilfred Chong）及梁月初（Leong Nget Cho）等人上法庭起訴。一九四七年，聯邦特別法庭判決制裁外國語文學校法案違背了美國憲法。但夏威夷政府不服，上訴到聯邦最高法院。華人也組織檀香山華僑教育聯合會籌款應付法庭上的抗訴。一九四八年，最高法院以法律程序不妥為理由，撤消原判，回復初審。由於重新上訴需要浩大的經費，所以華僑教育聯合會改變戰略，聯同日文學校向夏威夷議會請願廢除外國語案。跟着眾議院院長廓友良提出議案修正一九四三年法案的條例，大大減輕對外國語文學校的約束，一九四九年由參議院及眾議院通過，華文學校終於恢復開辦。不過經過長期的取締，檀香山華文教育元氣大喪，很多較小規模的學校淘汰了。當時只有明倫、中山、大公、互助及位亞域華文五間學校復辦。加上華裔大部份進入社會主流，不重視華文教育，所以華文學校的水平已經今非昔比了。

美國大陸的華文學校沒有被取締，但第二次世界大戰之後，社會上對華人的歧視逐漸減輕，華裔爭取進入美國社會主流，華文教育也隨之衰落。

五、開留學界的先河

歐西國家在鴉片戰爭中以堅船利炮打開中國門戶之後，割地賠款、喪權辱國的事件接踵而來，有些人就把中國的衰弱歸咎於傳統教育制度，要求向西方學習，把西法移植到中國，認為只有此途才能夠使中國變成現代化的富強國家。其中一個倡議就是到外國學習；所以，在近百年，出洋留學成為一種風氣，而美國則是留學生較多的一個國家。

最早發動中國人到美國留學的人是傳教士。他們的動機不外是散播種子，希望這樣能培養一批將來在中國會對基督教抱友善態度而對美國有利的知識階層。早在一八一八到一八二五年，康涅狄格州康沃爾（Cornwall）的外國傳道學校（Foreign Mission School)，就先後有五個華人學生就學。其中一名叫亞霖，後來回中國曾任湖廣總督林則徐翻譯員之一。

到一八四七年香港馬禮遜學校教師布郎（Samuel R. Brown），帶容閎（Yung Wing）、黃寬（Wong Foon）和黃勝（Wong Shing）三名學童回美國入馬薩諸塞州的蒙森學院（Monson Academy）學習。三年後，容閎得喬治亞州薩凡納婦女會的資助，又入耶魯大學，一八五四年畢業，成為第一名在美國大學畢業的華人。

青年的容閎臨大學畢業的一年，就下了一個決心：“……予之一身，既受此文明之教育，則當使後予之人，亦享此同等之利益。以西方之學術，灌輸於中國，使中國日趨於文明富強之境。”他回中國後在一八七〇年向曾國藩提出這計劃，由曾國藩同年冬奏准着手進行設幼童出洋肄業局（Chinese Educational Mission），選派一百二十名出洋留學十五年，學習科技，由陳蘭彬負責學童在美國期間的漢文學習，容閎則監視學生學科，並安排住宿。由一八七二至一八七五年，這些學童，就分四批到美東就學。其中，廣東籍貫的人佔了七成，而且幾乎一半是香山縣人。這現象反映當時廣東對外貿易發達，出洋的人也多，所以風氣比較開通。

這些學生就學期間，寄居美國人家庭，有些又參加教堂祈禱。另一些平日遊戲運動，又改用美國服裝。這引起保守派的不滿，認為他們中國文化修養不夠，美國氣味太深，所以處處吹毛求疵，又向北京指控容閎縱容學生，且提議早日撤回留美學生。一八八〇年，李鴻章終於下令撤銷幼童出洋肄業局，召學生回中國，分派到各部門學習或工作。有少數人卻能夠利用在美國這多年來建立的關係，再渡太平洋完成學業，留在美國。

清政府撤銷幼童出洋肄業局之後，赴美留學學生零零星星，到一九一〇年也不過五百人左右，其中大部份都是非官費學生。例如一八七八年孫中山在夏威夷就讀於教會學校。一八九五年顏惠慶得教會的幫助，入美國的維琴尼亞大學肄業。一八九六年，紐約基督教長老會的許芹牧師（Rev. Huie Kin）又到中國帶三十名男童來紐約受教育。㉘一九〇一年，多年在上海從事翻譯事業的傳教士傅蘭雅（John Fryer）帶陳錦濤，王寵惠等九人來美留學。

傳教士也攜帶女學生到美國學校。其中最早的有四名，都是學醫的。計有金雅妹（King Ya-me，寧波人），一八八一年到美國入學;何金英（Hu King-eng，福州人），一八八四年到美國入學，及康愛德（江西九江人）和石美玉（Mary Stone，湖北黃梅人），一八九二年到美國入學。㉙一九〇四年後，又有陸續往美國衛斯理女子學院留學的宋氏三姊妹——靄齡、慶齡、美齡。

在一九〇八年美國國會通過退還庚子之役大部份賠款，作為中國派遣留學生到美國留學的經費，決定由一九〇九至一九三七年逐年撥款資助中國留學生。中國政府也在一九一一年創設清華學堂（今之清華大學）作為中國青年赴美各高等學校深造的預科。值得一提的是在初期也有少數美國華裔學生有資格領得到庚子學金。其中一名就是舊金山早期西醫何廷光。㉚

庚子賠款學金掀起到美國留學的一個高潮。由一九〇九年到一九三七年，到美國的中國留學生約七八千人，遠遠超過當時美國華裔和土生已進入美國高等學校的學生人數。

留美學生在刻苦求學過程中還組織了各種團體，互相聯絡周濟，互相鼓勵。在一九〇一年柏克利加州大學的中國學生發起西美中國留學生會，一九〇二年正式成立。一九〇五年，在東岸又成立東美留學生會。到一九一一年，各地區學生會同意合併成立留美中國學生總會，分美東、美中及西岸三個分區。這學生會出版有英文《美國留學生月報》，內容有討論中國、國際局勢的文章以及有關留學生界動態的報導。到三十年代初，中國國共分裂，國民黨內部又發生糾紛，影響到學生會內部會務混亂，會刊也停頓了，不過各地個別分會還繼續活動。到一九三五年，日本蠶食中國，國難當頭，一些分會的進步學生就發起在芝加哥再組織北美洲中國學生會（The Chinese Students Association of North America），鼓吹抗日。一九三八年，在紐約又出現有全美中國學生會（Chinese Students Association of America），支持國民政府的抗日建國政綱。

此外，一九〇七年成立有北美基督教學生會（Chinese Students' Christian Association in North America）。一九一四年有留美學生勤學會，一九一六年改名留美中國學生工讀會。地點在歐柏林，這會的宗旨是以半工半讀助成留學生的學業。這個會幫助留學生聯繫學校，尋找工作場所，並有宿舍提供給學生在暑期工作時居住。值得一提的還有一九二六年在紐約成立的華美協進社（China Institute in America）。這民間組織的宗旨是服務中國留美學生以及促進中美文化交流。㉛

留學生在美國一些活動對中國社會有深遠的影響。一九一四年，胡達、趙元任等一輩在康乃爾大學的留學生發起組織中國科學社。他們和上海寰球中國學生會總幹事朱少屏聯繫。一九一五年在上海出版中國歷史上第一份定期的科學雜誌《科學月刊》，對於啓發中國人重視科學知識是起了很重要的作用。同樣，一九一七年中國留美的工科學生在美國成立中國工程師學會（Chinese Institute of Engineers）。由於當時的留學生，學成後一般都回中國找出路，因此學會的組織，也從美國帶回國內，在各地成立分會。漸漸中國國內的組織變爲總部，而美國地區反而成爲分會了。㉜

一般留學生的文化水平與社會背景跟華埠居民有很大的差距，而且大部份學生不懂粵方言；所以他們與華人社區的關係比較疏遠。但有少數人卻能夠在華人報社擔當編輯工作或在華文學校任教。這些高級知識分子往往也積極參加與中國政治問題有關的活動。所以在提倡中國改革，反對帝國主義的侵略等問題上，他們是起了作用，而且還幫助提高美國華人對中國政局的認識。

一些留學生雖然不能夠經常與美國華人接觸，但對華人的境遇卻深表同情。著名詩人聞一多一九二二至一九二五年在美國留學期間滿腔悲憤而作的《洗衣歌》就是一個例子。另一些留學生則在華人社區從事社會活動。一九〇九年，波士頓和紐約的留學生成立公義社。其宗旨是興辦華僑教育，為華僑工商業謀福。在波士頓公義社曾辦過國民義務學堂，開設英文、算術、中文、國語各科，每星期天輪流講課。他們還發動華人注意衛生，改善居住環境，禁鴉片，查賭博，勸止堂鬥，成立童子軍。這些大約活動到第一次世界大戰期間。此外，美國共產黨二、三十年代的一些骨幹也有華人留學生，他們在這期間對於啟發華人參加美國社會活動起了重要作用。

但當時學生畢竟不是美國公民，他們無權居留，不易謀職，一般人經過三五年一畢業就束裝回國; 所以，人事變動很大，很難持續在美國參預各項活動，或對這些活動作長久打算。學生本人也認為他們的前途在中國，所以在美國的活動，也只以羈旅的心態來看待罷了。

注釋:

① Bung Chong Lee, "The Chinese Store as a Social Institution," 見*Social Process in Hawaii*（夏威夷大學社會學社，1936年），第35—38頁。

② "公司"這名稱未見用於中國的傳統團體。十八世紀華人開拓南洋才開始見這名詞的應用，如坤甸（西加里曼丹）有"和順公司"、"蘭芳公司"等〔見溫廣益，《印度尼西亞華僑史》（北京: 海洋出版社，1985年）第112—119頁〕。十九世紀華人在新加坡成立會館，也曾採用"公司"這名

詞，例如寧陽會館成立，初名寧陽公司。稍後，華人在舊金山設會館，可能就據南洋的先例，也稱會館爲"公司"。

③ 見《沙斯塔信使報》，1854年，8月12日。

④ 見《上加利福尼亞日報》，1856年10月31日。

⑤ 見《上加利福尼亞日報》，1857年10月16、17、18日。

⑥ 檀香山約在十九世紀八十年代也設有同樣制度，由檀香山中華會館發出港票。〔《檀香山中華會館緣起及會章》見林其忠、卓麟、陸燦編，《檀香山中華會館50週年紀念刊》（火奴魯魯，檀香山中華會館，1934年）第149至150頁〕。在美國大陸，西雅圖及洛杉磯自成爲進出口岸之後，這兩個城市的中華會館也先後在1913年及1933年開始徵收出港票，不過主要口岸還是在舊金山。1949年，中華人民共和國成立之後，回中國的華人減少，舊金山中華總會館才撤銷這制度。〔見劉伯驥，《美國華僑史續編》（台北，黎明文化事業公司，1981年）第181頁。〕

⑦ 區天驥，《陽和新館序》，及陳恩梓，《重建陽和會館記》，見《舊金山重建陽和館廟工金徵信錄》（舊金山：陽和會館，1900年）。

⑧ 見《上加利福尼亞日報》，1853年5月31日。

⑨ 見《舊金山先驅報》，1855年2月5、6、8日。

⑩ 見《舊金山先驅報》，1855年2月5日。

⑪ S. M. Lyman, W. E. Willmott, Berching Ho, "Rules of a Chinese Secret Society in British Columbia", 見《倫敦大學東方與非洲研究學院通訊》第27卷（1964年），第3部分，第530—539頁。這堂規是目前所知道的最早用致公堂名稱的文件。堂規提及"議始自由茂士埠丙子年（1876年）倡建，次由本埠〔即指巴克維爾（Barkerville）鎮〕於壬辛年（1882年）建業……"；1879年4月9日的《舊金山紀事報》載致公堂向法庭申請許可將舊金山一塊土地抵押借三千美元的消息。1879年5月10日的《舊金山呼報》報導舊金山致公堂向舊金山縣政府立案。

⑫ 見《東涯新錄》，1855年2月8日。

⑬ 這公所的名見"砵崙中華會館，昭一公所，及和泰、同源兩店致旅美三邑總會館函"（1887年）。

⑭ 見《中西日報》，1903年3月26日。

⑮　見《世界日報》，1913年5月9、16、17日。

⑯　在20世紀救助娼妓和被虐待婦女最著名的傳教士是舊金山長老會的卡梅倫（粵人稱金美倫）女士。

⑰　同金山警察局設有華埠特警隊（Chinatown Squad）。1921年委任約翰・馬尼恩（當地華人稱爲緬寅）爲隊長，馬尼恩對堂號分子實行鐵腕鎭壓手段。其他城市沒有同樣的組織，但堂鬥發生，警察局往往採取高壓手段，例如在1924年美東安艮與協勝發生堂鬥，紐約、芝加哥、波士頓、費城、克利夫蘭等市的警察，就大擧拘捕當地華人，審查移民證件（見《民族》週刊1925年10月14日，第398，401頁）。警察局採用這種手段，往往波及無辜，而且侵犯人權。但在當時對堂號的不法行爲，卻可說起儆戒的作用。

⑱　陳澤三，《總公所沿革史》，見《至孝篤親特刊》（舊金山：至孝篤親總公所，1964年）第58頁。

⑲　劉伯驥，《駐美台山寧陽總會館事略》，見《廣東文獻》第10卷第4期（1980年12月31日），第10至17頁。

⑳　麥禮謙，《十九世紀美國華文報業小史》，見《華僑歷史學會通訊》（1983年，第2期第26—33頁）；H. M. Lai（麥禮謙），*The Chinese Community Press in Hawaii*（1988年華人來檀二百週年紀念華僑史研討會論文）。

㉑　同源會老會員曾癸隆口述，1974年7月21日。據他說：當時中國沒有耶菜（洋白菜），土生，在本地出生故名。"土煮"是二等鴉片。這名詞後來演變爲"土主"、"土著"、"土紙"，都是土生的別稱；竹升，比喻他們像"竹製米升"，中間空而不通。

㉒　劉伯驥，《美國華僑教育》（台北：海外出版社，1957年），第355至357頁；張藹蘊子張德提供的資料。

㉓　見《中西日報》，1908年5月9日。

㉔　先是舊金山在1906年發生地震火災，華埠成爲廢墟。當時清政府滙銀九萬兩來美國賑濟難僑。但美國卻已經撥款賑濟。中華會館商董趁這機會，便向中國駐美公使要求動用這款重建會館。經過一番考慮，中國公使決定撥銀兩三萬元借給中華會館，但對用途卻發表以下的聲明：

　　……賑濟款項，多由海內官商捐助。果有盈餘，移充善擧，尚與原意相符。若撥建會館，則僅屬商界舉動，不盡關涉慈善，恐無以對樂善好施之忱。故特飭將該款如何歸還，如何興辦善舉，一一明定章程，稟覆立案。茲閱該總領事所詳該會館所擬會館盈餘儘數撥還，設立僑旅學堂，擴充東華醫局，均屬有關公益……嗣後即按該會館刊刊徵信錄進支數目所有盈餘，全行撥交公舉——經理此款之舖戶或銀行，代爲存貯，照章生息，專爲學堂，醫院經費，不得挪作別用，仰即立案領署，勒石會館，永遠遵行至掃數還清之日爲止。……

〔見《金山正埠大清僑民公立小學堂徵信錄》（舊金山：1909年），第1A至2A頁〕。這就是中華會館與僑民學校關係的由來。

㉕　見《中西日報》，1909年1月29日，2月1、8日。

㉖　《曉》（舊金山: 晨鐘學校，1922年）；《中西日報》，1924年12月25、26日。

㉗　《明倫學校金禧紀念》（火奴魯魯: 明倫學校，1961年），第26頁。

㉘　"Huie Kin（許芹）—Reminiscences"，見《紐約中華基督教長老會開基一百週年成立五十八年特刊》英文部份（紐約: 1968年），第14—18頁。

㉙　褚季能，《甲午戰前四位女留學生》，見《東方雜誌》第31卷第11號（1934年6月1日），第11—14頁。

㉚　何廷光醫生口述，1970年8月23日。他1922年在斯坦福大學畢業後，曾到北京協和醫院服務一年才回舊金山懸壺濟世。何廷光是舊金山東華醫院的早期支持者，對介紹西方現代化醫療方法給華人社會起重要作用。

㉛　見《華美通訊》（紐約: 華美協進社）第4卷，第2期（1956年12月）。

㉜　葉言都，《美國"中國工程師學會"的昨日、今日與明日》，見《時報週刊》1981年2月8日。

第三章　排華時期的華人經濟

一、排華運動及其措施

　　十九世紀下半葉，華人無論在美國大陸或夏威夷都普遍遭遇種族歧視。這情況對他們在美國的發展有很嚴重的影響。

　　白人種族主義已經有很長遠的歷史淵源。當西歐資本主義國家的勢力正在擴張到全世界各角落時，為了辯護這種侵佔土地和壓迫土人的行為，他們就歪曲達爾文的進化論，把"適者生存"的概念單純地運用到人類社會去，這就是所謂的社會──達爾文主義（Social Darwinism）。他們宣揚白種人和西歐文明的優越性，並提出"白種人的責任"（White Man's Burden）；也就是說白人有權利和使命把西歐的優越文明傳到世界各個角落中去。這套理論雖然在十九世紀後期才正式發表，但替殖民者辯護的人早在這以前已經或多或少運用到其中一些概念了。

　　當時西歐野心最大的帝國主義英國，就是這樣不斷鼓吹盎格魯－撒克遜是世界上最優越的人種，因此這種種族主義思想在英國的殖民地或前殖民地是根深蒂固的。在曾經為英國殖民地的美國，擴張主義者又編出一套"命定擴張論"（Manifest Destiny）作為美國由東岸向西岸伸展，消滅印第安人部落，強佔墨西哥領土的理論根據。所以在那時期美國人一般都染有很濃厚的種族主義意識。華人來到加州，正首當其衝，他們是最早大批來美國的亞洲民族。由於膚色、生活方式、文化傳統跟美國白人迴然不同，所以華人很容易就被種族主義者識別，成爲攻擊的對象。他們所受的待遇，也是以後來美其他亞洲移民所受待遇的先聲。

早在淘金熱期間，加州華人已經遭受美國種族主義者的困擾、欺凌、甚至殘殺，不過在這期間這種行動還屬於自發性質而缺乏有系統的組織和指導。但從六十年代後期開始，這種情況發生了基本的變化，而這變化和加州當時的社會問題是有密切的關係。這時候，加州經濟正迅速發展，一些大地主和新興大企業，尤其是鐵路公司壟斷了加州的經濟和支配政府機構；他們又濫用權力壓榨和排擠小商人，小廠主和中小農場主。這集團同時也是華工的最大僱主，是使用廉價勞動的最大受惠者。他們往往利用華工和白種工人之間的種族矛盾，牽制工會運動的發展。到七十年代，由於加州經濟的衰退，促使了社會矛盾的尖銳化，釀成一場劇烈的社會鬥爭。一方是鐵路公司、大企業和大地主，另一方是白種工人、小商人、小廠主和中小農場主。由於華工與大公司、大地主有着密切僱傭關係，所以華人也不由自主地被捲入漩渦裏，最後成爲代罪羔羊。在反大企業、大地主運動當中，種族主義者以及投機工會領袖和政客都把矛頭指向華人，蓄意煽動排華情緒。當時排華活動的中心是華人人口最多的加州，而加州首要都市舊金山，就是排華運動的策源地。

早在一八五九年，舊金山雪茄烟行業的廠商和工人曾經組織"人民保障同盟"（People's Protective Union），主張排斥華工以及抵制華工捲的雪茄烟。到一八六七年，當中央太平洋鐵路的建築工程還在進行中，排華分子又組織"太平洋海岸反苦力協會"（The Pacific Coast Anti-Coolie Association）。到七十年代，加州的經濟不景更促使這種排華情緒迅速發展，蔓延到加州各市鎮，形成了一個大規模、有組織的、羣衆性的排華運動。運動抨擊華人是一個不受歡迎，與美國社會不能同化，是醜惡和道德墮落的劣等民族。甚至機會主義的工會領袖咒罵華工是馴服的奴性勞工，譴責華工使得他們的工資降低，而且剝奪白種工人的工作機會，他們利用這種手段號召白種工人參加工會組織。

嘩眾取寵的投機政客也爭先恐後通過各項法案干擾和限制華人的正常社會經濟活動。例如在一八七〇年舊金山參議會通過市政條例禁止行人在人行道上用扁擔搬運貨物（當時只有華人才有這種習慣）。一八七三年又通過條例，向用馬車搬運衣服的洗衣館每年徵稅一元，但不用馬車搬運衣服的洗衣館卻要每季徵稅十五元（當時華人經營的洗衣館一般都不用馬車搬運衣服的）。這期間欺侮華人的行動層出不窮;攻擊華人的流血事件不斷增加。例如一八七一年，洛杉磯（粵人稱羅省或羅生技利）白種人無賴襲擊華人區，十九名華人被害。①七十年代的經濟不景氣更是火上添油，排華分子向白人僱主加緊施加壓力迫使解僱華工。他們又召開羣眾大會通過決議要求國會將華人趕出美國。一八七六年在這種情緒慫慂下，加州議會設立小組調查華人移民問題，然後向國會呈交報告書，主張立法禁止華人入境。同年，國會參眾議院又指派調查小組到舊金山及薩克拉門托聽取供詞。由於調查小組被排華分子所控制，所以報告書也是滿紙偏見，與加州議會報告書同出一轍。一八七七年，排華分子在舊金山成立"加利福尼亞工人黨"（Workingmen's Party of California），這黨很快在加州成為一股政治力量，領導人物是丹尼斯·乾尼（Denis Kearney），他在各地反覆疾呼:"華人一定要滾出去!"（"The Chinese must go!"）。在無數講台上，這一口號被種族主義者和投機政客隨聲附和。到了一八七九年，加州議會召開代表大會制訂新憲法，工人黨和小商人、小廠主、中小農場主的代表聯合一致，通過限制大企業的條文，同時也在新憲法裏加入第十九款共四則的排華條例。

華人在美國屬少數族裔，他們缺乏政治力量，也沒有一個強盛的祖國作為後盾。他們在美國掙扎，只能向社會上正義人士提出呼籲，委曲求全。這也就是在商人領導下美國華人社會一貫採取的對策。早在五十年代，加州州長倡議排華，舊金山華商就在西報發表公開信為華人申辯，[2]他們甚至提出願意接受州政府增加外籍礦工稅額，希望這樣可以減輕礦區白人的敵視態度。在七十年代，當排華情緒不斷高漲，他們向美國總統及政府機構上交請願書，要求申張正義。[3]舊金山的華人領導機構"六會館公所"，曾經致電通知香港東華醫院，請勸告華人停止來美; 一八七六年，又發出傳單向華僑呼籲"……各人寫信回家，切囑鄉黨莫來，親親之言，孰不見信，卻勝本公所張貼長紅萬萬矣，果可因而遏止，鄉黨少來，一可免番人後禍之憂，二不致各行業工價日平，三不妨新客有羈留之慮，大家皆有見益，肯發一言之阻，便是無量之功也……"[4]希望這樣平息排華情緒。當地方政府通過排華法令，美國華僑唯有信賴美國司法制度，向法院投訴。這些案件雖然屢次得勝，換來短暫的喘息，但也使華人社會疲於奔命，而且基本問題仍然未解決，排華的氣焰更為囂張。所以在這期間，有少數華人也就遷徙到美中、美東，希望在那裏找到較為友善的環境。但他們逃脫不了社會的種族偏見; 排華論調仍舊接踵而來。

早在六十年代末，美南莊園主和資本家企圖招募華工代替已解放了的黑奴。當時一些輿論已經指控這是黑奴制度復辟的先聲。及至七十年代初美東一些企業僱用華工對付白種工人的工會運動，使問題更加擴大了，排華分子對這些事件大加渲染，提出廉價奴性華工對美國白種工人的威脅。這時候，要求聯邦政府採取有效步驟制裁華工入境的呼聲越來越高。在這時候，角逐於美國政壇上的民主黨和共和黨正勢均力敵，加州的選票在大選裏可以左右投票的結果。因此這州的選民就成為兩黨爭取的對象，雙方政客都願意迎合排華分子的要求。

到這時期，加州經濟的基本建設已經接近尾聲; 成千上萬的白人也已經乘鐵路之便移徙到加州定居。加州白種人人口激增，以前所存在的勞力短缺情況基本上解決了。僱用大量勞工的大公司、大農場主對華工的需要沒有以前那麼迫切，所以當國會於一八八二年通過禁止華工入境十年的法案時，並沒有遭遇到強烈的異議。據一八八〇年的美中條約，只有外交人員、教師、學生、商人和遊客五類才有資格進入美國。一八八二年的法案，同時亦規定不容許外籍華人取得美國的國籍。這排華移民法案的通過，就標誌着美國自由無限制的移民政策的結束，從而開始以種族為準則，實行限制移民入境的政策，這也顯示美國開拓邊疆的時期已經完結了。

通過了排華移民法案之後，華人的處境更加窘迫。美西迭起排華暴動，許多城鎮驅逐華人。留下在其他地區的華人也受盡種族偏見的折磨和凌辱。但排華分子仍不甘心，還要乘勝追擊，置華人於絕境，國會的政客也不令他們失望。

一八八四年國會修訂一八八二年法案，擴大了對華工限制的範圍。一八八八年九月十三日通過的一項法令禁止華工重進美國，除非他們有家庭或者具備有價值一千元財產者除外。三個星期後，又通過了斯克特法案（Scott Act），禁止暫時離境的華工重返美國，把兩萬名暫離美國回中國探親的華人斥於美國門外。一八九二年，吉爾里法案（Geary Act）又把排華法案延續十年。同時規定已經在美國的華工必需註冊才能獲得居留權。

此後，排華法案的條例基本上再沒有其他的更改。

美洲西岸的排華情緒，早在十九世紀七十年代已經傳到夏威夷王國。一八八二年美國禁例實施之後，部份華人擬移向夏威夷，但夏威夷政府在一八八三年也採取行動，規定每季度限制華人六百名入境。到一八八八年，又進一步禁止新華人移民入境。⑤到一八九八年，白人武裝推翻夏威夷王國，夏威夷併入美國版圖，美國排華移民法案在檀香山也生效。一九〇二和一九〇四年美國國會修改排華移民法案，在美國本土以外的美國殖民地實施，並無限期地禁止華工入境。

這時，“華人問題”已被包括範圍更廣的“亞洲人問題”所取代了。當時，日本移民成為主要攻擊對象。到一九二四年國會通過新移民法，禁止沒有資格獲取美國公民權的移民入境，這包括了中國人、日本人、朝鮮人、東印度人和其他亞洲國家及大洋洲非美領土的土人。這個歧視有色人種的移民政策一直沿用到一九六五年修訂移民法案時才告終止。

排華運動和排華措施並不限於美國大陸和夏威夷，在同一期間，在澳大利亞，新西蘭和加拿大都有類似的排華事件發生。在這些地區，促進排華運動的因素和美國基本上相同。⑥

二、排華政策下的華人

美國排華移民法例，到一九四三年才撤消，共執行了六十一年，對兩代美國華人的發展有重大的影響。

這種基於種族偏見的移民政策，認為華人是不受美國歡迎的異類。移民官員堅決執行這一法例並千方百計阻撓華人入境。因此，華人入境人數銳減，到二十世紀初，能夠入境的華人移民大約是二三千人，達不到移民美國總數百分之一。但執行排華法案的華人部卻每年耗用四五十萬美元的經費，約等於移民局用於其他方面經費的二三成。可見種族主義偏見之深了。

為了更有效阻撓華人入境，美國當局擴大禁例範圍。除繼續禁華工入境之外，對於條約上明文免禁的各類人，用狹義的解釋，而又加以種種限制。在一八九八年司法部宣佈免禁商人身份只限於買賣商品，開辦商店的人而不包括推銷員，採購員或店員; 同時又申明移民法例並“不是說一切沒有明文規定被禁入境的華人就可以有資格入境，而只是確定（條約條文）規定有資格的人可以入境。"換句話，凡不是免禁的五類人都以"華工"身份看待。一九〇〇年，財政部又決定學生身份只適用於那些到美國求高等教育或學習中國所缺乏的專科教育的人。其他干擾華人移民的規例也是層出不窮。到一九〇三年移民局又頒佈法規，凡驗出患有砂眼的移民要撥回頭，影響甚大。移民官員對華人申請入境的證件又多方挑剔，務必排斥華人於美國大門之外。所以在二十世紀初年，不能夠入境的新客達華人入境人數的兩三成。

這期間移民官員一般對華人都有很深的種族偏見，所以對華人移民多方設法凌辱虐待是意中之事，其中臭名昭著的一個是舊金山的移民兼檢查員詹姆斯·R·鄧恩（James R. Dunn）。這個小官員極端仇視華人，經常由於證件上一些小節不符合規格，就長期拘留不予入境。當華人上訴，在法律程序尚未結束時，他就往往擅自下令遣人出境，取消華人證件。令人髮指的是他對何文（Ho Mun 音譯）案件的處理。何文在一八九九年以華商身份申請入境，但移民局不肯批准，被拘留等候遣返中國。何文在拘留所染得重病，鄧恩卻置之不理，不肯讓他延醫診治，結果，經過兩個月的折磨後，何文就一命嗚呼去了。

當時華人雖然持有合法護照或證件入境，但仍須被移民官員盤問口供屬實後，才批准入境。各關口都設有拘留華人候審的設備，由於舊金山是西岸主要海港，所以在這裏登陸的華人佔入口華人的七八成。但移民局在這裏卻沒有設拘留所，華客抵達舊金山，就立即被關入太平洋郵船公司碼頭的木屋裏。這是一間約三十公尺的空間，而且設備極為簡陋的樓房。⑦"……華人寢食於斯，內外隔絕，親友不得一見，律師不得一問。即有疾病，醫生亦不得診視。黑暗穢臭，過於監獄；壓制苛暴，甚於犯人。幽禁常數百人，羈留常數閱月。⑧……"

華人社會多次向移民局抗議這設備不符合衛生標準與及不安全。一九〇二年移民局高級專員F. P. 薩金特（F. P. Sargent）

到木屋視察後，也不得不聲稱這設備完全不適宜作爲拘留所。在一九〇三年他發表報告主張撤銷碼頭木屋，而在舊金山灣中的天使島另設拘留站。經過幾年的設計營造，這一設備才在一九一〇年一月二十一日開始啟用。

經過鬥爭，拘留所的環境雖然略有改善，但排華的精神卻始終不變，所以無論在木屋或在天使島被拘留的人往往在壁上題詩來發泄憤怒、思鄉和煩悶的心情。也有一些人經不起打擊而自尋短見。天使島拘留所一直沿用到一九四〇年。當時由於管理耗費過鉅，加上樓宇陳舊，不得不將拘留所移到舊金山市。而拘留華人候審的條例，卻一直執行到二十世紀五十年代中才撤銷。

移民官吏踐踏人權的作風和他們對案件橫蠻無理的判決，迫使華人多次轉向法院訴訟，爭取基本權利。例如一八九八年的黃金德（Wong Kim Ark）案，迫使美國最高法院承認在美國出生的華人有美籍身份以及因此可以有權出入美境。一九〇〇年的林貴（Gue Lim 音譯）案，美國最高法院判決根據條約的規定，中國商人有權攜帶妻室和年幼子女前來美國。

華人社會領袖也多次向美國當局抗議移民局的專橫態度。駐美公使伍廷芳、梁誠和舊金山《中西日報》社長伍盤照，經常又向美國社會人士演講或發表文章，要求伸張正義。但官官相庇，自是意料中的事。

到二十世紀初，一八九四年簽訂的禁華工入口條約已接近滿期。旅美華僑身受凌虐的痛苦，於是，便羣起呼籲中國政府修改條約，爭取平等待遇，在一九〇一年美國各埠華商崔子肩、唐瓊昌、何利、司徒芳等五萬六千人聯名上稟，由粵督轉呈外務部，傾訴華僑在美的苦況。到一九〇三年，條約期滿前夕，華商在舊金山中華會館集議，又作公稟要求中國政府廢除舊約的排華條例。在這時候，檀香山的保皇會喉舌《新中國報》總撰述陳儀侃建議："吾今正言以告我華僑同胞曰: 禁例不能廢而必廢之。廢之之道將奈何? 曰: 抵制之⋯⋯抵制之術奈何? 曰: 辦貨者不辦美人之物, 用物者不用美人之物, 為辦此抵制之術之絕妙宗旨。而傭力於碼頭者, 惟美貨則不起, 買賣於市上者, 於美貨則有禁, 為辦此抵制之術之絕妙政策。"這意見在中國工商界廣為流傳。

到一九〇五年, 美公使到中國運動清廷簽訂續約。舊金山華商、中華會館及保皇會在五月初旬, 分別打電報給中國外務部, 指責美國苛例, 呼籲中國政府不可簽續約。五月十日, 上海商務總會開會, 在曾鑄 (字少卿, 福建人) 主持下, 決定兩項措施:

一、阻止政府簽訂禁工新約。

二、限美國在兩個月內改良排華法案, 公平待遇華僑, 否則採取行動抵制美貨。

到七月中, 改約問題毫無頭緒, 於是實行抵制美國貨的行動。不久, 得到全中國各地很多商人學生的響應。尤其是華僑最多的廣東、福建兩省。海外如日本、菲律賓、新加坡、馬來亞、安南、暹羅、澳洲等地的華僑亦都有支持的行動。但不久, 一些與美商有關係的華商動搖, 退出這運動。美國政府又向清廷施加壓力, 敦促當局採取步驟鎮壓運動。結果使這次運動直到年底已經在大部份地區衰落了。

這次運動沒有給美國對華貿易造成很嚴重的打擊, 所以也不能夠迫使美國改變排華移民政策。但這是中國近代為爭取國家主權的完整和獨立, 民族地位的平等與尊嚴, 首次發生的羣眾性政治示威行動。美國當局也沒有忽視這點, 所以羅斯福總統在這運動高潮的期間, 下令移民官對入境的中國移民宜謹慎依法處理, 尤其對商人學生, 更必須採取禮貌態度的待遇。⑨

不過新的苛例仍然紛至沓來, 其中有關傳染症的規例, 對華人的影響尤為嚴重。由於當時中國很多地區仍然缺乏現代醫藥衛生設備, 所以入境的一些華人會染有病症。美國醫官往往就把這些定為危害美國人健康的傳染病症, 拒絕病人入境。在二十世紀初，移民局拒絕患鈎蟲病的人入境。天使島拘留站啟用不久，移民局又頒新例，凡患鈎蟲病的華人要遣返回國。舊金山中華會館力爭，但沒有完滿的結果。這問題還未了結，美國總醫官在一九一八年，又宣佈肝吸蟲症是危險的傳染病症，下令移民局禁止患病者入境。由於不少華人染有這病症，所以移民局這一措施對華人社會有嚴重的影響。到一九二七年，檀香山林榮貴醫生到美京證明這病症沒有傳染性，美國醫官才把這些病症由第一等降爲第三等，患者免遭遣回。

移民局執行排華法例，並不完全依法行事，規例又經常改變，使華人難於應付。美國華人從痛苦的經驗，也知道很難和移民局論理，反而美國法院對華人訟案會採取比較公平的態度，依法判案，這樣才能夠稍爲抑制移民局的專橫作風。所以在排華移民法例實施期間，華人移民的訟案，超過三百宗，其中大部份還是一九一〇年以後起訴的案件。案件多，耗費也不少，但華人只有通過這樣鬥爭才能確保一些入境的權利，不致於被移民局全部剝奪。在第一次世界大戰期間，通過華人移民訴訟案，確定了美籍華人在國外出生的幼年子女（即土生子）的美國國籍的法律地位，但他們在外國出生的孫子（即土生孫）的國籍權利，直到一九二七年的陳保（Chin Bow 音譯）案，才予以確定。

在排華移民法例實施期間，華人雖然知道不容易入美國，但在外患內亂交迫的中國謀生更難。況且僑鄉到這時期已經有了出洋謀生的風氣，因此有志冒險前往美國的不乏其人。這移民法例既然歧視華人，華人也認爲沒有遵守的必要，所以由禁例開始實施的那一天起，華人就想盡辦法繞過法例，進入美境。有些人便取道加拿大、墨西哥或古巴，伺機偷關進入美國，取得一定成功。可是到了二十世紀這些國家相繼禁止華人移民入境之後，因此這些路線便一一被截斷了。但是仍有少數人利用乘輪船偷渡或在船上當海員，抵達美國海港後潛逃上岸，達到偷渡入境的目的。而大多數移民卻利用法例的縫隙，採取如下辦法：或賄賂移民局職員，在關口合法入境；或用假證件或冒認商人學生身份申請入境；稍後，很多人又轉而採用商人之子和美國土生身份等辦法，申請入境。再加上一九〇六年，舊金山地震火災，檔案全被燒燬，在美國一些華人又趁此機會冒認是在美國出生，領得美籍證件。法官確定了土生兒孫國籍權利之後，又產生另一種冒籍手段。美籍華人到中國探親回來，就向移民局報告生了孩子。(通常是男孩)。這樣製造了一個移民空額。幾年後，居美華人可以轉讓或出售這些空額及有關口供資料，讓其他華人冒籍入境。後者就成為華人一個重要入境途徑，因此由一九二〇年到一九四〇年二十年間，以土生、土生子、土生孫身份入境的華人就有七萬一千零四十名，⑩（其中包括眞的和冒認的）佔這期間入境華人的百分之五十一點八。⑪

　　華人入了美國，往往也不能夠安居樂業，因為當時移民局官員有權隨時向華人索取證件檢查，沒有帶證件的華人就會被拘禁，而且有被遣返出境的可能。每隔幾年移民局又組織大規模的搜冊(即查證件)活動，以摸水捉魚式的行動找尋非法入境的華人。例如在一九〇三年，移民局官員和警察就突擊對波士頓這個數千人口的華埠進行查冊，結果拘留了二百三十四名沒有攜帶證件的華人，其中有五十名後來被遣返出境。在一九二五年，移民局和警察局又在芝加哥、克利夫蘭（粵人稱企李扶倫）、波士頓、費城、紐約等城市的華埠進行搜冊。在紐約一個地方就拘留了六百人，後來有一百三十四人被判遣返中國。⑫這些經常發生的事件使華人有如驚弓之鳥，生活經常缺乏安全感。這種待遇也不只限於華埠居民，甚至連中國外交人員也不能倖免。一九〇三年，中國使館參贊周自齊乘火車由美京華盛頓到舊金山，途中在亞利桑那州被移民局官員以極粗魯無禮的態度盤問並索看證件，他們還有意動手拘留周參贊，但後來火車職工證實周氏的身份，才把他釋放。

同年清朝駐舊金山領事館武官譚錦鏞在街上與警察發生爭執被捕入獄。出獄後，他覺得失了面子，無地自容，結果放煤氣自盡了。這事件，當時在美國社會曾哄動一時，但後來也不了了之。這種和外交人員有關的事件卻比較罕見。而承受種族主義者偏見的壓迫欺凌還是美國華人。

這期間，種族偏見的殘酷現實是美國全體華人日常生活不可缺少的一部份。這現象在太平洋沿岸各州尤為嚴重。許多理髮店、旅店、醫院和其他公共場所不肯接待華人。在戲院裏，他們不能和白人混坐。許多地區不租賃房間給華人，有些市鎮更乾脆不許華人居住或做生意。另一些地區的地產契約會明文規定業主不能夠轉售華人，其籍口是華人居住地區的地產會貶值。許多州通過法律，禁止沒有資格入美籍的外籍人（華人是這類人之一）購買地產。另一些州則立法禁止黃白種通婚。在一些華人較集中的地區，學校當局又把華人學童隔離，不許他們和白人同班或同校。雖然到三十年代有些地區對這些措施稍為放鬆，但華人在當地社會仍然處在次等地位。這些境遇普遍使華人感到他們不是美國社會的一部份，許多人只抱着僑居的心理，他們一般退入華人社會裏活動，與美國社會主流隔絕。

美國實施排華移民政策，對美國華人人口有很大的影響。起初由於入境華人人數被限制，加上很多華人在美國老死或退休還鄉，所以，在美國大陸由一八八二年的十三萬二千三百人迅速下降，到一九○○年已經減少了三成。在夏威夷王國的情況的發展卻有點不同。在十九世紀八十年代初，這裏還未禁止華工入境，而且由於經濟發展的需要，還大量到中國招募華工，其中也包括一部份不能夠來美國而轉移其他目的地的華人移民。因此華人人口由一八八二年的一萬四千人左右，到一九○○年竟增加了八成多。不過，夏威夷在一八九八年進入美國版圖之後，美國排華移民法例在夏威夷實施，這情況很快就逆轉了，到一九一○年，華人人口已經跌到最低點。在二十世紀初年，美國大陸華人人口也繼續下降，直到一九二〇年才達到最低點。後來由於華人在法院爭取到一些有利於華人入境的判決，同時，土生華人人口自然增加，所以過了一九一〇年和一九二〇年，夏威夷和美國大陸的華人人口才慢慢回升。由於華工人口下降，婦女的比例也隨之相對地增加。一九一〇年在夏威夷的男女比例是三點八比一，但到一九四〇年，男性只比女性多百分之二十七點六。在美國大陸男女人口的比例則由一九一〇年的十四點三比一下降到一九四〇年的二點九比一，仍然是極懸殊的畸形狀態。

這期間在美國大陸華人已經成為極少數的族羣。加州華人最多，也只不過佔全州人口的百分之零點六。但在夏威夷總人口之中，華人所佔比例雖然遞年下降，到一九四〇年，這裏仍然是美國國土裏華人佔最高比例的地區，佔人口的百分之六點八。

美國大陸華人的分佈情形也有很大的變化。加州一直是華人最多的州，但在毗鄰而當時經濟發展較慢的洛磯山地區的華人人口卻迅速下降。華人繼續遷徙到東部和中西部的大都市謀生，有少數人則到美南。

在排華期間，華人繼續離開鄉村，進入大都市，很多農村鄉鎮的華埠也衰落淘汰了。所以到一九一〇年，已有百分之七十五點九華人在城市居住。到一九四〇年，這比例更升到百分之九十點六。夏威夷也有同樣的現象，在一八八四年火奴魯魯華人人口只佔夏威夷華人的百分之二十九，但到一九四〇年，這比例已經增加到百分之七十八。根據這一年的聯邦人口統計數字，火奴魯魯是美國境內華人最多的城市，有二萬二千四百四十五人，比第二名的舊金山多四千六百六十三人。第三名是紐約，有一萬二千七百五十三人。

在美國實施排華移民法案期間，華人在美國的社會環境變化。在上文已經敘述過華人社會的結構及組織怎樣跟着變化。在這期間，西方文化的影響，以及中國當初革新的潮流對改革華人社會的風氣起了一定作用。進入二十世紀以來，很多傳統的風俗習慣，先後被淘汰。西方文明成為風尚。不用說，纏足陋習很早就已經廢止，很多人也自動放棄薙髮結辮。辛亥革命之後，移風易俗的步驟加速進行，很多廟宇的香火逐漸消逝，有些激進分子甚至要求完全廢除陰曆，不過這主張沒有徹底執行，結果，華人社會還是採取陰陽曆並用的折衷辦法。⑬在社會上西裝漸成為現代文明華人的標誌。這期間華人的族羣覺悟逐漸提高，這樣逐漸形成安定的現代社會，準備成為美國多元社會的一個成員。但由於美國社會的濃厚種族主義氣氛，華人卻受不到平等的待遇，在職業上又局限於幾個行業。不過在這期間也有少數大企業家與專業工作者開始出現。華人不滿美國社會對他們的歧視，所以很多人感覺在美國是寄人籬下，他們與中國認同，認為自己僑居美國，前途還是在一個富強的中國，他們關心中國國勢的發展，也把前途寄託在中國的將來。但在這同時，社會上也有少數人已經對美國社會產生歸屬感，開始蹣跚地走向美國社會的主流，意識上由旅美華僑開始蛻變為美國華人，不過這部份人要達到這最終目標，還得走一段艱辛漫長的道路。

三、經濟領域的三大支柱

在二十世紀前半葉，美國大陸華人被很多行業排斥。為着要生存，他們只得提供一些社會上需要，但白人不屑或沒有條件參與的項目，所以這期間華人的職業比十九世紀有很大的不同。他們局限於幾個行業，特別是服務行業。很多人是做小本生意，如洗衣館、餐館、雜貨店等，因為這樣在種族偏見流行的社會裏，華人生活所需的收入無需再仰視老闆的面色，而且這辦法對一些不熟悉英文，缺乏專業教育的人來說，也有希望經過辛勤勞動積蓄而不斷獲得發達。所以到二十世紀三十年代，在美國大陸靠服務行業謀生的華人竟高達男性華人就業率的六成之多。其中約三分之一是僕役，其餘大部份都是洗衣行業或餐館業裏的老闆或工人。此外，靠零沽雜貨店謀生的華人，也幾乎佔華人就業率的兩成。這三種營業——洗衣店、餐館、零沽雜貨店，佔華人就業率的極大比例。

（一）洗衣業

這期間洗衣業是美國大陸華人的重要經濟支柱，這行業在十九世紀中葉在美西舊金山首先開始，由於適合社會的需要，所以發展很快，到七十年代，跟着華人的東移，華人洗衣業也到美中、美東扎根。到二十世紀，許多行業拒僱華人，更多華人也就進入洗衣業。所以到三十年代，靠這行業謀生的人佔就業華人的四分之一。

這行業雖然首先發源於加州，但由於華人在這地區已經有多年的經營，所以出路也較多。因此，在一九三〇年從事洗衣業也不過佔全州就業華人的百分之六點四。在美南由於當時經濟落後，種族偏見嚴重，所以在那裏的華人洗衣店比較少。但亞拉把馬州莫比爾市的陳業參，路易斯安娜州新奧爾艮市的陳宗梧和陳光富的營業卻頗具規模，據說到第二次世界大戰期間每年可做十萬元生意。

洗衣店是以工商業發達、人口稠密的美東和美中最多。在三十年代，十個就業華人裏就差不多有四個是和洗衣業有關係。據一九二五年出版的《旅美華商名錄》，美國東部由紐英崙到賓夕法尼亞州一帶有三千八百多間洗衣店，到四十年代中這數目更為增加。在美中、美東已經超過七千八百多家，其中單紐約市就有五千家。這些情況就造成很多美國白人有個印象: 洗衣業就是華人職業的定型。

美東、美中的洗衣店普遍是小本生意，投資額由數百到三四千美元不等。據一九四〇年在芝加哥一帶的調查，洗衣館佔了六成是親屬合夥生意，一成是非親屬合夥生意，約三成是單人經營的洗衣店。這些洗衣店每天開門營業十五、六個小時，工作時間是從清晨到半夜，以長的時間爭取一點一滴的收入。⑭

由於很多華人湧入這行業，因此很早就出現行會組織，維護了同業的利益。但到了二十世紀，由於洗衣業佔當地華人經濟的比重那麼高，所以在美中、美東、紐約、芝加哥、波士頓等大都市，管理這行業的大權都掌握在中華公所或中華會館手裏，例如波士頓的紐英崙中華公所在一九二八年曾召集當地僑團開會通過條例，規定（1）紐英崙區每市鎮裏洗衣店互相間最低限額的距離；（2）洗衣店不准減價；（3）一切洗衣店要到中華公所註冊。⑮

但華人洗衣行業，不但要提防同業之間消耗性的競爭，他們還要應付地方政府管理洗衣店的各種不合理的法令。由二十世紀初到三十年代，舊金山、洛杉磯、芝加哥等城市往往白人同業慫恿和煽動地方政府一次或多次試圖取締華人洗衣店。例如指控華人不注重衛生：用口吹氣噴水熨衣，已洗乾淨和未洗的污穢衣服同置在一室，工人在洗衣店裏食宿，衣館空氣不流通等等。最嚴重的一次是在紐約發生。

在三十年代，紐約市洗衣業是華人最多的行業，就業者約佔就業華人總數的四成，市內有洗衣店三千三百五十間。這時候，正當美國經濟蕭條，為了減低成本，很多西人，主要是猶太人，經營的大規模洗衣店開始使用機械化，以節省工資。但華人缺乏資本，只能增加對顧客的服務——例如免費縫補，免費接送衣服，或定價比機械化衣館略低，以圖競爭。由於華人辛勤勞動，他們的洗衣店在市場上成為西人衣館的勁敵。當時西人洗衣店為了保證保持一定利潤，組織了一個全市性同業組織，要求華人洗衣店遵守該組織所定的洗衣最低價格，但華人覺得如他們提高價錢，勢必失了顧客，因此拒絕。跟着西人就發動抵制華人洗衣店，同時在報章上攻擊華人洗衣業，且貼出侮辱華人的漫畫；例如描繪獠牙醜惡帶辮的華人在熨衣時用口噴水，灑在衣上，滿沾病菌。這些惡毒宣傳，對一些白人起了作用，對華人洗衣店的生意帶來很大的影響。

到一九三三年初，西人洗衣同業唆使紐約市參議會提出一項管制洗衣館的議案，規定每家洗衣店每年繳納執照費二十元，並在申請執照時須先繳一千元保證金。華人洗衣店大多是小規模營業，本小利薄，那裏能夠籌得這一千元。所以這議案在華人社會引起很大的震動。

當反對華人洗衣店的排華漫畫出現，中華公所就曾向每間洗衣店徵收一元，作為採取對付行動的經費。但沒有什麼表現，使洗衣業大失所望。市參議會提出苛例，中華公所又要求向每間洗衣店徵收二元，作為訴訟經費。

鑒於以前的經驗，一些洗衣同業認為中華公所缺乏誠意，他們認為要真的採取有效的行動，就必須自己組織起來。他們得到開明分子辦的《商報》和左派的《先鋒報》的支持。在"保衛華僑經濟生命線"號召下，他們積極發動同業，團結一致，為共同利益而鬥爭。於是，由李世剛、陳培等二百五十四間衣館簽名，發表籌備宣言。一九三三年四月二十三日在天主教堂召開大會，參加人數數千，代表二千個以上衣館單位。在一週內，成立了紐約華僑衣館聯合會，簡稱衣聯會（New York Hand Laundry Alliance）。

到五月，這新組織派代表向市參議會交涉，說服參議會修改原案，結果牌照費由二十元減到十元，保證金由一千元降到一百元。衣聯會旗開得勝，使會員很快增加到二千多人。

但西人大洗衣店卻仍不甘心其失敗，在一九三四年又推動市牌照局頒佈凡無合法入境證件的人不得領牌照營業。由於當時洗衣行業裏，很大一部份夥件都是偷潛入境，沒有入境證件和居留權的華人，所以這規定嚴重威脅到很多華人謀生的機會。但經過衣聯會的多次交涉，牌照局終於撤銷了這條苛例，華人洗衣業也算渡過了這個難關。除了以上兩件大事之外，衣聯會也經常爲會員辦理個別衣館在營業上經常碰到的一些問題。其中涉及到與牌照局、工務局、樓宇局、衛生局等關係的案件爲最多。此外，還幫助處理被無賴恐嚇、顧客控告賠償、賊匪打劫和業主交涉等案件。

衣聯會基本上是同業會性質的組織，但由於領導人和積極分子都有進步思想作指導，所以，它的表現就和華埠傳統團體不同。衣聯會崛起之後，其他一些地區如紐澤西、費城、美京華盛頓、波士頓、紐黑文甚至古巴夏灣拿的洗衣同業，也發起成立類似的組織，但其他地方華人人數較少，傳統社會的阻力太大，所以成績有限。最後只有紐約衣聯會獨樹一幟。

衣聯會成立不久，內部政見產生分歧，部份保守分子退出，另成立華僑衣館總公會，這組織得到中華公所和傳統團體的支持，但由於沒有向會員提供什麼服務項目，所以參加的人數遠不及衣聯會。後來該會受三益會虧空的影響而倒閉，承繼的組織是一九三七年成立的衣館同業總會（簡稱衣同會）。在其他地方，如洛杉磯在一九三四年成立復興洗衣公會，屋崙有衣館聯合會。這些組織都是志在聯絡，維護同業的利益。但他們對同業之間的影響都遠不及衣聯會和會員之間的密切關係。

到三十年代，紐約華人洗衣業也開始機械化。一些華人投資創辦"洗衣傓"（wetwash，專門接洗衣店交來濕洗的衣服和被單等的設備），在一九三六年組織有華人洗衣傓協會。到四十年代中，華人經營的洗衣傓發展到八間，那時候，大部份洗衣店都將衣服交給這些設備洗，烘乾和熨平摺好。四十年代華人又開設"熨衣傓"（專門熨洗衣傓已洗乾淨烘乾的襯衣），四十年代中有三十二間。這樣，華人洗衣店變成中間代理人，專門負責整理、分類和包紮工作。其他地區的華人洗衣業也逐漸發生同樣的變化。

（二）餐館業

　　華人經營的餐館業是二十世紀才興起的行業。在十九世紀，很多美國社會人士還不懂欣賞中國菜，所以華人菜館的顧客是以華人為主。當時也有少數華人經營西菜餐館，招徠西人顧客。不過，這時期並不很多華人在餐館行業就業，到一八七〇年，仍不及就業華人總數的千分之四。要等到十九世紀末二十世紀初，華人在很多行業被排斥，才有更多華人湧入這行業謀生。這時候，各華埠設有中菜館，華埠外設有西菜館。這些西菜館往往也提供一些中餐，不過菜式比較簡單，如炒麵、芙蓉蛋、甜酸咕嚕肉等。最著名一味是雜碎（chop suey）。這味由廣東民間食譜衍變的菜式，在十九世紀八十年代已經在美東出現，但到一八九六年李鴻章訪美之後，一些有生意眼光的老闆才把李鴻章的大名和雜碎聯繫在一起宣傳。不久，這菜式就推廣到美國各地區的華人餐館，成為一般美國人士最熟悉的中國菜了。⑯

　　另外一種在現代華人餐館很普遍的餐後甜點——籤語餅（fortune cookie）， 也是在第二次世界大戰前夕，開始成為美國式中國餐不可缺少的餐後餅食。據說這餅是日僑荻原良（Hagiwara Makoto）一九一四年在舊金山發明的。⑰

　　這樣在二十世紀上半葉，餐館業就成為美國華人重要行業之一。到一九三〇年，在加州這行業就業的華人（包括老闆和工人）佔就業男性華人百分之六。在美中、美東這比例更高，佔五分之一到四分之一之間。華人經營的餐館多集中在太平洋沿岸和美中、美東的北部。到四十年代中，太平洋沿岸三個州有超過八百間餐館，其中加州佔了約八成。美東由美京華盛頓以北沿海各州有餐館八百五十間，其中紐約市佔了約三成五。美中在密西西比河以東和俄亥俄河以北各州，共有餐館三百四十間，其中芝加哥佔了約五成。美國東南部，當時經濟落後，民俗保守，且種族主義嚴重，所以華人少到這裏設餐館，在整個地區不及百間。由密西西比河經過洛磯山到內華達山脈西部各州，地廣人稀，華人人口也不多，所以在這片面積比美中美東大得多的內陸，華人經營的餐館也不及三百間。

在第一次世界大戰至三十年代，一些華人又在美國大都市創設可容納千多座位的大型夜總會式餐館，招徠中、上階層的西人。這些餐館有聲有色，飲譽一時，較著名的有米爾沃基的"瓊彩樓"、底特律的"東星樓"、費城的"東亞樓"、"金門樓"和"黃球樓"、紐約市的"陳利樓"、"陳市樓"、"映市樓"和"遠東樓"。但到三十年代，因經濟恐慌衝擊之下，這些營業紛紛關門大吉。但土生華裔人口的不斷增加卻推動西式的飲食店出現。在土生最集中的舊金山華埠，除了西餐館外，一九二五年出現李超凡創辦的第一家製西餅兼營汽水冰淇淋的東亞餅食公司。到一九三六年，土生劉英培（Charlie Low）經營第一家華人酒吧華村（Chinese Village）。一九三七年末，又出現最早的夜總會大觀園（Grand View Chinese Penthouse）。[18]第二次世界大戰期間華人經濟情況改善，加上舊金山是過路客多的軍港，這些因素造成有利條件，容許舊金山成為美國華人這種營業的中心，設有七個夜總會，八個酒吧間和四個飲冰室。

華人餐館也組織有同業會促進同業的共同利益。在二十世紀初，紐約有華商餐館公會（Chinese Restaurant Association），到一九三四年又成立紐約華僑餐館同業會（Chinese American Restaurant Association），波士頓也成立有紐英崙華商餐館會。芝加哥餐館在一九一九年曾組織華商振業會，包括餐館同業。振業會解散後，又有華人餐館同業會出現。在四十年代中，舊金山有華埠餐館同業會（Chinatown Chinese Restaurant Association）。由於華埠以外營業的具體情況不同，又另組織有華埠外餐館同業會（Downtown Chinese Restaurant Association）。

（三）雜貨行業及其他

商業也是很多華人在二十世紀上半葉進入的行業。美國大陸華人歷史最長、人口最多的加州，是華人商業最發達的地區。在三十年代貿易行業的老闆和職工佔該地就業男性華人的兩成。但在東岸華人最多的紐約，這百分比卻僅佔六點二。

華人商店根據營業對象可分爲以華人社會爲主和以美國社會爲主兩大類，前者的典型營業就是辦莊（即進出口商店），專門輸入中國貨物，批發美國、墨西哥。同時也代儲款駁滙。這些商店大部份設在舊金山，是十九世紀美國華人社會裏最大規模的營業。後來美國實施排華移民法例，華人人口減少，這行業才逐漸式微。到二十世紀，由"唐人雜貨店"逐漸起而代之。規模較大的兼經營零售和批發中國貨，所以也稱爲辦莊。到二十世紀三十年代，美國經濟蕭條，加上墨西哥排華，很多老牌辦莊也被牽累，紛紛倒閉。剩下唐人雜貨店慘淡經營，成爲各華埠的重要商店。

出售工藝品美術品的禮物店多設在華埠，但主要營業對象卻是西人。十九世紀，舊金山的濟隆號就是這行業的先河。到二十世紀初，華埠漸成爲觀光地區。據一九○九年清領事的報告："〔舊金山〕……有販賣日本貨兼中國繡衣瓷器玩物商店十餘間，皆集公司資本百數十萬者，裝璜偉麗，每店晚點電燈數千朵，爲西人男女所爭趨，洵爲華人商場特色。"[19]其中營業最大規模的是升昌公司。這種商店以舊金山最多，在第二次世界大戰之前大大小小的曾有百多間，約半數設在華埠入口的幾個街段，招徠路過遊客的光顧。不過，當時華埠有取"舖底"的陋習，而日本商人卻可以對這些要求置之不理，因此有利於他們逐漸租得舖位，自設禮物店。到中國抗戰期間，日僑商店已經佔了這地區約半數舖位，有凌駕華人同業之上的趨勢。珍珠港事變後，日本人被迫押入集中營，倉卒拋售商業，華商才扭轉這局面。當時，其他華埠也設有禮物店，但其營業規模遠不及舊金山華埠。

活動地區最廣，卻是所謂“西人雜貨店”。這些商店一般是家庭式的小型營業，零售瓜菜和加工食品、烟、酒、家庭用品等各項雜貨。營業對象是美國社會中、下階層，他們集中的地區是加州和美國南方。

早在十九世紀，加州很多市鎮都曾設有華人經營的雜貨店，這時期，主要顧客還是當地華人，後來美國實施排華移民法例，這些地區華人人口下降，這些雜貨店也一一淘汰。到二十世紀初，起而代之的華資“西人雜貨店”（粵人又稱貨倉）在個別市鎮出現。當時一些地區還有禁止華人立足的各種措施，但華人卻能夠把握時機，在條件允許下，得寸進尺，發展營業。所以到四十年代中，加州已經有超過三百一十間華人經營的西人雜貨店。

在這同一期間，華人經營的肉店也發展到華埠之外。這些店服務周到，所以美國社會人士樂於光顧。這很快引起種族主義者的注意，唆使工會發動羣衆抵制華人的營業，往往在店前設糾察線。不過華人肉店能夠堅持下去，到四十年代中，全加州已經增加到六十多間，主要設在舊金山、奧克蘭、洛杉磯和斯托克頓等城市。

美國南部，也是華人經營雜貨店的天地。這些華人商業集中在四個不同的地區：

一、西南區：十九世紀七十年代末八十年代初，南太平洋鐵路公司僱用華工建築第二條橫貫美洲大陸的南部幹線——由南加州到德克薩斯州的西部一段。建築工程完成之後，很多華工就在沿途附近的市鎮留下。當這地區的經濟發展，其他華人也由加州移徙到這裏謀生。

到十九世紀末，在這地廣人稀的地區，華人已經在一些鄉鎮經營小店零售雜貨，方便了當地物資交流。這些商店的地理分佈很廣，但跟着當地的發展，逐漸集中在經濟發達的幾個大都市。到四十年代中，這地區約有三百六十多間華人經營的雜貨店和食品商場。其中設在亞利桑那州的菲尼克斯（粵人稱爲斐匿）和近郊幾乎佔了一半。另外有五分之一設在該州的第二大都市圖森（粵人稱爲租筍）。其他如亞利桑那州的尤馬（粵人稱爲夭馬）和德克薩斯州的埃爾帕索（粵人稱爲亞路巴梳）也有十多間華人商場或西人雜貨店。這些商店的主要顧客是當地的墨裔和印第安人。

二、德克薩斯州中部的聖‧安東尼奧市（粵人稱爲山旦寸）：在第一次世界大戰前夕，這地區的華人人口不過幾十名。不久，這情況發生大變化。

先是墨西哥在一九一一年發生資產階級革命之後，革命陣營分裂。潘介‧比利亞（Pancho Villa）在美墨邊區領軍據地與中央政府對抗。他縱容部屬屢次襲擊美國邊鎮，掠奪財物，殺害平民。於是一九一六年美國聯邦政府下令珀欣將軍（Gen John J. Pershing）領一萬五千隊伍進入墨國追擊比利亞的軍隊。但美國這種不尊重墨國主權的行動，卻引起墨西哥羣衆的敵視，拒絕與美軍合作。

墨國革命的口號之一是消除外國資本對墨國經濟的支配。當時，華僑在墨國一些工商行業有較大的發展。例如在北部各省，他們控制了瓜菜的生產、批發和零售。在很多市鎮又設有洗衣館，餐館，布疋店，雜貨店等等。這些營業，相比起外國資本對墨國經濟的控制，簡直是微不足道。但華僑卻沒有強大的祖國做後盾，同時他們與外國投資者不同，他們都親自經營；因此，他們成爲墨國種族主義者煽動羣衆打擊泄忿的對象。一九一一年革命以後，政治局勢繼續動蕩，內戰頻繁，殃及華僑。在比利亞的軍隊控制下的地區，華僑更經常被欺凌殘殺，所以華僑對於這種軍隊有很壞的印象。美軍入駐墨境，一部份華僑也就樂於向美軍提供人力和銷售物資。及至美軍奉令撤退，這些華僑恐墨西哥人報復，所以有五百二十七人亦跟隨美軍進入美境，暫時安置在聖・安東尼奧附近的軍營住宿。到一九二二年，美國國會通過法案特許當時剩下的三百六十五人合法留美。[20]這些人很多後來在聖・安東尼奧市定居，大部份開設西人雜貨店。到四十年代，這市及附近的華人人口不過五百多人，但開設的雜貨店竟有七十多間。

華人在這行業的發展卻不是一帆風順。他們勤勞節儉，招致白人同業的妒忌。在一九三七年白人組織的聖・安東尼奧零售商會（San Antonio Retail Merchants Association）敦促州議會修改禁外籍人購買土地法例，包括市區地產。這法案是直接針對華人經營的雜貨店，企圖阻礙他們購地營業。華人公舉伍玫瑰夫人（Mrs. T. H.〔Rose〕Wu 音意譯）為代表，向美國社會指出這些控訴是沒有事實根據而是不公平的。經過一番政治活動，這議案終於擱置了，華人才能夠繼續在這行業順利發展。

三、密西西比三角洲地區：這地區不是指密西西比河出海的三角洲而是在密西西比州東北部由密西西比河和雅蘇河（Yazoo River）滙流形成的大沖積平原。

這是黑人人口眾多的農業區。當地白人有嚴重的種族偏見，不大願意在黑人聚居的地區設店，而且又不肯向低收入的黑人顧客賒銷貨品；因此華人就把握這機會，在這地區開設西人雜貨店，向黑人提供這些服務。

據說十九世紀美南莊園主招募華工的時候，有些脫離了莊園的華工，約在七十年代初就到三角洲地區開設了最早的西人雜貨店。到二十世紀初，華人經營的雜貨店又發展到密西西比河西岸、阿肯色州東南部的幾個縣。[21]

跟着的幾十年，其他華人也到這地區定居謀生，人口增加，不過到二十世紀四十年代，這地區的華人人口仍然不多，只一千二百人左右，但他們在這地區經營的西人雜貨店星羅棋布，共有三百二十多間，這些商店都設在鄉鎮裏，而主要顧客是當地黑人。

這少許華人處在黑白種族之間，日常舉動當然慎重，要左右逢源。但在種族偏見很深的美南地區，華人的營業也逃脫不了這問題的干擾。例如在一九四一年在阿肯色州議會提出議案：凡非美國籍民，就不得享受不動產的佔有享用和繼承權以及租用田業等權利。華人合力運動政客，才說服州議員，撤銷這議案。㉒

由三十年代開始，三角洲和美國北部一些華人又到德克薩斯州東部發展雜貨行業。營業對象仍然是黑人。在這裏主要中心休士頓市，在四十年代中，有三十多家華資雜貨店，達拉斯市也有八間。

四、東南部沿海各州：在十九世紀七十年代，喬治亞州東部的奧古斯塔，曾招募華工挖掘運河。後來有些華人在這裏定居，到八十年代，這裏已經有八間華人經營的西人雜貨店，據說第一間是由一名盧（Loo 音譯）姓華人開設。營業的對象，是下層社會的黑人。該市是喬治亞州華人最集中的地區，到二十世紀四十年代，華人人口是二百二十多人，開設西人雜貨店六十多間。

這州卻是一個種族偏見很嚴重的地區。早在十九世紀八十年代，這州的羅馬鎮發生洗衣店華人被殺害案件；在哈立斯堡鎮（Harrisburg）有華人受私刑處死；而在韋恩斯博羅鎮（Waynesboro）一名華商又被當地暴民恐嚇強押離境。這些因素構成華人在這地區發展的阻礙；所以在第二次世界大戰以前，除了奧古斯塔之外，到這州其他市鎮定居或營商的華人並不多。

西人雜貨店散佈在很廣的地區，所以很難組織有效的同業會，但如菲尼克斯、圖森等都市，雜貨行業在當地華人經濟裏處在最重要的地位，所以那裏成立的華商總會的工作，也經常要涉及到如何保障和促進雜貨同業的利益的問題。

美國社會裏的種族主義使華人很難進入其他工商業。他們一般只能夠投資到一些和華人社會生活有密切關係的行業，例如華

人食品加工業、服務行業等。至於在十九世紀華人佔很高百分比
的捲雪茄烟、製皮靴皮鞋等輕工業，到二十世紀已經被美東的廉
價產品奪去市場，一一被淘汰。就拿就業人數最多的縫紉服裝行
業來看，在一九三〇年也只有三百人左右，和一八八〇年這行業
就業的一千五百多人相比也差遠了。這種苟延殘喘的行業出售產
品也被迫要壓低售價，還要用英文商標隱蔽出處（例如舊金山的
多利號用George Bros; 永源泰號用 H. Williams; 奧克蘭的信利
號用California Manufacturing Co.），才能夠在市場上推銷。舊
金山是華人縫紉服裝業的中心，在一九三四年有獨立以及承包製
造服裝廠四十九家，是華埠經濟重要的一環。其上述遭遇如此，
其他行業就更可想而知了。

四、美國大陸大企業的成敗

(一)大企業、銀行、商會

排華移民法例實施之後，美國華人人口下降，"唐山貨"的
市場沒有很大的發展; 承包勞工的前途也很黯淡。加州的雪茄烟、
縫紉服裝和製皮鞋等行業亦走向下坡。這時期，部份華人資金流
向中國港澳投資。但在華人社會也創辦一些新的較大型的華資企
業，最早出現的是食品罐頭廠。

當時農業在加州經濟已經佔重要地位。農產品遠銷國內外。
罐裝果類瓜菜的工業也因此應運而生。

在十九世紀華人長期在白人的罐頭廠承包入裝瓜果魚類的工
作，對於工序過程熟悉，而且在舊金山附近又有華人承包的果園
和農場。這些條件可能就是吸引華人投資入這行業的一些因素。
大約一八九一年，劉興（Lew Hing, 又名劉儒伶，新寧縣人）
在舊金山華埠創設"太平洋果類加工公司"（Pacific Fruit Pack-
ing Co.），是開華資罐頭廠的先河。[23]到一九〇一年它已經是太

平洋沿岸最大的果類加工廠。到一九〇四年，劉興又招股在加州奧克蘭市興建新廠房，創辦"華安公司"（Pacific Coast Canning Co., 粵人慣稱爲"劉興果偈"。），專裝果類蔬菜。同樣，在十九世紀九十年代，趙賢（Sai Yen Chew, 新寧縣人）也在舊金山附近設"普雷西塔罐頭廠"（Precita Canning Co.）。他在一九〇六年擴張營業，在舊金山半島南部的阿爾維索設"安豐公司"（Bayside Canning Co.），入裝蕃茄。

當華人資金投入更大型的企業,另一部份資本也進入金融業,設立銀行，提供華人工商界發展所需要的存款、貼現、貸款、滙兌等業務。一九〇六年舊金山發生大地震和火災後，很多受創的華商急於獲得貸款幫助復業。這就成爲推動早日興辦銀行的一個因素。這時候西人銀行家艾倫（I. P. Allen）向曾任職舊金山萬國寶通銀行（International Banking Corporation）和華俄銀行（Russo-Asiatic Bank）華務部的陸蓬山（Look Poong Shan, 又名Lee Eli 陸天利，美國土生，祖籍香山縣）倡議創設華資銀行。陸蓬山和一些華人投資者就在一九〇七年成立金山廣東銀行（Canton Bank），並發表以同胞的種族感情爲號召的招股章程，序言如下：

> 商戰之世，以銀行爲富強之本。當今全球各國，莫不於此講求，故經商之利多端。要以己所應得者不失於人爲第一要義，滙附生揭轉輾交資實握，商務樞機尤宜操之於己，庶阜通著而靈便克昭也。今各國口岸，凡洋商萃集處，所類皆各設銀行，所以收應得之利，擅轉輸之權也。金島一埠，日人商業遠遜華人，彼設銀行三間，皆獲重利自餘。各國洋商，罕有不自設銀行於茲者。中美通商六十餘載矣。華僑商業金島爲盛，偏未創建銀行，此種利權久失於外，在外人應隱笑吾愚。夫我即不自計其利，在我亦當勿失銀行附揭滙兌利便之權。近數年來，中土商務，上下力圖振興，籌補缺憾。故廣益銀行既設於星加坡矣; 華墨銀行亦設於墨西哥矣。彼其爭國體，挽利權，便工商者，益寖廣且鉅宜中外之交推也。

今以旅美華人商務較之，其盛固不減星嘉坡，其大尤遠勝墨西哥也。若不集股興辦，仍任其利權終失，將何以謀祖國富強、免外人之譏笑乎。

這新銀行在加州註冊，名爲"金山正埠廣東銀行"，並規定"本銀行不招別國人股份，以免利權外溢，與及股份不得賣與別國人，以免別國人侵權"。

華資華營，挽回利權的號召，得到很多美州華人的響應，所以這銀行在一九○七年開始辦公後，業務蒸蒸日上，不久就能夠購地皮，並投資二十五萬元建築新行址。

當時州立銀行不能夠在外國設立支行，因此於一九○九年陸蓬山和艾倫又到遠東，於一九一一年創設香港廣東銀行（Bank of Canton）（即現在加州廣東銀行的前身）接濟金山廣東銀行的來往滙兌。㉔

除了創辦銀行之外，華人工商界也在這期間組織商會，促進本身的經濟利益。

先是中國政府在一九○三年發佈商會簡明章程，通令中國各地區及海外華僑商人成立商務總會。因此，在海外華人薈萃的地方都先後成立這類組織。在美國大陸最早成立的華人商會卻不是在華人人口最多的舊金山而是在華人人口不及八千的紐約。在一九○五年初，該地三十間商號發起組織商務局。到一九○七年，這組織改名"華商總會"，向清廷農商部立案。到一九三三年商會才向紐約州政府立案，定名爲"中華總商會"（Chinese Chamber of Commerce of New York），這組織歷年來主要活動是爭取稅務公平，維護同業權益，聯絡中西人士推廣華商業務。㉕

在美國華人商業最發達的舊金山，在二十世紀初，有兩個對立的商人行會組織。歷史較久的一個是"昭一公所"，成員是三邑商人及一部份香山、新會商人；另一個是"四邑客商公所"。"昭一"、"客商"兩個機構的宗旨是相同的，所以合併爲一個團體，是合理的建議。但當時三邑人、四邑人的對立情緒雖然已經趨向緩和，但雙方仍未達到有互相合作的要求。

　　直到一九○六年舊金山地震火災後不久，中國領事孫士頤主動向這兩個僑團發公函，要求統一成立一個商會：

　　　　調補金山總領事府孫　爲

　　　札飭籌議事，照得"昭一"、"客商"兩公所之設，命意相同，徒以邑界之分，析而爲二。查會社之設，所以濬民智，固團體。同爲華商，不應自爲區別。本總領事受事於災燹凋敝之餘，目擊商務散漫情形，迭經面飭各商董籌立總商會，以資聯絡。現據陳董事面稱，華商貨物有報價歧異，爲外人所持者。各商議籌聯合抵制之法。本總領事聞之，歡忭實深。查總商會之設，已由內地而推行於香港，南洋。金山爲中美商務重要之區，不應久未成立，爲此札，仰該紳董等務即妥行籌議，廢去"昭一"，"客商"名目，聯合爲一，遵照商部定章，設立金山總商會，以資辦公。如該紳商等意見僉同隨時集議，本總領事敬當竭所知能，以爲衆商之倡導。一俟訂定章程，再行具詳使憲咨請商部頒發圖記，俾照信守。至茲事重要，外可禦他國商界之動搖，內可泯吾民邑界之歧視。該紳董等熱心公益，偉識合羣，務望聿觀厥成，無負本總領事殷拳屬望之至意切切。特札

　　　昭一公所

　　右仰中華會館董事等准此

　　　客商公所

光緒三十二年七月二十二日　札

　　經過一年多的協商，"昭一"與"客商公所"代表才於一九○八年二月二十五日在中華會館開會決定合併成立"金門華商總會"（Chinese Chamber of Commerce of San Francisco）（客商公所卻保存會址，作社交之用），選出倡辦值理十三名，分配三邑、四邑、香山縣籍貫的商人。

　　這商會計劃由中國公使伍廷芳批准後，轉咨中國農工商部立

案，並發給關防，又得舊金山總領事許炳臻批准章程及職員名單。商會與中國政府有這樣的關係，所以商會新職員就職，也由中國領事監誓。一九一七年，商會收到北京政府的新關防，刻文為"舊金山中華總商會"，此後就改用這名稱。㉖

商會在維護促進商人利益大前提下，對華人社會公益事業也有貢獻。在一九二二年，這機構就是籌辦舊金山僑立東華醫院籌捐局十五僑團之一。商會在成立之後到第二次世界大戰期間有以下一些工作成績：

（1）推動市政府在舊金山華埠設置華式街燈（一九二五年）；（2）運動聯邦政府在華埠設郵政分局（一九二九年）；（3）抗議電話公司無理加價（一九三〇年）；（4）抗議車垃圾工人濫索運費；（5）抗議移民苛例；（6）抗議辱華報導和電影;(7)與郵政局交涉，要求將華埠郵件依期送達。

這時期商會的成員主要是進出口商，所以處理進出口行業所發生的問題就是商會的工作重點。在第二次世界大戰以前的一段期間，這組織曾先後與美國海關交涉要求取消或修改禁止冬菇、草菇、香蕈、水仙花、臘味等貨品進口的條例。除外，這機構還負責修改華埠銀會規例，保障參與者的利益，又調解會友在商業上的糾紛及輖轕事項，甚至商業的結束或收盤手續，亦由商會處理。㉗

緊跟着廣東銀行的創辦和商會的成立，華人企業家繼續雄心勃勃，向各領域進行投資。一九一〇年葉查禮（Charley Chin Yep 音譯），張仰泰（Jeung Yurn Tai 音譯），李昌（Lee Chong 音譯）等人在蒙特雷組織"蒙特雷罐頭魚公司"收集罐頭廠遺棄的魚頭和魚內臟，加工生產肥料和魚油，發展一個新行業。但不久西人罐頭廠發覺廢物有利可圖，就留下廢物自己加工。因此這個小型的華資企業就被排擠以致破產。不過，從這例子也可見當時華人投資者對事業具備有靈活的態度，準備隨時把握機會創辦新事業。

　　華安公司老闆劉興也多方面投資，一九一七年他也合股在蒙特雷創設"灣邊罐頭廠"（Bayside Cannery），入裝沙丁魚。早一年，他在墨西哥的墨西卡利投資"華墨公司"，種植棉花，幫助推動開闢該市的華人區。此外，劉興在舊金山是兩家工藝品店，一家雜貨店和兩家旅館的股東。在奧克蘭又是布疋店的老闆。他在中國也投資了各種企業。安豐公司的趙賢則由兒子趙燦垣（Thomas Foon Chew）承繼父業，擴充這公司的設備，成為全國產量名列第三位的罐頭廠。趙燦垣後來繼續發展營業，二十年代在薩克拉門托河三角洲的埃爾頓鎮（粵人稱為埃崙頓）設廠入裝蘆筍，和在舊金山半島的梅菲爾德鎮（Mayfield）設廠，入裝果類和蕃茄。此外，在一九一八年，陳伯興（台山縣人）等也集資在奧克蘭創辦"威斯頓果類罐頭公司"（Western Canning Co.）。

　　舊金山也出現一些小型的新興工業。一九一四年有"東亞公司"專門製造便帽和氈帽；一九一八年有"中美洋箱公司"（C & A Trunk Co.），等。[28]

　　在商業發展得最大規模的是"中興公司"（National Dollar Stores）。先是，周崧（Joe Shoong，香山縣人）等人合股在北加州瓦列霍（Vallejo，粵人稱為委利賀。）創辦"生利公司"，專售婦孺服裝。不久，遷移到舊金山，擴張營業，改名"中興公司"（China Toggery）。到一九二一年這公司已經在加州設有支店八間，這年就改組為股份公司，經營百貨商店，英文名稱也改為"國家一元商店"（National Dollar Stores）。中興公司採取美國資本主義社會的一些管理、經營方法，採取薄利多銷，大量兜售廉價的日用衣着布疋，受到社會上低收入勞動階層的歡迎，所以能夠在美國主流社會立足。到四十年代，這公司已經在美西各地有支店三十多間。[29]

在二十世紀初年，美中、美東華人人口不及加州，工商業的發展也有限。一九二一年芝加哥曾有"曹林公司"，創製罐頭豆腐; 美東華資企業規模最大的當推李國欽（Kuo-ching Li, 湖南省長沙人）的"華昌公司"。

二十世紀初，中國湖南省發現豐富的鎢礦藏。一九一五年，由湖南開始運鎢來美國。不久，為了更有效地發展業務，就在紐約成立"華昌煉礦公司"(Wah Chang Mining & Smelting Corp.)的分公司。稍後，又設"華昌貿易公司"(Wah Chang Trading Corp.)。初由梁煥廷出任經理，不久由他的姻親李國欽繼任。

華昌是中美之間經營金屬礦產最大的華資公司。㉚在初期，這公司主要從中國輸入銻和鎢，但到第二次世界大戰前夕，業務已經擴展到輸入中國的農產品。同時，這公司又由美國向中國輸出機器、化學品、鋼鐵及其他工業品。

（二）中國郵船公司

在第一次世界大戰期間，新興的美國華人資產階級也試圖在美國與中國之間的航運業立足。他們向這行業的發展，有早期中國航運業投入中美航線的行動作為前例。

中國官督商辦的"輪船招商局"在一八七二年成立之後，到一八七九年和一八八〇年就曾派輪船"和衆"和"美富"號航行檀香山及舊金山，擬成立航線，分享中美兩國之間的客運貨運利潤，但這嘗試卻遭遇西方輪船公司從中作梗，因此到一八八一年停辦，轉向南洋、歐洲試圖發展。㉛不過在當時列強向中國進行政治經濟侵略的情勢下，滿清的腐敗統治階級是很難有所作為的，所以後來由香港商人投資創辦華資航運公司，才實現中國人經營的中美航運的願望。

先是在十九世紀末，墨西哥政府積極發展鐵路和礦業，這時候美國已經實施禁止華工入境條例; 所以部份華工為了謀生，就應募轉向墨國工作，中墨兩國在一八九九年簽訂商約。到一九〇二年，香港商人伍學煜、梁錦明集股組織“中華輪船公司”（Chinese Commercial Steamship Co.），得到墨國准照，運載華人前往墨西哥登陸。這公司租賃了輪船四艘，往來香港、墨西哥、美國和日本之間。這航線剛開辦了一年，就載了五千名華客到墨國。這公司在舊金山的代理人是《中西日報》總經理伍盤照。美國華商亦很可能有人附股。

美國華人投資創設第一家航運公司，卻與國際和中國政治局勢的發展有着密切的關係。一九一四年，第一次世界大戰爆發，西方列強一時無暇顧及中國，因此新興的日本帝國主義就認為這是侵略中國的時機。當時中華民國總統袁世凱正欲稱帝，要找外國撐腰。日本見機可乘，在一九一五年正月十八日向袁世凱提出二十一條款，要求中國給予日本經濟特權。當時遭到中國人民極力反對，海外華人也紛紛響應。在二月二十日舊金山華商總會集會決議抵制日貨，在二月二十四日又在中華總會館組織華僑全體愛國會，號召全體華僑抵制日貨。

但袁世凱為了要求早日實現登寶座的美夢，不顧海內外人民的抗議，終於五月九日答應了日本，除一項外，其他完全接受。這種賣國行動，激起人民的憤慨，全國各地發起抵制日貨行動，美國華人也響應，決定客運和貨運抵制日本輪船。但湊巧這年八月，在太平洋航行的太平洋郵船公司宣佈收盤，而英國昌興公司的船隻，又因為要支援本國作戰而他調，只有日本輪船還來往太平洋兩岸。因此美國華人就不得不另自組織公司，提供客運和貨運。在陸潤卿等人策動之下，舊金山華商在一九一五年八月二十八日，在華商總會開會，成立輪船公司，定名為“中國郵船公司”（China Mail Steamship Co.），像山廣東銀行一樣，這公司的倡辦序言也是以民族主義為號召：

處二十世紀商戰競爭時代，必求所以運輸貨品，使流行於五洲萬國

者，恃有航業而已。我中國自與列邦通商以來，垂七八十年。而太平洋
爲新舊兩大陸交通之孔道，中美各貨物運輸之要津，竟無隻輪片帆飄揚
我國國旗者。非特國體減色，抑亦利權外溢也。居今日而欲爭國體挽利
權，即無別端之激刺，我華僑猶當協力同心，勉圖航業，務底於成。況
現值歐戰方酣，各國均調輪船以助戰。航行遠東者，已屬寥寥，而美國
近因取締船工，太平洋郵船公司航船，又復歇業。我僑胞欲往返者，即
無從飛渡；欲營業者，更有礙貿遷。若不早爲之所，將坐視往來轉運永
遠停歇耶？按之事勢，既屬窒礙難行；揆諸人情，又誰忍爲起置。此振
興航業，尤當乘時而起，刻不容緩也。敝同人等關懷大局，激於熱誠，
不揣綿力，先行墊出費用以爲之倡。願我僑胞急起直追，無論工商，無
論士女，均當踴躍認股，總期衆擎易擧，有志竟成，蓋所以爭國體而挽利
權者，在此一擧。同人等有厚望焉……㉜

　　這新公司的中堅分子都是舊金山華人商界人物。新公司的辦
事處是設立於舊金山華商的主要金融機構，金山廣東銀行裏。

　　郵船公司計劃集資本五百萬元。招股工作開始後就發股冊給
舊金山及各埠商店，又派員到美國各埠、檀香山、加拿大、香港
等地招股。這時候，太平洋郵船公司已經差不多賣光他們原來用
來航行遠東線的船隻。只剩下在一八八九年製造的五千噸重量高
齡老船“中國號”（S. S. China），取價三十萬美元。當時中國郵
船公司收入現款只有六萬多美元，與所需款項，距離甚遠。但由
於華商航運的迫切需要，所以華商總會各商戶就決定分別負擔起
立揭單十萬美元，向西人銀行借款十五萬，廣東銀行借款六萬，
卒勉強湊成備價的數目，在十一月中購下“中國號”。中國郵船
公司隨即在加州立案，宣佈公司成立。在十月三十日，“中國號”
在碼頭起錨，首次由舊金山開往香港，船上的八百二十二名搭客，
大部份是華人，打破了這船航行以來的搭客紀錄。這日天氣晴朗，
中美國旗，隨風招展，並有中華音樂隊及華人多名揚巾揭帽送別。
在當時，不少飽受欺凌，被西方人目爲次等民族的美國華人心坎

裏都發生一種自豪感。郵船公司自發起至"中國號"首次航行，不過一個多月。辦事迅速，出乎一般人意料之外。當時大家一股熱情，許多董事辦事落力，不受薪水，且常通過個人書信往來，極力向親友推薦這華資企業。到一九一六年三月，全體股東選出陸潤卿爲正總理及總司理，以及公司的其他負責成員。

"中國號"啓航後的幾個月，貨運費猛升。到一九一六年五月截計，郵船公司已溢利三十多萬美元，同時又陸續收股本幾十萬元。因此清還銀行欠款之後，仍存款幾十萬元。當時有些股東覺得一艘船，實在不夠用，提出添購船隻。這時候，陸蓬山及郵船公司駐香港代理人來電說有英國船乃路號（S. S. Nile）出售，當時這船是被英國政府所租用。

郵船公司正與陸蓬山議價，忽然聞訊這船被香港的中國太平洋郵船公司以七十萬元所購。這新出的公司的總理是蔡昌，而董事之一竟然是陸蓬山。不久中國郵船公司終於出價九十萬元將該船承買。但購船後，英政府卻不肯交回，留下軍用，因此中國郵船公司還在另找船隻。

不久西雅圖又有輪船"國會號"（S. S. Congress）出售，這船因爲火災而燒去上艙，但修整後可用於太平洋航綫。中國郵船公司董事會得知消息後，就派陸潤卿及鄺文光等到西雅圖調查情況，經過他們報告後，於一九一七年四月，中國郵船公司以九十萬元價錢購下，改名"南京號"，並與西雅圖船廠簽訂合同裝修這船，取價八十一萬八千餘元。

裝修工作開始後，工資及物價驟升，裝修費竟達二百餘萬美元，遠超出預算，公司庫款不足，面臨破產的威脅。爲了要解決這危機，董事會擬向股東大會提出增加資本的辦法。但郵船公司三次召開股東大會，都不能湊足法定的三分之二人數。董事會面臨這局面，便轉而計劃改組新公司發行債票，以郵船公司的產業作抵押。這新公司的董事會擬由三名西人及兩名華人充職。㉝

郵船公司董事會這一舉，使大部份在董事會外的股東懷疑主
事人企圖將公司變賣。於是他們羣起反對，抨擊郵船公司董事。
在一九一八年六月二十三日，反對派以中華會館名義，召開全體
大會。當晚到會數百人，由郵船公司律師在會上解釋改組原因。他
發言後即被聽衆詰問"南京號"的問題。頓時秩序大亂，喝打之
聲，震動耳鼓，可幸有警察在場維持秩序，但會場的氣氛，仍然
很激動。後來通過以下議案：

　　　議為中國郵船公司，由西人班汝順備價承購事，經各股東在中華會
　　館全體集議，以此事與原章程大相違背，應由各團體舉出代表，組織股
　　東團，以便查明該公司內容，而維持股東血本，又因該總理陸潤卿、書
　　記鄺文光，未經全體股東允可，私自將公司全盤生意賣與西人，實屬有
　　負職守，衆議應先停給薪水，聽候查明辦理。南京輪船裝修及船價費用
　　等過鉅，其中必有情弊，公議姑認銀一百五十萬元，此批。

　　到二十四日中華會館又通過議案，要求郵船公司在十五日內
取消新公司合約，並由中華會館組織籌救中國郵船公司辦事處。
這些糾紛，也影響到廣東銀行。有數百名華人到這銀行收回貯款。
在兩天之內，銀行共支出現款三十多萬元，使中華總商會不得不
通過議案，並派發傳單來安定人心。
　　跟着就展開一場爭奪郵船公司支配權的搏鬥。在這年十二月
二十一日晚郵船公司董事鄺祝敬（Fong Wing）被槍殺，其後各
董事又收到匿名信，聲明他們死期不遠。因此他們為期數月，離
開華埠到旅店躲避，並在武裝守衛者保護下才敢行動。郵船公司
總理陸潤卿由於不斷受到恐嚇，也在一九一八年十二月底秘密離
開舊金山，先到日本，後來抵達香港。
　　過了幾個月，中華會館對情況作深一步的調查了解，在八月
集議公佈議決案如下：

　　　一、去年六月間謠傳該公司董事職員私賣公司一說，悉是誤會，並
　　非事實。

二、細核查賬員所稽查舍路（即西雅圖）船廠裝修"南京"船一切賬目之報告，確無浮開濫支，及吞款情弊，應代該公司董事職員表白。

三、會館律師受託聘員查賬，其職務只在查究裝修"南京"船有無吞騙情弊。乃查伊初到本會館報告時，曾聲明非將"南京"船測量或出賣於市以作估價，則無人能知該船之價值；隨又稱該船隻值二百五十萬元；最後又函稱該船不過值一百五十萬元。查伊始終並未經將該船測量及出賣以估價，其迭報該船所值若干均屬箇人臆度之詞，不足引為憑信。曩日眾人因誤會而致疑惑以非難該公司董事職員者，類基乎此，理合糾正。

四、本會館組織籌救處之目的，原為保全會該公司永屬華人產業及稽查賬目起見，今兩事均已清楚，目的已達。該籌救處無進行之作用，即無留存之必要，應立即公佈裁散⋯⋯

這場糾紛就這樣寢息了，但陸潤卿卻這年底在香港去世，據傳是因驚悸過度。郵船公司董事會隨即推選陳敦樸（Lain Chan，台山縣人）為總理繼任。[㉞]

中國郵船公司的經濟困難卻不斷增加。這時候，世界大戰已經結束，太平洋航運恢復正常，資本薄弱的中國郵船公司發覺很難與其他輪船公司競爭。加上美國海關又屢次發現郵船公司的船隻被堂界分子利用來偷運毒藥，因此按照法律重罰該輪船公司。郵船公司的營業，就因此而每況愈下。一九二二年，陳敦樸到中國要求北京政府援助解決郵船公司的財政危機。但中國當時正多事之秋，政府窘困已極，沒有能力支持海外航業。陳氏跟着到香港求助，但港商只允諾對郵船公司的內部情況了解後才作決定。到一九二三年，郵船公司不能夠再支持下去了，便宣告破產，當時負債一百七十四萬餘美元。後來就拍賣了產業還債，血本化為烏有。[㉟]

中國郵船公司是勉強湊足了華人資金而開辦的，因此不能與資本雄厚的航運公司相比，加上華人對這行業缺乏經驗，管理又不善，因此也就注定這企業會失敗了。不過這挫折卻沒有使華人投資者氣餒。一九二三年十月底，紐約有華人趙晃、趙贊臣等與西人合資的“華美輪船公司”宣佈開幕。該公司購置一艘萬餘噸輪船“大廣東”號，準備開闢香港與美國之間的航線。但隨後由於附股人數寥寥無幾，業務還沒有機會發展就債台高築。結果法院將“大廣東”號扣留，然後拍賣還債。公司也在一九二四年二月倒閉。㊱在一九三二年，劉紀才、李立生、黃錦添、廓炳舜等，又和西人合組中美船務公司（Chinese American Shipping Co.），先後租船“廣州”、“上海”、“漢口”、“亞洲”四艘，在遠東和加州之間載客和運貨，但不及一年，這公司也因業務沒有發展而停辦。此後，有很長的時間，美國華人對美國航運業卻步。

中國郵船公司的倒閉，是以金山廣東銀行為首美國的華人財團崩潰的預兆。先是由於郵船公司要償還所負債項，將所擁有的金山廣東銀行股份出售。這時候，廣東銀行大股東劉興，也因為要挽救華墨公司面臨的經濟困難，將自己所有的廣東銀行股份放出市場，這些股券及其他一些散股全部由香港東方商業銀行購入，因此獲得了金山廣東銀行的多數股權。到一九二四年十月金山廣東銀行正式停止與他的兄弟機構，香港廣東銀行駁滙；同月香港廣東銀行（Bank of Canton）也在舊金山開設分行與金山廣東銀行競爭。

金山廣東銀行易手之後，營業漸入困境。到一九二六年加州的鴛古路信託銀行（Anglo California Trust）擬購廣東銀行多數股份，並將其改為鴛古路信託銀行的第九支行。但這筆交易剛講妥，不料香港東方商業銀行在六月十日突然宣告停止營業，這樣拖累了金山廣東銀行所經手的滙單五十萬元沒有交款，這霎時的變化，使金山華人人心惶恐，爭先恐後蜂擁到廣東銀行提支存款。到七月十九日，加州銀行稽查委員監督，就下令金山廣東銀行停止營業，以保護儲戶的利益。

由於金山廣東銀行與舊金山衆華商有密切經濟關係，當時華商向廣行借款數目達一百二十萬元，所以中華總商會對於廣東銀行的存亡特別關切。廣東銀行停業以後，商會開會通過決議，集資承受這銀行，但加州銀行監督卻限令華商要在兩個月內籌足資金。由於時間短促，商會負責人雖然竭力奔走，購買金山廣東銀行的計劃終於落空了。

加州銀行監督開始清盤工作後，到一九二八年已告完成。金山廣東銀行的樓業，由鶯古路信託銀行承購，並改爲該銀行的支行。廣東銀行儲蓄部及商業部的兩部款項，可幸能夠全部攤還儲戶。但滙單卻只能償還百分之十五到百分之七十五而已。所以華人在這方面損失相當可觀。㊲

廣東銀行倒盤之前，劉興的華墨公司已經受經濟不景氣的影響而倒閉。到一九二六年，劉興又將華安公司的罐頭廠售給西人。一九二八年他在舊金山灣區的安蒂奧克再設"西岸罐頭廠"（West Coast Canning Co.），但不久停辦。至於趙燦垣，他在一九三一年逝世後，安豐公司的罐頭廠隨着也關閉。至此，華人經營的大規模罐頭廠，一一失敗了。到三十年代還有華人辦罐頭公司，但營業規模遠不及劉興和趙燦垣所辦的企業。

到三十年代，世界經濟蕭條，在美國大陸承繼"金山廣東銀行"業務的"香港廣東銀行"也因財務周轉不靈，在一九三五年九月停業改組，由宋子文家族接收。後來增加美國華人股東，在加州註冊成立三藩市廣東銀行，即現在的加州廣東銀行（Bank of Canton）。在一九三七年恢復營業。㊳

在第二次世界大戰前的幾十年，美國大陸華人只有兩個大型企業可說是辦得成功。一個是華昌貿易公司，他所提供的是美國工業需要，但本土缺乏的銻和鎢，所以華昌就能夠成功地支配市場上的供應。不過這原來是中國公司分出的支公司，不是美國華人資本創辦的機構。在這期間，美國大陸最大的美國華資企業只有售婦孺服裝的中興公司。這公司的主要股東周崧，也是當時華人社會罕見的百萬富翁。

五、夏威夷的華人企業

在十九世紀八十年代以後，夏威夷經濟擴展。很多華人移民也把握這時機紛紛到市鎮裏謀生。他們最集中的地方是夏威夷最大的口岸火奴魯魯。由八十年代到二十世紀初，華人佔該市人口約四分之一，在這期間，華人對於夏威夷社會經濟的繁榮是扮演重要的角色。當時中國領事館隨員梁聯芳（順德縣人）對於當地華人事業也有以下的記敘：“……現計在檀華商，列肆羣居，自成都市者以阿亞湖（即瓦湖）漢拿老路正埠（即火奴魯魯）為最多…… 其次則茂宜（即毛依）剌軒拿埠（即拉海納，Lahaina）……位硞古埠（即懷盧庫，Wailuku）……夏威夷希爐埠（即希洛，Hilo）……其他如夏威夷之箇蝦罅（即科哈拉，Kohala）、格烏（即卡烏，Kau）、干拿（即科納，Kona）、道威（即考愛）之居蔓威（即基拉韋亞，Kilauea）、限拿跛跛（即哈納佩佩，Hanapepe）、莉戶（即利胡埃，Lihue）等埠，皆是華商滙集之區。其餘分散各埠，或貿易，或從工，或耕種畜牧，莫非安份謀生，各執一業……勻計工商以中下居多。比之美國金山等埠，瞠乎後矣。……每年薪金滙兌回家者，……則又駕金山而上之，蓋由此地風俗質樸，法度嚴明，既禁鴉片烟之入口，又無賭場妓館浪費私財，以故工價雖廉而易積也”。

一八九八年，夏威夷國歸併入美國版圖，像美國大陸的同胞一樣，夏威夷的華人也遭受排華移民苛例的管束。不過華人在這裏有多年的慘淡經營，已經有比較穩固的經濟基礎，所以他們雖然處在逆境，但在當地工商業還有發展的餘地。

二十世紀初，清政府擬振興中國商業，促進中美貿易，因此就向火奴魯魯華商倡議組織商會。但當時華埠剛遭受大火災，三十五英畝（十五公頃）面積的樓房商戶付之一炬，物業損失慘重，達三百萬美元，華人雖然在劫後餘燼中重振旗鼓，但一時元氣尚未恢復，商情渙散，再加上當時保皇黨和革命黨分子又在華人社區裏爭執，這種種因素構成籌辦商會的很大阻力。經過幾年的醞釀，中華商會（Chinese Merchants' Association，一九二六年改名Chinese Chamber Commerce of Honolulu）於一九一一年才出現。

但新商會還未及向清政府農商部立案，清朝已經被辛亥革命推翻，中華民國成立。這時候幾個同情革命黨的商人，又另成立華僑商會，擬跟中華商會抗衡，不過中華商會捷足先登，向中國北京政府立案，一九一二年正式成立。華僑商會也就無形中解體了。

華人經濟在多方面發展，早已是夏威夷社會主流不可缺少的成份。所以，很快就產生要求於進出口行業之外擴展商會活動。到一九二七年杜惠生（Doo Wai Sing，中山縣人）把持會務，商會就決定大開門戶，"……凡商務不拘大小，及實業家與夫熱心商務者，如願為本會會員，請即來會報名……"，中華商會這樣廣收會員，比美國大陸的中華商會早得多，這正反映夏威夷華人工商業的多元化也比美國大陸早得多。

中華商會對於華人社區的公益事業也有貢獻，在一九二〇年，商會曾籌款買地建巴羅羅華僑老人院（Palolo Chinese Home）安置年老多病、生活困難、無依無靠、流離失所的華工。一九二七年，這團體又派林榮貴（Frederick W. K. Lam，土生，祖籍新會縣）醫生到美京和聯邦政府衛生局長交涉撤消移民局有關肝肺蟲的苛例。

商會成立後不久，華資金融機構也出現。當時華人商店欲向西人銀行生揭款項以資週轉，極感困難，即如大的商號也只限揭五百美元而已。揭巨額款項投資者，更無需過問了，所以華人投資者往往在華人社區裏用義會形式籌備資金，但靠這來源的資金數目有限，所以成為華人資產階級發展上的障礙。一九一二年間，華商陳滾已經提出華人應該自設銀行，增加資金的供應。後來在一九一五年，唐雄（Tong Phong, 香山縣人），鍾工宇（Chung Kun Ai, 香山縣人），程水等人發起組織夏威夷第一間華資銀行即"華美銀行"（Chinese American Bank），在一九一六年開始營業。跟着林業舉（Lum Yip Kee, 香山縣人）等華商又發起組織"檀香山共和銀行"（The Liberty Bank of Honolulu），在一九二二年開始營業。㊧此外，華人在二十世紀初期亦設有金融投資公司，例如"華人聯合進益有限公司"（Chinese Mutual Investment Co. Of Hawaii, 一九一二年創設，於一九二六年歸併"漢那魯爐信託公司"〔Honolulu Trust Company〕），"中華信託有限公司"（United Chinese Trust Co.）等。

華人在工商業界也有多方面的發展。如在一八九九年鍾工宇和陳文啟（Chun Mun Kai, 香山縣人）創設"實地美路有限公司"（City Mill Co.），經營建築業。到二十年代，這公司的資本已經超過七十五萬元。在一九二二年鍾工宇又發起創辦"漢那魯爐果業公司"（Honolulu Fruit Co.）。這是唯一的華資罐頭工廠。這公司在一九二三年的產量達六萬箱。

一九〇四年，張深榮（Chong Sum Wing, 香山縣人）在火奴魯魯創辦"永興公司"（Wing Hing Co.）推銷罐頭生果。到一九一五年，開始專做咖啡生意; 到一九二二年，和何惠光創辦"夏威夷咖啡廠"（Hawaiian Coffee Mill）。在二十年代，這公司經營夏威夷出產咖啡總量三分之一，在舊金山、香港、九龍設有支店。㊵由一九一〇年到一九一五年，林業舉，黃暖（Wong Nin, 香山縣人）等華人設工場加工出產土人嗜食的芋漿（poi），差不多支配了火奴魯魯市場上芋漿的供應。

不少成功的華商，原來是赤手空拳抵達檀香山，經過長期辛勤勞動積蓄興家的。一個典型例子是陳寬（Chun Hoon，香山縣人），他在一八八九年入境時才十四歲，但當時就已經肩挑蔬菜到市場販賣。他有了一點積蓄，開設一間雜貨店，後來發展成為批發食品蔬菜公司。跟着又擴展營業，創辦超級市場、藥房和百貨店。另一名陳滾（Chun Quon，香山縣人）在一八八六年取道舊金山到夏威夷，初時他被僱為肉店的夥計。一八八七年，陳滾脫離這老闆，自己在火奴魯魯經營義合肉店。後來和其他人合股，改組為思喬義合公司（C.Q. Yee Hop Co.）擴大營業規模。檀島人士後來也以這公司的名稱呼陳滾。陳滾除了這公司之外，還投資辦面積二萬五千英畝的菜牛牧場，又創設夏威夷苛木有限公司（Hawaiian Hardwood Co.）採伐苛木（Koa）製造用具。在一九〇七年他是火奴魯魯京市點市（King Market）股東之一；一九三二年和思喬義合公司合資創辦亞美利近釀酒公司（American Brewing Co.）；一九四六年又成立義合實業公司（Yee Hop Realty Co.）經營地產和保險。他屬下的公司，到一九四七年的總值估計達一百五十五萬美元，是第二次世界大戰前在夏威夷最成功華人企業家之一。

但華人資產階級營業的規模，卻往往遜於當地白種人大財團的各種企業。舉華人金融業為例。在一九二八年，共和和華美銀行的營業額在夏威夷列第八和第九名，但他們各自擁有的資本不過是排列第一名的"夏威夷銀行"資本的百分十三和百分之十。同樣營業列第十、第十一的"中華信託公司"和"漢那魯爐信託公司"的資本也不過是排列第一名"夏威仁信託公司"資本的八分之一罷了。這些公司資金有限，基礎比較單薄，是營業上弱點。

到三十年代，不景氣瀰漫全球。夏威夷很多華資工商業營大受打擊，不少商戶因此就倒閉或收盤。華資銀行也受嚴重的影響。在一九三三年，夏威夷政府財政廳就以"華美銀行"的資產不足

109

以抵欠負爲理由，下令停止營業。後來經過長期交涉，才由梁功照（Leong Chew，土生，祖籍順德縣）籌辦"中美銀行"（American Security Bank）承受"華美銀行"部份產業，於一九三五年開始營業。

在這期間，財政廳又命令"漢那魯爐信託公司"添補資本；"中華信託有限公司"也縮減營業範圍，改組爲"中華營業有限公司"，不再經營信託事業，只代理買賣實業和保險。同樣，在工業方面，"漢那魯爐果業公司"由於連年虧本，在一九三〇年停止經營。不過華人企業雖然有不少挫折，但到一九三九年僅佔夏威夷人口約百分之七的華人，他們所經營的工廠卻佔夏威夷地區二百七十五間工廠的兩成，所以可以說，到第二次世界大戰前夕，夏威夷華人資產階級的發展比美國大陸華人來得成功。他們的事業對促進夏威夷的經濟繁榮起了作用。

總結第二次世界大戰前美國華人資產階級的情況，在美國大資本家、大企業排擠下，資本薄弱的華人資產階級並不容易發展。他們根本沒法進入重要的生產部門，如運輸、金融（除了服務華人社區以外）或重工業。在阻力最大的美國大陸，只有那些從事貿易的機構，如"中興百貨公司"及"華昌公司"，才有比較有利的發展。夏威夷與美國大陸相比，是具備較有利的客觀條件，所以那裏的華人營業發展比美國大陸的同胞多方面而稍勝一籌。但由於夏威夷是太平洋中的孤島羣，經濟以農業爲主，資源缺乏，土地面積有限，人口亦不多（全羣島的人口不及舊金山人口），當地華人在經濟能夠成功的部門，限於商業、輕工業及服務行業，而影響力也局限於當地而已。至於在夏威夷經濟佔主導地位的蔗糖業及產菠蘿業的支配權，卻仍操縱在白人企業家手裏。

六、華人農業的滄桑

(一)在美國大陸

當大都市的華人工商企業家圖謀發展，農村裏的華人則掙扎求存。排華移民法例實施之後，華工及農戶後繼無人。到二十世紀初，美國大陸很多州又通過"外籍人土地法"，禁止"沒有資格加入美國籍"的移民（即指東亞裔）購買土地。這兩個因素對華人在農業方面的發展，構成嚴重的障礙。不過華人在加州卻有較長久的歷史發展，有了基礎，所以他們在這裏直至二十世紀仍然能夠在一些地方維持其經濟地位，而且有限度的發展。

在加州華人農業較盛的地區是舊金山附近由薩克拉門托河及聖華金河在北加州滙合沖積而成的三角洲。華人與這三角洲地區已經有長期的歷史關係。在十九世紀六十年代，白人地產公司開始招募華工在這地區築堤壩、疏河渠，改造荒涼的沼澤成為肥沃的田地。當每地段的開拓工作完竣，土地公司就將這新田地出租出佃，佃戶也包括有華人。所以華人最遲到十九世紀六十年代末已經開始在這地區從事農業耕作。

在初期，很多華人佃戶耕種蔬菜及果類，但也有出產穀類、飼草、葱頭、馬鈴薯、豆類、葡萄供應市場，但不久，很多華人農業由生產蔬菜之類經濟價值低的農作物，轉向生產市價較高的馬鈴薯，另外一些人也種植蘆筍。這些大部份都是四邑或香山斗門人。一些人能夠租佃大量土地，經營大規模的農場。例如在一八八〇年，過半種植馬鈴薯的華人佃戶的耕地面積是五十至二百英畝之間，到二十世紀，陳康大（Chin Lung，斗門人。因為也經營"勝記"商店，所以西人又稱他為 Sing Kee）更有"馬鈴薯大王"的稱號。

陳康大的營業是在三角洲中南部，斯托克頓附近，他曾在三角洲租佃土地二千英畝，每年僱用華人農工五千多人。在一九一三年，在加州外籍人土地法通過的前一年，他在三角洲地區購買土地一千一百英畝。土地法實施之後，他被迫轉移到鄰州俄勒岡購耕地二千英畝（不過他的營業規模卻遜於與他同時在當地享有"日裔馬鈴薯大王"稱號的牛島謹爾〔Ushijima Kinji，亦名George Shima〕）。[41]這時期其他華人投資者也雄心勃勃擬購買土地從事農業經營，在一九一九年，陳禩堯、陳春榮（C.C. Wing）、李焯（Lee Cherk）、陳象煒等成立華美農業公司（Chinese American Farms），招股一百萬元，在這地區購買土地三千四百三十七英畝，經營種植及畜牧業。[42]

這地區另一種商品農作物是蘆筍。這農產品不只是在市場上當鮮菜出售，更多是經過加工裝罐運到各地推銷。一九二〇年，華人農戶在三角洲共租佃耕地一萬四千五百四十三英畝，佔耕地總面積的百分之一點五，在二十世紀初年，這地區交通還未發達，所以不得不在當地收購蘆筍及其他農作物，並在附近設工廠將這些產品加工裝入罐頭。僱用的工人也不少華人，但華資工廠卻不多。最大投資者是趙燦垣，他一九二〇年在艾爾頓（Isleton，粵人稱埃崙頓）鎮租佃二千英畝耕地種植蘆筍，並在附近設罐頭工廠，曾有"蘆筍王"之聲譽。這廠經營到三十年代初休業之後，在一九三六年，李榮、蔡貴、李質聖、葉祖等又組織"聯興罐頭公司"（National Packing Co.），租賃一間歇業的罐頭工廠，將蘆筍、西紅柿及其他果菜入罐，聯興公司後來承購了廠房，添置機器，發展業務，營業額在最高峯的時候達百萬元，這工廠一直經營到一九五一年才收盤結束。

馬鈴薯及蘆筍的大量生產，帶來經濟繁榮，當地的一些鄉鎮成為農產品集散及加工地點，同時也是招募勞工以及工人消遣休息的中心。在這些地方，商業及娛樂服務行業也興起來迎合這些顧客的需要。每個鄉鎮都發展有小型的華人社區。

在第一次世界大戰前後，三角洲南部斯托克頓郊區的霍爾特站（Holt Station，粵人稱可市姊臣），就是當地招募農工的一個中心。[43]在三角洲中部、北部，洛克鎮（粵人稱樂居）也起同樣作用。

一九一五年在三角洲中部，薩克拉門托河畔合桃林（Walnut Grove，粵人稱汪古魯）的華人區遭回祿光顧，全部燒毀，當時一些香山縣梓里就跟着簡振興（Lee Bing）等集體向北遷徙約一英里成立新鄉鎮洛克，不久這鎮就成為附近的農場及罐頭工廠招募勞工的地點，經常是一個熙熙攘攘的市集，在極盛時期，洛克的固定人口不及六百人；流動人口卻是這數字的幾倍。

但好景不常，第一次世界大戰後，馬鈴薯市價慘跌，很多農戶轉種植其他作物或脫離農業。一時蘆筍果類等農作物還能夠繼續支持當地的經濟。不過到這時期，排華移民法例卻已經使華工日益減少，被其他族裔代替補上，鄉鎮華人社區也漸走向下坡。到第二次世界大戰後，當地交通系統改善，農產品可以由產地迅速送到中心城市如薩克拉門托或斯托克頓的大規模工廠加工入罐，因此鄉鎮的罐頭工廠也就一一關閉了。在一九二九年三角洲中部合桃林，艾爾頓一帶有罐頭工廠十間，到五十年代就已經完全被淘汰了。所以到第二次世界大戰期間，華人農產作業的主要勞力已經不是華工，這些鄉鎮已經衰落，華人社區僅有少數貧弱老人苟延殘喘。這地區剩下的華人農戶也不多，在三角洲北部有果園，多是中山縣人經營，南部的農場卻比較多是四邑人。[44]

在二十世紀上半葉，華人對薩克拉門托河及聖華金河流域的農業經濟也佔一定地位：

一、薩克拉門托河流域東部——這地區有橫貫美國的鐵道幹線，華人把握運輸方便的有利條件，在薩克拉門托支流亞美利加河上游的普拉塞（Placer）縣租佃土地耕植果園，發展一個盛產水果的地區，由十九世紀八十年代後期到一九一〇年最活躍。在九十年代，華人陳善（Chin Shin 音譯）又在鄰近的埃多拉多（El Dorado）縣先後購買三千多英畝土地開闢牧場及採礦，是罕見的大規模農業經營。華人農業活動到二十世紀初期已經走向下坡，不過在一九〇九年，普拉塞縣華人果園的面積仍然佔當地總果園面積的一成半，但這時候當地新興的日本農戶卻佔果園總耕地的六成。

　　另一支流費瑟河中游瑪利斯維（Marysville，粵人稱美利允）一帶也是華人產水果地區。在十九世紀六十年代，礦產公司在這河流的上游長期用水力沖土採金，砂石流到下游，覆蓋河谷肥沃泥土，摧毀了大量耕地。十九世紀七十年代末，八十年代初，華人開始在這裏以廉價租佃這些瘠地，經過一番辛勤勞動，重新栽植果樹，使這地區農業復興。華人果園經營到二十世紀初卻衰落了。到第二次世界大戰前後，這裏只剩少許圃農，出產冬瓜等蔬菜供給華人市場。

　　二、薩克拉門托上中游河谷——華人農戶早在十九世紀七十年代已經在上游特海馬（Tehama）縣種植水果蔬菜，而且差不多長期壟斷了這些農產品在當地的供應（不過這縣的水果產量一直不列入加州產水果最多的十個縣份），據一八八〇年人口統計數字，這地區華人農圃幾乎佔華人人口的四分之一，華人果園也有八個，其中以亞秀（Ah Shew 音譯）最大，擁有五百三十株果樹。但排華移民法案實施之後，這地區華人人口下降，所以到二十世紀初年，華人農戶人數已經銳減。

　　華人農戶在八十年代又在中游的河谷出產大小麥及玉米。和很多地區一樣，到二十世紀初年已經衰落。但到一九一〇年左右，這地區試驗耕植水稻成功，推動華人及其他遠東族裔農戶耕種這農作物。由一九一三年到一九一九年這地區的米產量差不多每年增加一倍，使加州成為美國米產量列第四名的州。這些早期的農戶幾乎全部都是華人、日本人、朝鮮人及印度人，後來加州限制外人購買土地，白人經營的農場才佔了優勢。

華人農戶平均是租佃一千英畝，在一九二〇年，華人在主要水稻產縣科魯沙（Colusa）所租佃耕地有一萬一千零六十二英畝，佔當地總耕地面積的百分之三點六六。比較著名的華人農戶有周富（Jew Foo 音譯），稍遲又有陳忠（又名陳如添 Guey Jones 或 Chin Nguey），有三千英畝面積的農場。

三、薩克拉門托河三角洲以西地區索拉諾（Solano）縣在十九世紀是僱用大量華人勞動力的農業縣，據估計，這縣的農場及果園，在一八八〇年農忙時候，華人佔收獲農作物所用勞動力的四成，所以這地區的瓦卡維爾（Vacaville，粵人稱域加委）鎮很早就出現華人商店及農工承包商，迎合華工及農場果園主的需要。華人到十九世紀以後才開始租佃土地業農，主要出產水果，到一九二〇年，華農戶租佃面積有六千多英畝，佔總耕地面積的百分之二點一。

索拉諾縣的休松（Suisun，粵人稱蘇宣）也是華人農戶較多的地區。據口述資料，最早到這地區的華人是香山縣人陳添，在一八七一年開始為當地果園承包勞工。跟着，其他香山隆都同鄉也到這裏，一些人在七十年代中已經租佃土地耕種果園。在第二次世界大戰前後，華人果園有幾十個，每園約四、五十英畝面積。⑤

四、聖華金河谷——這地區在十九世紀七十年代鐵路幹線完成之後，才有較多華人居住謀生，很多受僱在農場、葡萄園、果園裏工作，但到十九世紀末，人數漸漸減少，他們的工作也落在日本農工手上了。由於華人在這地區的歷史比較短，所以華人農業經營也比薩克拉門托河谷少，他們的農場分散在馬德拉（Madera），弗雷斯諾（Fresno），圖拉雷（Tulare）幾個縣，大部份是農圃。但在弗雷斯諾附近有廣東公司經營的一千四百七十五英畝土地的大規模農場，這農場是由趙峻堯（又名趙福Jew

Fook）在一九三八年組織，在一九四四年這公司又改組為招福公司，繼續經營這個農場。

在太平洋沿岸幾個地區的農業，華人也在一個時期佔重要地位。在十九世紀，華工是北加州索諾馬（Sonoma）縣葡萄園的主要勞動力，但到十九世紀末已經被意大利裔及日本裔所代替。這地區也有華人佃戶，但很少耕種葡萄。到八、九十年代，他們開始栽植蛇麻草供應釀酒原料給啤酒廠。這些農場到二十世紀初年才衰落。在這縣塞巴斯托堡（Sebastopol，粵人稱士巴士步）出產蘋果地區，華人是果園主在果熟季節經常僱用的短工。在二十世紀初，一些華人在這地又承購鮮果並投資烘乾設備，製蘋果乾供應收購商人。這行業約到二十年代才走向下坡。⑯索諾馬南不及一百公里是加州的大都市舊金山，華人很早就在週圍的郊區生產市民需要的蔬菜。但市區的不斷發展，蠶食耕地，地價上升，圃農也不得不休業或遷徙，到第二次世界大戰，郊區的農圃已經寥寥無幾了。

有些圃農很早卻轉向栽植鮮花，據老前輩的回憶，曾任南太平洋鐵路公司的華人工頭莫載耀（Jim Mock，香山縣斗門人）在十九世紀築路工程結束之後，被鐵路公司老闆斯坦福聘請到舊金山半島南部的斯坦福大學校園管理華人園工，不久，通過同鄉的互相提攜，半島地區漸成為斗門梓里棲身的地方。第二次世界大戰以後的幾年，馬鈴薯市價慘跌，在聖華金河三角洲一些斗門籍農戶也遷徙到舊金山半島跟同鄉們在一起謀生。⑰

在十九世紀末、二十世紀初，舊金山半島的意大利裔圃農及華人園丁已經開始帶鮮花到舊金山推銷，大受市民的歡迎。這時候，這不過是一項副業，但不久，一些華人就設農圃專為市場供應鮮花。初時出產的品種包括豆花翠菊（粵人稱江南菊），⑱但後來華人就專栽植市價較高的翠菊和大菊了。在初期，舊金山半島的聖馬特奧（San Mateo）縣還是荒野的郊區，所以花農不難找到廉租的曠地。市區卻不斷漸進，佔據空地，所以花農也不得不繼續向南退卻。⑭

在鮮花產區毗鄰，半島南部的聖克拉拉（Santa Clara）縣，早在十九世紀六十年代，華人租佃土地栽植大量草莓及黑莓供應市場。稍遲，華人工頭又承包果園的收成，採摘包裝鮮果，又在採種園擔當選類、耕植、灌漑工作。他們的精巧技能享有很高的評價。但排華移民法例實施之後，華人人口減少。地位漸被日本人、葡萄牙人所代替。

再南的蒙特雷（Monterey，粵人稱網自李）縣，是華人在農業很活躍的一個地區。當地白人農場主在一八六六年開始向舊金山招募華工收割小麥。由六十至八十年代，華人佃戶又在派哈羅河谷（Pajaro Valley）生產大量烟葉、蛇麻子、芥子供應市場。七十年代，製糖公司在這地區設廠，主要原料是靠華人承包耕種的甜菜。糖業開始走向下坡，一部份華人在八十年代改行種植草莓、木莓及蔬菜。到這時期，小麥不再是這地區的主要農作物了。到二十世紀初年，從事農業的華人人口已經由十九世紀八十年代的二千多名下降到三百餘人，他們的地位漸漸被日本裔所代替。

當糖業衰落，蘋果成為派哈羅河谷的主要農產品。斯拉夫移民很早就承辦了收購，包裝及推銷鮮蘋果的領域，華人很少跟他們競爭，但由於果園耕種面積激增，鮮果價格下降，所以產生擴大蘋果市場的要求。到十九世紀末，這地區引進技術，將揀剩的蘋果加工烘乾，在市場上推銷，但這工作需要廉價勞動力才保證有利可圖，華工正具備這條件。在一九〇四年瓦特愼維（Watson-ville，粵人稱挖愼委利）鎮廣生隆（Quong Sang Lung）開始承辦加工烘乾蘋果的工作。其後的十多年，華人是當地製果乾業的支柱。到二十年代，果乾價格慘跌，一些華人果乾廠主破產。這時候很多老華工也已經去世或退休，他們的工作暫時由華裔青少年承擔，但這些第二代在學業完成之後，往往有離開農村到大都市尋找出路的趨向，所以瓦特愼維鎭的華人人口不斷下降。在一九二四和一九三三年，祝融又光顧瓦特愼維鎭的華埠，住宅及集中在這裏的果乾廠都化為灰燼。經過這一連串的打擊，華人經營的果乾廠大部份被淘汰了。

在華人果乾廠極盛期間，另一些華人也圖謀在農業其他有關事業發展。例如在一九二〇年，余生（又名差利生）發明挖馬鈴薯機。⑩在二十年代，生菜（即萵苣）趕上蘋果，也成為這地區重要農產品。華裔土生郭氏五兄弟創設盛和記（Sing Wo Kee 音譯），在鐵路旁設生菜包裝廠，是這行業裏唯一的華人企業。創辦人之一郭莊盛（Jong Sing Gok 音譯）在當時曾研究試用冷卻車廂運輸生菜的技術。但形勢比人強，華人人口的下降成為不可挽回的趨勢，所以到第二次世界大戰前夕，華人在這地區的農場或農業有關的行業已經不多。

蒙特雷縣農業區以南，羣山巒巒，耕地少，水源缺乏，交通不便，所以農業不發達，華人也不多，行五百公里到加州南部，山脈才轉入內陸，沿海有較寬廣的平原，農業可以發展。和北加州農產區一樣，當地農場主和果園主對華人的園藝有很高的評價。十九世紀末，這地區大量栽植柑桔果園，華人就成為剪枝及採摘包裝鮮果的主要勞動力，工作以細心熟練著稱。⑪一八九一年，華人承包農場後，橙縣農場才首次成功地種植芹菜。到二十世紀初，這地區的產量已經佔南加州輸出芹菜九成以上。在這個氣候溫和的地區試產一些亞洲作物，也往往利用華人的技術，例如由十九世紀六十年代到二十世紀初，美國公司曾僱用華工種桑養蠶，企圖在美國本土建立絲業。⑫在七、八十年代，另一些農場又栽植甘蔗，⑬不過，這些試驗最後都失敗了。

在南加州洛杉磯縣，是華人在農業上佔顯要地位的地區，在十九世紀七十年代，這裏地廣人稀，全縣人口不及北加州舊金山市人口的一成。縣政府所在的洛杉磯，不過是一個鄉鎮，但這時候，華人圍農已經在這裏出產瓜菜供應居民。到七十年代中，鐵路完成，將這地區連接當時經濟較發達的加州北部，促進洛杉磯迅速發展。由一八八〇至一八九〇年，這縣的人口增加三倍，華人農業也有相應的擴展。在一八八〇年，洛杉磯縣有二百零八名華人圍農，佔當地華人人口的百分之十七點八，華人農戶人數及百分比都比加州任何一個縣高。這時期，華人是執着當地瓜菜供應的牛耳，但當華人準備再進一步擴大經營，排華移民法例卻起了阻礙作用，所以一八八二年以後，洛杉磯縣的經濟雖然繼續飛躍發展，但華人農業的發展卻跟不上，反而出現停滯現象，而且慢慢衰落。到一九〇〇年，洛杉磯雖然有約百名華人農戶，主要供應漿果、馬鈴薯及瓜菜，但日本裔農戶已經開始超過華人的地位。到一九〇九年，這縣的漿果耕地約一千六百英畝，其中日本裔佔了四分之三，其餘四分之一由白人與華人各約佔半數，華人瓜菜的產量卻還佔一定的地位。在同年，日本圍農佔瓜菜耕畝的百分之五十七點一，華人則擁有百分之二十八點六，仍然扮演重要的角色。他們多出產玉米、洋白菜（即捲心菜，粵人稱椰菜）、菜花（粵人稱椰菜花）及馬鈴薯。第一次世界大戰期間，蘆笋在市場上售價較高，一些華人就引進薩克拉門托河——聖華金河三角洲地區的經驗，大量種植這一農作物。據一些人的估計，二十至三十年代，在洛杉磯一帶推銷的蘆笋，約有八成是華人農戶供應的。這些耕戶組織有商會維護同業的利益。[54]

在這期間，洛杉磯市區不斷擴張，地價上升，而農產品價格低，打擊農戶生產的積極性，因此逐漸造成華人農戶老的退休，少壯的改行。另一些人則遷往遠離市區的鄉村建設果園農場。

華人在洛杉磯的農產發行業也佔重要地位。早在一八七九年華人瓜菜販成立衞良行以集體力量互相扶持。在一八八〇年，洛杉磯六十名瓜菜販之中有五十名是華人。在一八九四年，華人瓜菜販向市政府註册的車共有一百零三輛。在這時期，另一些華人又經營農產的批發。在二十世紀初年，這些批發商多集中在華埠。由於這地區交通擁擠，嚴重地阻礙農產的裝卸，所以商人謀求另找更適合營業的地區。到一九〇九年，華商呂關（Louie Gwan）發動華人與西人、日本人合資建設洛杉磯市市場（City Market of Los Angeles）才解決這個問題。

這市場離開華埠鬧市，位置在九街，所以華人俗稱為"九街街市"。初時這地址的面積佔六點七英畝，但到一九二四年，市場再投資十萬美元，擴充到十二英畝面積，共置有舖位一百六十多個。

在市場營業的初年，四十四名農產商之中有二十名是華人，但到二十年代，華人經營不斷走向下坡，所以到第二次世界大戰前夕，華人、西人、日本人批發商的數目已經大致相等了。其中大規模的有呂登的"呂氏農產公司"（Louie Produce Co.）。

第二次世界大戰時期，日本人被押入集中營，華商及西商平分日本人的舖位，華人農產批發業呈復興的現象，但這不過是夕陽回照。戰後日本人回來重執舊業，很多華商退休，第二代又不願意承繼父業，所以繼續衰落下去。

華人農產批發商為了促進農產商的利益，在一九〇七年成立華僑農產聯合商會（Chinese Produce Merchants Association）。

如上所述，排華移民法終於迫使加州華人農業走向沒落，農場果園裏的華工被日本、朝鮮、印度、菲律賓、墨西哥裔代替，華人農戶也相繼退休或改行。與這些活動有密切相連關係的勞工伙食承包行業及其他商業，隨着走下坡，很多華人也離開鄉鎮到大都市謀生去了。

在一九二〇年加州的華人約有三分之一是在村野鄉鎮裏生活，但到一九四〇年，這百分比已經降到百分之十五點七，其中農工農戶約佔一半。全加州村野鄉鎮人口卻由一九一〇年的百分之三十八點二直降到一九四〇年的百分之二十九。所以華人離開農村的速率比全州人口高得多。

美國大陸其他各州華人農業經營的規模一般比不上加州。在美西很多華人是因為採金或建築鐵路而流落在村野地區裏掙扎謀生，一些人當農工或牧牛羊，⑤另一些人則據地耕種瓜菜，向當地人民推銷，大受他們的歡迎。但這些農業活動，一般到二十世紀初年就慢慢淘汰了。在美國西北部的俄勒岡州波特蘭附近在二十世紀上半葉卻還有十多家華人種植製啤酒的蛇麻子。

華人在美東美中一向是集中在大都市謀生，在一九一〇年以來，佔當地華人人口六成以上。但也有些華人從事農業生產，如在二十世紀初，華人圃農已經在紐約市郊區耕種瓜菜供給華人社區。⑤

美國南方華人人口不多，但在佛羅里達州卻是著名園藝家劉錦纘⑤（Lue Gim Gong，台山縣人）居住的地方。劉氏在一八八六年開始在佛州作園藝試驗，歷年介紹很多新品種。最著名的是他在一八八八年開始試驗栽植的一種耐霜甜橙，是巴倫西亞（Valencia）品種的異種，這劉錦纘種在一九一一年獲得果樹學會（American Pomological Society）頒發的威爾特獎章（Wilder Medal）。在二十世紀上半葉，這品種佔佛州橙樹總數的百分之五。但戰後果樹植畝擴大，這品種的百分比卻下降了。劉錦纘品種雖然相當流行，但由於劉氏是老實人，對商場的虞詐缺乏警惕，所以代理推銷這品種的苗圃有巨額收入，但劉氏只報酬有限。結果他生活不斷貧困，到晚年孤獨一人，病魔纏身，家境潦倒。在一九二五年這傑出的華人園藝家就這樣與世長辭了。劉氏在佛州北部進行園藝試驗工作不久，在九十年代少許華人見這地區氣候溫和，雨水充足，所以在距離東岸鐵路終點不遠的傑克遜維爾附近也設農圃出產瓜菜供給美東華人市場。⑤

(二)在夏威夷

在十九世紀，太平洋中心夏威夷羣島的經濟是以農業爲主。直到世紀末，這裏的華人大約有三分之二都是在村野或鄉鎮裏謀生，很多都是農工農戶。一八九八年，夏威夷土人王國被美國吞併，不久美國的排華移民法例在這裏實施，限制華人入口，斷絕了華人農業所需勞動力的主要來源。另外，作爲美國領土卻給予當地蔗糖進入美國大陸市場的有利條件，所以推動甘蔗園大力增產，在這羣爾羣島，白人蔗場主以資本雄厚的優勢競爭，佔有大量耕地及灌漑水源的使用權。在幾年間，地租價格漲了一兩倍，生產成本上升，華人農戶被排擠。在這同一時期，城市的工商業也擴張，尤是火奴魯魯（當地華人稱爲“正埠”），更是吸引鄉鎮的許多華人，他們紛紛遷徙到這個大都市謀生。到一九二〇年，火奴魯魯華人已經佔全島華人人口的百分之五十六點九。在二十世紀初年，華人在農業方面仍然能夠起作用，其中經濟收入最高的還是米業。這羣島進入美國版圖的時候，檀香山的米產量在美國排第三位，在一八九九年，當地有五百零四個水稻農場，面積共九千一百三十英畝，總產量三千三百四十四萬二千四百磅，價值一百五十六萬二千零五十一美元，到一九一〇年，水稻耕種面積還升到九千四百多英畝，但檀香山產的米在市場上的推銷卻發生困難。在二十世紀，當地華人人口已經降到百分之十以下，當時佔羣島總人口半數的日本裔卻一般不習慣吃檀香山品種，寧願購買進口的日本大米，所以檀香山米大部份要輸出尋找市場。到一九一二年，加州農場產的米，又開始進入市場，由一九一二至一九一七年，耕地面積由一千四百英畝擴大到八萬英畝，因此檀香山米又被擠出加州市場。到一九一六年美國大陸的加州米還倒流運到檀香山推銷，而且逐年增加。在這期間，檀香山米行同業曾經發起組織商會企圖挽回頹勢，但到二十年代，檀香山產的米已經基本上停止輸出，水稻耕地面積也繼續縮小，到一九三六年跌到一千二百七十五英畝。當時只有少數華人農戶在瓦湖島種水稻供給火奴魯魯的華人餐館，其他的田地都是由日本裔或菲律賓裔耕耘了。

在十九世紀，檀香山種植咖啡的農戶大部份都是華人，但排華移民法例實施以後，這行業很快就落在日本裔手上。

在二十世紀，檀香山菠蘿的輸出量僅次於蔗糖，但這果類的大量生產還是在檀香山歸入美國版圖之後才發展的。當時一些華人農工由蔗園轉入菠蘿農場工作，另外一些華人農戶也種植菠蘿在市場上出售。後來當地開設菠蘿罐頭工廠，更推動農戶擴大耕畝。規模較大的一個是區尊讓（An Young 或 On Young，台山縣人），在柯湖島種植幾百英畝。

香蕉也曾經是檀香山大量輸出的農產品，在一八八○年有八萬串出口，到一九一五年，還增加到二十八萬串。大規模的蕉園都是白人所經營，但勞動力都多用華人。另外，一些華人農戶也種植幾英畝，供應當地市場。到二十年代，中美洲產的香蕉慢慢奪取檀香山蕉在美國大陸的市場，但到這階段，檀香山產蕉的農戶已經主要是日本裔了。

當檀香山的人口增加，華人農業經營也相應地擴展多樣化。他們耕種瓜果蔬菜，飼養豬、牛、雞、鴨，網魚、鱔、蝦、蟹，養塘魚，畜牧騾馬，辦牛奶棚等。但這些營業，到二十世紀初，一般都已經走向下坡。華人在十九世紀，又耕植大量水芋，並設廠製造芋漿，供應市場。到三十年代，大部份華人農戶已經被日本及朝鮮裔代替了。但華人卻仍然能夠維持他們在製芋漿業裏一向所佔的優勢。

華人農業式微，他們都集中在大都市謀生，到第二次世界大戰前夕，在火奴魯魯居住的華人已經達到全島華人的幾乎八成了。

注釋:

①　Paul M. De Falla, "Lantern in the Western Sky", 見《南加州歷史學會季刊》第42卷第1、2期（1960年3、6月），第57—88、161—185頁。

②　見《每日上加利福尼亞報》，1852年5月8日；《紐約每日論壇報》1852年6月7日；《東涯新錄》，1955年2月1日。

③　例如1876年有《美國華人代表向美國合衆國總統尤利塞斯‧S‧格蘭特閣下請願書》；1877年有《華人六公司向美國合衆國參議院及衆議院請願書‧加州有影響力公民向國會聯合特別委員會的供辭》。

④　六會館公所在1873年（見《聖地牙哥聯合報》1873年6月6日），1875年及1876年（見《唐番公報》1876年1月20日），曾先後發電給香港東華醫院，請勸告華人勿來美國。到1876年陰曆3月15日，六會館公所又發正文引用的傳單呼籲華僑寫信給親友囑他們不可來美。

⑤　Edward C. Lydon, *The Anti-Chinese Movement in the Hawaiian Kingdom 1852-1886*（舊金山: R & E, Research Associates, 1975年），第69—72頁。

⑥　沈己堯，《海外排華百年史》（香港: 萬有圖書公司, 1970年），第121—128頁。

⑦　Fu Chi Hao, "My Reception in America", 見《展望雜誌》（*The Outlook*）第86卷（1907年8月10日），第770至773頁。

⑧　《寓美華商呈華工禁約已滿請力爭補救稟》，見《新纂約章大全》卷13《美利堅國部》。

⑨　Margaret Field, *The Chinese Boycott of 1905*（劍橋: 哈佛大學東亞地區研究計劃, 1957年12月）；Delber L. Mckee "The Chinese Boycott of 1905-1906 Reconsidered: The Role of Chinese Americans", 見*Pacific Historical Review*, 卷55第2期（1986年5月），第165—191頁。

⑩　Timothy J, Molloy, "A Century of Chinese Immigration: A Brief Review", 見《移民與入籍處評論月刊》（華盛頓: 卷5第6期, 1947年12月），第69至75頁。

⑪　H. M. Lai（麥禮謙）, "Island of Immortals: Chinese Immigrants

and The Angel Island Immigration Station", 見《加州歷史》第47卷, 第1期 (1978年夏), 第88至103頁。

⑫ 《民族》週刊, 第121卷, 第3145期 (1925年10月14日), 第398頁。

⑬ 見《舊金山考察家報》, 1912年2月18日;《世界日報》, 1912年10月7日;《舊金山紀事報》, 1913年2月6日。

⑭ 蕭村,《美洲華僑洗衣店的滄桑》, 見《70年代》(1977年4月), 第42至46頁; Paul Siu (蕭振鵬), *The Chinese Laundryman: A Study of Social Isolation* (紐約: 紐約大學出版社, 1987年), 第50、77、90—91頁。

⑮ 見《中西日報》, 1928年4月19日。

⑯ 于仁秋,《〈雜碎〉傳說考據》, 見《佈告板》(1986年冬季), 第1、3、4、5、7頁。

⑰ Tanso Ishihara, Gloria Wickham, *The Japanese Tea Garden in Golden Gate Park* (1893-1942) 〔薩拉托加 (Saratoga): 自刊, 1979年〕, 第57頁。

⑱ 嚴傑鎏,《李超凡先生傳略》, 見《東亞餅食公司50週年紀念》(舊金山: 1975年), 第3—4頁;《世界日報》廣告, 1937年12月22日; 陳參盛,《橋跨太平洋》(舊金山: 美國華僑歷史學會, 1989年), 第218頁。

⑲ 《許領事查美西商務報》, 見《世界日報》1910年1月1、3—7日。

⑳ Edward E. Briscoe, "Pershing's Chinese Refugees in Texas", 見《西南歷史季刊》第62卷第4期 (1959年4月), 第467至488頁。

㉑ Shih-shan Henry Tsai (蔡石山), *The Chinese in Arkansas* 〔費耶特維爾 (Fayetteville): 阿肯色大學, 1981年〕, 第3頁。

㉒ 趙景怡,《抗議握省苛例提案之經過》見《握省華僑年報》〔瑪麗安娜 (Marianna) 旅美握近梳省華僑聯合會, 1943年〕, 第4、5頁。

㉓ 見《舊金山紀事報》1891年7月10日。

㉔ William K. Luke, "The First Chinese Bank in the United States", 見《華埠新聞》(1974年7月3日), 第10頁;《大同日報》(缺出版日期)。1907年4月1、9日;《舊金山紀事報》, 1907年4月9日。

㉕ 見《紐約中華總商會簡介》。

㉖ 見《中西日報》, 1906年9月11日; 1908年2月26、27日;《世界日報》,

1917年5月21日。

㉗　見《中西日報》,1929年8月7日;《舊金山中華總商會會務概況》,(1964年9月10日)。

㉘　"中美洋箱公司",見《中華民國公報》,1919年1月3日廣告:1月27日列董事及職員名單。

㉙　黃兼生,《旅美僑領周崧》,見香港《華僑日報》,1961年5月24、25日;《舊金山考察家報》,1961年4月15日;《舊金山紀事報》,1961年4月15日;《亞洲人週報》,1983年3月10日;餐館數字來自《美國僑團商店餐館一覽》。

㉚　M. C. Powell, H. K Tong 編, *Who's Who in China*, 第2版（上海:《密勒氏評論報》, 1920年）, 第313—314頁;梁漱溟《中國銻礦開發的先驅者,梁煥奎5兄弟與華昌煉礦公司》,見《湖南文史資料選輯》第18輯（1984年）, 轉錄於1987年9月19、21日《美洲華僑日報》。

㉛　聶寶璋編,《中國近代航運史資料,第1輯: 1840—1895》（上海: 人民出版社, 1983年）, 第1094至1097頁。

㉜　見《世界日報》, 1915年2月23、25、26日, 8月30日, 9月10日。

㉝　何卓競,《中國郵船有限公司佈告錄》（舊金山: 1919年）第4至23頁。

㉞　見《世界日報》, 1918年6月22、24、26日, 12月23、30日;1919年8月20日, 12月1日;《舊金山考察家報》, 1919年3月15日。

㉟　中國郵船公司前職員鄺文光口述, 1970年4月1、10日;《世界日報》, 1923年1月16日, 6月9、26日, 8月4、21日, 10月1日;《大同日報》, 1923年4月7、14、17、23日。

㊱　見《世界日報》, 1923年11月14日;《中西日報》, 1924年2月20日。

㊲　見《中西日報》, 1924年10月1、11日;1926年6月12日, 7月20、23、24、26、30日, 8月9、10、12、19、20、21、25、31日, 9月1、4、24、25日, 12月1、9日;1927年7月1日, 8月22日;《世界日報》, 1928年6月26日。

㊳　見《世界日報》, 1935年9月4日, 10月1日, 12月2日;1937年4月23、5月13日。

㊴　《太平洋商業廣告報》1916年5月25日;《火奴魯魯廣告報》1922年3月12日;C. G. Tilton, *The History of Banking in Hawaii*（火奴魯魯: 夏威夷大學研究刊第3種, 1927年）, 第134至137, 171至175頁。

㊵ 張深榮，《60自述》（火奴魯魯: 1944年），第15、37至39頁。

㊶ 陳素貞，“Chinese American Entrepreneur: The California Career of Chin Lung”，見《美國華人社會: 歷史與觀點》（*Chinese America: History and Perspectives*）（舊金山: 美國華人歷史學會，1987年）第73至86頁; 加藤新一編《米國日系人百年史在米日系人發展人士錄》（東京: 新日米新聞社，1961年），第436頁。

㊷ 《華美農業公司組織緣起》見《世界日報》1919年8月30日。

㊸ Sylvia Sun Minnick （孫麗英），*Sam Fow: The San Joaquin Chinese Legacy*（弗雷斯諾: Panorama West Publishing，1988年），第182頁; 斯托克頓老華人余傑生、蔡郁章、馬滋等口述，1973年10月28日。

㊹ George Chu “Chinatowns in The Delta: The Chinese in the Sacramento San Joaquin Delta，1870—1960”，見《加州歷史學會季刊》第49卷第1期（1970年3月），第21至37頁。

㊺ 休松老農余珍口述，1977年2月19日。

㊻ 果乾廠老闆女兒馮鳳娣口述，1973年1月28日; 1975年5月25日。

㊼ 花圃農莫松年口述，1969年5月3日，11月2日; 1970年4月26日，5月17日。

㊽ 見《舊金山紀事報》，1902年1月5日。

㊾ 花圃農陳國男口述，1981年10月17日。

㊿ 見《世界日報》，1920年9月30日。

(51) Paul Wormser, “Chinese Agricultural Labor in the Citrus Belt of Inland Southern California”，見 *Wong Ho Leun: An American Chinatown*, 卷1,《歷史》(聖迭戈: The Great Basin Foundation, 1987年)，第173—191頁。

(52) William Speer, *The Oldest and The Newest Empire: China and The United States*（哈特福: S. S. Scranton Co., 1870年），第510—511頁。

(53) Stan Lau, “Pages from The Past”，見《金山雜誌》（*Gum Saan Journal*）（1978年7月），第9頁。

(54) 老圃農張思逸（Sam Chung）口述，1975年4月4日。

(55) 鐵路建築完成之後，牧場主試僱用一些華工牧羊。不久，內華達州很多地區都普遍利用華人牧羊者，但他們後來都被巴斯克族裔所代。十九世紀末二十世紀初，俄勒岡州東北部大牧場主菲爾茲（Harvey Fields）也經常僱用華工當廚師，牧牛羊，甚至當管工。

　　⑤ 《佈告板》（紐約：華埠歷史研究社，1984年夏季），第4頁，*Harpers Weekly*，1900年左右出版的繪圖。

　　⑤ 劉耀寰，《旅美華僑果藝專家劉金纘的考證》見《新寧雜誌》（1980年12月），第42頁；文章稱爲"劉金纘"，但劉氏在遺囑上簽名的第二個字卻是"錦"字，所以據這資料糾正。

　　⑤ Ruthanne Lum McCunn（林露德），"Lue Gim Gong: A Life Reclaimed"，見《美國華人社會：歷史與觀點》（1989年），第117—130頁。

加州華人漁船經常在加州至墨西哥沿海採集鮑魚（圖片來源：加州大學美亞裔研究系圖書館收藏）

密西西比州的華人雜貨商店（圖片來源：加州大學美亞裔研究系圖書館收藏）

排華期間的排華漫畫（圖片來源：加州大學美亞裔研究系圖書館收藏）

第四章　土生華裔社羣的出現

一、土生人口的增長

　　十九世紀末，美國華人的九成以上是在美國本土以外出生的，而且大部份不是美國籍民，所以他們是名符其實的"華僑"。排華移民法案實施以後，華工被排斥於美國國門之外，只有官、商、教師、學生及他們的家眷才有資格進入美國定居。因此，在單身漢華工人口不斷下降的情況下，華人社區裏家庭的比例相對地不斷增加，在美國出生的華裔（美國華人稱爲土生）在華人人口裏所佔的百分比也隨着上升。（爲了達到名詞上有較清楚的定義，在以下文章，"華裔"是指受了美國文化影響較深的華人，這包括"土生"和一些在中國出生但自靑少年時代就長期受美國社會影響的華人。）

　　據美國人口統計數字，在一九〇〇年土生華人約佔美國大陸華人的一成，但到三十年代中這比例已經提高到美國大陸華人人口的半數。在夏威夷更早，一九二〇年土生人數已經超過外國出生的人數。不過美國人口普查局對於"土生"（Native）的定義比較華人社會慣用同一名詞所包涵的範圍更廣，包括在美國出生的及美籍華人在外國所生育的兒女（即"土生子"、"土生孫"）。在排華期間，很多華人以"土生子"、"土生孫"身份進入美國境。在官方統計數字裏，這些都屬"土生"一部份。因此，在美國本土出生的華裔（即華人慣稱"土生"的一類人）會比官方的統計數字稍低。

　　土生在美國的身份和其他華人有重要的區別，他們有美國國籍，其中在美國長大的一部份土生和華裔受美國社會意識形態較深的影響，他們在十九世紀末年就開始在華人社會裏形成一個生活方式及思想作風比較接近美國白人社會的一羣。在這過程中，美國的學校和各種社會機構所灌輸的美國文化思想及倫理道德觀念，對他們向這方面的發展起着重要的推動作用。這些人的社會思想意識加上他們有美國籍民身份，使他們特別着重爭取華人在美國應享有的權利，進入美國主流社會。

　　在二十世紀上半葉，加州華人人口約佔美國華人的半數，而這州華人最多最集中的地區是舊金山灣區，約佔加州華人的五成左右。這裏也是土生最多最活躍的地區。

二、美國教育制度的影響

（一）在加州

　　華人初到美國，爲着要適應這社會，在這社會發展，他們早已有要求學習英文和了解美國社會，但他們要經過不斷鬥爭才爭取到享受教育的權利。在五十年代初，公立學校還未成立，華人只可以參加基督教會辦的英文班。到一八五九年，舊金山華人向市政府請願，要求政府辦公立學校，市教育局才聘請教員一名開班授課給華人學童及成年學生。

　　按照早一年加州教育廳廳長安德魯・莫爾德（Andrew Moulder）頒佈的教育法規，華人學生像黑種、印第安種學生一樣，不能和白種學童混校；所以，舊金山的華人學校是一所種族隔離式的設施，也是當時加州唯一的公立華人學校。

　　舊金山教育當局，尤其是教育總監詹姆士・登曼（James Denman），對華人學校卻一直存有偏見。在初辦的兩年裏，三辦三輟。一八七〇年，加州教育廳頒佈修訂過的教育法規，其中沒有提及教育黃種學童的條文，於是總監登曼在一八七一年乘機撤銷了華人學校。

到七十年代，學齡華童的人數逐漸增加，平均一千七百人左右，所以，子弟的教育是華人家長極為關切的問題。他們認為既然在加州有義務納稅，也就應該有權利享受以稅款支持的教育制度，因此他們不斷要求當局給華人學童提供教育設施。一八七二年，舊金山一些華商聯合家長向市政府請願，要求重開華人學校。一八七八年三月，全加州一千三百多名華人又簽名向州政府請願。但這些合理的要求卻得不到官方的理會。跟着華人就採取了法律上的行動。一八八四年，華人趙洽（Joseph Tape）為他的八歲女兒美媚（Mamie 譯音）到舊金山的春谷學校（Spring Valley School）報名入學，校長珍妮·赫爾利（Jennie Hurley）卻拒絕收容這名學童。於是趙洽聘請律師向法庭提出訴訟。上級法院判決舊金山教育局以種族為準則來排斥華人學童是違背了美國憲法。雖然舊金山教育局不服判決而上訴，但在一八八五年加州的最高法院仍維持原判。由於加州當局不願意黃白學童混校，因此州議會就修改了加州教育法規，容許地方設立種族隔離式的學校來收容"蒙古種"學童。一八八五年四月，舊金山教育局在華埠邊沿開辦了華人小學（Chinese Primary School，當時華人稱為"皇家書館"）。

到二十世紀初年，華人小學依然是舊金山華童唯一可以合法報名入學的設施，但這學校的水平卻比較低。因此，一些家長就故意違犯教育局的限制，把子弟送入華埠以外師資較好的公立學校肄業。由於當時日裔學童不受種族隔離措施的約束，所以有些華人就冒認日裔入學。另外一些學童公開以華人身份報名，也得到一些學校收留。在一九〇二年就大約有七、八名華裔學生這樣能夠在華埠以外的克萊門特學校（Clement School）上課。

教育局行政人員知道這情況，就發出通知，提醒各學校負責人加州教育規例有關蒙古種學童隔離設施的條文。學校校長不得已向學童下逐客令，但長期來已對他們子弟所受不平等待遇不滿的華人卻起來抗議。學生劉才其兄劉池到教育局力爭華人子弟入華埠以外學校讀書的權利。結果教育局規定華人學童在華人小學畢業後可以到華埠以外的學校升學，但劉池等認為這規定沒有撤消種族隔離的教育政策，要繼續抗議。①當雙方還在相持中，中醫黃華添（Wong Him）也自聘律師要求法庭下令教育局准許他的女兒凱蒂（Katie 音譯）在華埠之外的小學肄業，但法庭卻支持教育局，重申教育局有權舉辦種族隔離式的設施。②

一九〇三年二月，中華會館在華埠遍貼通告抗議教育局的種族隔離政策，並指出按華人在一九〇一年所繳納的稅項，華人小學就應分配經費二萬八千元，但實際上這學校每年所得經費不過是六千九百元。通告質問教育局其他二萬一千元到哪裏去了。眾華商又派代表到加州教育廳要求修改州教育規例，准許華人學童到各公立學校肄業，但教育廳卻斷然拒絕考慮。至此，舊金山華人在教育方面爭取均等待遇的鬥爭暫告一段落。③

到一九〇六年四月，舊金山發生大地震，幾乎全市成為廢墟。這時候排華運動在舊金山已經擴大成為排亞運動，教育局的官僚順着局勢的發展，也企圖將種族隔離的範圍擴大，包括其他亞裔尤其是日裔學童。所以華人小學復校之後，改名為遠東人公立學校（Oriental Public School），當舊金山當局命令日童入這學校時，日本政府卻向美國提出強硬的抗議，美、日兩國關係突告緊張。

這時候美國正忙於鞏固在遠東新獲得的勢力範圍，不希望被一個不友善的日本所掣肘，因此老羅斯福總統向舊金山市政府施加壓力，迫舊金山教育局收回成命，作為交換條件，羅斯福總統則答應和日本談判限制日本移民來美國。不久，教育局將日本裔歸

類馬來人種，這樣"名正言順"，日裔不屬種族隔離教育法規應
用的對象! 沒有強盛的祖國做後盾的華童，卻只能夠依舊受次等
民族的待遇，要接受種族隔離式的小學教育，華人學生小學畢業
後才能到華埠外升學。華人不滿這種待遇，不斷爭取撤消種族隔
離式的教育制度，一些學生家長仍然設法繞過教育局的規例試圖
進入華埠以外、水平較高的學校，其中如校當局或白人家長不反
對，而教育局不發覺，華人學生也有機會在那裏繼續上課。日子
久了，社會上排華情緒稍戢，教育局也容許一些華童到華埠外的
學校升學，與其他族裔學童混校。在二、三十年代，種族主義曾
滋生事端，要求恢復隔離制度，但通過華裔及有正義感的社會人
士力爭，才未能得逞。不過華埠的遠東小學雖然在一九二四年取
消了這帶有種族歧見色彩的校名，④但在整個二十世紀的上半葉
這學校的學生仍然是百分之百華童。到第二次世界大戰之後加州
教育局才撤銷有關隔離華人學生的條文。

　　至於加州其他地區，華人學童人數比舊金山少得多，所以一
般沒有另設學校隔離華人的必要。一些地區將華童、日童和其他
遠東族裔學童混合編班，與白人學童隔離。

(二)在美南

　　加州以外的各州一般沒有專設種族隔離的學校。唯一例外的
是在美南種族偏見最深的密西西比州。這州的華人人口不過數百
人，多分散在沿密西西比河一帶的鄉鎮裏開設雜貨店，到二十世
紀二十年代，一些華商已經成立家庭，生育的兒女已經達到學齡，
在這種族界限分明的地區，政府向來是爲黑白學生分設學校，而
白人學校的水平及設備，一般都勝於黑童學校設備。華人家長爲
着兒女前途打算，當然設法令他們得到良好的教育，但進入白人
學校的華童多了，就引起種族主義者的疑懼，擔心華人破壞這州
的傳統種族隔離社會秩序;因此就採取行動排斥華人學生。

當時在羅斯戴爾鎮（Rosedale）有華商林講（Gong Lum），在當地白人之間頗享有聲譽，他有兩個在當地出生的女兒，都參加白人教會的主日學。在一九二四年，他的女兒玉鳳（英文名馬撒 Martha）獲准入白人的中學，但到開學那一天，教育局突然通知玉鳳她既然不是白種人，沒有資格入白人學校讀書。林講不服，聘律師向法庭起訴，但經過數年的官司和上訴，聯邦最高法院終於在一九二七年下判決支持學校當局。隨後，林講就攜家遷徙到隔河的阿肯色州。其他一些家長為着後代的教育，往往也移家到田納西州的孟菲斯市或美南以外的各州；要留下在當地謀生的家長，也遣送兒女到別州求學。更多家長則送兒女到一些執行隔離法律較鬆懈的鄉鎮，希望當地學校當局會准許他們進入白人學校。

為了兒女的教育，華人也自辦學校。在一九三六年，克利夫蘭鎮（Cleveland）的華人決定在當地籌辦中華學校（Chinese Mission School）。由李守仁律師和華商周廷烈向西人友好團體和美國各地僑團募款二萬五千元建築費，校舍在一九三八年四月落成，地方當局向學校提供兩名教師，華人也自聘中文教師一名。這學校有十英畝面積的校園，並提供有男女生宿舍，是美南最大規模的華人學校。⑤附近的格林維鎮（Greenville）在同一時期也設有中華學校，兼授中英文課程。⑥

但這州的華人人口少而分散。因此，這些學校學生人數不多，由一、兩名教師負責第一至第十年級。不言而喻，設備和師資遠不及白人學校，只可說是聊勝於無罷了。不過到三十年代末，個別小鄉鎮已經開始容許華童入白人學校，到五十年代初，這現象已經相當普遍了。

(三)在夏威夷

美國另外一個華人集中的地區是地處太平洋中心、華人稱為檀香山的夏威夷羣島。這裏華裔在二十世紀初期的發展和美國大陸正好作一個鮮明的對照，華人雖然在社會上碰到種族歧視，但在這多元種族社會裏，他們還能夠找到發展的餘地。在教育方面，政府也沒有頒行種族隔離的措施。

像美國大陸一樣，檀香山華人很早就有要求入學受教育。一八七二年，在火奴魯魯的華人人口還不及二千，但當時男青年會成立的華人主日學，就有二十七名華人報名上課學習英文了。進入二十世紀，當華人家庭繼續增加。家長們很早意識到知識是可以幫助改善經濟地位的利器，所以就鼓勵子弟入學。到一九○○年，華人學生已經達到一千三百名。再過十年，這數字幾乎又增加一倍。到三十年代中，已經超過八千六百名，其中七成半是在公立學校讀書。

到一九二○年，十六至十七歲的華裔青年已經有七成入中學，比例超過夏威夷任何一個族裔集團。到第二次世界大戰前夕的一九四○年，這百分比更增加到九成，而當時全夏威夷各種族入學的中學生不過佔學齡青少年的百分之六十七點一罷了。

夏威夷雖然在學校制度裏沒有種族隔離的措施，但白人傳敎士和莊園主卻爲子弟另設水平較高、英文符合美國大陸標準的私立學校。這些學校往往會限制非白種學生人數。著名的普拿霍學校（Punahou School）就是一個例子。在表面上種族不是錄取入學條件之一，但在第二次世界大戰前，這學校當局不明文的規定，是收納遠東裔的學生不得超過百分之十。[7]所以這學校的學生，十之八九都是白種人。在二十世紀二十年代中，這學校有千多名學生，其中只有六十多名華人。

夏威夷是一個多元種族滙合的地區。由於各族因不同語言的影響，這裏在社會上日常用的英語，無論在發音、詞滙或文法方面，往往和美國大陸的標準稍異。以白人爲主的一些家長關心子弟的英語水平不符合標準；因此在二十世紀二十年代中，推動當局在這地區成立九間所謂標準英語學校（English Standard Schools），一切學生都要經過英語口試合格才有資格入校。一般遠東人種的子弟受母語的影響，英語發音與美國大陸標準有較大差距，因而多被排斥在這些學校之外。結果，入這些學校的學生，大部份都是白人的子女。到太平洋戰爭爆發，很多白人疏散到美國大陸，遠東族裔學生才有機會大量進這些學校。

夏威夷社會很多人士一向批評這種設施是違背了平等和民主的教育精神，它的存在只會助長社會上的偏見和階級歧視。他們向政客不斷施加壓力，終於促使州議會在五十年代撤消了這制度。⑧

在二十世紀上半葉，美國對少數族羣採取同化政策；因此，儘管華人青少年學生在美國各地區有不同的待遇和入學經驗，但對他們的教育方針卻比較一致：在課堂上宣揚美國民主，推崇歐西語言、文化，而貶低其他民族的語言、文化。這種教育對土生思想作風的發展方向有很大的影響，加速他們走向美國社會主流的步伐。

(四)高等教育

高等教育是美國培養中上社會領導階層後備軍的園地。在大學裏，學生可以更深入汲取西方文明的精髓。但在二十世紀初，美國大陸的華人在美國社會的出路有很大的限制，加上大部份華人是屬於收入低下的社會階層，所以華裔一般只能夠完成小學，稍遲有些人才有機會獲得中學畢業，但能享受高等教育的人卻很少，比中國來美的留學生少得多。據美國一九四○年的人口統計，全國二十五歲或以上而受過四年以上高等教育的華人不過一千零一人，佔全體二十五歲或以上華人的百分之二點九，比同等教育水平白人的百分之三點七低了兩成。這些華人高級知識分子過半是在華裔人口最多的加州，大部份是出身於華人社會裏的中上層，例如商人、專業工作者、牧師、餐館店東的家庭，很少是洗衣館老闆或工人的子弟。⑨

在檀香山華人的經濟情況比美國大陸較好，在社會上也較多出路，所以在二十世紀上半葉入大學深造的華人學生比加州多。在二十世紀初，檀香山還未設有綜合性的大學，檀香山華裔子弟有志求學，就負笈遠渡重洋到美國大陸的學校肄業。後來在一九一八年土生葉桂芳（William Kwai Fong Yap）發起運動，向準州議會請願，要求將當時的夏威夷農科機械大學改組為綜合性的夏威夷大學。這學校在一九二○年開始招生之後，⑩就方便了華裔在當地追求高等教育，更有利於培養生力軍充實華裔新中產階級的陣容。這樣，在二十世紀的二十、三十年代，夏威夷大學是美國最多華人學生的高等學府。在一九三六至一九三七年，美國共有留學生及華裔學生一千八百七十六名，其中有三百四十二名在夏威夷大學，佔全美華人大學生的百分之十八點二。這些學生幾乎全部都是華裔土生。美國大陸當時最多華人學生的學府是加州大學柏克利分校，但只有一百六十一名，不及夏威夷大學的半數。⑪據一九四○年的人口統計，檀香山的華人有八百四十人是完成了四年或以上的高等教育，但在華人人口比檀香山多的加州卻只五百九十四人。從這些現象可見，在這階段，檀香山華裔中產階級知識分子的發展比美國大陸華人走快了一步。

三、基督教會的影響

（一）十九世紀的傳教活動

十九世紀華人在美國以中國傳統文化為基礎，建立華人社會。但他們在這裏畢竟是被美國白人社會包圍的少數，因此西方文化對他們也有一定的影響。除了美國社會給予他們的直接或間接影

響之外，還有基督教會有系統地、積極地向華人灌輸西方的倫理
觀念。

當時天主教和基督教都注意向華人傳教。在一八五四年，天
主教會曾派湯馬士・張（原名張天義，湖北人）到加州舊金山向
華人傳道，但他不懂粵語，與當時華僑有語言上的隔閡；所以他
雖然在華人區附近工作十一年，但沒有顯著的成績。一八六五年，
他離美回中國。⑫不久，愛爾蘭人和其他白人族團人口增加，天
主教會轉移了工作重點。到二十世紀初才又在華人社區積極地恢
復傳教工作。

在這期間，華人社會裏最積極傳道的還是新教的幾個教派。
當時，教會認為如果能夠使美國華人皈依基督教，這就是推動四
億中國人皈依基督教的第一步。

早在一八二四年，廖亞四（Lieaou A－See 音譯）在紐約
洗禮，是美國最早皈依基督教的華人。到一八五○年，到西岸的
華人開始增加，舊金山教會也趁這機會分派幾百份傳教小冊子給
華人。⑬不久，在一八五二年，美國長老會委任曾在中國傳道而
懂粵語的斯皮爾牧師（Rev. William Speer 粵人稱士比牧師）負
責加州華人傳道工作。一八五三年，他在舊金山華人區邊緣設華
人長老會，是美洲華人教會的先驅。這教會創始時的教友都是在
中國已經進教的。第一名長老是中國最早基督教徒梁亞發的妻舅
黎森。⑭一八五四年，曾在廣州傳教的沙克牧師（Rev. J. L.
Shuck，粵人稱塞奇牧師）又在薩克拉門托向華人傳道。不久，
各教派在美國大陸和夏威夷各地，紛紛展開活動，爭取"拯救華
人的靈魂"的機會。華人人口眾多的舊金山是一個重點，在該地
除了長老會之外，最活躍的教派還有美以美會〔一八七○年奧蒂
斯・吉布森（Rev．Otis Gibson）到舊金山設華人福音堂〕，浸
信會（一八七○年在舊金山開始設華人傳道會），和綱紀愼會（即
公理會；一八七三年設華人教會）。到一八九二年，新教十一個教

派已經在美國大陸各地有華人集居的地區開辦了約二百七十間夜學、主日學校、傳道會、教堂及社會事業機構。

這期間，教會也在檀香山展開傳教活動。初時，主要對象是蔗園裏的契約華工，其中以客籍人佔很高的比例，而且有部份人已經在中國洗禮進了新教的巴色會（Basel Church），所以新教就在這基礎上在檀香山華人之間展開活動。一八六八年，檀香山傳道會委任蕭雄（S. P. Aheong）為第一名傳播福音的華人。一八七九年古今輝、薛滿興等成立第一間華人教堂。

傳教士中有很多人染有當時白人的種族優越感，他們認為"基督教"文明（即西方文明）比中國文明優越，華人要自拔，就必須接受西方文明，同化於美國社會。他們對華人社會很多現象採取否定態度，例如傳教士認為華人會館設有神廟，是崇拜偶像的場所；所以鼓勵擬回中國的教徒拒絕前往會館繳納出港票。這種種與中國傳統風俗習慣的矛盾，引起許多華人的反感。同時白種基督教徒歧視華人教友事件迭起，大多數華人教堂雖然有不少能幹的華人佈道員，但主持大權總是攬在白人牧師手裏，這也足以令華人對教會側目的；所以經過四十年的艱苦經營，到一八九二年，全北美洲華人新教徒還不及兩千，僅佔華人人口的百分之一點七。到這時候，禁止華工法案已經實施，在美國的華人人口逐漸減少，所以教會亦相應縮減在美國境內對華人的工作，而將重點放在中國。

一些新教傳教士基於人道主義卻能夠向美國社會經常袒護美國華人的權益，從而獲得華人社會的尊重。早在五十年代初，長老會的斯皮爾牧師就已經為華人向州議會請願，要求公道。[15]其他教派在華人社區展開活動之後，也有同樣的努力。

當加州一些地方政府還未願意為華人開設公立學校時，教會卻在主動設立夜學和主日學校，教授英文，當然也順便向學生灌輸基督教義和美國資產階級民主思想及倫理觀念，同時教會在美國社會上有威信，社會關係多；所以又能夠提攜一些華人子弟，使他們有機會得到西式教育，而且能夠跟美國社會人士建立關係，有利於這些華人日後發展事業。一些人就這樣得到教會的介紹而進入政府或私人機構，擔任傳譯員或文員的職位。

傳教士也積極提倡女權和婦女教育，對於提高華人婦女的社會地位有肯定的作用。在二十世紀初年的華人女西醫和牙醫差不多都曾受過教會的培養和幫助。教會對當時華人社會流行的奴婢娼妓制度一貫採取堅決的否定態度。教會也很積極地與這陋習進行鬥爭。一八七〇年，美以美會在舊金山開設女書館。收容被虐待的華人婦女。一八七四年長老會也成立女館，由瑪格雷特‧卡伯森女士（Miss Margaret Culbertson）和唐納丁娜‧卡梅倫女士（Miss Donaldina Cameron，粵人稱金馬倫女士）先後主持，主動地四出營救被虐待奴婢和娼妓。⑯由於教會得到美國社會一些有權勢階層的支持，所以他們能夠大膽對這些陋習採取積極行動。這是當時華人社會人士還沒有力量可以做得到的。這些行動符合美國華人的客觀利益，所以也得到華人社會人士的支持，收到一些效果。對消除華人社會陋習起到積極的作用。

基督教教義和當時華人傳統思想有很大的距離。所以教徒經常就被親戚同鄉疏遠，也被傳統團體所排斥；在華人社會裏，他們往往另構成一個集團，生活活動以教會為中心，在一些地方，華人教友也組織起來，配合社交和宗教活動的需要。在一八七〇年，舊金山幾個教會的華人教友就這樣聯同創設"幼學正道會"（Young Men's Christian Association），是"基督教青年會"的前身。不久各教派卻各自為政，自立正道會。稍遲在一八七七年，檀香山教友與來自美國大陸的薛滿興也在火奴魯魯成立"幼學基督正道會"。⑰

各正道會的目的大致上是相同。例如"長老幼學正道會"的宗旨是"欲集思廣益，講學耶穌救世真理，有裨人之身心靈魂"。

會章又規定"凡屬會友，誼同兄弟，有艱難疾病，應體恤幫助；或爲道受迫害，不論在外埠中國，本會應據理排難解紛……"。這會堅決否定的一些華人社會風俗："……如會友犯嫖、賭、奸、竊、吹洋烟、拜偶像、入堂號、打架鬧事、種種不合敎規等事情，查有確據，經會友三諫不改，理應革逐出會……"。該會卻不鼓勵成員討論社會問題。會章明文規定："……本會敘集，只可講耶穌眞理，其餘邪說黨派，中西俗例，與眞理無涉者，不得聚訟辯論，以傷和氣。……"在其他方面正道會有傳統僑團的功能，凡會友回中國，就要"……到本總會掛號，查無謬謭，給與出港票，應助施濟銀……"。這組織設有宿舍，提供給過路會友暫時留住。會友去世，又可以葬在正道會購置的墳場。

美國華人敎徒也很熱中於引導梓里親友進入敎會，除了在美洲向華人傳道之外，也有不少在美國洗禮的華人敎徒回中國傳敎。較早期的一名是關來（Kwan Loy，又名關就光，南海縣九江人），他於一八七三年在長老會洗禮。回國後，在一八八一年與幾位敎友設立廣東長老自理傳道會，是廣東第一個華人自理長老敎會。居留在美國的華人敎友也積極支持在中國的傳敎活動。他們經常敦促西人敎會，也自組傳道會到僑鄉佈道，又募捐款項在僑鄉興建敎堂或敎會學校。華人敎徒在僑鄉裏熱心傳道，主要目的是爲基督敎爭取信徒。但客觀上，敎徒也介紹了一些較進步的西方社會觀念，這在當時封建思想還很濃厚的中國社會裏，可以說是起了一點啟蒙作用吧。

(二)新敎與華人社會

十九世紀末二十世紀初，隨着資本主義意識在華人社會滋長，新興的資產階級也開始要求革新華人社會，以謀取在美國社會的發展。這要求跟代表西方文明、灌輸資產階級意識的基督敎正不謀而合；所以在二十世紀上半葉，美國華人人口雖然比十九世紀減少，但華人教徒教友的人數卻在增加，由十九世紀九十年代不及二千名，上升到二十世紀四十年代超過四千名。他們在華人社會中雖仍佔少數，但在社會上已經形成一股不可忽視的勢力。他們一般對改進中國或華人社會的措施是採取肯定的態度。不少教友支持孫中山領導的資產階級革命，推翻清朝統治建立共和。在華人社會，他們否定各種社會陋習，對吸鴉片、賭博、買賣奴婢娼妓等，作不斷的鬥爭。個別教友又在社會上有積極的影響。在二十世紀初，伍盤照經常向西人演講並在報刊發表文章，幫助消除美國社會對中國和華人的偏見。在二十年代，陳樂生牧師是在舊金山倡建僑立東華醫院主要人物之一，一九二二年被推舉任東華醫院籌建局局長的職務。同一時期，李韜牧師在紐約市創辦晨星書館。由一九一九至一九二一年，他被推選為中華公所主席，一九二一至一九二四年又連任聯成公所主席。⑱

很多華人教徒通過教會學曉英語得到教育，同時吸收西方倫理觀念和美國思想作風，使他們較容易適應美國主流社會。加上教會在美國有社會關係，這就給予華人教友一些在美國發展事業的有利條件。例如在舊金山首創華埠電話局的盧金蘇（Loo Kum Shu，美國土生，祖籍番禺縣）就是教友。一些青年教友也能夠利用教會關係，進入各行專業發展，如西醫、牙醫、小學教師、銀行華人部文員、政府機關翻譯員等，成為美國華人社會裏西式文職專業階層的先河。

當這新興社會階層正在增長，另一些教會人士又在輿論界為這階層設立喉舌。早在十九世紀，一些教徒已經能夠利用他們的英文本領在華人社會報館就職，例如教友馮亞富（Fung Affoo 音譯）和盧金蘇⑲就先後曾在舊金山的《文記唐番公報》任翻譯。不過，以明顯基督教徒立場出現的報紙，卻要等到二十世紀初。一八九九年，長老會牧師伍盤照與教友伍于衍、伍時雨等得到華商黃森英、鄺瑞、伍于翕、譚和順等的資助，在洛杉磯創辦《華美新報》（Wa Mi San Po）。未及半載，華商謝護、劉炯等說服伍盤照牧師將報館移到美國華人人口最集中的舊金山，再集股改辦日報，以擴大影響力。在一九○○年二月十六日，第一期《中西日報》面世。這是當時美洲唯一的華文日報。

《中西日報》提倡華人社會走向美國式共和民主，是新興華人資產階級利益的代言人。不久，它就成為一份在華人社會裏受廣大讀者歡迎的報刊。舊金山的一些報館也要步它的後塵，改為每日出版。華文報業因而向前跨進了一步。

基督教會對華人青少年身心發展也有深遠的影響。這發展與當時華人社會實際情況有密切關係。自十九世紀以來，美國華人社會是一個以單身漢為主的畸形社會，社會裏的組織和活動，是以他們為服務對象。到十九世紀末二十世紀初，華人社會裏青少年人數增加，但傳統社會並不關心提供他們所需要的康樂教育活動，於是教會就把握這機會插入填補這真空，提供活動場所，並組織各種活動，如教堂的主日學、歌詠班、青年團契等。不過這些活動還嫌宗教氣味過重，有更廣泛影響的，還是教會附設的福利組織和社會服務項目。

教會在美國教會系統支持下，可以有經費進行一些華人傳統社會做不到或不重視的社會服務。如上述在十九世紀，美以美會和長老會先後在這市設華人女館，拯救庇護逃出苦海的華人奴婢娼妓。到二十世紀，華人社會結構發生變化，家庭和青少年增加，教會也隨之改變他們的社會服務項目的主要對象。舊金山長老會在一九一五年及一九二五年，先後在奧克蘭設圖克紀念女館（Tooker Memorial Home）及明光學校（Ming Quong Home），收容貧苦無依的女童;[20]浸信會在一九二三年又在埃爾‧塞利托（El Cerrito）設中美學校（Chung Mei Home）收容孤兒及頑童。[21]

這種教會活動不限於舊金山。例如在費城華人社區，在一九四一年就成立中華基督教徒中心，除了講經宣道以外，這地方也成爲社區的康樂教育活動中心。㉒另上文提過，一些地區的教會也開設以基督教義爲基礎的華文學校。這樣在二十世紀上半葉，新教的機構在華人較集中的城市逐漸形成一個在傳統華人社會體系以外，對很多華裔有影響力的另一個社會體系。

(三)青年會組織

影響最大的還是新教教會人士設立的青年會。在辛亥革命前數月，美國教會在廣州辦的嶺南學堂派鍾榮光來美國籌款建築學校的宿舍。他到舊金山和當地一些教徒會談，鼓勵他們成立基督教青年會，他指出青年會可以通過一些羣眾性的活動來擴大教會的範圍，推廣教會在華人社區的影響。參加這次會議的陳樂生等都同意他的意見，有十六人簽名發起成立中華基督教青年會 (Chinese Young Men's Christian Assn.)，並選出職員，陳樂生是第一任正會長。

青年會成立後的主要方向，卻是引導華人青少年進入美國社會主流。青年會以耶穌基督"非以役人，乃役於人"的箴言爲立會宗旨，以德、智、體、羣爲會綱。初期的活動，限於舉辦英文班、繪圖班、聖經班、閱書報室以及西洋音樂隊。

這組織又提供職業介紹服務，主要是安排華人到華人社區以外的西人家庭任廚工僕役，以及在夏季到附近農莊工作。爲着配合正在增長中土生人口的需要，青年會又組織很多青年活動。在一九一四年，青年會主辦童子軍。這個由李華清 (Ching Wah Lee) 與七名華裔青少年教友發起的童子軍第三隊，是美西最早成立童子軍隊。(美東波士頓的"中華童子軍"比舊金山更早，在一九一〇年成立。但不久因爲領導乏人而渙散了。) 童子軍的目的，是培養美國中產階級道德觀念，一般活動與美國主流社會有較密切關係。例如巴拿馬太平洋國際博覽會一九一五年在舊金山開幕，童子軍第三隊就被邀請為前任總統威廉·霍華德·塔夫脫參觀博覽會時的儀仗隊之一。在第一次世界大戰期間，這些童子軍又幫助推銷美國公債，參加愛國巡遊，在愛國演講會裏擔當招待工作等活動。

到二十年代，為了適應華裔青年健身運動的要求，青年會組織足球隊，籃球隊，並主辦田徑賽會，馬拉松賽跑，夏令野外露營等活動。同時多次舉辦華、英語演講比賽，鼓勵年輕一代重視學習中英文。青年會的工作人員也經常接待中國留學生，向他們介紹當地學校情況，又定時組織社會服務團到天使島移民拘留所慰問被羈禁的華人移民。

到一九二六年，青年會移入新建會所，活動範圍更擴大。新會所有宿舍、體育室、游泳池、開演講會或放映電影的場所，及閱書報室等設備，提供給華人社會使用。

到三十年代，青年會的工作對象，更集中於華裔青少年方面。在這時期，青年會開始設青年部及兒童部，成立各種小組二十多個。除了宗教輔導以外，又舉辦各種活動，如口琴、游泳、體育、攝影、製飛機模型、放映益智電影等。㉓這樣，青年會配合華裔青少年在美國發展的趨勢，輔導他們適應美國社會，接受西方文化的感染。

華人男青年會成立不久，一九一六年西人教會人士又在舊金山華埠創設美國第一家華人女青年會。當時在華人社會裏，舊禮教重男輕女的思想仍然很流行，很少婦女有受教育的機會。她們生活範圍狹窄，一般除了處理家庭瑣碎事務之外，很缺乏對社會對國家大事的知識，更少能夠出來參加社會上活動。因此在初期該會的總幹事是由西人米爾斯女士（Miss Myrtle B. Mills）擔任。董事會則由中西婦女組成。到一九三二年新會所落成之後，全體董事職員才由華人充任。㉔

女青年會開幕不久就組織有家政訓練、音樂、研經、縫紉、英文、烹飪等學習班。第一次世界大戰期間，會員也參加紅十字會的志願工作。此外，女青年會經常爲華人移民作諮詢以及傳譯工作；同時又幫助中國留學生安排交通住宿。當時一代土生女青年正在成長，女青年會也介紹她們到西人機構擔當文員工作，擴大她們的就業範圍。㉕這樣女青年會成爲一個輔導華人婦女，提高她們社會地位的一個機構。像男青年會對男界一樣，女青年通過各種文化康樂活動和社會服務項目，積極鼓勵華人女界走向美國社會的主流。

在二十年代上半葉，火奴魯魯、紐約市、波士頓、芝加哥、西雅圖等華人社區也設有華人男青年會；紐約市和奧克蘭設有女青年會會所。一些華人青年會友又先後在紐約市（一九一六年）、奧克蘭（一九二一年）、西雅圖（一九二三年）和巴爾的摩等華人市區（一九三七年），組織了華人童子軍隊。一九二九年在紐約女青年會的萬國協會協助下，紐約婦女也成立"競學社"（Ging Hawk Club），主辦文化、學術、康樂等活動。㉖

(四)教會自立運動

華人教會的勢力增加，地位日趨鞏固，這促成他們有改變對美國總會的依賴關係的要求。所以在二十世紀上半葉，華人教會自立成爲社會上的趨勢。有一些教會和總會仍然保持若干組織上的關係，但教堂行政經費卻由華人教友負責全部或部份。有些教友更進一步，自辦自立一些和美國教派總會沒有直接關係的華人教會。這些組織的出現是反映到華人白人利益及關係的衝突而促成黃白教友分手。比較早出現的一個自立教會是紐約市的賴神浸信會（Trust in God Mission），由李澤海牧師在一八九九年創辦。隨後，舊金山港灣區一些華人教友在李濟艮牧師領導下，脫離西人浸信會而在一九〇六年成立華人自立浸禮會（Chinese Independent Baptist Church）。

不過，華人是美國社會裏人口少的一個族羣，華人敎友人數更少；所以自立的途徑是崎嶇的。因此直至一九五二年美國只有約三成華人敎會可以自己籌集全部經費，其他七成都要部份或全部靠美國敎會津貼。不待說，這些敎會履行政策也不得不順從總會的意旨了。

(五)天主敎會的活動

天主敎會在華人社區的歷史比較新敎敎會短得多。主因是在十九世紀很多敎徒都是愛爾蘭裔和意大利裔。其中不少是排華運動的積極分子，這情況當然不會吸引華人進入這敎會。在一九○三年，使徒保羅傳道會（Paulist Fathers）派神父到舊金山華人社區活動，但發展仍然緩慢，在一九一五年，舊金山一名中醫趙超常參加了敎會，這名在華人傳統社會很活躍的敎徒，對天主敎後來在舊金山華人社區的發展卻起重要作用。

第一次世界大戰結束之後，舊金山排華氣氛稍斂，一九二一年天主敎會在華埠中心成立聖瑪利中英文學校和社交活動中心。中文學校在趙超常主持下，到四十年代已經成爲舊金山三大僑校之一，而英文學校也是當時美國唯一的華人敎區學校。

天主敎會又成立一些和新敎敎會福利康樂組織平行的機構。在一九二八年，這敎堂成立牙醫診所（dental clinic），職業介紹所與天主敎男青年會（Catholic Chinese Young Men's Association）；一九三五年組織童子軍隊，又設立中文圖書室。[20]然而直到第二次世界大戰前夕，這敎會在華人社區的影響還是稍遜於新敎敎會。

檀香山也是天主敎會向華人傳敎的另外一個重要地區，發展到二十世紀上半葉已達到僅次於舊金山。而且早在二十年代，已經有幾百名青少年在敎會學校肄業，也組織有天主敎俱樂部和天主敎婦女俱樂部，而且擁有二三百名會員。至於美中、美東地區，在這時期，由於華人人口少而分散，家庭也不多，所以這地區華人很遲，直到第二次世界大戰前夕，才成爲天主教會的重要活動對象。

四、土生華裔形成的社會體系

（一）主流社會的影響

二十世紀初期，華人在美國已經是一個人口極少的族裔集團。在他們的週圍，美國社會文化是具有壓倒性的優勢；所以華人子弟深受美國文化的影響，自應是意料中的發展。美國環境促使華人土生青少年趨向習用英語，而對中文的運用日漸生疏。他們受美國社會個人主義作風所沾染，逐漸放棄很多中國的傳統思想。很多華裔的宗族地域觀念會比中國生長的一代淡薄，而中國封建舊禮教對他們也只發生有限度的影響。這樣，在美國生長的華裔，在華人社會裏，逐漸形成一個深受西洋生活方式和社會觀念影響的社會集團。他們跟中國移民在傳統文化上的差異，在康樂社交活動方面最爲明顯。

華人人口較爲集中的地區固然會具備條件有利於保存傳統風俗習慣，但華人人口最多的舊金山地區，也最遲到十九世紀末就已經出現一些模倣美國主流社會的青年康樂活動。在附近的奧克蘭市，土生鄺‧查禮士（Charles W. Fong 音譯）組織最早的華人自行車會和開辦出賃自行車的小本生意。㉓在這期間，檀香山華裔也在當地體育界初露頭角。到一九〇九年他們已經成立華人棒球隊伍全華人隊（All Chinese 或 C.A.C.）和華人體育協會（Chinese Athletic Union 簡稱 C.A.U.），是當日檀島體壇上的勁旅。這兩隊還分別遠征遠東和美國大陸各地球場，獲得優異的戰績。

在音樂方面，舊金山一些土生華裔少年受西人少年軍樂隊演

奏的啟發，在一九一一年成立中華音樂隊（New Cathay Boys'
Band）。一九一六年改組為中華音樂會（Cathay Musical
Society）。這樂隊的出現，推動奧克蘭、洛杉磯和波特蘭的土生
華裔，大約於一九一二年也在當地成立軍樂隊。㉙但這些地方畢
竟華裔人口不多，頗難長久維持這種組織，所以不久就渙散了。
在這同一期間，一些華裔女青年開始衝破舊禮教的約束，例如在
一九一五年舊金山華埠舉辦慶會，一些土生女青年就大膽報名競
選女王的節目。㉚第一次世界大戰之後，交際舞又漸成為土生華
裔社交圈裏流行的活動。在一九二一年，檀香山華裔成立華人跳
舞樂隊，在婚禮舞慶演奏。舊金山中華音樂會定期舉辦的舞會，
也是華裔青年踴躍參加的節目。

　　從這些現象，可見華裔土生的生活方式已經逐漸與中國傳統
有相當大差別。他們的組織在各地區逐漸形成一個華裔社團體系。
不過由於土生華裔在美國人口的分佈不均勻，所以各地區華裔團
體活動的發展程度也有很大的差距。舊金山和檀香山華裔土生最
多，因此這兩地區華裔團體出現得最早，活動也最豐富。其他地
區，土生人口比較少，這就限制了華裔團體活動的發展。

　　種族主義給予土生華裔的政治經濟活動範圍有了很大的限
制。在美國長大的土生華裔，英文程度一般會勝過剛來美國定居
的中國移民，所以他們具備一些有利在美國社會發展的條件。在
十九世紀，美國華人大部份是體力勞動者，很少有機會或有資格
從事現代西方社會的一些白領職業（腦力工作者）或專門職業，
只有少數人由於白人社會的需要，才能夠充當英語傳譯，英文翻
譯或代表美國西人企業向華人招徠生意（例如為鐵路或輪船公司
的華埠代理人）。到十九、二十世紀之交，華裔人口增加，在
美國小學，甚至中學大學畢業或學有專業知識的人才漸多，但他
們在美國社會就業卻不能夠享有均等機會。早在排華運動高漲的
期間，有些家長認為華人在美國前途黯淡而攜帶了子女回中國定

居, 另外有些人感到子弟在中國才有發展的希望也遣送兒女回國。到二十世紀上半葉, 又有不少到中國去的土生華裔專業人員及高級知識分子, 他們一方面找尋出路, 另方面中國的民族革命也鼓舞他們, 推動他們離別美國, 將前途寄託於中國的未來, 希望幫助建設中國成爲一個富強的國家。

回中國的有醫生、教師、科學家、工程師、技工等, 也有美國公司的代理人、經紀等。他們多集中在廣州、上海等大城市。但在當時畸形的半封建半殖民地中國社會裏, 頻年內戰外患, 使得這些人不能盡抒所長, 然而, 他們在某些程度卻能夠對中國走向現代化起着有限度的作用。不過在中國找到出路的土生華裔, 一般都具備有一些可以幫助他們達到目的的有利條件:

一、他們受過高等教育, 或有科學技術專業知識。

二、他們對中國語言文化有一定的認識, 可以適應中國環境。

三、他們在中國有社會或官方的關係。

可是, 大部份華裔卻缺乏這些條件, 所以儘管有些人到中國找尋出路的主觀願望, 實際上只有少數人能夠選擇這條路。大多數卻要留在美國掙扎, 爭取應有權益, 衝破種族隔離的枷鎖, 打入美國主流社會各行業。在二十世紀前半葉, 有些人開始任職公務員及文員, 也有少數人有機會學得專門知識, 進入美國專業行業。這些都是美國土生華裔中產階級的先驅者。

(二)在夏威夷

華裔進入專業行業的趨勢在檀香山最早出現。在這個有色人種勞動力佔多數的社會裏, 華人很早就有機會進入社會主流的一些商業機構及政府機關充當低級公務員、文員或從事其他一些以腦力勞動爲主的職業。十九世紀末, 受了專業教育的華人也開始出來社會服務。一八九六年李啟輝(Li Khai Fai) 及江隸香(Kong Tai Heong 或 Elizabeth Kong) 夫婦來檀香山定居, 不久就得到醫生執照，成爲檀香山最早的華人西醫。

　　不過，進入這些行業的主要成員還是熟悉英文，而且在美國接受過教育的土生華裔。據人口普查資料，一九一〇年在這些工作條件比較優越而社會地位比較高的行業裏，大部份是白人。華人所佔百分比和夏威夷其他有色人種一樣低。但隨着華人土生人口的增加及檀香山經濟的發展，進入這些行業的華人也不斷上升。一九〇四年，檀香山只有三名華人在公立學校任敎。由一九一〇年到一九二八年檀香山華人人口由二萬五千八百人略增到二萬七千名，但華人敎師人數卻已經增加到二百八十八名。據一九一〇年美國人口統計，這地區的華人中有四名西醫，到一九一一年第一名華人牙醫鄭蒂恩（Dai Yen Chang）在火奴魯魯設立醫務所。[31]九年後，一九二〇年人口普查資料列四名華人在法律行業，六名在工程行業和十八名在攝影行業。到一九三〇年，華人男性在檀香山所佔就業人數的百分比已經由一九二〇年的百分之十一點一下降到百分之六點三，但當時每四名牙醫之中卻有一名是華人；法律行業和工程行業裏的華人人數增加到六名和三十二名，華裔也佔西醫總數的百分之八點三。所以到美國加入第二次世界大戰的前夕，在一九四〇年，差不多四成就業華人都是從事辦公室工作或其他專業工作，遠超過當時夏威夷全島在這些行業就業的百分之十五點六。到這階段，檀香山一部份華裔的經濟社會地位顯然已經提高，而且已成爲華人中產階級裏的重要組成部份。

　　跟着華裔中產階級的發展，經濟條件的改善，華人亦逐漸分散與各種族雜居。到三十年代，火奴魯魯“華埠”的居民過半已經不是華人了。同時由於華裔西化程度加深，他們與其他族裔經常交往；因此華人與其他族裔的婚姻也在增加。例如一九三〇至一九四〇年的十年間，華人有百分之二十八是選擇其他族裔爲結婚對象的。

　　可是，檀香山華裔向中產階級領域的發展並不是一帆風順的，他們數十年來所走的是一條坎坷不平的道路。種族歧視仍然是最嚴重的障礙。就業華裔行列雖然不乏人才，但當地白人的上層社會卻抱着非我族類不可信賴的心理對待他們。例如一般機構的高級人員人選，必須到美國大陸招募白人，所以華人及其他有色種族無論怎樣能幹，也很難進入機構的高層決策圈裏。

在種族存在隔閡的情況下，華裔土生爲了滿足生活方式所需要的交際而維護促進本身利益，也成立各種團體，逐漸形成檀香山華人社會一個組織體系。早在一八九三年"卑涉銀行"（Bishop Bank）華人部職員何寬與一羣志同道合的青年成立了"中西擴論會"（Chinese English Debating Society）交換知識。集會地點是當時檀香山的唯一中文報館《隆記》。稍遲，火奴魯魯又出現"中美聯合會"（American Chinese Federation）及"夏威仁華人公所"（Hawaiian Chinese Association，一九〇二年成立）。這些團體的成員一般都是一些受主流社會影響，傾向西方文化的華裔。此外，學校也是華裔青年相聚結社的園地。

一九〇六年，檀香山英文中等學校華裔學生，得傳敎士達蒙（F. W. Damon）的鼓勵和支持，成立華人學生聯合會（Chinese Students Alliance of Hawaii），第一任會長是黃福民（Charles A. Wong）；宗旨是聯絡學生感情，交換知識，並鼓勵會員追求更高深的學識。夏威夷各地區的中學，後來也包括夏威夷大學，都設有華人學生組，隸屬於這聯合會。這會很早就跟在同一期間成立的美國大陸的華人學生聯合會聯繫，但兩地會員性質卻有區別。美國大陸的學生聯合會，在中學及以下是以華裔土生爲主，大學生大部份都是中國留學生；但在檀香山學生聯合會的會員卻全部以華裔土生爲主，這因素也影響這會活動的性質，一方面他們關心中國局勢。在一九二九年，該會曾滙存款三千元給中國救濟華北災民。另方面他們擬在華人社會和西人社會之間起橋樑作用，介紹中國文化。在一九二一年及一九二九年該會會員以英語演出中國劇《黃馬褂》及《一千年前》。不過，隨着檀香山華裔土生被美國文化感染的程度加深，該會趨向效法於主流社會流行的康樂社交活動。

學生聯合會成立後的十數年，華人中學畢業生不斷負笈到美國大陸求深造。到第一次世界大戰期間，華裔大學畢業生的人數已經有顯著的增加，他們回來檀香山就有互相聯繫進行社交活動的要求。據說當時一些華人擬參加西人成立的大學生會，但被拒絕；所以在一九一九年，華裔成立華人大學生會（Chinese University Club），發起人是程金翼（Ching Kim Ak）等十二人。十二年後，女畢業生的人數已經增加，所以在一九三一年又出現華人婦女大學生會（Chinese Women's University Club）。

在二十世紀二、三十年代，夏威夷大學的華裔學生也在校園結社。當時有"朋會"（Peng Hui），"仰中會"（Yang Chung Hui，一九二五年成立），"德志社"（Te Chih Sheh，一九三〇年成立），"姊妹會"（Tse Mui Club），"圖強社"（Tu Chiang Sheh），"蘭亭會"（Lan Ting Hui）等組織。這些團體主要是模倣美國大學裏的男女學生聯誼會。

檀香山華裔雖然自己設社並成立社交圈子，但作爲檀香山社會一分子，他們也積極爭取參加主流社會的活動，例如在一九一三年，七十名土生參加火奴魯魯的國防軍，成立全美華人的連隊。㉜一九一七年美國參加歐戰，又有過千名華人公民入伍，其中高保及譚炳岸兩人陣亡。後來在一九二七年火奴魯魯就成立"高譚分會"（Kau－Tom Post No.11）來紀念他們。這是"美國退伍軍人同袍會"（American Legion）最早成立的華人分會之一。

以土生爲主的新興中產階級也迫切要求參加當地政治，爭取華人在檀香山社會的均等地位並維護和促進本階級的切身利益。華人在檀島參與政治活動，已有悠久的歷史，在土人王國統治期間，富裕華人陳芳和王室有親密關係，有相當的政治影響力。但美國吞併夏威夷王國之後，美國排華法案在檀香山實施，由於大部份華人都不是美國籍民，因此沒有資格直接參加政治活動；所以在一九〇二年註冊的華人選民也不過一百四十三名，只佔選民總數的百分之一點一。這時期，卻有一些華人—土人混血種在土人及其他種族選民之間有號召力，被選任官職。一九〇〇年伍文華（W. C. Achi）當選為準州參議員；一九〇七年李日如（James Kealoha）被選任為市參議員；一九一七年鍾望賢（William H. Heen）被委任為準州巡迴法官，後者是出任這職位的第一名有色種裔。

到一九二〇年，華人參政的條件比較成熟了，當時美籍華人已經佔檀香山華人的過半數，不過大部份還是未成年的少年及兒童，但二十一歲以上的成年美籍華人仍然有二千七百零五名，佔全島美國籍民總數的百分之六點二，可以成為一股有點影響力的勢力。加上這時候華裔中產階級是一個新興起而日趨增長的力量；所以華人參政的活動，可以更進一步發展。到一九二四年土生程金翼（Ching Kim Ak）被委任為市參議員（補市參議會的缺位）。

在一九二五年，一羣土生華人成立華人土生會（Hawaiian Chinese Civic Association）。其宗旨是"……聯絡土生華少年，結成一大團體，以為對外之機關，而維持土生之權利……"，結果選出鄭蒂恩等十一人為土生會的領導成員。

該會的活動焦點是維護並促進美籍華人應享有的公民及政治權利。土生會初成立的時候，美國移民官員不肯承認華人在檀香山出世證件（出世紙）的合法地位，因此土生華人離島旅行增添了很多麻煩。一九二〇年，華人大學生會曾經為此事與政府交涉，但宣告失敗。於是土生會就負起責任，重新接觸政府官員，敦促他們修改條例，結果，移民局決定土生可以用出世紙以簡化手續申請來往美國大陸的旅行，取得了局部的勝利。此外，土生會還能夠爲華人靑年會向準州政府爭取到免稅地位，又成功地說服準州議會取消禁止在商店裏用膳（舊的華人商店有此習慣）的議案。㉝一九二六年，黃歡和（Hoon Wo Wong），李瑞欽（Frank S. K. Lee），湯慶華（Ruddy Tongg）等人，又創辦美國華裔第一份中英文週刊《檀華新報》（*The Hawaii Chinese News*），作爲新興中產階級的喉舌。這週報的宗旨是 "……改善在夏威夷全體中華民族事業；調劑父老兄弟感情，並講勸協力合作，期我神明華冑之裔，與他族並駕齊驅，達到世界大同目的……"。㉞

到這階段，政治上部署工作完成了。這年底，土生會會員牙醫鄭帝恩及攝影師謝有（Yew Char）就參加競選。得勝後分別成爲火奴魯魯市參議員及準州衆議員，是全美第一名被選任議會職位的華人，比美國大陸華人早了二十年。

這樣，以華裔中產階級分子爲核心的檀香山美籍華人，逐漸形成一股政治力量。美籍華人人數雖然只佔夏威夷選民的百分之八左右，但華人競選人可以利用華人選民的種族感情，贏得他們的大力支持。候選人再爭取到其他一部份選民的支持，也可以保證有獲選的把握。美國國會前參議員鄺友良就是用這策略在一九三八年當選爲州衆議員，開始了他的政治生涯。華人的選票也是華人社區中產階級分子可以利用向其他政客作討價還價交涉的政治資本。

發展到第二次世界大戰，檀香山華裔已經形成一個具備有自己特徵的社會體系。年輕一輩的英文英語水平遠遠超過他們的中文華語水平。這時候，美籍華人佔了華人人口的八成。華裔中產階級分子已經成爲華人社會領導階層的重要成員。他們繼續參加主流社會的政治活動，但在社交方面，白人中上層社會往往仍然不願意以平等地位接受他們。所以在這時期，華裔中產階級往往抱有很矛盾的心理。以下引用一名土生華裔婦女的話，可以說是具有代表性的：

"他們（指白人）生活環境比較富裕，但我的個性不願意做白人。不過在某些場合裏，他因爲是白人而佔了便宜，在這時候我也就恨不得自己也是白人了。……但白人也不見得是高高在上的全能者。當我不覺得他的態度可笑，就覺得他那種帶着優越感的待人態度令我惱火，我憎恨他。但同時又爲他惋惜，可憐他自幼被他父母灌滿種族優越的思想。……有時我希望他在社交方面以平等的態度對待我……但就算他有友誼的表示，他永遠不會邀請我參加他的晚餐或宴會的。當然他們不會啦，我的皮膚畢竟是黃色的啊！……"[35]

(三)在美國大陸

到二十世紀初，在美國大陸受民主思想教育影響的華裔逐漸增加，他們不滿當時社會對華人的歧視。像檀香山華裔一樣，他們也亟求衝破種族主義所竪立的藩籬，進入美國社會的主流。由於當時美國工會激烈提倡排華及其他遠東裔，所以在體力勞動工作領域，華裔一般只局限於一些報酬低或白種工人不屑幹的工作。待遇更好的技工職業就無從問津了。但當時一些有適當教育條件及社會關係的華裔，卻能夠爭取機會進入一些腦力勞動職業，在聯邦政府機關裏當低級公務員。在美西和聖路易任移民局職員的趙·弗蘭克（Frank H. Tape 音譯，趙美媚的弟弟），[36]在舊金山郵政局任辦事員的黃金（Wong Kin）[37]與及在天使島移民局拘留站任女看守助手的梁亞娣（Tye Leung）[38]就是早期寥寥可數的幾個例子。英文教育水平較高的華裔，一般仍然要在銀行西人商業機構充當華人部職員，或在華人商店做翻譯（美國華人稱爲通事或"孖氈"），例如金山廣東銀行創辦人之一陸潤卿（Look Tin Eli，即陸天申，祖籍香山）就曾經先後在金山莊當孖氈及在銀行華人部任職。

在初年，華裔腦力工作者大部份是男性，但到一九〇六年後，舊金山華埠電話局經理盧金蘇開例錄用他的家屬婦女爲接線生，[39]跟着在第一次世界大戰前後的幾年，進入商業機構的華裔婦女也逐漸增加，一般她們都是低級的辦公室文員，打字員或銀行出納員。例外的是曾荷珠（Dolly Gee, 祖籍南海縣），她在一九一五年開始在銀行華務部工作，到一九二六年得晉升爲法美銀行（French American Bank）舊金山華埠分行經理，是華裔婦女任較高管理職位的嚆矢。[40]另一些青年人卻爭取機會入學攻讀專科。在一九○五、一九○六年，梁細蘇（Faith Sai Leung）[41]及李肇榮（Charles Lee）先後畢業，成爲美國大陸早期由專科學院出身的華人牙科醫生。到一九一七年李襄民（Joseph Lee）又成爲第一名在舊金山華埠懸壺濟世的華裔西醫，跟着張瑪珠（一九二○年）、何廷光（一九二三年）等相繼在華埠開設醫務所，這些人都是華裔進入專業工作的先驅。大約這期間一些華裔也開始進入教育界，一九一八年，奧克蘭公立教育系統聘請伍玉清（Effie Chew, 報人伍盤照的次女）爲小學教師，是加州當這職位的第一名華裔。跟着在二十年代中，陳瓊貴（Caroline Chan）方玉屛（Alice Fong, 祖籍開平）[42]也先後在洛杉磯及舊金山成爲公立小學教員。這些腦力工作者逐漸增加，形成美國大陸一個新興華裔中產階級的雛型。不過，在二十世紀上半葉，這些人雖然有能力在主流社會裏工作，但種族歧視卻局限他們的業務活動範圍在華人社會裏，而服務對象一般還是華人。華裔雖然在這些崗位工作，有時仍然避免不了白人社會偏見的困擾，遲到一九三二年舊金山華埠第一名華裔保健護士（Public Nurse）方雪球（Minnie Fong, 教師方玉屛的妹妹）還因爲身材比官定標準矮兩寸（這是按照西人身材而定的標準），就要和當局交涉才能夠繼續在華埠服務。[43]另外，何綾蘇（何廷光醫生的妹妹）參加教師證書試三次及格，但還要力爭才說服舊金山教育局破例發證書給一名遠東裔。[44]

在當時，一些有表演藝術天才的華裔卻有機會參加主流社會的娛樂行業輕歌舞劇團（vaudeville）到美國各城市演出。在二十世紀初，在音樂方面，有男中音歌手李聰慧（Lee Tung Foo）⑮及中華四重唱小組（Chung Wah Four）；⑯在舞蹈方面，有美東的何哈里（Harry Haw，音譯）和鄧鳳嬌（Minnie Don）舞組以及舊金山何長友和阮妹（Rose Ow）雙人舞組（Rosie & Jo）、滑稽演員溫賓尼（Benny Won，音譯）等。⑰在一九一九年，中華音樂會也曾被奧菲厄姆戲院（Orpheum Theater）邀請到美國西南作五個月的巡迴演出。在二十年代初，何哈里則組織第一個華裔歌舞團，《可敬老胡的演戲船歌舞劇》（Honorable Wu's Showboat Revue），在美東各城市演出。在一九三〇年也到西岸表演，⑱這些中西合璧或華人表演西方節目，一時頗受好奇觀眾的歡迎。不過，到二十年代中，電影開始在美國流行，歌舞行業走向下坡，華裔演員也先後退出娛樂界，他們對美國劇壇也沒有深長的影響。繼他們之後，華埠在三十年代末開辦夜總會，一些華裔又成為滑稽演員、歌星、舞女等。不過，由於美國社會對華人的偏見，這些華裔演員很少能夠進一步到百老滙或好萊塢發跡。

在劇壇上有些成就的是電影攝影師黃宗霑（James Wong Howe，台山縣人）和演員黃柳霜（Anna May Wong，土生，祖籍台山縣）。前者在一九一九年投入電影業。由於努力學習創新，攝影技術藝術水平不斷提高。到四十年代中，已經揚名寰宇。不過，他還要等待到第二次世界大戰後才有機會領到電影界的奧斯卡（Oscar）金像獎。⑲黃柳霜也在一九一九年開始在電影裏扮演角色，到二十年代中，她已經成為好萊塢的唯一華裔電影女明星。但由於時代的限制，她扮演的角色始終沒法突破東方神秘美人或"中國洋娃娃"的一套，而且有時還要在一些侮辱華人的電影裏飾演角色。⑳

另一名早期華裔演員是陸錫麟（Keye Luke），在一九二七年開始，與電影界已經結下不解之緣。他在一九三四年開始擔當配角，但表現一般也無法越出當日美國社會對中國文化和華人的公式化看法。他主要是在華裔偵探陳查禮（Charlie Chan）片集裏十三次飾演陳的長子。[51]

在這時期，洛杉磯一帶一些華裔也有機會當電影臨時演員。到三十年代，美國當局注視中國正在劇變中的局勢，好萊塢也配合這發展製作更多以中國或華人為題材的故事片。在一九三六年賽珍珠的小說《大地》（Good Earth）拍攝為電影之後，這趨勢更為明顯。這時候，盧蘇秋齊（Bessie Loo）及雷莉莉（Lillie Louie 音譯）在洛杉磯成為配角經紀，代製片場物色華裔演員，這些工作的報酬雖然比文員高，但作為職業卻是間斷不定的。

在這同一時期，其他華人知識分子正在爭取進入高等學府以及主流社會的工商界找職業。但在種族主義流行的美國大陸，華人不容易插入這歷來都是白人中產階級獨佔的行業。一般說來，距離排華情緒最劇烈的加州較遠的地區，歧視華人的表現比較和緩，但這些也是華裔不多的地區。美東哈佛大學在一八七九年首創中文講授科目，曾到中國聘請學者戈鯤化（Ko Kun‑hua，寧波人）為美國大學第一名華人講師。但跟着的幾十年，到四十年代，只有少數華人知識分子能夠進大學任職。他們大部份都是中文講師或遠東圖書館管理編排中文書籍的人員。一九二一年，馬如榮被柏克萊加州大學聘請講授遠東歷史課程，才是衝破這限制較早的一名華裔。不久，黃炳全進入數學系任講師，一九二四年黃美珍任化學系助教，一九二八年李襄民醫生又被聘為醫科教授。不過這些人都是華裔在學術界的佼佼者，是這期間不可多見的鳳毛麟角。

在工商界，華人同樣走着一條崎嶇的道路。較早在主流社會從事專業工作的是十九世紀末清政府派來美國留學而後完成學業的幾名留學生，其中鄭廷襄（Jang Ting Seong，香山縣人）在紐約任工程師，據說曾參與紐約市布祿克林大橋的工程工作; 李恩富（Lee Yan Phou，香山縣人）一八九○年是紐約市英文《華人申辯報》（Chinese Advocate）的總編輯，他後來又在《美國銀行家》（*American Banker*）雜誌任編輯幾年; 張康仁（Chang Hon Yan，香山縣人）則於一八八七年在紐約州領得律師證書。西部的華裔高級知識分子在排華氣氛濃厚的地區，卻遭遇很大的阻力，所以很難有機會發揮他們的專長。

二十年代中，斯坦福大學安排工作的負責人曾向一位社會學家談及他對華裔找職業問題的體驗:"我們幾乎沒有可能安排第一代或第二代華裔或日裔入工程、工廠或商店裏擔任職務。很多僱主根本拒絕僱用他們。有些僱主又藉口他們的同事不願意跟華裔在一起工作。……不久以前，斯坦福大學有一位華裔畢業生，他一向在大學校園裏長大，自幼跟學校教授的兒女接觸，所以能講一口流利英語，而且生活作風是已經完全美國化，但加州一間大公司卻拒絕僱用他。理由是公司訂有政策在辦公室裏不錄用遠東裔。……"加州大學柏克萊分校也談及同樣的情況:"我們安排華裔及日裔學生就業有過很不愜意的經驗，這些都是完成了工程科的學生，但我們發覺公用事業公司和製造廠對'〔這些〕外國人'（指華裔、日裔），有明顯的偏見……這些聰明的學生在大學費了四年的工夫，但畢業後，社會卻不肯使用他們的才能，這是一個悲劇。……"華裔雖然面對這些困難，但他們仍然不斷努力爭取機會。第一次世界大戰期間，受過小學中學教育的一代人數漸多，美西一些白人商業機構也開始僱聘少許華裔。一些華裔也在加州外找到專業工作，例如一九一六年德克薩斯州石油井公司聘斯坦福大學地質學博士李壽華爲探油師; 紐約一公司又聘黃北棠爲工程師。華裔在加州找專業工作卻不容易。在一九二一年伍朗光（Edward Chew，報人伍盤照的兒子）畢業加州大學工程學院之後，走遍很多公司都找不到職位，最後還是煤電公司人事經理經過再三考慮才答應試聘為繪圖員。後來他有優異的工作表現，才晉升為正式工程師。

在這期間，老闆為了防範華人形象對公司的業務發展有不良的影響，一般都避免安排華裔職工入一些所謂"前排"（Up Front）與普通市民經常接觸的工職。一個罕見的例外是洛杉磯的譚羅蘭（Louise Leung），在二十年代中被一家小報館聘為南加州第一名華裔記者，但她工作的時候，經常因為她有黃面孔而被人拒絕接受採訪。

儘管種族主義給予華人的發展有這麼大的障礙，到一九四〇年以華裔為核心的一個新興中產階級已經在美國大陸形成。不過這階級的力量還是很單薄。這時期在美國社會裏，腦力勞動階層大約佔就業人口的四分之一弱，但在同樣的行業裏的華人卻只佔就業華人總數的百分之十四點一，而且他們一般初入這些行業，所以職位屬於低層。他們的報酬比有同等工作能力和職責的白人同事會低，他們也比較難得到升級的機會。

在這時期，美國社會不只在職業方面歧視華人，在社交方面，也和土生華裔劃一條很清楚的界限。所以，土生華裔在美國社會裏也不得不自立一個種族隔離式的社會體系。在二十世紀初年，大部份華裔是在求學時期的青年，所以學校是他們聚集的園地，在那裏結社交友，成立組織。

美國大陸的學生跟檀香山的情況不同。二十世紀初，在美國大陸求讀高等教育的大部份是中國留學生，華裔大學生只佔極少數，而且大多在美國西部。在中小學肄業的學生卻幾乎都是華裔土生。在初時很多華裔還有相當好的中文修養，他們受美國文化影響的程度還未很深，所以和中國留學生的差距並不妨礙互相間的溝通和合作，留學生和華裔學生一般是可以結合一體進行活動的。但華裔和留學生的文化差距卻與年俱增；所以到三十年代基本上已經分別形成華裔和留學生的組織系統了。

華裔和留學生也成立一些康樂組織，例如在二十世紀初年，舊金山華裔大學生有 Alethean 社，設有社址，提供交際場所。過幾年，華人學生又模倣美國大學的男女聯誼會（fraternities, sororities）形式，在大學先後成立一些華人學生聯誼組織。這些團體一般舉辦青年人愛好的康樂活動。此外，在當時對華人偏見很深的社會裏，華人學生在學校附近不容易找到住宿的地方，這情況在美國西岸尤爲嚴重，所以一些組織因設有會所可向會員提供住宿。這就是當年柏克萊大學和斯坦福大學中國學生會設會所原因之一。[52]

華裔在校外也組織康樂聯誼團體，到二十、三十年代，華裔人數增加，康樂組織相繼出現，以舊金山最多。其他華裔較集中的市鎮也紛紛組織社團。在鄰近的市鎮經常有聯繫，並定期舉行社交活動。例如舉行友誼體育比賽、聚會等活動。加州華裔人口最多;所以華裔康樂組織及活動也最多。除外，一些關心社會的華裔又組織社會服務團體。一個典型的是一九二四年在舊金山成立的方圓社（Square and Circle Club）。其宗旨是提供華人社會所需要的一些慈善和社會服務項目，從而希望改良華人社會，鼓勵華人成爲美國的良好公民。這是比較早出現的一個華裔婦女社會服務組織。[53]

美國雖然拒絕接納華裔，認爲華人是屬於不可同化的種族，但一些華裔卻以實際行動盡量向美國社會表示他們是效忠美國，而且盡了國民的義務，因此有權成爲美國社會一個平等的成員。

早在十九世紀南北戰爭時期已經有些華人參加軍役，一八六二年有甄亞同（又名約翰亞彭）在紐約投入海軍參加戰役受傷;又有曹桂鵬（順德縣人）曾投入陸軍參加大小戰役。賓夕法尼亞州有吳虹玉（Woo Hong Neok）在一八六三年投入陸軍步兵團，[54]爲美國南北統一戰爭作出自己的貢獻。

一八九八年美國向西班牙宣戰，個別華裔投入海軍從戎。如土生陳德（Chan Duck，祖籍番禺）在戰艦"俄勒岡號"參加古巴聖地亞哥戰役。在太平洋戰區，美國亞洲艦隊招募了八十八名華人。其中部份是在美國各地投軍，但有二十二名是在香港參加的。這些華人曾隨艦隊在馬尼拉灣一役立功。後來海軍部批准由香港來的幾名華人水兵入美境，但被移民局拒絕。⑤

此外，在波特蘭土生薛天眷（Seid Back Jr.）組織土生華人隊（American Born Chinese Brigade），成爲俄勒岡州國防軍一部份，每週進行軍訓。⑤⑥兩年後，同源會一些土生會員也向加州州長致請願書，要求在舊金山也設立國防軍隊伍。⑤⑦

一九一七年美國參加第一次世界大戰。在這次戰爭入伍的華人大約有一二千人。當時舊金山伍朗光投軍得授少尉軍階，是美國陸軍裏的第一名華裔士官。又有劉成基（或劉成記 Lou Sing Kee）隨軍出國到法國前線作戰。在兩次戰役中他所屬隊伍的陣地被敵軍猛攻，局勢危急，但劉能夠堅守崗位，發電訊求援，終於解困。後來他得美國獎以英勇服務的十字徽章，英法聯軍也給與殊獎，是華裔在第一次世界大戰中的英雄人物。第一次世界大戰的退伍軍人不多，但在一九三〇年在舊金山也成立了同袍退伍軍人華人分會。⑤⑧

華裔得不到社會上的平等待遇，他們不滿於現狀，要求享有應得的權利，勢在必然。華裔爭取公道不是二十世紀才產生的現象。在十九世紀，華裔人士還少，初時只有傳教士或開明美國人士代他們說幾句公道話。稍遲，在排華高漲期間，又有個別華裔知識分子奔走呼籲:七十年代末有黃清福（Wong Ching Foo），八十年代中有佳文（Guiy Min），⑤⑨二十世紀初有伍盤照等，都曾到各城市向美國人士演講，試圖溝通中美人民之間的隔閡，減低排華的氣焰。到十九世紀末有少數土生又積極參加美國政治，開始在大選投票，從這行動他們也希望能夠選出一些可以幫助促進華人權益的政客。當然，當時華人選民力量微不足道（在一八九四年大選，舊金山投票的華人只有四十多人[60]，不足以令到政客注意，但也顯示出日後華裔爭取民權的一條道路。不久，土生華裔就醞釀組織以集體力量更有效地爭取權益。一八八五年，舊金山土生陳德等申請加入白人組織的美西土生會（Native Sons of the Golden West）被拒絕。他們於是發起組織"同源總局"。同源含有"飲水思源"之意; 英文名稱是"金山土生會"（Native Sons of the Golden State），表示和美西土生會並肩而立。[61]在一九〇一年，美東費城華裔創設"花旗唐人總會"（American Chinese Association）爭取華人入美國籍的權利。到一九〇九年，舊金山華裔知識分子和社會上一些開明白種人又成立"伸公理會" （Chinese League of Justice of America），刊行英文月報《護公理報》（*The Chinese Defender*）爲美國華人伸張正義。[62]

上列團體以同源局維持得最長時間，而且影響最大。以下就是同源局的緣起:"惟我中邦人，不無厚此薄彼之殊。原其故，皆由前時不入美籍貫，而投籌選舉之典，與華人不相涉。故該美員屢行新法，酷制難堪。是以生長美境，不忍坐視，緣集同人一總局，……顏其名曰同源。倣美國規例而行，待屆公舉之期，俾得一律投籌，該美官定不肯從前之輕視。"當時選出首屆職員: 總理陳德; 書記吳根; 司庫黎泰榮。

同源總局成立不久，由於組織不健全，會務陷於癱瘓狀態。到一九〇四年，才由林華耀（Walter U. Lum），林藻基（Joseph K. Lum）及吳根（Ng Gunn）等人改組。同時改名爲同源會。[63]同源會的組織原則跟當時華埠的地緣、血緣團體不同，它主要是效法美國社會裏兄弟會的形式。這會有規定:"凡我會員須一視同仁，不得存分邑姓堂黨之陋習。更不得恃有堂號殘酷會中兄弟。如有犯此例者，例將其人革出。"

到一九一二年，洛杉磯和奧克蘭先後成立分會。同源會擴大為加州全州的土生組織，因此改名稱爲同源總會。這年通過同源總會規條，緣起摘要如下：

　　同源總會胡爲而起也，蓋欲聯絡全體之土生，結合最大之團體，伸張勢力於美國政界而左右其政權者也。我華人生長於美洲者亦衆矣，生於美則爲美國之國民，對於美則有應享之權利。然數十年來，吾人狃於舊習，囿於見聞，種界既深，政見自異，遂舉我國民最寶貴之權利而鄙夷之。因因循循，毫無表見。近年來，民智日開，而優勝劣敗之狂潮，逐漸灌輸於吾人之腦海，有識者始恍然於非結大羣之不足以立於天演界也，遂合羣策羣力，經營締造，而我華人土生之同源會，遂湧現於美洲新大陸矣。……今者土生勢力，日益膨脹，而尤未能伸足政界與彼政黨相頡頏者，則以吾人散處各埠，團體不能統一故也。同人有鑒於此，乃組織一中央總機關，團結各地之人心，厚集土生之勢力，於是由同源會更進而組織一同源總會……即我美洲土生團之中央統一總機關也……美洲同屬之華人土生，其人數資格足以自成一團體者，則設立支會，使勢力遍植於全美。其進行之目的，則由此總機關以統一各支會，吸合其分子，團結其精神，方足佔優勝於政界而分其一席地。其最終之結果，則爲華僑謀無量之幸福，爲中美聯邦交之感情也。……⑭

　　當時同源會會員限於加州的男性土生。但加州以外很多土生以及土生在國外生而有美國籍民身份的子孫也表示有意參加這個組織，所以一九一五年同源會在舊金山開懇親大會修改憲章，擴大組織成員範圍，成爲第一個全國性的美籍華人團體。分會也相繼在美國各城市出現。爲了適應這情況，會的英文名改爲較廣義的"美籍華人聯合會"（Chinese American Citizens Alliance），但中文名稱依舊。

　　同源會產生的時期，美國國內排華的氣氛仍然很濃厚，所以會務的重點，是放在移民及民權兩方面。歷年來，有許多會員對於爭取華人權利的工作有不少貢獻，其比較突出的有林華耀、馮汝遽（律師）、及洪耀宗（律師）等人。以下是同源會爭取改善移民法例的兩個例子。

一、一九二四年移民法案不准許美籍華人的中國籍髮妻移民入境，經過同源會數年運動之後，國會終於在一九三〇年修改條例，准許在一九二四年五月二十六日以前結婚的籍民華妻入境。[65]

二、一九二二年國會通過法案規定，凡美籍婦女跟"沒有資格入美籍"(即指一切亞洲人)的男子結婚，則喪失她的籍民身份。經過同源會數年運動國會議員之後，終於在一九三一年取消了這條例。但同源總會參加陳保訟案，上訴到聯邦最高法院卻遭敗訴。法院判決土生孫只能在有限條件下能夠享有祖父的美國籍民權。

在爭取民權方面，同源會有以下一些表現：

一、一九一三年，加州上議員卡民納蒂 (Caminetti) 提出議案，主張加州議會向國會請願，要求通過法案剝奪美籍華人的選舉權。同源會的林華耀等到加州省會向議員說明利弊，這問題才暫時寢息。到一九二三年，美國排外漸高漲，這問題又死灰復燃，加州議會通過了庫姆斯、夏基法案 (Coombs－Sharkey Bill)，向國會作同樣請願，且由加州下議員在國會提出議案。但經過同源會的運動，才將這案撤銷。[66]

二、一九二四年，同源會向舊金山教育局請願，改了遠東學校這個帶有種族隔離色彩的名稱。[67]

三、一九二六及一九三四年，舊金山白人種族主義者要求教育局在初級中學隔離華裔學生。一九二六年奧克蘭一些家長得知有十八名華人女學生擬報名入公立學校，聲明號召罷課抵制。這期間，同源會奔走交涉，這些歧視華人的行動才不致實現。但一九二七年同源會協助密西西比州林講策劃黃白分校訟案，上訴到密州最高法院卻遭敗訴。[68]

同源會一貫站在美國籍民的立場，鼓勵美籍華人參加選舉，從而進入美國社會主流。這立場往往和華人社會裏的傳統團體相左。一九二五年舊金山中華會館要求每名華人註册籌捐抗駁移民苛例的費用，但同源會卻不以爲然，聲稱美籍華人沒有向中華會館註册的必要。它還派員另募捐經費支持同源會自己進行的駁例活動。由這意見上的分歧也可見同源會不自認爲屬於以中華會館爲首的華人社團系統; 它是華人社會裏的另外一個勢力集團。爲了闡明這立場，一些同源會會員在一九二四年集資在舊金山創辦同源會的喉舌報《金山時報》(*Chinese Times*)。

另一些地方的土生也成立與同源會相類似的土生組織。一九一三年波士頓成立"新英崙土生會"，後來到一九二七年才與同源會合併。紐約和火奴魯魯也先後在一九一五年和一九二五年成立華人土生會。

上述一切土生組織，無論採用什麼名稱，其基本成員是小商人、公務員、文員、腦力勞動者、專業人員等，都是促進美籍華人中產階級利益的機構。經過這些團體及個人長期力爭，到了三十年代華人在美國社會的形象就比二十世紀初年較爲肯定，少數土生華裔也能夠克服種族偏見豎立的藩籬而進入一些專業。他們一方面開始感覺在美國社會的前途有點曙光，但另一方面，土生華裔仍然普遍遭受到美國對少數族裔的不公平待遇，卻又使他們清楚認識到前途並不太平坦。不過美國生活方式及思想作風對很多土生華裔的影響已經加深，大部份土生華裔也知道到中國去不容易適應新環境，所以他們存在着矛盾的心理，不知道應寄託前途在美國還是在中國。一九三五年，陳參盛 (Thomas W. Chinn) 和李華清創辦一份英文週刊《華美週刊》(*Chinese Digest*) 來表達這新生一代的心聲。一九三六年，紐約市的競學社以"我的前途在美國還是在中國"爲題目，舉行作文比賽。從應徵文章裏反映出華裔的苦惱。他們不滿美國現狀，但對土生華裔到中國發展也有很深的疑慮。⑳

土生華裔基督教徒是華人社會裏受美國文化影響比較深的一

部份，所以他們對這問題也特別關心。爲了幫助這些青年對這問題有進一步的理解，舊金山青年教友李羣樾（Ira C. Lee），方玉屏、李華鎮（Edwar Lee）等在一九三三年發起在加州太浩湖舉行華人青年基督教徒討論會（Chinese Young People's Christian Conference）。其內容包括討論華裔與中國的關係，他們在美國及中國的前途，以及在美國社會處世所碰到的各種問題。這會議後來定爲一年一度的青年集會，與會的青年很多都是土生華裔社會的活躍分子。

青年討論會的成功，也鼓舞了美國其他地區一些青年教友效法。所以美東在一九四四年，及南加州和太平洋沿岸西北部在一九四六年，也先後成立青年基督教徒討論會，⑳活動及內容跟太浩湖討論會大致相同。

到這階段，儘管華裔不滿現狀而對前途徬徨，但由於深受美國社會的影響，愈來愈多土生華裔對美國產生認同感，要求這社會接受他們爲平等的成員。不過，華裔在美國社會的地位眞正改善，還需要等待美國國內及國際政治環境發生變化，這變化到第二次世界大戰才來臨，成爲土生華裔和全體華人歷史經驗裏的一個重要分水嶺。

注釋:

① 見《中西日報》，1902年3月11、12、25、29日，4月30日。

② 見《中西日報》，1902年6月16日，12月1、6、9日；1903年4月23日。

③ 見《中西日報》，1903年2月20日。

④ 見《中西日報》，1924年1月5日，4月7日。

⑤ 見《世界日報》，1936年10月1、19日；1938年5月16日。

⑥ 見《世界日報》，1938 年 10 月 1 日；Robert Seto Quan, *Lotus Among the Magnolias; The Mississippi Chinese*（傑克遜: 密西西比大學出版社，1982年）第47頁。

⑦　Bernhard L. Hormann, "Integration in Hawaii's Schools", 見 *Social Process in Hawaii*, 第21卷 (1957年), 第5至15頁。

⑧　Hormann, 見上引文章;Bernhard Hormann, "Speech, Prejudice and the School in Hawaii," 見*Social Process in Hawaii*, 第11卷 (1947年) 第74至80頁。

⑨　Beulah Ong Kwoh (郭鄧如鴦), *Occupational Status of the American Born Chinese College Graduates* (芝加哥大學碩士論文, 1947年), 第35頁。

⑩　葉桂芳編, 陳又宜譯:《夏威夷大學創立小史》(火奴魯魯, 編者出版, 1933年), 第1—4頁。

⑪　由1854至1953年一百年間在美國留學的中國學生一共有20906人, 其中只有23名曾在夏威夷大學肄業; 得到學位的只有六名。

⑫　John B. McGloin, S.J., "Thomas Cian, Pioneer Chinese Priest of California," 見《加州歷史學會季刊》, 第48卷, 第4期 (1969年春季) 第45—58頁;方豪, 《同治前歐洲留學史略》, 見《方豪文錄》(北平, 上海編譯館, 1948年) 第169—188頁。這論文列有張天義曾在那不勒斯留學。據方豪給區玉函 (1970年2月16日), 張天義即 Thomas Cian。

⑬　H. H. Bancroft, *Retrospection: Political and Personal* (紐約: Bancroft Co., 1912年), 第346—348頁。

⑭　《三藩市長老會70週年紀念錄》(舊金山, 1923年), 第16頁。

⑮　Rev. William Speer, *An Humble Plea Addressed to the Legislature of California in Behalf of the Immigrants from the Empire of China to this State* (舊金山, 1856年)。

⑯　Lorna Logan, *Into Our Second Century: A Brief History of the First Ioo Years of Donaldina Cameron House*(舊金山: 金馬倫堂,1974年)。

⑰　Gwenfread E. Allen, *The Y.M.C.A. in Hawaii, 1869—1969* (火奴魯魯: 基督教青年會, 1969年), 第7頁。

⑱　朱毓祺, "紀念李韜牧師圖書室史略", 《紐約華埠歷史圖片展覽目錄》(紐約市: ARTS, inc, 1980年), 無頁數。

⑲　B. E. Lloyd, *Lights and Shades in San Francisco* (舊金山, A. L.

Bancroft Co., 1876年），第267頁。

㉑　Mildred C. Martin, *Chinatown's Angry Angel*（巴洛阿托; Pacific Books，1977年），第165—166，229頁。

㉑　Charles R. Shepherd, *The Story of Chung Mei*,（費城，The Judson Press，1938年），第42—54頁。

㉒　*Guide for Exhibition "How the Chinese Helped Build America" and "China Week"*（費城: Chinese − American Bicentennial Council，1976）。

㉓　《美國三藩市童子軍50週年紀念冊》〔舊金山; 第三隊同學會（Troop Three Alumni Association），1964年〕，第12頁;陳參盛編，《中華基督教青年會金禧紀念刊》（舊金山: 中華基督教青年會，1961年），第10至18頁，第45頁。

㉔　見《少年中國晨報》，1916年12月8日;《三藩市基督教中華女青年會新會所開幕特刊》（舊金山: 中華女青年會，1932年），第21、22頁。

㉕　Florinda Huang, *YWCA Clay Street Center Historical Sketch*（舊金山: 中華女青年會，1966年）。

㉖　Julia I Hsuan Chen, *The Chinese Community in New York, A Study in Their Cultural Adjustment, 1920—1940*（芝加哥大學博士論文，1941），第153頁。

㉗　《聖瑪利中英文學校金禧紀念》（舊金山: 1971年）。

㉘　"Oakland Has An All−Chinese Bicycle Club"，見《舊金山紀事報》，Feb 8, 1903。

㉙　見《世界日報》，1912年4月11日; 1913年6月2日。

㉚　見《世界日報》，1915年8月21、23、27日。

㉛　郭秀羣，《李大羣先生言論集・附錄，檀山人物》（火奴魯魯:《新中國報》，1939年），第1至13頁。

㉜　"Chinese in Hawaii"，見《火奴魯魯明星公報》（1913年），第33頁。

㉝　見《檀華新報》，1926年4月30日，5月7、14、21、28日，6月4、18、25日，7月2、9、16日。

㉞　見《檀華新報》，1926年4月2日。

㉟ Clarence Glick, *The Chinese Migrant in Hawaii: A Study in Accommodation*（芝加哥大學博士論文，1938年），第440頁。

㊱ 見《聖路易星紀事報》，1908年9月11日；《西雅圖郵通訊員報》，1914年12月5日。

㊲ 見《世界日報》，1924年4月15日。

㊳ 見《世界日報》，1910年2月22日。

㊴ 陳標口述，1973年9月22日。

㊵ 見《世界日報》，1926年7月3日。

㊶ 見《舊金山紀事報》，1905年5月19日。在這以前，一華人牙醫無需得正規學校文憑，他們一般是跟從西人牙醫學習一個時期，熟練之後就可以自設醫務所。

㊷ 見《中西日報》，1926年1月26日。

㊸ 見《世界日報》，1932年2月14日。

㊹ 何綾蘇口述，1975年5月14日。

㊺ 見《中西日報》，1908年7月31日。

㊻ 見《舊金山考察家報》，1978年10月18日。

㊼ 阮妹口述，1970年9月9日；1974年5月17日。

㊽ Thomas W. Chinn（陳參盛），*Bridging the Pacific*（《橋跨太平洋》）（舊金山：美國華人歷史學會，1989年），第213—215頁。

㊾ Todd Rainsberger, *James Wong Howe: Cinematographer*（紐約，A. S. Barnes & Co., 1981年），第15至18頁。

㊿ 《揚名歐美影壇的黃柳霜》，見《世界日報》，1984年5月1日。

(51) Norman Mark, "The Homey Philosophy of Keye Luke"，見《華埠新聞》，1974年3月18日；《華裔演員在荷里活》，見《大衆報》，1974年3月2、9日。

(52) 何廷光醫生口述，1970年8月23日。

(53) Katie Choy, *Square & Circle Marks 50 Years' Service*，見《東西報》，1973年8月8日。

(54) 見《中西日報》，1911年2月11日。《中華民國公報》，1920年11月5日刊載南北戰爭海軍退伍軍人華裔土生約翰・埃路的消息，疑與約翰・亞彭可能是同一人；William Frederic Worner "A Chinese Soldier in the

Civil War", 見《蘭開斯特縣歷史學會論文集》,第25卷,第1期(1921年1月7日)第52—55頁;上海崔樹芝給麥禮謙函,1985年10月16日。吳虹玉在1864年回中國,在耶穌教圈子裏很活躍。1867年被任命上海救主堂會吏。1880年升會長。他是上海同仁醫院(St. Luke's Hospital)創辦人之一。

⑤⑤ William F. Strobridge, "Chinese in the Spanish American War and Beyond",見 *The Chinese American Experience*(舊金山,美國華人歷史學會與舊金山中華文化中心,1982年),第13—15頁。

⑤⑥ "The American Born Chinese Brigade", 見 The Chinese Inhabitants of Portland, Oregon〔波特蘭:全國編輯協會(National Editorial Association),1899年〕,無頁數。

⑤⑦ 同源會致加州長蓋奇(Govr. Henry T. Gage)函,缺發信日期,加州政府行政部1900年3月6日收到蓋印。

⑤⑧ 見《世界日報》,1930年4月28日。

⑤⑨ *Harper's Weekly*,1877年5月26日;*The City Argus*,1885年4月4日。

⑥⓪ 見《舊金山呼報》,1894年11月12日。舊金山美籍華人當會比這數目更多,但註冊投票的華裔僅有這幾十人。

⑥① 早期會友曾癸隆致黎啟璇函,1964年3月15日。

⑥② 見《中西日報》,1901年9月2、5日;《伸公理會公報》第1號,1909年9月1日。

⑥③ 曾癸隆,見上引函。

⑥④ 《同源總會規條·緣起》(舊金山,1912年)。

⑥⑤ 見《華美週刊》,1936年10月23日。

⑥⑥ 見《華美週刊》,1936年10月23日。

⑥⑦ 見《世界日報》,1924年4月7日。

⑥⑧ 見《華美週刊》,1936年10月30日。

⑥⑨ 見《華美週刊》,1935年5月22日,6月5日、12日,7月3日。

⑦⓪ *Summary of Proceedings, Sixth Annual Chinese Young People's Christian Conference*(舊金山:討論會執行委員會,1938年),第3頁;*Silver Bay Memoirs*(紐約市,1944年),第9頁;*PNCCYC, 46—47*,(西雅圖,1947年),第6頁。

第五章
美國華人與中國政治
——辛亥革命以前

一、革命派的濫觴: 致公堂與興中會

海外華人關懷家鄉的發展, 是很自然的心理。但華僑及土生華裔在美國遭受排擠與歧視, 更進一步促使他們關注中國的政治局勢, 甚至直接參加中國的政治活動。主觀動機是幫助改革中國社會, 掃除通往現代化路途上的一切障礙。中國富強起來, 一方面可以給予海外華人, 尤其是新興的華僑資產階級及新型華僑和土生華裔知識分子, 在中國有發展的機會; 另方面, 中國的國際聲譽提高, 也可以幫助改善華人在居留國的待遇與社會地位; 因此, 在這大前提下, 儘管各階層有不同的利益, 各人對事物有不同的見解而產生不同程度的表現, 但美國華人對於中國政治的立場, 基本上不會脫離反對帝國主義及反對封建制度這兩個原則。而能夠以這兩點為號召的政黨, 一般是會得到他們的支持的。

改革中國的主張, 一般着重從政治方面着手, 這不外乎兩個方案: (1) 改革滿清政府, 實行"變法"; (2) 推翻滿清政府, 進行"革命"。

在美國華人社會這兩條路線都有廣泛的支持者。這些活動大部份是跨國界的, 所以要對事情的發展有全面的了解, 除了注意

在檀香山和美國大陸的發展，也還要提及在加拿大和墨西哥的各種活動。

當大部份華人仍然支持清廷時，主張推翻滿清的組織已經在華人社會出現。在十九世紀五十年代前後，反清復明的洪門組織已經由華南發展到美國，而且不久便散佈到北美洲華人聚居的各角落。但由於組織散漫，成員複雜，且又缺乏明確的政治綱領，因此多年來對於展開反清的運動，並沒有起很大的作用。不過這些秘密會社會員眾多，且散佈地區廣闊，所以有很大的潛在勢力，成爲後來其他反清黨派所必須爭取利用的同盟軍。

十九世紀末，中國才出現具有較明確政治綱領的政治組織: 革命黨及維新派。兩者的活動跟美洲及檀香山華人社會都有很密切的關係。這時期，帝國主義對中國的侵略已經變本加厲，而且還有瓜分的主張。亡國的危機，激發一部份中國人覺得只有進行民族革命，推翻滿清統治，建立共和政體，才能打碎帝國主義的桎梏，爲民族資本主義在中國打開一條發展的道路。在中國支持這主張的，主要是民族資產階級的中下層及城市裏的小資產階級。由於這些主張也符合海外華僑的切身利益，所以經過一個時期的發展，也得到他們的擁護。在民族革命進行的過程中，孫中山（又名孫文、孫逸仙，香山縣人）起着重要領導作用。

孫中山出生於廣東省一個貧農家庭。兩個叔父都曾是僑居加州的華工。長兄孫眉也在一八七一年隨舅父到夏威夷當農工。孫眉刻苦勤勞，不久就有一些積蓄，開辦商店牧場。他寄回家鄉的僑滙，成爲孫家的主要經濟來源。一八七八年，孫中山十二歲時，母親就帶他到夏威夷託交孫眉，希望將來能夠在海外找一條出路。孫中山初時在毛伊島（粵人稱茂宜島）孫眉的德隆昌米店幫助料理店務，一八七九年進入火奴魯魯的意奧蘭尼學校（Iolani School）讀書，是當時學校四名華人學生之一。學校的教材促使年輕的孫中山開始認識西方文明，滋長資產階級民主主義的意識，加上當時美國商人及莊園主在夏威夷的勢力正日益擴張，取代土人王朝的野心日益明顯，而意奧蘭尼學校是英國教會主辦的學校，他們自然反對美國獨佔這羣島，所以年輕的孫中山當時所見所聞，可能對於他後來反帝國主義的思想起了啟發作用。這期間也是夏威夷華人資產階級孕育的階段。由於這階級本身發展的客觀要求，其中一些成員不久也成為孫中山領導的民族革命的支持者。

一八八三年，孫眉遣孫中山還鄉。不久，中法戰爭發生，法國佔領了中國藩屬安南。滿清政府在這次戰爭中的怯懦表現，激發孫中山思想上有了很大的轉變。他說："予自乙酉中法戰爭之年，始決傾覆清廷，創建民國之志。"

一八九二年孫中山在香港西醫書院畢業之後，先後在港、澳、穗聯絡革命同志謀劃推翻滿清王朝。一八九四年，他又回夏威夷尋找同鄉親朋的支持。經過九個月的奔走游說，終於十一月二十四日在火奴魯魯卑涉銀行（Bishop Bank）華人經理何寬的家裏，集會創立中國第一個資產階級革命的組織——興中會，目的是推翻滿清政權。

興中會創立時有二十多人參加，後來增加到一百三十多名，其中包括孫眉，成員有小商人、公務員、知識分子及工人。

一八九五年初，孫中山在夏威夷籌集港幣一萬三千多元（主要來自興中會會員鄧蔭南出售商店和農場，以及孫眉撥出一部份財產），回中國圖謀起事。但當年在廣州起義，因事洩而失敗，所以孫中山在年底回到夏威夷。不久由於在夏威夷的革命活動進展遲緩，翌年六月他又到美國大陸舊金山。他在這裏也找到了同情他的華僑，例如他在沙加緬度街七○六號"聯勝號"出入，他又接觸過美以美教會的陳翰芬牧師（孫中山中文教師區鳳墀的女婿）等。但是美洲大陸華人社會風氣比之夏威夷卻更為保守和閉塞。大部份華人認為民族革命是作亂謀反的舉動，足以惹來抄家滅族之禍，他們一般未能夠接受孫中山的政治綱領。因此孫中山此行收穫很微，只有鄺華汰、馬錦興、譚貞謀、劉明德、陳翰芬及其他幾名基督教徒秘密入會。不久他橫貫美國大陸，到紐約乘船去英國。一八九七年又折回經加拿大到日本，①這時正是中國"百日維新"的前夕。

二、保皇會的盛衰

十九世紀末年中國主權所面臨的威脅也迫使一部份開明地主和資產階級認識到中國不變法就必亡國。這些社會上層分子要求中國現存的君主帝制實行新政，進行改革，為中國資本主義的發展鋪平道路。他們認為這就是促使中國成為富強的國家所應走的途徑。

一八九八年，維新分子得到清德宗（光緒皇帝）的信任，實施新政; 假皇帝的名義下詔宣佈廢科舉，興學校，辦銀行，設礦務、鐵路、農工商局等措施。但一百多日後，在那拉太后（即西太后）領導下的頑固派（又稱后黨）發動政變，幽禁光緒皇帝，革除並捕殺維新黨人及支持者。

一八九九年，維新派的主要領導人物康有為（南海人）逃亡海外，取道加拿大維多利亞（粵人稱域多利）赴英國求救，但被英政府所拒絕。在失望之餘，他折回維多利亞，打算發動那裏的華僑支持維新派的政治活動，並提出組織中國維新會，亦名保皇會。

當年七月，就在維多利亞成立了第一個保皇會（Chinese Empire Reform Association, 意即中華帝國維新會）。華商李福基被選為總理。到一八九九年，加屬溫哥華、新西敏寺; 美國的波特蘭、西雅圖、舊金山、波士頓等地也先後立會。一九○○和一九○一年間，康有為的門人梁啟田和徐勤來北美洲推動會務，梁啟超則冒名日本人柏原文太郎（Kashiwabara Bantaro），於一九〇〇年一月在夏威夷登陸。②同年春也在那裏成立保皇會，並選出黃亮（Wong Leong）等十人執掌會務。③其中一些人曾經是興中會會員。

保皇會一開始就重視設立報館傳播政治主張。梁啟超一八九八年年底流亡到日本，就在橫濱創辦《清議報》。保皇會一八九九年在舊金山成立分會之後，也將當地的《文興》週報改變爲保皇會的喉舌，成爲北美洲首創的黨報。梁啟超在夏威夷則倡設《新中國報》。隨後，保皇會分子在加拿大溫哥華和美國紐約市相繼創辦《日新報》（一九〇三年）和《中國維新報》（一九〇四年），這些報刊和海外各地區保皇會喉舌報刊隔洋遙相呼應，構成西半球最早的一個黨報系統。在康有爲的門人歐榘甲、陳宜侃、梁朝傑等人主持筆政下，這些報紙對美加華人社會的輿論起了影響，提高了美國華人對中國政治的認識。

在這期間，維新分子不只在北美洲和夏威夷活動，他們在日本、香港、南洋、澳洲也積極爭取華僑的支持。維新會在海外的聲勢使清廷以西太后爲首的頑固派不得不有所顧忌。一九〇〇年初，后黨擬迫光緒皇帝禪位，進行廢立。海外保皇會得到消息，便發動各地華僑發電報計一百六七十封向清廷提出抗議，加上國內紳民一千二百多人聯合簽名力爭，后黨懾於輿論的壓力，不得不放棄計劃。

保皇黨在海外的種種活動，使后黨視他們爲眼中釘，所以早在一九〇〇年初西太后就下諭通緝康、梁。並試圖買通兇手行刺康有爲。同時清政府羈禁一些保皇會成員在中國的家屬，企圖藉此迫使他們在海外的親人就範。一九〇〇年廣東政府曾扣留舊金山保皇會領導人物羅彤勳（南海縣人），及唐瓊昌（恩平縣人）在鄉的家屬。④清政府的外交官員又警告海外商民，不可招待入境的保皇會領導人物。他們甚至利用僑團來達到這目的。例如在一九〇〇年，清駐美公使伍廷芳就慫慂舊金山中華會館寫信給當時在檀香山的梁啟超，告他美洲大陸環境危險，不可前來。梁啟超覆信雖然措辭激昂，⑤但鑒於當時不利的形勢下，迫使他不得不暫時取消了來北美洲的計劃。

維新派在中國垮台之後，保皇會仍積極與中國秘密會社建立密切的合作關係，希望利用後者廣大的組織達到保皇會的政治目的。一九〇〇年義和團在華北起事，八國聯軍攻陷北京，西太后挾光緒皇西奔。保皇會乘這機會，在海外各地籌餉，聯絡長江流域哥老會定期起事“勤王”。不料事前走漏風聲，被清政府識破，結果勤王軍的領導人物唐才常等二十多人被捕下獄。使這次運動失敗了。

在海外，保皇會也積極聯絡洪門等秘密會社並積極滲透這些組織，取得一定效果。從梁啟超給康有為的一封信裏，可以體現出維新會對這些問題的看法及其運用的策略。

　　……弟子近作一事……其事維何? 則已在檀山入三合會事是也。檀山之人，此會居十之六七。初時日日演說，聽者雖多雖喜歡，然入我會者卒寥寥。後入彼會，被推為其魁，然後相繼而入。今我會中副總理鍾木賢、張福如、協理鍾水養，皆彼中之要人也。弟子今日能調動彼會之全體，使皆聽號令……

梁啟超的策略很快收效。夏威夷的保皇會不久就把興中會的成員幾乎全部拉攏過來，興中會一時名存實亡。維新會在北美洲也獲得同樣的成效。所以到一九〇三年，全美洲和夏威夷已經成立有十一個總會及一百〇三個支會。會員號稱十多萬，是當時美國華人社區裏最大的政治組織。

到一九〇三年，保皇會繼續發展優勢，梁啟超遍遊加拿大及美國大陸作政治宣傳。梁啟超這一行，大受華人的注意，而且加強了保皇會與商人的關係。

當初在一九〇二年，維多利亞保皇會分子成立了商務會。梁啟超一到來就擴大這商務會的組織範圍，改為商務公司，計劃招股一百萬元，後來實際上籌得約六十萬元。

一九○四年初，康有爲、梁啟超、徐勤及保皇會一些分會的領導人物在香港開會決定商務公司的組織，計劃投資入各種企業，將所得的利潤來支持保皇會的政治活動，議事日程也討論過保皇會和分會的改組計劃，以及應付政敵革命黨的對策。跟着，康有爲離開香港取道歐洲，在年底橫過美洲到加拿大的溫哥華。一九○五年二月，康有爲得到美國當局的批准，能夠有機會如願進入美洲華人人口最多的國家進行政治宣傳。他由溫哥華抱病南下到洛杉磯，沿途在西雅圖、波特蘭及加州的中部各市鎮演講，但沒有到舊金山。

康有爲在洛杉磯養病，康復之後，便與秘書周國賢及軍事顧問荷馬李（Homer Lea）到美東活動。剛啟行的時候，在中國已爆發了反美華工禁約的抵制美國貨運動。康有爲沿途演說，一方面固然抨擊以西太后爲首的頑固派，另方面也批評美國的排華移民苛例的不公平。到了美京後，他曾兩次拜謁西奧多·羅斯福（即老羅斯福）總統，在第二次，容閎及美國國務卿海約翰（John M. Hay）也在場。康有爲向總統要求放寬移民苛例，後來又上書重申這意見。康有爲雖然有名望，但他畢竟是一個沒有官職權勢的弱國子民；因此，他的意見得不到重視。

康有爲回到西岸，又啟程訪問洛磯山北部一帶的城鎮，然後南下新奧爾艮（粵人稱紐柯連），再經過聖安東尼奧（粵人稱山旦寸），在十一月進入墨西哥境內。稍停托雷翁（粵人稱茱苑 Torreon）之後就抵達墨京，由當地華商黃寬綽及黃日初等接待。

當康有爲在美國的時候，中國革命陣營也有新的發展，一九○五年各革命團體在日本東京開會成立中國同盟會，擴大革命派的聲勢。這時候，中國國內形勢已漸趨向有利於革命。但以康有爲爲首的保皇會卻仍不斷提出革命沒法在中國成功的論調，繼續抱着保皇立憲的主張，向革命黨人肆意進行攻擊。

這時候中國國內的形勢愈來愈不利於滿清皇朝，爲了挽回頹勢，滿清政府在一九○六年夏下詔預備立憲。這發展給予維新分子可以在中國國內恢復合法活動的可能性。所以，保皇會領導集團認爲“(以前因爲) 非保聖主，不能保中國，故立會以保皇爲義。今上不危，無待於保。會務告葳，適當明詔，舉行憲政。國民宜預備講求，故今改保皇會名爲國民憲政會，以講求憲法，更求進步……”。後來卻用帝國憲政黨或帝國憲政會的名稱，直到一九○七年初正式改名。這樣維新派把救中國的希望完全寄託於滿清皇朝這個還未有具體行動兌現的主張。⑥

當保皇會醞釀改組爲憲政黨的期間，他們的商業投資卻沒有中斷。當初，在一九○六年春，康有爲在托雷翁買賣地段獲得厚利，覺得可以在墨國辦企業，以支持憲政黨的活動。這樣，就跟一些墨國華商合股，在托雷翁成立華墨銀行 (Compania Bancaria Chino Y Mexico)，作爲商務公司的分公司。這銀行是當地大金融機構之一，主要任務是買賣地產及處理香港、紐約保皇會所設商業機構的來往款項。一九○六年秋，這銀行又向墨國政府承辦建築托雷翁市電車路，並在那裏建築兩幢房屋準備經營，容納來墨國的華人移民。商務公司和美墨銀行又分別在美洲，和遠東各地設銀號 (在紐約有華益分號)。總公司、銀行和屬下金融機構又投資入各種企業，如酒樓 (在芝加哥有瓊彩樓)、酒店、米行、礦務公司等。另一些款項又撥入各報館、學校、書局或其他用途。這樣憲政黨成立了一個具有相當規模的跨國經濟系統，而這系統裏各單位互相間有很複雜而相當紊亂的金融關係。

一九○五年康有爲遊美洲前後的一兩年，可以說是保皇會聲勢最盛的時期。在這時候，他們得到美洲大部份華僑的支持，而他們又已經設立了一個國際性的通訊輿論網及經濟系統。表面看來，是有很雄厚的政治經濟力量。但不久，事情的發展卻證明，這是一個內部複雜，矛盾很多的一個組織。

一九〇七年，美國發生金融恐慌，牽動全球，墨國亦不例外。托雷翁許多西商倒盤，地價大跌。華墨銀行亦由於投資過多而財政吃緊。當時黃寬綽又與黃日初爭華墨銀行的支配權，不肯撥款完成電車路的建築工程以致停辦。

稍後，廣西實業道劉士驥提倡設官督商辦的振華公司，開發廣西資源，得到廣西巡撫張鳴岐的贊助。他向憲政黨領導人物鼓吹這計劃，得到歐榘甲的支持，康有為和梁啟超也表示同意。在一九〇八年劉就和憲政黨人歐榘甲、葉恩、劉義任等到加拿大向華僑招股。當時認股有三十萬元，大部份股東都是憲政黨黨員。不久，清政府下令解散梁啟超在上海設立鼓吹立憲的政聞社。張鳴岐也通知在美洲的劉士驥應該跟憲政會人減少來往。不過劉士驥到美國，依舊利用憲政黨的關係來招股。但不久，他卻開始發表招股"為國不黨"的論調。這言論既出，憲政會人大為不滿。劉士驥到匹茲堡招股，就被當地華人指控他行騙，着警察扣留，後來由中國使館保釋。不久，劉回中國，這時候憲政黨領袖和他接觸，要求分撥股本一部份歸黨之用，但卻被拒絕；雙方因此結怨。

一九〇九年初，劉士驥在廣州被刺殺。幾個月後，當局擒獲兇手兩名，供云主謀人是梁啟超的學生，檀香山土生何其武（祖籍歸善縣）。[7]一年後，劉的兒子劉作楫指控康有為、梁啟超、徐勤等憲政會領導人物是串謀刺劉士驥的主腦。跟着歐榘甲、葉恩等又出來支持劉作楫，並聲明振華公司跟憲政黨沒有關係。這些發展震動了憲政黨，引起黨內爭論和分裂。

葉恩是商務公司及華墨銀行股票的簽名人；所以他與康有為，梁啟超等的反目，牽動了憲政會整個經濟體系。另外廣智書局營業虧本數萬；星洲及檳榔嶼的米業又失敗。在一九一〇年加上最後的致命打擊：墨國爆發民族資產階級領導的革命，推翻封建式僧侶及莊園主的統治，並驅逐外來資本。在墨國革命軍攻克托雷翁的時候，屠殺了三百一十六名華人，華僑財產損失了三百一十萬墨元，憲政會的經營全被沒收。至此，憲政會的經濟系統就全盤冰消瓦解了。

後來，憲政黨領導人物伍莊曾列舉一些例子，闡明當時憲政黨經濟系統裏的紊亂狀態：

"……紐約〔即華益〕分局之款，與華墨銀行之款，與商務公司之款，容易混亂。紐約總局總理兼紐約分局司理，而紐約總局則所有華益分局之款，與總局公款，及華墨銀行股款，雜然並收。而商務公司與華墨銀行初時又為一家。股票皆由葉惠伯〔即葉恩〕簽名，其後始分開。故數目之分撥易亂。如紐約分局為華墨銀行之款，原與商務公司無涉，而紐約分局在乙丙兩年〔即一九〇五、一九〇六年〕為商務公司支息，達四萬餘元。諸如此類，分撥不清，混亂易起；所以後來鬧出大亂子。港、紐、墨三處數目輵輵，致港以截滙通告，敗壞大局。港謂紐欠，紐謂港欠。不只局外人莫明其妙，即局中人亦弄不清楚。……不只紐約如是，香港亦如是。港局華益司事即商務公司司事，亦即辦理黨務收支公款之人。故黨中公款與商款混淆。加以報款，學款〔即指廣州南強中學〕，建築款，收入同歸一庫。支撥皆其經手。所以數目繁瑣，出入不易鈎稽……"。

他對憲政黨在商業上的失敗作以下的總結："……憲政黨所集一百五十餘萬元之商股，由光緒二十九年癸卯〔即一九〇三年〕開始經營，至宣統元年己酉〔即一九〇九年〕全盤失敗，固然是時局所牽涉，而人謀亦確不臧。第一，商股與黨費不分；第二，甲號與乙號混亂；第三，以辦黨之人而兼辦商務；第四，辦商之人亦不見得高明；第五，督辦有權調款，而司理無權拒之。因此種種，則責任互相推諉、而掩蔽容易，稽核困難矣……"。憲政黨商業上的失敗，對黨務的發展是一個嚴重的打擊。這加上中國革命形勢的劇變，大大削弱了他們在美洲華人社會裏的影響力。

當保皇會建立宣傳和商務系統的同一時期，又設立一個軍事訓練系統。跟這計劃有最密切關係的是荷馬李（Homer Lea）。

李氏是一個醉心於軍事研究的美國白人，對於兵法頗有獨到的見解。由於他是半殘廢的駝子，所以沒有可能參加美國軍隊逐他的心願。

一八九九年，李氏輟學回到洛杉磯家中養病；就在這時候，他結識保皇會領袖譚濟騫，且對保皇會工作發生興趣。於是譚就寫介紹信給康有為：

> 南海先生賜鑒：敬稟者，今有西人名未士町李，係美國人，現住羅省技利埠，〔即洛杉磯〕曾肄業於士丹佛大學堂多年，長於兵法。今始卒業遊歷，言論甚為通達。其先祖父當南北花旗之戰曾為總兵元帥者也。他憤中國弱肉強食，心抱不平，肯在內地設立武備學堂練兵二千，自願教習華人兵法以圖自存。今同義士張拱勝兄，恩平人，亦在本埠大書院學水陸兵法者，遊東南洋、港、澳各埠結交帝黨諸烈士，願一見先生言論風采為快。與弟有識面之緣，特求通函以便沿途招接，但見他可將立會宗旨詳晰告知。俾知吾黨非有異志，一切保皇事務，必肯相助為理也，中國幸甚。耑此敬問

義安　　　　　　　　　　　　　　弟

譚濟騫上言

十二月廿三日

荷馬李當時沒有機會見康有為，但參加了保皇會及致公堂。在一九〇〇年唐才常在中國起兵勤王，李氏也曾到過中國，但不久即回到美國。在這時候，由於勤王失敗，康有為對於武備政策已採取否定的態度。但在美國許多保皇會員卻仍對於武備有濃厚的興趣，因此很多地方都發動軍事訓練活動。檀香山的保皇會分子組織了青年俱樂部，主要目的是學習武備，由日本步兵少尉黑川通幸負責教練。不過組織規模最大的，還是在華人人口較多的美國大陸。

大約在一九○三年前後，荷馬李在洛杉磯成立了保皇會第一間士官學校，英文名是西方軍事學校（Western Military Academy）。這學校的主要活動是軍事訓練，但公佈的辦學宗旨，很含糊。而且又虛設其他課程來掩美國當局的耳目。在保皇會經濟支持下，這組織發展得很快。到一九○五年，全美國華人集居的地區，已經成立了二十一間軍事學院，大多數取名干城學校（這名取自《詩經・周南》："赳赳武夫，公侯干城；"用來比喻捍衛者）。學校的教練都是從美國軍隊退休的士官或受過一些軍訓的華僑。

　　這命名爲"中華帝國軍"（Chinese Imperial Army）系統的司令部設在洛杉磯，而最高統帥就是荷馬李"中將"。這組織包括四個步兵團；分佈在（1）加州，（2）美國中部，（3）美國東部，（4）美國西北部和英屬哥倫比亞。另外在洛杉磯還組織了一個信號兵團。

　　這系統所定的目標是在二十一個城市每設一營，每營招募足夠百人，共二千多人。但實際上，後來設立的營超過原定數目，但卻沒有一個單位的人數足百人的名額。

　　由於保皇會領導人辦事大意，在一九○五年，這軍事系統裏爆發了一段富於戲劇性的爭執。當康有爲遊美到洛杉磯，突然出現了一位R・A・福爾肯伯格（R. A. Falkenberg），自稱是受梁啟超封爲"中華帝國維新軍"（Chinese Imperial Reform Army）的"總司令"，要跟荷馬李爭領導。這爭執令許多保皇會會員產生疑惑。後來康有爲寫告示給保皇會會員，承認荷馬李爲統帥之後，這事件才暫告一段落。不過這爭執公開刊在報章裏，卻引來美國當局的注意。

　　到五月，加州弗雷斯諾地方檢察官下令關閉那裏的干城學校。跟着，紐約州長收到信件指控保皇會在美國違法練兵；於是他也下令警察局進行調查。在這時候，美國聯邦政府也對這問題注意而進行調查。美國當局雖然終於沒有向干城學校下禁令，但保皇會這項活動，卻招來他們本來極想避免的公開宣揚。

這些問題，使康有為與荷馬李的關係發生裂痕。跟着，一九○七年保皇黨內部發生糾紛之後，荷馬李也決定轉向投入孫中山領導下的革命陣營；軍訓活動也停頓了。

實際上這人數不滿二千人的中華帝國軍，及寥寥幾十個美國人，是不會有能力左右中國大局的。不過無可否認，這些美國人是抱有一定的正義感，才投身於這些活動。

三、革命與保皇的鬥爭

當保皇會、憲政黨在北美洲和夏威夷極盛的同一時期，力量較弱的革命陣營，也在孫中山領導之下積極亟謀發展。

一九○○年惠州起義失敗，孫中山先後到台灣、日本、安南等地活動。一九○三年十月，他重遊故地，由日本到夏威夷進行革命宣傳工作。在這時候，夏威夷革命陣營是處在不利形勢。興中會的會員已經大部份被後起的保皇會拉攏過去，僅剩了十多名中堅分子。當時保皇會已經設有喉舌，即是由辭鋒犀利的陳宜侃把持的《新中國報》。孫中山抵達後，就利用興中會會員程蔚南創辦的《檀山新報》（又稱《隆記報》）的篇幅與《新中國報》展開筆戰，他在十二月發表自撰的《敬告同鄉書》，闡明興中會的立場，抨擊保皇會的主張。

到翌年一月，又發表《駁保皇報書》力斥《新中國報》"……似是而非之理，最易惑人……，彼開口便曰愛國……，若彼所愛之國為中華國，則不當以保皇為愛國之政策，蓋保異種而奴中華，非愛國也，實害國也……"。他繼續批判《新中國報》的"革命可召瓜分"，"立憲君主"始能"立憲民主"，和"中國民智低下，人民不習慣於自由民權和服從法律"等論點。

在這期間，孫中山在火奴魯魯及希洛（粵人稱希爐）演講多次爭取支持者，成立另一個革命組織，中華革命軍。孫中山除了致力於宣傳外，又發行票額銀洋十元（美金一元）的軍需債券來籌款支持革命運動。但當時由於梁啓超在不久以前已經爲保皇會籌款，而一般華人本來就不太富裕，所以中華革命軍僅籌得兩千多元。不過由於他及支持者的努力，革命運動總算挽回頹勢，從保皇黨手裏爭回主動，局面也穩定了多少，但革命陣營在當地仍處於劣勢地位。

不過檀香山畢竟是彈丸之地，人力財力有限；所以幾個月後，孫中山就計劃再到美洲大陸活動，圖謀展開更廣的局面。臨行前，他的母舅楊文納向他建議：洪門在檀香山及美洲大陸有很大勢力，如加入成爲會員就可以廣結交同志，幫助發展革命運動。鑒於梁啓超在檀香山參加洪門所得的成功經驗，所以孫中山也就申請加入同興公司，（現在的國安會館）被封爲洪棍。⑧另外，他在一九〇四年三月，找到三個證人，"證明"他是一八七〇年在柯湖島的位蠻奴鎮（Waimanu）出生，領取了一份夏威夷出生證書，以便到美國大陸時可以入境。⑨

初時，維新分子在美國大陸各地的華僑社區成立保皇會，積極參加中國政治活動。由於保皇運動的影響，長期處在冬眠狀態的洪門也意圖有所作爲。一九〇二年，康有爲門人歐榘甲，來到美國舊金山任《文興報》記者職。他結識了致公堂領導人物唐瓊昌、朱三進、鄧幹隆等，而向他們建議辦報館。結果朱三進及其他洪門分子集資，創辦最早的洪門喉舌刊物《大同日報》，（Chinese Free Press）由唐瓊昌任司理，鄧幹隆任司事，歐榘甲任總編輯。

不久，孫中山在一九〇四年三月，由夏威夷乘"高麗號"船到舊金山。由於這次行動公開，所以他還未起程，舊金山的報紙已經登載他擬來美洲大陸的消息。據說檀香山保皇會也通知舊金山會員設法阻止孫中山登陸。這些人通知移民局。船在四月抵達舊金山，美國移民局官員就在碼頭木屋拘留着孫中山，拒絕批准入境，打算將他撥回頭。在這危急階段，孫中山忽然記起廣東教友左斗山、楊襄甫署名寫給《中西日報》編輯伍盤照的介紹信；因此就托西報童代送字條求救。伍盤照跟華人教友商量，但教友多有家人在中國，覺得不便於公開露面幫助。孫中山既然是洪門分子，所以伍盤照等人便托黃三德及唐瓊昌等延聘律師亨利‧C‧謝爾特策（Henry C. Schertzer）跟美京工商部交涉。經過十七日的折磨，孫中山終於四月底被移民局釋放入境。

登陸後，孫中山即跟黃三德、伍盤照等商量，着手《中西日報》重印鄒容的《革命軍》一萬一千冊，分寄美洲、南洋各地區。當時保皇會分子歐榘甲辭職回國，孫中山就介紹日本留學生劉成禺（湖北人）任《大同日報》總編輯。由此《大同日報》公開主張革命；《中西日報》也經常發表同情革命的言論。⑩孫中山在舊金山先後到丹桂及昇平戲院演講，聽眾踴躍參加，但正式加入興中會的人卻寥寥無幾。⑪

這時候，孫中山覺得致公堂組織散漫，分堂各自為政，會員雖然很多，但不能夠有效地發揮組織的潛力。於是他說服黃三德等要求洪門會員重新註冊，並配合新局面而訂立新章程，加入興中會一些主張。新章程指出："……本堂以驅除異族，光復中華，創立民國，平均地權為宗旨……"。

到五月底孫中山和黃三德出發，先到北加州城鎮，然後取道南加州經過西南部到美東宣傳民族革命。但當時致公堂雖然有幾個熱心於民族革命的領導人物，但保皇會分子在堂裏還有相當大影響力，他們到處詆毀孫中山，替他起個花名"孫大炮"〔粵俗語指誇誇其談而沒有實際行動表現的人為"大炮友"〕。孫中山在美國大陸奔走了半年，收效不大。在當年十二月孫中山在紐約乘船前往歐洲，心裏對於革命在美洲的發展前途亦不太樂觀。

但昏庸腐敗的滿清皇朝，在帝國主義面前奴顏婢膝，不斷喪失土地及國家主權。使中國人民對這腐敗無能的政權有了加深地認識，並且表示了極大憤慨。使得愈來愈多人對於滿清政權喪失信心。

在這時候，爲了響應中國圖强的要求，很多青年出洋到歐美及日本留學。這些新型知識分子很多是受了西方資產階級民主主義的影響，很容易接受革命的概念。同時由於他們在政治上是敏感的，所以很快形成一股支持革命的生力軍，尤是在文字宣傳方面。

一九〇四年底孫中山離開美國抵達歐洲，便爭取留學生的支持，並成立了一個革命團體。不久回日本後，就聯合各革命團體，於一九〇五年八月二十日在東京赤坂區成立中國同盟會，作爲指導革命活動的總機構。這會的主要領導人物是知識分子及商人。孫中山被選爲總理。日本東京是同盟會本部的所在地。中國分有五個支部，海外又有南洋、歐洲、美洲、檀香山四個支部。

中國同盟會成立之後，就先後遣派人員到各地區進行革命宣傳工作。一九〇七年，同盟會派日本留學生盧信到檀香山。當時《隆記報》已經改組爲《民生日報》。盧信在這報館任主筆職。不久，他認爲《民生日報》的股東不大熱心支持民族革命活動;所以在一九〇八年就辭去職位。與同情革命的人士另籌辦《自由新報》（Liberty News）。

在這同一期間，革命分子也在美洲大陸活動。一九〇七年加拿大維多利亞知識青年吳紫垣、李翰屏等人成立擊楫社，和同盟會互相呼應。這時期加拿大也開始有同情革命的報紙出現，與保皇會對立，先是耶穌敎徒周天霖、周耀初等在溫哥華創辦《華英日報》，聘請崔通約（高明縣人）爲編輯，以排滿同情革命的立場出現。但報館創辦不及一年，虧折累萬，加上又被當地憲政會向法庭控訴十大案;所以財力漸不支，後來這報館就由致公堂全盤承受，在一九一〇年創辦《大漢日報》。

美洲華人最集中的地區舊金山，在一九〇六年發生大地震和火災，延遲了革命黨活動的開展。同時，這時候美國排華移民法律嚴厲執行，故不容易遣派同盟會人入境活動。當時有美國土生李是男（祖籍新寧縣；又名李棠，李公俠），是舊金山和隆號鞋商李佑寬的兒子；童年回中國升學。一九〇五年的反美華工禁約運動，激發了他的民族主義思想。由族兄李伯海（憲政黨領導人物李福基的兒子）介紹加入同盟會。一九〇七年，他準備回美國，香港同盟會會長馮自由就寫信介紹他給《大同日報》的唐瓊昌、劉成禺，及致公堂的黃三德，而且授權他在美國發展革命活動，收攬同志。

這時候，美國一些華裔青年也已經關注正在發展中的中國民族革命運動。一九〇八年學生趙煜等在柏克利（粵人稱卜技利）研究國是，組織求是學社，有成員三、四十人。⑫舊金山土生組織同源會一些會員也與中國革命認同，尤是這會的中西文書記溫雄飛（祖籍新寧縣）及黃伯耀（祖籍新寧縣）。李是男回美之後，發覺他與洪門領導分子在思想作風上有很大的距離，不容易合作發展革命事業，因此關係就冷卻了。在這時候，黃伯耀卻介紹他加入同源會，結識溫雄飛等幾個志同道合的青年，大家對於中國前途抱有相同的期望及關懷。不久，在一九〇九年春，由李是男主盟，吸收了溫雄飛、黃伯耀及李旺入同盟會。由於當時保守勢力仍然處於優勢，所以不將這個團體的性質公開，對外暫用“少年學社”（Young China Association）的名稱。大家又覺得黃伯耀的永生壽板店是少人到的地方。尤是在深夜，更沒有人會經過；所以決定作為集會的地方。

這羣接受了美國資產階級民主思想的青年，不久就向同源會獻議組織《美洲少年》（Youth）週刊從事宣傳革命。同源會也通過議案，但會員對革命活動卻步不前，以致招股未成。後來就由李是男和黃伯耀兩人合資創設報館，推舉溫雄飛任總理，黃超五任總編輯，李是男任副刊編輯，黃伯耀兼任翻譯和發行人，李旺負責寄發外埠。報紙的印刷則由《大同日報》負責。在一九○九年七月四日創刊號出版。刊載文章之一是中譯的"美國獨立宣言"。其他青年人如黃芸蘇（Wong Yun Su）也先後加入報館的工作。⑬據黃芸蘇的回憶：

"……《美洲少年》乃是一本篇幅不廣、頁數不多的定期刊物，其言論雖充滿了革命排滿的論調，經紀其事者，雖幾乎全屬肄業中學，穿着短褲挾書走讀的年青革命黨人，而卻非黨辦的報刊；出人意料之外的，乃是美國華僑社會的'土生報'……"。⑭

《美洲少年》創刊之後，負責人和芝加哥的梅喬林聯絡，後者約請梅光培、曹湯三、李雄、梅就、梅友伙、梅賜璧、梅天宇等八個人在那裏組織支持革命的團體，以會英樓為機關，和少年學社互通消息。

當時在美國東部還未有支持革命的組織，但在少年學社成立的同年，紐約的趙公璧署名哀崖狂士與香港《中國日報》通信，表白有意加入革命黨。報館負責人馮自由也就替他寫信介紹他給孫中山。

到這階段，北美洲華人社會裏逐漸形成兩個界線分明的壁壘：一個是支持或同情革命的少年學社，另一個是主張保皇立憲的保皇會。形成對立鬥爭的局面。

四、同盟會在美洲成立

在這期間，保皇分子投資的企業被經濟不景拖累；振華公司的糾紛正在發展，這組織也不斷發生內部鬥爭，憲政會在北美洲華人社會裏聲譽日蹙，形勢趨向有利於革命黨，於是在一九○九年年底，孫中山取道歐洲再來北美洲進行革命宣傳，並為革命活動另闢財源。

孫中山在十一月上旬抵達紐約，由致公堂老朋友黃麟思（又名黃溪記）接待。趙公璧拿着馮自由的介紹信跟孫中山會面之後，又介紹數名贊同革命者，不久成立美東同盟會。加盟者有黃麟思、趙公璧、鍾性初、陳永惠、吳朝晉、唐麟經、吳贊等，是美洲大陸第一個同盟會分會。⑮這次孫中山又得到紐約致公堂書記雷月池和伍洪賞及波士頓致公堂大佬梅宗炯的幫助，籌得港幣五千元支持革命活動。

一九一〇年一月下旬，孫中山離紐約到芝加哥，有蕭雨滋牧師及其他人到車站歡迎，並在聚英樓開歡迎宴會。孫中山在會上講解革命的必要，提出成立同盟分會。首次加盟的有蕭雨滋牧師、梅喬林等十二人，後來以泰和號爲會所，孫中山在這裏又籌得港幣三千元，距離原定目標尚遠，所以在二月又首途往美西。

二月初旬孫中山到舊金山就找少年學社的李是男和黃伯耀談話，闡述目前革命形勢並對舊金山的革命活動形式提出一些意見。他說：“……你們在此處成立少年學社，內容即中國同盟會，已有一年了，刊發《美洲少年》也有半年了，是有成績和收效的。……可是，你們對於少年學社社員的加入，採取杜漸防微的態度，恐防混入了什麼奸細，在舊年是對的，但在今年可以不必了。……今年應該採取大刀闊斧，明目張膽的態度，不怕漢奸混入，只怕同志不來。而且更要公開稱中國同盟會。這樣，和我們志同道合的同志自然源源而來……。這樣人多加入，革命勢力自然增加，有起事來，急於籌款也是容易了。……”不久，舊金山也正式成立同盟會。初次宣誓加盟的有十多人。舊金山華人社會在美洲處重要地位，所以孫中山就將舊金山的同盟會，改爲美洲三凡市（即舊金山）中國同盟會總會，直轄美洲各分會，這總會的章程由張藹蘊起草。孫中山在舊金山部署完畢，就到洛杉磯會見荷馬李。

先是荷馬李在美國訓練憲政會的武裝部隊，準備將來到中國推翻西太后領導的政權。到一九〇八年，他認爲如果在美國籌得經費，就可以實現這計劃。他說服南加州一位退休士官查爾斯‧B‧布思（Charles B. Boothe）合作，代他向美國金融界籌這筆款。他們又和當時已經定居在美國東部的容閎聯繫，得到他的支持。布思的友人 W‧W‧阿倫（W. W. Allen）答應出面和一些財團洽商貸款。不過容閎和阿倫都覺得康有爲沒有前途，要求荷馬李和布思脫離憲政黨系統。大家又達到共同意見，認爲孫中山是中國最有希望的革命領導人物。經過容閎的介紹信，孫中山和荷馬李等建立了通訊聯繫，並於三月就到洛杉磯和荷馬李、布思等會商多次。他們共同制訂起義計劃，由於當時孫中山在華人社會籌款不足軍用，所以他就委任布思爲中國同盟會駐國外全權財務代辦，向紐約財團洽商貸款三百五十萬美元，後來又增加貸款額到一千萬美元，交換條件是革命成功後，即委任美國財務管理人爲中國海關稅務人員，並給予工商業的專利權。美國財團經過考慮，卻認爲這筆投資太冒險而拒絕貸款。不過當孫中山離開洛杉磯回舊金山啟程到檀香山的時候，貸款的洽商還在進行中。

　　孫中山一到檀香山就着手成立同盟會，最初加盟者有盧信、曾長福等二十多人。隨後又在其他島上成立分會。到這時候，美國大陸及檀香山已經成立了一個較完整的組織系統，支持中國革命。這系統成員多是知識分子、工人及小商人，且青年人佔很高比例。同盟會的會員人數及財產都不及憲政會。但工作熱忱及組織裏的紀律卻高得多。

　　孫中山離開檀香山之後，盧信也在一九一〇年底離檀香山到日本，由舊金山來的溫雄飛負責主持同盟會的活動。這時候清政府委任梁國英爲檀香山領事，經常和《新中國報》總編輯陳宜侃商量政事。大概出於陳的獻議，不久領事館出佈告，要求所有華人辦理註册，每人交註册費美金一元二角五分，並聲明此款全部撥來舉辦明倫學校。同盟會覺得這是保皇分子搞的學校，主要目的是和同盟會剛設的華文學校對抗；所以《自由新報》提出反對，而且散播謠言說註冊可以把資料給人拿在手上，隨時有被人抄家的威脅。大部份華人就因此不敢註冊。後來領事館再出佈告，但華人依然裹足不前，使領事館下不了台，於是他就找個代罪羔羊，暗中誣告檀香山商人許廣為革命黨，說他阻撓華人註冊，請求兩廣總督到香山縣抄家。

這消息傳開，問題搞得更大了。激憤的華人聚集在當地公園開大會，攻擊領事館，又發電給美京華盛頓中國公使要求派員來檀香山查案，不久梁國英便調職他往，成為革命派和立憲派鬥爭的一個犧牲者。⑯

同盟會在美洲大陸成立之後，宣傳革命的活動走向了更高一層的發展，最活躍的地區就是美洲華人最集中的舊金山。這階段一個最重要的發展，是同盟會設立機關報。

當孫中山在舊金山的時候，他曾向少年學社負責人提出意見："……《美洲少年》是適合有思想的少年閱讀的，但對於一般華僑而論，好像還有一些不夠普遍。最好還是把《美洲少年》改組成為一間每日出版的日報。這樣方負起大張旗鼓盡力宣傳的義務。你們不要以為辦日報資金難籌，其實會員眾多，自然容易，向這一條路子想想是通的。擴大少年學社，公開為中國同盟會是體，擴大《美洲少年》改組為日報是用，有體有用，我們黨的宗旨和作用才發揮出來……。"

孫中山離開之後，《美洲少年》負責人接納了他的建議，出版滿一年後停刊，集中力量招股籌備出版日報。他們原定在美國獨立紀念日刊印第一期，但由於籌備工作不能如期完成；所以迫着展期到一九一〇年八月十九日才出創刊號。發刊詞有激昂強烈的民族主義色彩："嗚呼！我旅美華僑，非皆我皇祖黃帝大刀闊斧披荊斬棘開闢河山爰建帝國以資以育以長子孫所遺傳之民族也哉？以言人口如此其眾，土地如此其廣，物產如此其豐，人間大國，遠在寰球各民族上。開化最古，文明發達，亦遠在寰球各民族上。宜乎俯視五大洲，鞭箠萬國，置諸卵翼之下。泱泱乎大國之雄風，上帝之驕子也。豈知我同胞今日之覓食外洋者，備受外人種種苛虐，如奴隸，如牛馬，如草芥，竟一至此哉……凡我同胞足跡所及之區，無不設為種種特別嚴例以虐之者……即就近以美國論，特立禁工之約，已不以人道待我矣；禁之不已，猶復日益苛細，嚴刻挑剔，推其意不剷盡美洲華人足跡不止……嗚呼！我同胞天生蒸民，同是圓顱方趾，獨奈何不得與白皙人種同立平等地位，同享自由幸福若此……竊以為欲禦強鄰之苛虐，必回復我民族獨立之性而後可，欲復我民族獨立之性，必恢復我中華祖國而後可，欲恢復我中華祖國，必驅此東胡韃虜遁歸長白山下而後可；欲驅此東胡韃虜，必傾覆現在強權專制惡劣貪淫之大清政府而後可。同胞乎！諸君乎！如欲傾覆清政府，舍革命其末由！舍革命其末由！……"

由於少年學社的英譯名稱是"少年中國會"，且此報又不如舊金山各報在下午出版，而在早晨出版，所以就定名為《少年中國晨報》（*The Young China*）。報館初期的總理兼營業部及翻譯員是黃伯耀；總編輯是黃超五；副刊及新聞編輯是李是男。在初創時期，報館在經濟上很困難。當時黃伯耀是永生壽板店老闆，而司庫李梓青又在廣東銀行任職。這兩名經濟上較寬裕的盟員就輪流每個月分別負擔工友的薪金。《少年報》的革命排滿論調，吸引不少讀者，尤是青年及工人、小商人。

除了辦報之外，每逢星期六晚上，同盟會又組織少年學社演講隊，由楊毛女擔旗擊鼓領先，巡行到舊金山華埠鬧區舉行宣傳革命的演講會。⑰無賴反對分子經常在會場出現擾亂秩序，向演講者冷諷熱嘲，或口出惡言恐嚇。保皇派輒以"少年亡"詆毀他們。但同盟會會員抱着高度的熱忱，堅持下去。程祖彝、黃超五、黃芸蘇和張藹蘊等又借用憲政會會所設金門兩等學堂，由黃芸蘇和張藹蘊擔任教員。當時張乘機向學生灌輸革命排滿思想，使憲政會不滿而下逐客令。黃張兩人於是就帶領大部份青年學生退出。不久張在奧克蘭設立求是學堂；他及夫人曾步規又在同市設明新私塾。

這時候，在中國要求立憲的呼聲高漲，但頑固的統治者卻一拖再拖，最後在一九一○年秋，清政府才勉強宣佈三年後召開國會。這年在很多省份又相繼爆發抗捐抗稅的鬥爭。形勢的發展愈來愈有利於革命。一些思想激進的革命分子便尋求達到革命的捷徑。他們接受在俄國流行的虛無主義革命分子的影響，主張用恐怖暗殺手段，促成革命馬到成功；因此在一九一○、一九一一年，就曾經在中國發生過數次行刺滿清官員的案件。在美國的華人由於客觀條件限制，沒有很多機會採取這種行動，但一九一○年汪兆銘（即汪精衛）、黃復生等行刺清攝政王載灃的行動卻引起革命黨人在美國的唯一暗殺案件的產生。一九一○年十月海軍大臣載洵親王來美國視察。少年學社社員朱卓文和酈佐治（即酈林）得知消息，就擬效顰汪兆銘，在奧克蘭車站向親王狙擊，但他們還未動手就被警察發覺，朱卓文幸得逃免，但酈佐治卻被拘捕，判刑入獄十四年，四年後才得以特赦釋放。

這事件雖然對於大局並沒有起決定性的影響。但無可否認，愈來愈多有理想的青年傾向支持革命。在這情況下，革命運動的反對者也不得不採取相應的對付步驟，有時他們通過各種社會關係，說服父兄向已經參加了同盟會的子弟施加壓力，迫使他們退出。這樣，在一九一○年至一九一一年，憲政黨辦的《世界日報》就經常載有類似以下的聲明：

> 弟黃基字君迪，列名少年學社，即今之同盟會。自知過錯，是以即
> 行退出，嗣後該社所有大小事務概與弟無涉。特字佈告，仰各梓里週知。
>
> 庚戌十一月初二日
>
> 弟　黃基謹啟⑱

這時候的報館往往也發表言論，攻訐對方的政見，引起筆戰。這些思想領域上的交鋒一般會停留在漫罵階段，但有時也進一步發展為嚴重的社會糾紛。一場著名的筆墨官司就發生在素稱穩健溫和但同情革命的《中西日報》頭上。

在一九一〇年底，《世界日報》刊載彼傖（紐約《維新報》主筆梁朝傑的筆名）的社論，罵耶穌教為無政府黨。《中西日報》主筆亞競（崔通約筆名）不以為然，作社論跟他辯論，連續十多期。到一九一一年一月十三日，亞競發表一篇重要的文章，[19]借用長食芋頭致病又忌醫不治的寓意，用來剖析影射像彼傖這樣保皇會、憲政黨人的保守、頑固、反對革命，最終落得像吃芋頭人忌醫不治的下場。

文章刊登之後，寧陽會館一些保皇分子，便揚言這社論有意侮辱新寧全體人士，提出抵制《中西日報》，企圖藉這機會打擊這間具有相當影響力的報館。經過幾個月的緊張局面，與及中間人調停，《中西日報》道歉，這件事才告寢息。

五、籌餉活動

這種事件卻不能夠遏止同情和支持革命力量的發展。由於中國局勢的迅速變化，籌餉活動愈來愈緊張。為了配合這形勢，孫中山在一九一一年又取道歐洲再來北美洲活動。他在正月抵達紐約，月底到舊金山，着同盟會組織中華革命籌餉局加緊工作。幾天後，他就啟程到加拿大溫哥華。孫未到以前，同盟會會員馮自由在一九一〇年夏已經到溫哥華充任《大漢報》的主筆，並在那裏進行革命宣傳。不久就組織同盟會。不過由於當地致公堂自認為革命黨的中樞，所以為了避免洪門領袖的猜忌，同盟會仍未公開，僅秘密招收了十多個青年人。這時候，加拿大憲政黨內部糾紛，聲譽大降。同情革命的羣眾也有顯著的增加，因此馮自由就邀請孫中山來美國的時候順便到溫哥華籌餉。

孫中山抵達加拿大之後，馮自由跟他共謀，授意洪門裏支持革命的“散仔”（普通會員），在維多利亞歡迎孫中山的宴會上，提議將洪門產業抵押，來籌備軍餉支持即將舉行的廣東起義。到次日開會，各散仔紛紛贊成這提議，結果籌得港幣三萬元。

加拿大其他各埠，向來對域多利致公堂的舉動，唯馬首是瞻。於是多倫多致公堂也抵押產業籌得一萬元，蒙特利爾（粵人稱滿地可）籌得四千元。共得港幣七萬多元，佔支持三月十九日黃花崗之役全球各地籌餉的第一位。美國的致公堂雖然會員人數及財產都超過加拿大，但由於當時和當地同盟會不能合作，所以成績遠遜於加拿大，只籌得萬餘港元。

孫中山由加拿大西部到東部，再南下入美境到紐約籌餉，後折回美西。他經過芝加哥；梅喬林提議成立革命公司，每股收美金二百元，由當地同盟會積極進行招股籌款，但成績有限。

舊金山同盟會接到籌餉的任務，便着力展開這方面的工作，但同盟會會員一般都是經濟能力有限的青年人，且世故不深，認識的富有華商亦不多，所以頗感困難。演劇籌款是他們選用的一個形式。他們公演一些含有濃厚民族主義色彩的劇目，例如張藹蘊在奧克蘭指導排演鑼鼓劇《徐錫麟起義》。李是男也在舊金山組織舞台劇團，親自粉墨登場。這劇團也演出過《喚國魂》，內容是描述“……由軒轅始祖開國，其時大刀闊斧遺我如此錦繡山河弄成這個田地，為子孫者應若何奮揚蹈厲。中間橋段有十數共和國之自由神出現。吾國之自由神即秋瑾女士。其中唱情做手皆能令人發出愛國愛種之精神。……”[20]不過同盟會會員能夠義務擔任主要角色的人不過三兩個；配角，音樂員就不得不要向戲班求助。這些都是需要報酬的。這還加上戲箱，前後台打雜人員的費用，所以收入雖然多，但開銷也不少，因此可以說演劇在宣傳方面遠超過在經濟方面所得的效益。他們進行向個人募捐，卻和致公堂發生磨擦。同盟會會員多是血氣方剛接受新思想的青年，對致公堂不大尊重，也不重視團結它的成員；因此，不久就招來致公堂的不滿，三次登報發表警告。㉑

孫中山在六月中回到舊金山，就不得不立即着手設法緩和這矛盾。他向李是男及黃三德等建議全體同盟會會員加入洪門。初時張藹蘊頗持異議，他指出新舊人物思想意識不同，很難合作，即使能合作也恐怕不能持久。但經過孫中山耐心說服，同盟會會員終答應孫中山的要求。經過協商後，同盟會會員被允許免用繁重的傳統入闈儀式而加入了致公堂。

同盟會與致公堂在思想上還有不少分歧，成為兩者日後反目的伏筆。不過孫中山運用他的威信，能夠發揮作用說服雙方暫時放下意見，為當前同一目標而共同工作。

到七月底，革命活動又升級，在洪門領導下，成立了美洲中華革命籌餉局，但為了防止美國當局的干涉，這機構對外卻稱為國民救濟局。同盟會雖然人數比致公堂少，但在局裏掌握不少重要職位。這組織向美洲華人呼籲：“……輸財助餉，以補內地同胞之所不逮，實為我海外華僑之責任，義不能辭也。內地同胞捨命，海外同胞出財，各盡所長，互相為用，則革命之成可指日而定也……。”

籌餉局又“……復派演說員兩隊：孫文大哥，黃芸蘇君為一隊，周流美國之北；張藹蘊君，趙煜君為一隊，周流美國之南；分途遍遊全美，演說勸捐，發揮本堂宗旨，務達實行目的……並望各埠職員叔父，鼓勵同胞慷慨捐助，巨資麇集，大舉義旗，十代之仇，指日可復。不特我洪門之光，仰亦漢族之幸也！……”㉒在同盟會與致公堂合作有利情況之下，終於發揮了洪門在美洲華人社會裏分佈很廣的潛力來支持中國革命。在這期間很多地區的華人也先後紛紛成立同盟會支會。經過了多年的努力，美洲的革命黨人終於打開了局面。

但中國的局面的變化得更快，一九一一年十月十日爆發武昌起義，各省紛紛響應，滿清政權迅速冰消瓦解，二千多年的封建專制統治終於結束了。孫中山在十月十一日抵達科羅拉多州丹化市才知道消息。他就把在美國遊埠演說的任務交給其他演講員，而自己到紐約與朱卓文一同乘船赴英國與荷馬李會面，在歐洲進行外交活動。隨後，他們在十二月底抵達上海，孫中山被選爲中華民國臨時大總統。

籌餉局繼續在美國工作到年底，共籌得美金十四萬二千多元。捐款的多是美國、墨西哥、古巴、千里達等地區中下層社會的華僑。以往抱着觀望態度的上層社會人物，很多也都轉變過來了。到十一月底，中華會館響應籌借廣東軍餉，號召美洲各地中華會館和中華公所響應。㉓

在美洲革命運動中，值得注意的是一些首要人物如李是男、黃伯耀、溫雄飛、張藹蘊等，都是美國土生；其他如黃芸蘇、黃超五、馮自由、崔通約、廓華汰、伍盤照等，都是新興資產階級知識分子。這些人與代表中下層社會工人小商人的致公堂攜手合作，形成一股强大雄厚的力量。中國民族革命，正代表這大聯合各階層的客觀利益。

以人口比例計，美洲華僑參加保皇或革命的活動會比世界其他地區更活躍。一個重要因素是革命黨人可以在美洲比較公開地活動；但另一個重要因素，也是由於美洲華僑飽受種族歧視的痛苦，在當時當地，看不見好的前途；所以對於中國民族主義的號召，特別熱烈響應。這些因素，也提供同盟會繼承者國民黨日後在美洲能夠長期積極經營和深入華人社會的基礎。

注釋：

①　據陳意妙1970年8月18日及1974年4月19日口述，孫中山曾在她父親美以美牧師陳翰芬的家居留，陳翰芬是孫中山的中文教師區鳳墀的女婿，

200

由於孫中山留在舊金山兩個月，他可能在不同時間留在陳翰芬家及聯勝店。據黃伯耀，《孫中山先生年譜》（《少年中國晨報》，1947年8月20日開始連載44期），在舊金山參加興中會的人以教會中人佔多數，其中有馬錦興、譚貞謀、陳翰芬、劉明德、陳省微、毛基、嚴俊升、陳吉初、歐陽琴軒等十多人，另外還有斯坦福大學生廊華汰。

② 夏威夷州檔案館收藏有日本帝國外務大臣發給柏原文太郎（梁啟超）的護照，夏威夷外交部（當時美國已經併吞夏威夷共和國，但在美國國會還未通過建制法之前，夏威夷共和國政府各部門暫時繼續執行原有職務）蓋印日期是1900年1月3日。

③ 夏威夷州檔案館收藏光緒25年12月14日（1900年1月13日）保皇會職員名單。

④ 見《中西日報》，1900年4月27日。

⑤ 見《中西日報》，1900年3月10、12、13日。

⑥ 《行慶改會簡要章程》，光緒32年孟冬（1906年約11/12月），見《丙午佈告改會全文及簡章》（紐約: 中國憲政黨駐紐約支部，1936年重刊）。

⑦ 何其武亦名何望，當梁啟超在檀香山的時候，與何的姊蕙珍曾有一段感情。梁啟超離開檀香山的時候，何女將弟託給他攜往日本讀書。後來何其武到香港附徐勤，出名為廣州《國事報》股東，經常往來廣州香港之間。

⑧ 孫中山是在天運癸卯年11月24日晚（1904年1月10日）加入洪門。

⑨ Lyon Sharman, *Sun Yat-Sen: His Life and Meaning*（斯坦福: 斯坦福大學出版社，1934年），第79頁。

⑩ 見《中西日報》，1904年3月23、30日，4月7、28日。據馮自由，《孫總理癸卯遊美補述》（見《革命逸史》第2集，第101—124頁），致公堂延聘了那文律師與移民局交涉; 黃三德的《洪門革命史》，則說律師名是和利。但據4月28日《中西日報》，律師名卻是專理華人往來美國文件的術沙（或作逑沙，即謝爾特策）。《中西日報》是當其時出版而且與這案件有關，所以發表的律師名應是。

馮氏的文章又提及歐榘甲力阻洪門歡迎孫中山，後被《大同日報》開除。但據李少陵，《歐榘甲先生傳》（台北，自刊，1970年），第28頁，歐棐甲在1903年11月已經因奔祖父之喪而離美返中國。那時候，孫中山還在檀香山，但未加入洪門，所以馮說似與事實有出入。

⑪ 見《中西日報》，1904年5月5、9日；據《美國舊金山興中會》（見馮自由《革命逸史》第4集，第22—23頁。）一文指出，孫中山召集耶穌教徒在舊金山長老會開會，在會場鄺華汰率先加入興中會，並推動在座眾人購買中華革命軍需債，共籌得美金四千餘元。但鄺華汰在1903年已經應香港李勝格致工藝學堂之聘離開舊金山（見《中西日報》，1903年7月31日）；所以馮自由的報導與真相頗有出入。黃伯耀，《孫中山先生年譜》及張藹蘊，《辛亥前美洲華僑革命紀事》均言孫中山在1896年已經在舊金山招募興中會會員，但響應的人寥寥無幾，鄺華汰應在這次入會。

⑫ 趙煜，《辛亥革命與海外洪門》，見《辛亥革命回憶錄》第6集（北京：文史資料出版社，1981年），第74—82頁。

⑬ 黃伯耀，《李是男事略》見《近代史資料》（北京：中華書局，1978年）總第37期（1978年第2期），第7—9頁；

溫雄飛，《中國同盟會在美國的成立經過》，見《廣東文史資料》第25輯（廣州，廣東人民出版社，1979年），第17—59頁。

據黃超五，《斥紐約〈維新報〉說謊之無恥》（見《少年中國晨報》，1911年5月29日）他，溫雄飛，黃伯耀及李是男是"少年學社"的創始人。但溫雄飛的敘述卻相當詳細，且言之鑿鑿，可信性似頗高，所以且採納他的說法；《辛亥前美洲華僑革命運動紀事》。

⑭ 黃芸蘇，《〈少年中國晨報〉50週年紀念雜憶》見《〈少年中國晨報〉50週年紀念專刊》（舊金山：《少年中國晨報》，1960年）第106—108頁。

⑮ 《紐約華僑社會》（紐約，華僑社會研究社，1950年）第66頁，發表同盟會成立時拍攝的照片列有17名創辦人，除了正文的7個人，還有孫逸仙、周植生、趙悲洹、李鐵夫、鄭金睿、黃就、梁添、李語文、馬壽、黃蔡氏（黃麟思夫人）。後的名單與吳朝晉口述《孫中山三赴紐約》（見《近代史資料》（北京：中國社會科學出版社，1987年）總64號，第1—19頁）所述的名單相吻合。吳的口述也有以下幾句"……自從該晚參加筵宴之後，有的竟不再涉足其間一步……"這可能就是黨史將創辦人減為7人的原因。

⑯ 溫雄飛，《我在檀香山同盟會和〈自由新報〉工作的回憶》，見《辛

亥革命回憶錄》第8集（北京，文史資料出版社，1982年），第309—334頁。

余齊昭，《盧信》傳〔見溫廣益編，《廣東籍華僑名人傳》（廣州，廣東人民出版社，1988年），第159—167頁〕，說盧信1911年4月離開檀香山。溫雄飛的文章說盧信走後，梁國英任檀香山清領事，不久溫雄飛指使革命黨人鬧風潮。梁國英上任的時候是宣統3年1月（1911年2月），這時候盧信已經不在檀香山，所以以溫文的叙述爲是。

⑰　黃伯耀，《少年中國晨報創刊之回憶》，見《少年中國晨報30週年紀念册》（舊金山：《少年中國晨報》，1940），第46—52頁。

⑱　見《世界日報》，1910年12月5、12、13、16日；1911年4月17日都刊載類似的廣告。

⑲　見《中西日報》，1911年1月13日。

⑳　見《少年中國晨報》，1911年4月15日新舞台的廣告。

㉑　見《中西日報》，1911年3月10日，5月22日，6月7日。

㉒　《美洲金山國民救濟局革命軍籌餉徵信錄》（舊金山：國民救濟局，1912年）。

㉓　見《世界日報》，1911年11月30日。

第六章
美國華人與中國政治
——民國成立以後到三十年代

一、中國政爭與華人社會

(一)憲政黨與致公堂

辛亥革命結束了二千多年的帝制，成立了"五族共和"的中華民國。象徵臣服滿族的薙髮留辮制度很快從美洲華僑社會消逝。向來提倡君主立憲的憲政黨，也改變論調，在報章發表反對清政府的言論，例如"二百六十年漢人不服滿人表"，"清政府偽立憲之結果"等文章。①民國成立後，帝國憲政黨又除去了"帝國"兩字。

美國華僑對新建立的中華民國政權抱有很高的期望。不少商人、企業家打算到中國投資，而在美國不得志的知識分子、科技專業人員也有回中國找尋出路的計劃。但中國舊社會的積弊，並非改了共和就一舉可以獲得解決。皇帝雖然遜位，但舊官僚及軍閥仍然當權；他們專制獨裁貪污腐化的統治，並不亞於滿清時代。再加上連年內戰及帝國主義的侵略，使中國社會經濟長期呈現不穩狀態。要想建立一個富強中國的願望，根本就沒有條件實現。而中國國內的政治鬥爭，卻渡過太平洋，使華人社會繼續成為黨派鬥爭的場所。

　民國初年，美洲華僑大多數擁護共和政體，但各集團政見不同，所以分爲三個主要黨派。憲政黨是最保守的政治集團。這集團的社會基礎是中上層的商人階級。由於辛亥革命前的發展，該黨在西半球許多地區設有黨支部或分部；在西半球設有三家機關報：舊金山的《世界日報》，檀香山的《新中國報》和紐約的《中國維新報》(溫哥華曾有《日新報》，但在辛亥革命前後已經停刊)。辛亥革命的成功，雖然對憲政黨在華人社會裏的勢力有一定的打擊，但在民初，尤其是孫中山失勢之後，這保守集團在華人社會裏仍然具有相當影響力。

　辛亥革命之後，梁啟超主張憲政黨回中國參加政治活動，當時康有爲卻認爲難與出任大總統的袁世凱共事，所以息了這念頭，但美洲黨部繼續與康、梁等人聯繫，並因此與一些舊官僚軍閥也比較接近。袁世凱稱帝的時候，憲政黨在美國採取反對的立場，但袁倒了之後，憲政黨卻在海外擁護北洋軍閥政府，反對孫中山在廣州所設立準備北伐統一中國的軍政府。不過，由於康、梁兩人往往對中國政局有不同的意見，憲政黨勢力因此也始終不能夠在中國擴張。

　另一個政治集團，洪門致公堂，在辛亥革命時期曾是革命黨的同盟軍。這組織歷史悠久，成員分佈甚廣，也設有報館系統，在舊金山有《大同報》(辛亥革命之後曾一度改爲《中華民國公報》)，檀香山有《漢民報》(辛亥革命前是《啟智報》)，紐約有《民國公報》，溫哥華有《大漢公報》。

　中華民國成立後，致公堂領袖黃三德回中國進行政治活動，跟廣東當權的國民黨官員發生磨擦。國民黨又沒有償還加拿大洪門抵押樓業籌餉的款項，再加上兩者政見相異，裂痕越來越大，所以孫中山寫信要求洪門幫助籌餉北伐，致公堂便致書痛罵他及國民黨：

……洪門求都督胡漢民立案，一再批斥不准。先生受洪門待遇之厚，胡漢民感謝洪門之手墨未乾，豈意忘本食言如是之速，先生充全國鐵路總理，月金三萬，一年有餘，洪門未獲先生片紙隻字。先生短於漢文亦難怪，豈眞無書記乎。今先生大礮之徽譽，騰於內外。偉人變作匪人；先生利用洪門之技倆又出。先生衰時則倚庇於洪門，盛時則鄙屑洪門，避之若浼。今盛而復衰，又欲與洪門親密。先生休矣……。

致公堂與國民黨決裂之後，便擁護北京北洋軍閥政權，同時跟中國的秘密會黨也有聯繫。像憲政黨一樣，致公堂的活動範圍主要是在海外，也是美洲華僑社會裏另一股保守力量。其社會基礎是美國華人社會工商界中下層人物。到一九二三年，致公堂在舊金山開懇親大會，決議在上海建設五祖祠爲全洪門昆仲的總機構，推舉趙昱和黃鳳華爲籌辦人。隨後北美洲及檀香山踴躍捐款，一九二五年在上海購置唐少儀新建的大廈，同年九月開幕。②十月十日致公堂改組爲致公黨（由於海外組織很不健全，因此堂、黨不分，很多地方仍然保留致公堂名稱）。黨的第一任正副總理是中國軍閥陳炯明和唐繼堯。陳炯明模仿孫中山的三民主義也提倡三建（建國、建亞、建世）主義。

不過，致公黨始終也沒法在中國成長爲一個有勢力的政治集團，主要政治活動範圍還是限於散佈海外的幾十萬洪門分子，對中國局面只能產生有限的影響。

(二)國民黨

辛亥革命之後，中國同盟會改組爲中國國民黨。一九一二年底，美洲中國同盟總會也改爲美洲國民黨總支部，檀香山支部爲它的隸屬。

在中國，國民黨是代表新興資產階級的政黨。中華民國成立之後，許多投機分子卻滲入了這黨裏，成爲一個龐大的政治集團，孫中山也被架空了。袁世凱就任中華民國大總統，國民黨新貴卻控制了國會，跟以袁世凱為首的舊官僚集團對抗爭議。不久，兩者之間的矛盾尖銳化。一九一三年，在中國各地國民黨的支持者起兵反對袁世凱的專橫統治。但這第二次革命很快就失敗了。袁世凱隨即下令解散國民黨，跟着又解散國會。國民黨本部由上海遷移到日本東京; 孫中山也赴日本，決心改組國民黨，領導反袁活動。

孫中山認為"……因鑒於前此之散漫不統一之病，此次立黨特主服從黨魁命令，並須各具誓約，誓願犧牲生命、自由權利，服從命令，盡忠職守，誓共生死……"。一九一三年底他在日本籌組中華革命黨。這組織"……係秘密結黨，非政黨性質; 各地創立支部，當秘密從事，毋庸大張旗鼓，介紹黨員尤宜審慎……"。首立誓約的有王統、黃元秀、朱卓文、陸惠生、馬素五人。一九一四年中華革命黨在東京召開第一次大會，選出孫中山為總理。

在這期間，中華革命黨派黨人四出世界各地活動。一九一四年林森到檀香山和舊金山視察黨務。年底，吳鐵城又化名吳丹入境，任火奴魯魯《自由新報》主筆並負責當地黨務。同年，黃花岡起義的主要領導人黃興，也取道經檀香山到美國大陸。他因為不同意中華革命黨規定老資格的革命工作者也要發誓服從孫中山，所以就沒有參加。但他反袁的立場卻和中華革命黨相同。黃興在美國停留到一九一六年春才啟程回中國。在這期間，他曾多次被邀請對華僑和留學生演講，進行反袁的宣傳活動。他也參加國民黨的懇親大會，被推舉為名譽會長，又和國民黨人商談"團結一致討袁方策"。③

不過，黃興在美國畢竟是過路客身份; 所以在華人社會基層發動反袁運動，還是要本地華人把持。這時候，美國華人的輿論，一般都站在反袁的立場，而在這方面最積極的就是國民黨分子。

當時海外各地的國民黨支部已經受總部命令改組為中華革命黨。但在美國大陸的國民黨可以公開活動，所以對外仍保留原來的名稱。直到一九二○年，舊金山的美洲中國國民黨總支部（一九一六年改美洲支部爲總支部）在黨務方面是佔很重要地位。美洲各地、檀香山、英國利物浦、日本橫濱、澳洲、南非各地及太平洋各輪船的支部都歸屬其下。

由於國民黨的組織紀律較嚴，而且當時國民黨不是當權派，大部份少壯黨員仍然未被權勢所腐蝕，他們很多抱有爲達到理想的高度鬥爭精神。這樣，國民黨成了美洲反袁、反軍閥最活躍的政治組織。

由民國初年到二十年代初，國民黨在北美洲和檀香山逐漸形成一個報紙宣傳網。辛亥革命以前，同盟會已經在檀香山創設《自由新報》，在舊金山設《少年中國晨報》。在反袁、反北洋軍閥期間，國民黨人謝英伯和馮自由在舊金山設《民口雜誌》(*People's Tongue,* 一九一三年創刊)，謝英伯和鍾榮光、吳朝晋等在紐約設《民氣週報》(*Mun Hey,* 一九一五年創刊)；加州斯托克頓國民黨人設《匡時月報》(一九二○年創刊)；西雅圖阮洽、曾詩傳等，波特蘭李焯常、雷法榮等在西雅圖設《僑星週報》(*The Chinese Star,* 一九二一年創刊)。在芝加哥又辦有《三民主義英文月刊》(一九一六年創刊)。這些刊物和加拿大維多利亞的《新民國報》，（辛亥前爲不定期刊物，民國成立後改日報）。多倫多的《醒華週報》(1917年創刊)，及溫哥華的《加拿大晨報》(1921年創刊)，遙相呼應，向社會宣傳國民黨的政治主張，並鼓吹民族主義和美國資產階級民主共和思想。

國民黨的反袁世凱活動，不只限於報章上的鼓吹。一九一四年，美洲支部成立了民國維持會，選林森爲會長，陳達三爲書記。這組織的宗旨是"維持民國，鞏固共和，實行平民政治，完成革命大業"；主要任務是籌餉支持國內反袁活動，而在海外進行反袁宣傳。維持會得到華人各界的支持，對美國輿論有相當影響。

這些行動，使國民黨成爲北京政府的眼中釘。一九一五年，國民黨在舊金山召開第一次懇親大會。會議程序裏包括策劃怎樣更有效地打擊袁世凱政權。當時中國駐美公使夏偕復試圖通過外交程序，要求美國聯邦政府施壓力禁止大會開幕，但得不到美國政府的合作。同年他又指控在《自由新報》任職的吳鐵城為無政府黨，着當地政府驅逐出境。經過當局審查之後，才在一九一六年取消逐客令。④袁世凱在一九一五年死後，國民黨人又繼續反對承繼他的衣砵的北洋軍閥政府。

在這期間，國民黨人是華人社區裏的激進份子；他們抱有虔誠信徒般的熱忱。例如一九一四年，袁世凱派宣慰使徐桂來美國，擬在舊金山中華會館演講，但遭國民黨提出強烈反對而未遂。

國民黨亦不惜施用暗殺手段恐嚇對方。例如一九一五年，上海報人黃遠庸來美國，《少年報》指控他支持袁世凱帝制。黃到舊金山後，十二月二十五晚在上海樓被國民黨人劉北海、劉棠刺殺。⑤三年後，一九一八年五月，北洋政府官僚湯化龍到加拿大，被指控圖謀借款維持軍閥政權。他到維多利亞，也就在叙馨樓被王昌開槍擊斃。這些行動，在華僑社會裏造成一種反袁反北洋軍閥的氣氛，使北洋政府代表們卻步。

民國初年，美洲華僑對中國內政的看法雖然不劃一，但他們反對外國帝國主義侵略中國卻有一致的意見。國民黨人在這方面的表現，正符合當時華僑的愛國情緒。一九一五年，日本欲強迫中國簽訂二十一條約，美國華僑組織愛國會抵制日貨。當時國民黨的林森和黃伯耀正在古巴發展黨務，回美洲大陸之後，他們繼續環遊美國、加拿大各埠，展開救亡宣傳，啟發華人對時局的認識。

一九一九年，歐戰結束後，列強在法國凡爾賽宮召開和議，把戰敗國德意志在中國山東半島的特權全盤移授給日本。這便激起中國各界人士的抗議。在青年學生發動之下，當年五月四日在北京掀起劃時代的"五四"愛國運動。

美國華人的反應亦很強烈。早在五月三日，舊金山中華會館集會，決議發電給參加和會的中國代表及當時孫中山領導下的廣東軍政府，聲明華僑"寧殉國恥，誓不公認和約"。其他各埠的中華會館、教會、同源會、留學生界亦紛紛響應，發電回中國提出抗議。跟着舊金山中華會館領先組織救國團，又有中華鐵血少年演說團在街頭推廣宣傳工作。國民黨總支部另組織國民外交後援會，以何卓競為會長，朱伯元為總幹事，並遣派陳耀垣到各埠演說，策動國民外交，力爭山東問題。⑥在檀香山也組織有會員千多人的華僑救國十人團，向中西人士演講並派發傳單進行宣傳工作，與國民外交後援會遙相呼應。

一九二〇年，擁護孫中山的武裝部隊佔領了廣東要地，一九二一年，在廣州成立了"中華民國政府"，孫中山被選為大總統。這政權主要領導人物，都是資產階級裏堅決擁護民主革命的分子，但由於他們實力有限，所以又要團結不少軍閥及官僚，成立一個複雜的聯合戰線。這政權的基本目的是推翻北洋軍閥，統一中國。

這時候，憲政黨和致公堂也意識到國民黨威脅到他們在中國的利益和他們在美國華人社會的地位；因此，兩者試探互相合作一致對付共同政敵國民黨的可能性。一九二三年，在香港的憲政黨領導人物徐勤向美國黨部提交以下的報告："……去年小兒由美回來，述及各埠致公堂多欲與吾黨攜手……經即電覆黃金先生（舊金山的一名憲政黨員），請共與前途，從速妥議兩黨合併之事……。"不過，兩者結果沒有合併，而致公堂則在一九二五年改組為政黨。這兩個組織雖然政見不盡相同，但在美國華人社會卻經常合作，反對國民黨，並慫恿中國軍閥和地方武裝推翻廣州的革命大本營。致公堂跟廣東地方武裝陳炯明聯繫，支持他反對孫中山。憲政黨也派人到中國各地，游說軍閥及地方武裝進攻國民黨的廣州政權。一九二三年，徐勤成為華北軍閥吳佩孚的顧問；伍憲子也在一九二五年加入了雲南軍閥唐繼堯的幕府。這些政治活動所需的費用，部份是由海外憲政黨組織供給。⑦

這些敵對行動雖然沒有能推翻廣州政權，但卻增加革命大本營財政方面的困難，這政權要繼續生存下去，就不只是加重廣東人民的賦稅負擔，還要向工商業落手，找尋新的財源。當時美洲華僑集資創辦的新寧鐵路，也是被影響的一個企業。

當初，新寧鐵路曾借出十二萬元給革命政府作軍餉，據說當時孫中山已經指示任何機關單位都不得再向鐵路借款。但當廣州政權的財政短缺，經濟愈來愈困難的時候，一些軍閥官僚繼續覬覦這鐵路的收入，不斷借款。一九二三年中，廣州政府又向鐵路要求借款三十萬元。當時鐵路總理陳宜禧認爲已經屢次借出不少款項，鐵路經濟情況不能再負擔，因此堅決推卻。廣州政權於是下令把鐵路接管。陳宜禧不服，呼籲美洲華僑支持。⑧

用不着說，致公堂及憲政黨當然假借這機會攻擊廣州國民黨政權。很多本來無黨無派的鐵路股東，對接管鐵路也極爲不滿，代表他們說話的就是在華僑社會裏具有影響力的《中西日報》。在當年，《中西日報》就這問題與國民黨喉舌《少年報》進行筆戰多日，且刊登多封寧路股東的來信，咒罵孫中山及國民黨。爲了要挾《中西日報》就範，美東國民黨開懇親大會，通過"對付《中西日報》宣言"，內稱"對待《中西日報》，以對待國賊者對付之……"。並印發"對付《中×逆報》辦法"。⑨

後來，《中西日報》在九月刊登來信，裏面提及"……夫孫文者，乃檀香山之野生；香山人拾而養之。及長，學些英語文字，於祖國風俗政敎懵然不知。學問文章，更不知爲何物……而未反正之先，他曾到屋崙埠演說，勸僑胞多娶妻生子，及多食飯；在大埠則勸婦女勿纏足等語，當時許多台〔山〕人所親聆，可爲實證。其才識如此……粵人崇拜之者，除香山外，以台〔山〕人爲多；別縣寥寥……"。⑩國民黨和香山人具有相當勢力的陽和會館便趁這機會參加向《中西日報》的圍攻，指控該報侮辱香山人，要求道歉。

舊金山國民黨又藉口《中西日報》載寧陽鐵路股東來函裏有"……警告台人，凡入賊黨者，公定一概要脫離黨籍。如不遵行，即以抗衆論，以相當手段對待之……"等句語。以台山籍黨員陳子禎、黃滋、黃傳參、余兆華、蔡堅白等出頭向中華會館投訴，斷言這語處他們於危險地位。《中西日報》也不示弱，向國民黨人質問有關美東國民黨所通過對付《中西日報》的措施，雙方相持不下，勢均力敵。結果中華會館的商董避開雙方所互相指控的棘手問題，而只決定勸令雙方停止筆戰。《中西日報》隨亦向陽和會館道歉。不久，廣州政權把鐵路交還，局面算暫時和緩了。⑪

從辛亥革命到新寧鐵路事件，中國革命形勢的發展，對於美洲華僑社會裏資產階級各集團的相互關係有很大的影響，每個集團的利益，影響了他們對中國政局的基本態度，而這些態度上的變化，就促使這些集團之間發生分裂而產生新的組合關係。所以從辛亥革命期間，同盟會聯合致公堂與憲政黨對壘的形勢，發展到民國初年衍變成爲國民黨與致公堂和憲政黨對立的局面了。

二、國民黨的分裂與統一

(一)擁胡派與擁汪派

廣州革命大本營成立不久，列強就發覺這個在孫中山領導下的政權，並不像北洋政府那麼容易被他們所駕馭。他們對於這南方政權所表現的民族主義立場採取否定態度。國民黨一些主要領導人物如孫中山等，以爲西方國家會自動扶持一個獨立自主中國的美夢，也在這殘酷現實面前幻滅了。當時唯一以平等態度對待中國的大國，是新興起的蘇維埃社會主義共和國聯盟；所以國民黨領導人逐漸轉向蘇聯，廣州政府的反帝、反封建立場越來越明顯。這局面又影響到在美國一些國民黨員活動的方向。

社會主義者主張世界上一切被壓迫人民的解放。這主張使正在進行反帝國主義、反封建鬥爭的國民黨人也發生共鳴; 所以在海外的黨人很早已經跟各派社會主義者接觸, 且有過合作關係。民國初年, 國民黨員謝英伯在紐約參加過國際社會黨。一九一九年, 北洋政府派人到美國募債, 被紐約國民黨人趙公璧探知, 而通知芝加哥社會黨總部, 他們即印發三十萬張傳單遍告美國國人, 並聯名上書威爾遜總統表示反對。⑫俄國十月革命後, 美西國民黨人張藹蘊等, 又在聖荷西 (粵人稱山多些) 成立新社會學會, 研究社會主義學說。⑬國民黨與一些工人組織如舊金山的工藝同盟和芝加哥的民生組織也有友好關係。

一九二三年, 在孫中山等人領導之下, 國民黨進行改組, 加強了黨內組織及紀律。一九二四年一月, 在廣州召開了國民黨第一次全國代表大會, 確定了三民主義的解釋, 確立了聯俄、容共、扶助工農三大政策。在國民黨領導下的中國資產階級民主主義革命又有進一步的發展。但這發展卻促使在美國的國民黨內部矛盾尖銳化, 終於發生分裂。

在美國國民黨的主要任務基本上不外兩方面: (1) 為中國革命籌餉; (2) 為中國革命進行宣傳工作。前者一般是落在商人及一些有資產的人肩上; 後者卻是知識分子的責任, 尤其是宣傳文章。至於勞動人民, 他們受美國排華法例的壓迫以及美國工人運動的排斥, 因此, 力量單薄而孤立。華人工人雖然也有參加美國國民黨, 但他們在黨裏所起的作用有限。把持黨務的商人和知識分子, 一般有強烈的民族主義意識, 但他們大部份人跟當時在中國如火如荼般發展的工農運動卻在思想上有很大的距離。加上美國當時的歇斯底里式的反共政策的影響, 令他們對三大政策抱疑懼態度。《少年報》就是這派的發言人, 在這期間曾連載幾篇社論, 向讀者力辯三民主義並不是共產主義, 表現出他們心裏的不安。

一九二四年，國民黨的三藩市總支部接到通知，一九二六年元旦在廣州召開第二次全國代表大會，於是選派陳耀垣及譚贊兩名代表回中國參加。但還未及開會，孫中山卻在一九二五年逝世。他死後，部份黨員在北京西山開會，提出反共綱領，另組中央委員會，並在上海召開代表大會與廣州的大會對抗。陳、譚兩人回到中國，不但沒有到廣州開會，而且還動用總支部款項三千元助成西山會議派。

這些行動，使美國一些黨人嘩然。跟着，西雅圖分部聯同十多個分部發電給廣州的黨中央委員會，聲明取消陳、譚兩人的代表資格，但《少年報》及總支部卻繼續支持這兩名代表。美國國民黨內部開始分裂為兩派。在一方面是以總支部及《少年報》為中心的"右"派；他們的對手是以西雅圖分部為首的"左"派。

西雅圖分部認為要解決美國國民黨內部矛盾，就非開代表大會不可；因此，聯同二十一個分部要求總支部召開大會。他們被拒絕後，又轉向黨中央提出這要求。結果國民黨中央海外部彭澤民下令美國國民黨，在洛杉磯開代表大會，並發電停止三藩市總支部執監委員的職權。

一九二七年元旦，美洲國民黨臨時代表大會在洛杉磯開幕，當時有二十一個分部派代表參加（但到會只有十八名代表），贊助的分部也有三十個。由於三藩市總支部採取抵制行動，所以三藩市支持這大會的黨員，只能夠以服從中央分子聯合會名義出席。這次會議選出總支部新職員，並通過幾條決議。其中一條是着手創辦黨報《美洲國民黨日報》，代替《少年報》。

一月二十四日，國民黨總支部的新職員到三藩市總支部就職。據一月十九日國民黨全美臨時代表大會致各黨部的信：

　　……當新委員將舉行就職典禮，反動分子糾集暴徒，闖入總支部，
　聲勢洶洶，在禮堂將代表及委員等包圍，妄行謾罵，叫打叫殺之聲，不

絕於耳。旋譚貞林、黃定一率同多人，直上樓上，將代表等包圍，多方謾罵；而暴徒復即動手用武，幸被旁人制止，不致傷人。但暴徒之來不絕，辦事職員知勢不佳，退入辦事房暫避。暴徒旋復將辦事房圍困，約點餘鐘，仍思破門而入。後得西探到來，將暴徒驅散，始行出險……。

後來，這些職員就移到屋崙，另成立國民黨總支部，並選出新的領導成員十二人。

不久，西山會議派的馬超俊及李文範由中國來美洲活動，拉攏各分部展開爭奪戰，以擴大西山會議派的地盤。例如在芝加哥，李文範就跟當地黨員譚賛共謀奪取該地分部。當分部開會的時候，"……由質問而衝突，由衝突而動武，打作一團，頭破脚裂。警署得報，派警馳至，將全部人員，載向監獄中去，而李文範亦在其中，嚐鐵窗風味……"。到這階段，美洲國民黨已分裂爲左右兩派。"右派"擁護西山會議派分子以及跟他們同一陣線的元老胡漢民。舊金山的舊總支部及老資格黨報《少年報》是他們把持的機構。所謂"左派"（後來稱"改組派"）卻擁護汪精衛。他們另設有總支部。主要輿論機關有新創辦的《美洲國民日報》，紐約的《民氣日報》，加拿大溫哥華的《加拿大晨報》，及檀香山的《自由新報》；支持他們的還有些進步青年及留學生。

早在一九二五年，上海的"五卅"慘案和廣州的沙基慘案已經先後激發進步留學生參加救國及反帝活動，約在一九二六年，進步的留學生成立中山學會宣傳國民黨的三大政策。在這方面最活躍的有清華大學"超桃"秘密組織的八個成員。他們在一九二四——一九二五年先後到美國留學，分別到各大學，如斯坦福大學有施滉和徐永瑛，芝加哥大學有冀朝鼎。這些學生都積極參加支持中國革命的活動。⑭在舊金山則有華人進步青年謝創（Xavier Dea）、張恨棠（Benjamin Fee）等人在華文學校學生之間活動，他們在華埠高舉青天白日滿地紅旗。到一九二七年又成立三藩市中國學生會。⑮這個組織和中山學會都成爲舊金山進步活動的核心。

一九二七年春，中國革命形勢的突變，對海外的政治活動方向起了決定性的影響。當初，國民革命軍由廣東誓師北伐，得到全國進步工農的積極支持，革命情緒高漲，革命軍所向披靡，打垮華東華中的軍閥，帝國主義者也感覺到他們在華的特權受到威脅了。

一九二七年初，在武漢成立國民政府。但在這同時，總司令蔣介石已經另有打算，他的軍隊到上海之後，得到民族資產階級和列強的支持合作，在四月十二日發動政變，進行清黨運動，拘殺大批共產黨人、革命工農羣眾及知識分子。四月十八日，在南京成立政府與武漢政府對抗。

這時候，美洲的國民黨擁胡派，得到南京政府的支撐，獲得新生，舊總支部的職權也恢復了。於是產生了在美國有兩個國民黨總支部的怪現象。

為了排除異己，右派總支部不惜採取毒辣手段，致電給中央的海外部，要求通緝擁汪派黨人馬典如等二十一人。其中《民氣日報》編輯胡樹英最倒霉。他曾參加過洛杉磯的臨時代表大會，後來雖然發表多篇擁蔣反共的議論，但這也挽救不了他。當年六月，他因為母病而回到中國。不料剛抵達上海便被南京政府逮捕槍斃，罪名是"搗亂黨務，反對政府。"

在新大陸，右派也採用恐怖手段向對方施加壓力。一九二七年八月八日，國民黨分子黃疊盛在加拿大溫哥華《加拿大晨報》報館內槍殺左派總編輯雷鳴夏及排版工人黃友梅。經過這打擊後，這報館走向下坡，終於一九二九年二月七日停版。在其他地方，右派又設立黨報與左派抗衡。計有一九二八年在檀香山成立的《中華公報》，一九三〇年在芝加哥成立的《三民晨報》，一九二七年在紐約成立的《中山週報》(不久改《中山晨報》，一九三〇年改《中國日報》，一九三三年停刊)。

左、右派最重要的戰場還是美洲華人最集中的舊金山。那時
候，三藩市中國學生會在謝創、張恨棠等人領導之下，繼續跟國
民黨右派鬥爭。每逢星期六，他們就在街頭演講，抨擊蔣政權。
進步留學生徐永瑛則在《美洲國民日報》擔任主筆，發表反蔣反
帝的言論。報館人員經常有槍械傍身以防右派的襲擊。當時擁汪
派人士確是常有被右派毆打的事情發生，有些還要離埠逃避。
　　中國國內的局勢卻繼續戲劇性的變化。一九二七年七月十五
日，武漢政府也開始清共，捕殺共產黨人及進步青年。
　　一九二七年八月十九日，武漢和南京國民黨政權合併，中國
有了一個被列強承認的政府。不久，在美國的國民黨擁汪派也開
始清黨。廣州起義之後，一九二八年一月，徐永瑛等進步留學生
在《國民日報》再也不能立足了。但中國國民黨內部鬥爭所導致
的分裂，在美國仍然存在，兩者之間的關係，儼然如敵國。左派
在屋崙另組織中國國民黨駐美總支部，與原來在舊金山恢復的中
國國民黨駐美國總支部對立。一個是"駐美"，一個是"駐美國"。
前者用直招牌，後者用橫招牌。一個是擁汪（精衛），以《國民
日報》為中心。一個是擁胡（漢民），以《少年中國晨報》為中心。

（二）共產黨人的活動

　　稍前，約在一九二七年美國共產黨成立中國局。據說首批參
加的人有七名留學生和三名舊金山華人學生。早期入黨的有來自
清華大學的施滉、徐永瑛、冀朝鼎、謝啟泰（即章漢夫）及華人
青年謝創、張恨棠等。中國局的第一任書記是施滉（他一九三〇
年回中國活動，在北平被國民黨逮捕殺害，年僅三十三歲）。⑯
　　廣州起義失敗之後，一些國民黨左派黨員（有些也是美國共產
黨黨員）如施滉、徐永瑛、石佐等在舊金山組織美洲擁護中國工農
革命大同盟，並在一九二八年四月創辦油印刊物《先鋒報》（*The
Chinese Vanguard*），支持中國革命及揭發國民黨政府的反民主

措施。這是美洲華人社會裏第一份以馬列主義爲主導思想的羣衆性報紙。在這同一時期，費城左派在朱耀渠（即朱夏）等人領導下，撤銷他們把持的國民黨黨部，改爲大同盟的分部。《先鋒報》旋即遷徙到費城出版。費城一時成爲美東華人親共左派的主要活動中心。

一九二九年夏季，工農革命大同盟派冀朝鼎爲代表出席在德國舉行的第二次世界反帝代表大會並加入世界反帝大同盟。一九三〇年，這組織改組爲美洲華僑反帝大同盟（All America Alliance of Chinese Anti－Imperialists），在美東華人人口最多，左派最活躍的紐約市設總盟。反帝大同盟的宗旨是：

一、擁護中國工農革命及世界革命；

二、參加並援助美洲革命的工人運動；

三、援助華僑工農一切革命鬥爭；

四、捍衛世界反帝大本營的蘇聯；

五、研究及闡揚革命理論。[17]

隨後，美國華盛頓、波士頓等城市以及境外加拿大的溫哥華和古巴的夏灣拿也相繼成立分盟。大同盟的喉舌《先鋒報》亦在一九三〇年遷移到紐約出版鉛印半月刊，後來改爲週刊。[18]

一九三八年，歐戰爆發在即，法國巴黎的《救國時報》（中國共產黨創辦，以海外華僑爲對象的報刊），渡過大西洋遷移到紐約出版。爲了集中力量搞好《救國時報》，《先鋒報》停刊。[19]在這週報戰鬥的十年歲月裏，擔任主筆的先後有黃凌霜（L. S. Wong）、蘇開明（K. M. Soo）、何植芳（Chee Fun Ho）、徐永瑛（Y. Y. Hsu）等人。[20]

大同盟在紐約很注重組織華人工人。不過，他們在這方面的活動卻不及他們在華人社會成立統一戰線那麼成功。後者的過程是關係到華人社會裏內部矛盾的發展。

當衣聯會在一九三三年成立之後，負責人就向紐約中華公所發公開信，聲明他們無意奪取中華公所在華埠的領導地位。中華公所雖然口頭上說並不仇視這新組織，但暗中卻存有芥蒂。不久，中華公所主要成員之一安良堂，下令堂友登報宣佈退出衣聯會。恰好當時在美東與安良堂勢均力敵的協勝堂與安良堂不睦，因此沒有聯同安良堂採取一致步驟，這樣才減輕了衣聯會所受的壓力。

同一時期，保守勢力集中力量打擊支持衣聯會的《紐約商報》。當時朱夏在報館任主筆，他曾積極參與組織衣聯會的活動，又經常在報章攻擊中華公所，揭發中華公所的黑暗內幕，並廣爲報導衣聯會的活動，提高了衣聯會在華人社會裏的威信。這樣，《商報》成爲中華公所不可不拔的肉中刺。一九三三年六月中，中華公所宣佈抵制《商報》，派打手到報館大門前要求停止批評中華公所。同時唆使流氓到處恫嚇《商報》的廣告戶和訂戶，並沒收報攤出售的《商報》，不聽命的報販甚至被毆打。這年底，中華公所又執着《商報》一則失實的報導，上法庭控告朱夏誹謗中華公所主席吳乾初和通事陳樹棠。朱夏雖然得到衣聯會及左派團體的支持，但審判卻在濃厚的反共氣氛下進行。經過一年審案，法庭判朱夏有罪，下令在三年內不得批評中華公所。

在組織衣聯會的活動和訴訟案的過程中，大同盟的積極分子逐漸認識到衣聯會反對種族偏見法例的行動是爭取社會正義的一部份，他們是工人階級的同盟軍。同時衣聯會和中華公所的對立，也是社會上新舊勢力的對立。因此大同盟跟衣聯會的進步分子頻頻接觸，結成統一戰線。在這同時，他們的政敵國民黨又聯同中華公所與左派勢力對立。國民黨黨報《民氣日報》成爲華埠保守派的代言人。[21]

當時衣聯會裏一些思想較保守的會員，害怕這團體裏越來越濃厚的政治色彩。衣聯會與華人傳統社團的對立也令他們不安，因此，他們要求衣聯會的活動限制於保護同業利益。這矛盾逐漸尖銳化，反對派甚至在報章上攻擊衣聯會裏一些左派分子。到一九三四年，分裂不可避免，結果在左派把持下，衣聯會開除了朱華袞、李莘眉、許乾初等十二人的會籍。不久，他們成立華僑衣館同業總會，宣佈反共立場，及跟隨中華公所的領導。但經過幾個月，這組織僅招得百個會員。而衣聯會在這年的會員，卻由二千四百名增加到三千二百名。㉒經歷幾年的鬥爭，衣聯會證明它有牢固的羣眾基礎，並不容易被推毀，它是華埠的新生力量，反對封建意識和狹隘的地方宗族觀念。衣聯會又成立一個附屬的社交組織羣社，專門提供各種健康的文化娛樂活動給會友。例如郊遊、舞會、講座等。跟着的幾年，衣聯會經常跟美國進步團體聯繫，它本身也成為美國華人社會裏聲勢最大的進步羣眾組織。

舊金山是美西華人左派的活動中心。在那裏，除了以知識分子為骨幹的中國工農革命大同盟外，三藩市中國學生會在華埠尤為活躍。每逢與中國革命有關的重要紀念日，國民黨召開紀念會，他們也組織各學校學生開紀念大會，向華埠羣眾進行政治教育式的宣傳。舉一個例，一九二八年"三一八"紀念會，包括學生演講並有啞劇《全力協力救中國》。劇情形容帝國主義怎樣與中國軍閥官僚勾結作惡，壓迫中國人民，以及學生怎樣喚起羣眾共同奮鬥打倒帝國主義。又有寓意劇《傀儡》，描述帝國主義的兇橫態度，屠殺中國人民的罪行。在其他如"五七"、"五卅"等紀念日，亦召開羣眾性宣傳大會。

這些青年人也不遺餘力抨擊國民黨背叛革命。據說有一次學生會舉行五四紀念會，會場懸上以下的對聯:

小弟不留情，平生最惡刮民黨;

忠心能取義，寧死不做亡國奴。

這對聯出自一位黃宇先生的句子，一時在街坊廣為傳誦。

學生會的激進行動，當然不見容於社會的保守勢力。早在一九二七年，一些在南僑學校的會員，曾利用這學校的設備出版會刊《羣聲雜誌》(Resonance)，採取支持中國革命的立場。學校當局發覺後，全校震動，校長勒令停刊，並將進步學生開除學籍。後來這些青年用同名，又在校外出版《羣聲》週刊，由張恨棠主編。㉓國共分裂以後，中國學生會更爲活躍，經常在街上演講或派傳單，被國民黨目爲眼中釘而屢次採取干涉行動。往往這些青年在華埠街頭演講或派傳單就要有西人進步朋友在場做保鏢，才能保證不被國民黨人毒打。右派又串同警察局，明目張膽地向這羣青年施加壓力。在一九二九年一月九日。當學生會正在會所開會，舊金山華埠警察便衣隊警官緬寅（John J. Manion）及一名便衣警察，突然破門而入。他們不顧衆多會員的抗議，蠻不講理撬開公文櫃搜查，並扣留學生會的一些文件及書籍。同時又拘拿會員張恨棠，指控他宣傳共產主義; 最後強令學生會解散。事後，學生會寫信給舊金山中國領事及留美中國學生會抗議這種非法行動，但這些機構對這事採取敷衍態度，不了了之。㉔

經過這次打擊之後，學生會領導人雖然盡力繼續維持經常活動，但羣衆心理已經受了影響。恰好這時候，學生會的一些主要核心人物也已經完成了求學階段，開始進入社會。當時美共在美國工人運動裏的組織工作，也啓發了這些青年認識到工人運動的重要性。

總結這階段的活動，當時美國大多數華僑，長期以來被封建宗族思想所束縛，再加上他們生活在一個反共氣氛濃厚的國家，又受種族主義及排華移民法律所壓迫; 因此，只有少數人能夠自覺地參加社會鬥爭。上述的幾個組織的積極分子人數並不多，但他們卻能夠在惡劣環境裏，堅持一個理想，不懈地跟不合理的社會制度作鬥爭。由於他們的成員是滿腔熱情、但缺乏羣衆工作經驗的知識分子及青年學生或工人; 因此，在活動過程中，免不了產生了不少過左而脫離羣衆的舉動。這些因素，就限制了早期左派所能收到的效果。

在初期，左派差不多將全力集中於支持中國革命，但在工作過程中，他們漸漸體會到參加美國社會鬥爭的重要性，隨即就在這方面領先打破種族隔離的藩籬，跟美國社會各種族進步人士合作，為共同目標而奮鬥；美國華人的社會鬥爭，因而跟美國的社會鬥爭有進一步的合作關係。在三十年代的羣衆性進步團體，如失業會、衣聯會及華工合作會等能夠有一定的成就，可以歸功於這些青年們在早期的政治鬥爭中得到鍛鍊而汲取豐富的經驗教訓。

(三)憲政黨與致公堂的衰落

辛亥革命之後，由於憲政黨和致公堂在美洲華人社會有歷史基礎，所以一時仍然是國民黨的勁敵。但這兩個組織的政綱都不合時宜，所以黨務堂務都沒法展開，各地黨分部或分堂反而成員日少，逐漸停止活動。北洋政府垮台，這些政治集團在中國失去盟軍，在美洲華人社會也逐漸失去上層分子的支持。一九二八年，紐約華埠在五月廿八日舉行反日巡行，高舉青天白日滿地紅三色旗，表示支持國民政府。舊金山的中華會館也在六月九日舉行正式改懸三色旗儀式，其他各地區華人也紛紛採取同樣行動。㉘

這時候，致公堂總堂所在地舊金山的老資格機關報《大同日報》已經在一九二七年停辦，跟着火奴魯魯的《漢民報》也在一九二九年關門，洪門只剩下在美東和加拿大一些報刊，作為當地洪門分子的喉舌。憲政黨的情況也差不多，但他們的勢力範圍都限於美國大陸和檀香山。這兩個組織認為北京政府是正統，反對國民政府。

一九二八年雙十節，檀香山憲政黨和《新中國報》懸掛五色旗，惹起國民黨分子騷動，幾十人聚集在憲政黨和《新中國報》前面嘈鬧，要求改掛三色旗。警察為了息事寧人，就把旗收下。由於當時美國還未正式承認南京政權，所以經過憲政黨人強硬抗議，警察也不得不向他們道歉。㉙不過，美國承認國民政府之後，憲政黨和致公堂仍然拒絕承認這政府的"合法"地位。

在一九二九年雙十節,舊金山憲政黨的機關報《世界日報》,又在華埠故意飄揚五色旗以表示立場,激動的國民黨人到警察局投訴,要求下令降旗。但警察局卻不願意被捲入中國政爭的漩渦,所以就藉口市政府沒有權干涉而置之不理。一九三〇年五洲致公堂在紐約開懇親大會,也同樣懸着五色旗。㉗

這些反對黨的報紙不斷抨擊國民黨的一黨專政以及這政權的一切措施。他們與國民黨黨報經常進行筆戰,互相謾罵。這期間,憲政黨和致公堂在舊金山的報館都有頗負盛名的知識分子主持筆政,最著名的一個是伍憲子(即伍莊,順德縣人)是憲政黨領導集團裏的重要人物,一九二八年被派來美國搞海外黨務,企圖挽回頹勢。他在《世界日報》任主筆,以"夢蝶"筆名發表文章抨擊國民黨政權的所作所為。例如一九二八年,他借《答黃朗天君》為題,拿蔣介石和吳佩孚比較,罵得蔣介石一文不值。㉘在他主持下,憲政黨又在一九二九年到三十年代初出版期刊《趣怪》(The Humorist)和《革命軍》,專門揭露及抨擊國民黨政權裏各種現象。伍憲子國學造詣湛深,筆鋒銳利,文章吸引不少讀者,為國民黨所忌。所以,後者在一九二九年曾一度向美國聯邦政府要求把這勁敵驅逐出境,但沒有成功。到一九三五年,伍莊才離開舊金山到美東洪門辦的《紐約公報》任職;一九三六年回中國。

另外一名名報人是崔通約,崔曾是同盟會會員,但在辛亥革命前與黨人反目,被革出會;到二十年代他已經是一個徹底反對國民黨的人物。一九二八年末,他被聘任《中西日報》總編輯職;在報章發表批評國民黨政府的文章多次。據他後來叙述:"……然直道招尤,古今同慨,竟有黨人以金門領事餌該報總理伍盤照,要求革退我記者為條件,利祿誘惑,誰能倖免,試問《中西報》奚惜把我犧牲乎。……"當時致公堂的喉舌《大同日報》已經關門,但在一九二九年洪門分子重整旗鼓,創辦《公論晨報》，聘崔爲總編輯。恰好國民黨黨報《少年報》不審華僑心理，極力主張廢陰曆，廢中藥，廢中醫。崔通約便著論與《少年報》辯駁。由於這些以及其他反國民黨言論，南京政府就以反動分子爲名，將他的名字列入被通輯者黑名單裏。

到一九三一年九月十八日日本侵佔中國東北之後，南京政府委任黃芸蘇爲舊金山領事，上任不久便向華僑提出組織國防協進會。崔通約對這計劃的動機表示懷疑，因而在《公論晨報》發表文章譏諷這提議。在"黨領事驚天動地之偉舉"一文中，他說："……乃爲'救國儲金'是務，黨總領事尤其想入非非，竟在三藩市議創'國務協進會'，誠哉驚天動地空前絕後之創舉也。尤其最妙者，入會每人收現金二元。僑胞則出款紓救國難；黨人黨官則一味入款。居然樹起名稱、宗旨、目的等。何其振振有詞耶？夫什麼'救國儲金'，什麼'國防協進會'，皆美名也；皆所謂治本之道也；更所謂有收入無支出之並皆佳妙也……"。過了三天，便有五個人到崔通約教書的滄海學塾將他毆打，但不久設立國防協進會的計劃也無形之中撤消了。[29]

這期間，憲政黨和致公堂都亟欲重振軍威，挽回頹勢。前者在一九二九年改組，發表宣言，定大綱六點如下："（1）以孔教培養國民道德；（2）以道德培養民權基礎；（3）以民權擁護憲政權利；（4）以憲政組織強固國家；（5）以國家保障世界和平；（6）以和平促進大同主義。"隨着洪門在一九三〇年也在紐約開南北美洲懇親大會。在這時期，這兩個組織也各有宣傳系統。一九二七年，憲政黨和致公堂在加拿大多倫多創辦《洪鐘時報》（*The Chinese Times*）（但不久轉爲洪門人士舉辦），憲政黨在紐約有《公和報》（*Justice News*），舊金山有《世界日報》；致公堂則在紐約有《民國公報》（*Chinese Republic News*），在舊金山有《公論晨報》（*Morning Sun*），在溫哥華有《大漢公報》。但中國的新形勢已成定局，以上的措施不能夠改變形勢。這兩個反對組織繼續走向下坡，成員日益減少。加上三十年代世界經濟蕭條，憲政黨和致公堂的財源日趨枯竭; 所以到抗戰前夕，憲政黨僅存舊金山和火奴魯魯的總部和總支部，黨報也只剩舊金山的《世界日報》和火奴魯魯的《新中國報》，而後者亦需要商人陳滾支持經費才能繼續出版。同樣，洪門在美西、美南的組織系統大部份已經成為歷史陳跡; 舊金山的《公論晨報》也在一九三二年停版。美東和加拿大的致公堂還勉強能夠繼續活動，但勢力已大不如前了。

不過，國民黨還未能夠完全杜絕異議分子。反對派的影響力雖然比前弱得多，但仍然構成華人社會裏的一般力量，繼續成為國民黨完全支配華人社會的阻力。

(四)寧陽會館與《少年報》的糾紛

國民黨在美國的擁胡派支持南京政府。他們和蔣介石為首的領導集團有不少利益上的矛盾，但兩者政治立場相近，所以大致上還能夠相處。右派在南京攬着大權，當然助長了海外右派的聲勢。這時候擁胡派大有可以完全支配美國華人社區輿論的趨勢。他們恃着在中國的執政黨為靠山，採用狠毒手段對付黨內外反對派; 或排擠，或毆打，或密告陷害。但他們卻忽視了反對派在當地仍存在的實力。這錯誤的估計，釀成了寧陽會館和少年報的糾紛; 在一個較長的時間阻礙了國民黨擁胡派在美國的發展，給予擁汪派及憲政黨、致公堂喘息的機會。

一九二七年，《少年報》記者黃曝寰（斗門人）被陽和會館委派出席舊金山中華學校學董會議。由於他不知道會場的傳統規例，因而誤踞坐留給寧陽會館的永久座位被責。後來他在《少年報》以"嗚呼中華會館之暮氣"為題撰寫一篇短文，叙述當日的經過，並提出種種疑問，加以評論，文章指出:"……（1）非主席者，何以要常居主席位?（2）做主席者不能坐主席之位，

是何種法理？（3）不讓主席者居主席之地位，是否有意輕
蔑？……中華會館爲我中華人民代表之總機關，作事宜有精神，
舉動尤應合法，若狃於陋習，苟且了之，便是暮氣沉沉，貽笑大
雅。”

這就引起當時寧陽會館一些領導人物的不滿，尤是致公堂及
憲政黨份子，他們乘機煽動台山人的狹隘地方主義思想，指控“《少
年報》誣毀寧陽會館盤踞中華會館首座”，目標直指擁胡派。

可是，台山人的政治立場是不一致的，參加各黨各派的都不
乏其人。所以十月底，寧陽會館召開“全體大會”推選委員會辦
理這糾紛，結果被選的委員都推卸責任。於是寧陽會館不得不在
十一月中另外召開商董會議，決定由會館自行辦理，宣佈抵制《少
年報》。用會館的名義發動台山人的支持，而且是出條例向不服
從的人施加壓力迫使就範。㉚

到十二月初，《少年報》的鄧公玄爲此事在報紙發表“敬告
寧陽僑胞書”，語氣傲慢：

　　……貴會館執事以本報黃君曝寶爲論批評中華會館事，初滋誤會，
繼施高壓……迄乎晚近，事出愈奇，竟敢發佈文告，強迫抵制，恣意破
壞；尤復勒令寧陽梓里，退除告白，停閱報章，苟有不爲其讕言所激動者，
則以開除縣籍爲恫嚇。……夫《少年報》者，爲國民黨在美機關黨報。
盡人而知之矣。反對《少年報》，即反對國民黨；反對國民黨，即反對國
民革命運動；反對國民革命，即反對打倒軍閥與帝國主義之革命。凡屬
反革命行爲，我國民政府肅清海內外一切反動勢力之法紀，固嚴如斧鉞
也。使寧陽僑胞如長此聽人利用全體之名義，則是肇事者爲少數，而多
數贊助國民政府之僑胞，亦不能輕卸其消極放任之責焉。火炎崑岡，玉
石俱焚，又豈吾人所忍言耶！……㉛

這篇文章態度強硬，語氣帶恐嚇性質；因此不但不能息事寧
人，反而被寧陽會館主持這運動的人物執着“火炎崑岡，玉石俱
焚”一句，指控國民黨“欲用強權壓迫”。這樣火上添油，抵制

運動更如火如荼地發展。

　　爲了更有效地鞏固團結及發動全美寧陽份子參加這次的抵制運動，寧陽會館在一九二八年召開第一次全美懇親大會。由各地派來的寧陽代表，通過抵制《少年報》的各項決議，並決定發動寧陽梓里重新註冊，及派員到各埠指導組織寧陽團體。另外又決定資助成立寧僑公會，作爲寧陽會館之實力後盾，負有擇內禦外之責。

　　懇親大會閉幕之後，寧陽會館發表“敬告寧僑梓里書”，解釋寧陽會館的立場，並抨擊《少年報》及鄧公玄的態度。

　　在寧陽會館抵制運動的積極份子監視下，不少台山人停止訂閱及退股，退廣告，有些還被迫在報紙上登悔過書。《少年報》的營業大受影響。國民黨擁胡派主持下的三藩市總支部，亦了解這事件的嚴重影響；所以在寧陽懇親大會閉幕不久後召開的國民黨駐三藩市總支部第二次代表大會就指出，“一爝之火，可以燎原，一滴之水，可以滔天，……查旅美僑胞，以寧人爲居多。而《少年報》又爲本黨在美唯一之機關報。資本亦以寧人爲佔多。若不設法調停和解，對於《少年報》營業前途之事小，影響本黨主義之宣傳，實有莫大之關係。……”因此，大會通過決議要求選出五名代表和中國領事與寧陽當事者調停。

　　但中華會館，各會館，個別僑領，以及中國龔安慶領事試圖調停，都徒勞無功。這事件得到駐美公使甚至南京政府外交部的注意而要求迅速解決，但到一九三三年寧陽會館開第二屆懇親大會，仍重申要繼續執行抵制《少年報》的決議。不過到這時候，雙方已經陷入僵持狀態，一些領導人物也有解決這糾紛的要求。於是，雙方開始進行秘密的非正式接觸。在這方面，一個很積極的人物，是國民黨員兼寧陽分子及秉公堂領導人黃君迪（Wong Goon Dick）。

　　到一九三五年，和談方案成立了。由廣東省政府主席林雲陔出面，委派黃子聰赴美國負起調解任務，並約黃君迪協助。他們與寧陽會館主席鄺兆雷及其他領袖洽商，到八月中達成協議。《少年報》在八月十八日發表啟事向寧陽會館道歉，國民黨總支部及寧陽會館也分別發表啟事。這樣，經過差不多八年時間的糾紛才寢息了。㉜

寧陽會館抵制《少年報》事件的背景是相當複雜的，基本上這是美國華僑社會裏領導階層內部矛盾的表現；因為雙方互相間雖然有尖銳的矛盾，但雙方卻都聲明支持南京國民政府，政治立場是沒有很大差別的。所不同的是，一方面是有外來勢力支撐的集團，與他們對抗的是華僑社會裏的地方勢力；一方面是正有野心擴張勢力的新興政治集團，而對手是幾個較弱的集團聯合起來，企圖保持他們本身在華僑社會的地位。從這事件，國民黨當權派也清楚認識到，當地那些抱有濃厚封建色彩的社團的力量是不可輕視的。所以，他們也就更積極地拉攏傳統團體及秘密會社的領導人物，吸收入黨，使國民黨與華僑上層社會利益觀點更接近。

（五）國民黨統一黨務

正當《少年報》與寧陽會館仍處在僵持狀態，在中國，蔣介石與胡漢民兩派系又在爭奪領導權。一九三一年初，蔣介石強將胡漢民幽禁在南京附近的湯山。這引起許多黨員的抗議，尤其是由於歷史及地緣關係與胡漢民有密切關係的海外黨部。屬於胡漢民派系的美國總支部，派黃伯耀為代表在中國積極參加救胡運動；另方面總支部又聯絡其他海外支部，向蔣介石施加壓力。蔣介石控制的中央黨部面對在美國黨員眾叛親離的情況下，不得不採取措施在美國試圖爭取更多支持者。一九三三年，國民黨中央派林疊（Kalfred Dip Lum，檀香山土生，祖籍中山縣）到舊金山視察黨務。他抵達舊金山，就拉攏右派份子黃君迪、吳東垣（Peter Foon Ng）、黃社經（S. K Wong）等成立中央同志社，號召服從中央，吸收右派黨員。到這時期，美國華僑社會裏對中國政治的分歧，陷入更混亂的狀態，不過不久，國際形勢有了迅速的變化，卻促成這一混亂現象的結束。

一九三一年，日本帝國主義發動"九·一八"瀋陽事件，佔據東三省，開始實現併吞中國領土的計劃。這時候國難當頭，無論在中國或在海外，統一反抗外來侵略者成爲迫切的任務。到一九三七年抗日戰爭全面爆發之後，國民黨中央黨部再派林疊來美國處理黨內糾紛。結果統一了黨務。跟着兩個國民黨總支部合併了。㉝從表面來看，駐美的國民黨是統一了，但內部的鬥爭，仍然不斷繼續。

一九三八年末，汪精衛脫離國民政府出走安南河內，在那裏發艷電主張與日本進行和談。當時華僑抗日情緒很高，《國民日報》擁汪派失去了羣衆的信任，隨即解體。到一九四〇年，在中國的國民黨中央黨部委任在解決寧陽會館與《少年報》糾紛過程中立大功的黃君迪爲《國民日報》的社長。一九四〇年改組工作完成，他又提拔黃仁俊爲總經理，黃文山（即黃凌霜）任總編輯，劉伯驥副之。同年，三民主義青年團在美國成立，黃君迪又兼任駐美團部團長，《國民日報》也成爲三青團的喉舌報。次年，黃君迪去世，隨由陳披荆任《國民日報》社長。㉞

黃君迪是舊金山華人社會裏人數最多的台山人中最大氏族的領導人物。他也是最大秘密會社秉公堂的領袖。所以他在華人社會裏有實力基礎。他在國民黨裏用前改組派份子爲基礎，進而積極招募華人社會上層份子入黨。他又向青年界發展三青團，不過在這方面的成績並不理想。㉟不久，《國民日報》聯同紐約《民氣日報》已經成立一個可以跟《少年報》一派在國民黨裏爭領導權的派系。

在整個抗戰期間，駐美國國民黨內部鬥爭並沒有停息過。在兩次全美代表大會都發生爭執。《國民日報》派系所提出的執行委員及監察委員，每次都有兩三個人被排擠，不能照名單選出。有部份當選的人也因而拒絕就職。一九四一年末，屬於《少年報》派系的譚贊在重慶得海外部劉維熾的命令，翌年回美國突然開除《民氣日報》總編輯吳敬敷的黨籍，企圖進而搶奪《民氣日報》的大權。不過吳氏雖然被迫離開《民氣日報》，譚贊奪權的計劃卻失敗了。《國民日報》分子隨亦支持吳敬敷另創辦《中美週報》。

在黨外，國民黨在美國不能效法中國境內，用高壓手段來禁止反對派的活動，但戰時的非常狀態，卻提供國民黨很好的機會，可以藉口支持抗戰而排擠敵對黨，與及發展鞏固自己在華人社會的勢力。

三、回歸中國的華僑子弟

由辛亥革命到北伐完成的十多年內，國民黨在中國大部份時間是一個不斷爭取合法統治地位的政治集團。在這鬥爭的過程中，海外華人社會是他們的大後方。他們在這些地區，尤其是美國和檀香山的國民黨人進行宣傳工作和籌備軍餉，北洋政府也不易干擾到他們。國民黨人還可以在工業發達的國家，如美國，採購先進軍事設備和招募人材，到中國為國民黨的政權服務。

早在民國初年，一些美國國民黨人就回中國參加國民黨隊伍和盤踞在廣東的軍閥龍濟光作戰。其中劉省吾在一九一四年被捕受害，隨後李箕也在一九一五年陣亡。一九一五年春，愛達荷州國民黨員伍橫貫在博伊西（粵人稱貝市）又成立美洲華僑軍事研究社，不久招募加拿大華人青年百數十人和美國華人十多人，成立美洲華僑義勇團，以夏重民和伍橫貫為正副總司令，準備到山東參加討袁軍役，不過這隊伍還沒有機會上戰場，袁世凱已經逝世了。

早在辛亥革命之前，在美國的華人已經開始學習飛機機械原理及航空技術。一九○三年美國人賴特兄弟第一次成功駕駛飛機之後，掀起各國人士的一陣航空熱，其中也包括幾名美國華僑。在舊金山馮如（又名馮九如，Fong Joe Guey，恩平縣人），司徒恩（又名司徒璧如，開平縣人），朱竹泉（新寧縣人），朱兆槐（新寧縣人）等集資製造飛機。在一九○九年九月二十二日，馮如乘機凌空飛翔二十多分鐘，成爲第一名成功駕駛飛機的華人。一九一○年他們在奧克蘭組織廣東製造機器公司，一九一一年初抱着興國的心情，攜帶自製的飛機回中國，擬在兩廣總督張鳴歧前表演，發揚航空術。但不久武昌起義，滿清皇朝倒台，馮如等的計劃也落了空。中華民國成立之後，馮如希望爲新政府效力，申請獲得陸軍司批准表演。一九一二年八月二十五日，他在燕塘上空飛翔，忽然被拋出機身外墜地，重傷不治去世，年僅二十九歲。壯志未酬而身先逝。㊱

當馮如回中國的同一時期，美國革命黨人已經積極籌辦空軍。一九一一年，芝加哥同盟會員梅培建議組織飛機隊，得籌餉局的同意，物色購置飛機六架。他們又聘用一名西人機械師隨機回國。抵達中國之後，他們才發現這西人只會修理機械但不懂飛行術。可幸當時南北和議已經告成，已沒有使用這飛機的必要。後來朱卓文在南京試駕時失事，毀了一架飛機。

一九一三年，袁世凱政府在北京南苑創辦航空學校。不久，國民黨第二次革命失敗，孫中山退到日本策劃反袁活動，他很早認識到飛機在軍事用途上所起的重要作用；所以下令支持者在海外積極物色航空人才，組織飛機隊，配合反袁運動。他在一九一六年，曾屢次催促美國國民黨人籌購飛機，但這些飛機到袁世凱死了還未運到中國。孫中山也號召海外華僑青年學習航空，鼓勵他們回中國參加革命。較早響應的有舊金山的林福元（Arthur Lym），在一九一四年帶飛機一架回中國。但路經香港時，香港政府以販運軍用品爲理由而扣留這架飛機。同年，另一位陳桂攀卻成功地闖關抵達廣州，但不久他在廣州試飛失事殞命，飛機也有些損壞。跟着在一九一五年，舊金山青年飛機師譚根（Tom Gunn，土生，祖籍開平，在一九一二年是第一名考得飛行師執照的華人。⑳）應邀回粵，順道取回扣留在香港的飛機，在九龍表演，轟動一時。他到廣州，得廣東督軍龍濟光的信任，成立航空學校籌備處，任飛行主任。

一九一六年，岑春煊、陸榮廷、梁啟超等在廣東肇慶成立兩廣護國聯軍，譚被委任為討袁軍航空隊隊長，將廣州航校的兩架飛機帶走，不過始終沒有動用作戰。袁世凱死了之後，譚曾在一九一七、一九一九年兩次回美國，自稱代表廣東督軍購機，但沒有什麼結果。由於譚根一向不肯全心全意接受孫中山的領導；所以國民黨史學家對他沒有好評。㉘

在這期間，在日本的中華革命黨也積極組織飛機隊。一九一五年，孫中山在日本八日市設中華革命黨航空學校。一九一六年開始飛行訓練，有十五名學生，都是華僑青年。在這同時，在美國的國民黨人，也集資組織航空學校和航空社。一九一六年，在舊金山附近的紅木市創辦了民強航空學校，由黃伯耀任校長，設有駕駛、建造，及機械修理三科。後來又挑選二十多人送入紐約寇狄斯飛機工廠（Curtiss Aircraft）所設的航空學校受訓練。這批學生包括楊仙逸（檀香山土生，祖籍香山縣）、張惠長、陳慶雲（日本八日市航空學校的學生）、葉少毅、李輝光、孫龍光、蔡詩杜、吳東華、譚楠方等人。

到一九一七年，張惠長和陳慶雲畢業後，先後回中國參加孫中山領導的革命隊伍。楊仙逸、葉少毅、李輝光、蔡詩杜等人也跟着在一九一八年左右回到中國。這時候，北京的南苑航空學校早已經購置十二架法國飛機。這航空學校的飛機隊就成為北洋軍閥手上的作戰工具。但在國民黨方面，這時候僅有譚根留下的兩架飛機這和北洋軍閥相比，確是相形見絀。歐戰結束後，英國商人把一批剩餘的飛機售給北京政府，跟着北京政府又向英國訂購更多飛機。這情況使孫中山覺得有加緊建立空軍的必要。

一九二〇年，國民黨人在澳門向法國人買了兩架水上飛機，準備作軍用。這時候，桂系軍閥岑春煊和莫榮新盤踞廣州與國民黨作對，到中秋夜，張惠長、楊仙逸和兩位美國機師就駕駛飛機空襲廣州，在越秀山莫榮新督軍公署投下炸彈三枚，這是廣東國民黨空軍第一次向敵人轟炸。這一戰役促使莫軍匆匆退卻，國民黨政權得以入駐廣州，在廣州設總統府，開始準備北伐。

這年，國民黨政權成立航空局，由朱卓文任局長，屬下只有五架飛機，分為第一第二飛機隊，由美國華僑飛行員張惠長、陳應權分別任隊長。這年底，孫中山又命楊仙逸負責培育航空人才，在中國和國外羅致十多名青年到紐約的航空學校受訓，同時又到美國、墨西哥籌款購機。

一九二二年，廣東航空局改組，華僑飛行員仍然負責重任，由朱卓文任局長，張惠長任副局長兼代局長和航空隊第一隊隊長，陳慶雲任第二隊隊長。這年年底，楊仙逸率領在美國受訓畢業的飛行員回中國，並帶回飛機四架和兩名美國工程人員和航空器材。

一九二二年底，孫中山在廣州成立大元帥府，楊仙逸接替朱卓文為航空局局長，創立一間飛機製造廠，先後製造飛機三架，再加上以前已經在美國定購飛機組織空軍隊，由飛行家黃光銳和林偉成分任第一、二飛機隊隊長。

這時候，在國民黨鼓勵之下，美國、加拿大華僑繼續組織支持航空社培養飛行員，計在芝加哥有民智航空社。一九一八年陳寬等組織圖強飛機公司，購買兩架飛機招生訓練。一九二一年陳炎文又在芝加哥組織中國旅美航空學會; ㉟ 所以整個二十年代到北伐期間，美加華僑青年航空人員陸續回到廣東投效，不少人還是自帶飛機回來的。

除了上列的幾名，以下也是一些由美國、加拿大到廣東參加國民黨革命隊伍的華僑飛行員：張恢寒、胡錦雅、黃秉衡、聶開一、楊官宇、周寶衡、陳卓林、黃毓沛、黃毓全、關榮、譚壽、鄧粵銘、張子璇、周成、梅龍安、陳秀等人。另外一些如李一諤，則專長飛機的維修技術。

華人飛行員和航空機械人員，以來自工業先進的美國佔多數，他們抱着民族主義的熱忱，回中國投效國民黨的革命政權。有些青年還未回到中國就已經以身先死，例如一九一九年圖强飛機公司的陳昌與陳海，在舊金山試飛新機失事一傷一死。⑩更多的是在中國服役期間捐軀。較著名的有檀香山土生楊仙逸，一九二三年在廣東博羅因檢閱的水雷爆炸而犧牲，年僅三十二歲。跟楊仙逸同一時期回中國的華僑青年飛機師葉少毅，在一九一八年參加援閩戰爭亦因飛機失事殉命。這兩人後來都葬在廣州市的黃花岡。另外在一九三二年淞滬戰爭時期，黃毓全因起飛時失事，也機毀人亡，他的紀念碑現在設在廣東台山縣城。

這些華僑飛行員大部份是粵籍，由於方言關係，他們很自然趨向廣東政權。據估計，由辛亥革命前後到一九三六年，大約有一百七十多名華僑飛行員回中國（其中最多來自工業發達的美國），佔駐廣東空軍人員約一成五到二成，幫助廣東空軍在三十年代初成為中國一支作戰能力較强的飛機隊。

華僑飛行員除了參加空軍戰鬥隊伍，對培訓中國空軍飛行員也起重要作用。廣東革命航空學校於一九二四年在廣東成立之後，第一期的飛行教練是由西人顧問負責，但其後大部份飛行教官轉由華僑飛行員（主要是美國華僑）擔當。

華僑飛行員也對中國航空業一些方面扮演開路角色。例如一九二七年，美國人林白飛渡大西洋之後，張惠長就被激勵在一九二八年偕飛行員楊官宇、黃毓沛和機械師楊標駕駛"廣州號"飛機環飛中國十一省的天空，航程共五千六百多公里，轟動一時，是中國人第一次舉行的長期飛行。

後來一些華僑子弟也成爲中國空軍重要人才。張惠長和黃光銳曾先後任廣東空軍總司令，林福元任參謀長。其他如陳慶雲、林偉成、黃秉衡在抗戰前曾任空軍將領要職。瀋陽事變之後，廣東空軍設立飛機修理工廠，廠長是美國華僑飛行員梅龍安。抗戰期間，這職由另一名美國華僑飛行員林福元接任。

　　此外，廣州大元帥府、革命大本營，及國民政府其他部門也有不少美國華僑、華人任職。以下只略舉幾個例子。較早一名是紐約出生的李錦綸（Frank Chinglun Lee，祖籍台山，母德國裔）李氏在美國完成學業後，一九〇六年到中國，民國期間曾參加廣東軍政府和南京國民政府的外交部門工作。[41]在二十年代，孫中山身傍的衛士有馬湘（台山縣人）和姚觀順（George Y. S. Bow，美國土生，祖籍香山縣）。馬湘早年是美國埃爾帕索（粵人稱巴索）華僑。他後來輾轉到加拿大參加中華革命黨及華僑義勇團。退役後加入孫中山的衛士隊。姚觀順則出生於加州格拉斯瓦利鎮，是諾威奇大學士官學校的畢業生。一九二二年陳炯明叛變進攻廣州觀音山（即越秀山）孫中山總統府的時候，姚觀順是衛士隊大隊長，馬湘是第二隊長。在掩護孫中山撤退的一場激戰中，姚觀順的左足受重傷，跟着，馬湘與第一隊長黃惠龍護送孫夫人出險到安全地帶。後來姚觀順在廣州任工務局長（一九二四年）和公用局長（一九二三——一九二五年）。北伐時期，他在廣東率領交通警備團，控制交通，維持治安。[42]孫中山的英文秘書李祿超（Look C. Lee）則是舊金山華裔，一九一七年就職。李在一九二三年曾任廣州市財政局長，也歷任國民黨廣東省委員，廣九鐵路局長，廣東省實業廳廳長，和商業廳廳長等職。[43]另一名是檀香山土生蔡增基（Jun Kee Choy，祖籍中山縣）。在一九一一年十九歲時，蔡離檀香山到中國。當時武昌起義剛發生，廣東響應，在廣州成立軍政府。這時期，年輕的蔡增基被選爲廣東省議會議員。後來他回美國在哥倫比亞大學得學士學位，一九一六年再到中國，在廣州革命大本營任財政局長（一九二一年）及土地局長（一九二六──一九二七年）。國民政府成立後，他歷任財政部金融管理局局長（一九二八年），鐵道部各不同部門的行政職位（一九二八──一九二九年），杭州市市長（一九三○年），國營招商局局長（一九三五──一九四一年）。⑭此外，孫中山的親信、廣東軍政府總參議兼理財政廖仲愷也是美國舊金山土生。他雖然在一八九三年十六歲的時候已經離開美國（當時興中會還未成立），但他在美國的生活經驗，對他日後的民主主義思想的發展有一定的影響。⑮

　　美國華僑、華人，像各地區華僑、華人一樣，深受時代的鼓舞。由辛亥革命到抗戰期間，不少人到中國去貢獻所長，希望建設一個富強的中國，同時也希望本身得到上進的機會。他們有在軍政界，有在教育界，有在工商界。但由於目前有關史料有待整理發掘；所以還未能對這些華僑、華人所起的作用作深度的全面分析與探討。

四、僑滙、僑資企業在中國

　　華僑離別中土及親屬朋友，到世界各角落謀生。他們對故鄉保持深厚的感情，自是意料中的現象。在第二次世界大戰前，由於種種原因，很多華僑的家眷留在中國生活。華僑則在外國定期滙款回來幫助家用。這情況更加強海外華僑與家鄉的關係，使他們認爲中國是永久的家，而他們只是暫時僑寓在異邦。他們在海外每隔幾年，就設法回中國與家人作短暫的團聚。鳥倦思還，落葉歸根，他們年老則爭取還鄉退休；如果不幸不及旋唐而身故，骸骨也得送回故里安葬。在外國成家立業的華僑，亦要求兒女保持中國傳統，如條件許可，往往遣送他們子女回中國入學。這些回歸的僑生，不少也留下在中國生活，參加祖國建設而且成爲中國社會的成員。

　華僑華人往來居留地與中國之間，往往引進外國產品，豐富家鄉的物質生活，舉出一些植物爲例，農村裏耕種的一些蔬菜，如西洋菜、椰菜據說都是由美洲華僑多年前所引進，在台山遍地栽種的濕地松也是由美國華僑帶回來的種籽繁殖的，[46]他們在外國也經常關懷家鄉的發展，除了滙款養家與及介紹一些新事物，他們還集資辦公益事業，提高家鄉的生活水平。有多一點積蓄的人更進一步在中國投資辦企業，每年這些養家，辦公益事業，與投資的僑滙是構成一個可觀的數字。

　僑滙可以通過不同渠道滙到中國收款人手上，所以很難得到精確的數字，各方面歷年的資料存在很大的差別。但無可否認這些款項可以部份彌補中國國際收支上的差額。據估計，由一九一四至一九三七年間，僑滙佔了中國國際收入的百分之十五點七，[47]據一些資料在一九三一到一九三五年僑滙竟抵補中國每年入超額的百分之六十四至百分之九十二，[48]僑滙大部份用於家庭生活費用，建築房屋，婚喪喜慶。投資企業及捐助公益事業則不及一成。一般華僑在家鄉是要求辦三件大事：（1）自己娶妻或爲兒子娶媳婦，（2）蓋新樓房，及（3）買田地。珠江三角洲四邑一帶，到美洲的華僑衆多；所以他們在家鄉興建的樓房款式，受洋樓結構的影響很大，很多採用華洋結合形式，前半是一層至兩層高度的平頂青磚洋樓，後半卻保存中國“金”字形杉瓦結構的屋頂。這些建築物是這地區僑鄉，尤其是四邑一帶的特色。有少許人還耗用巨資在家鄉建築華麗的住宅庭園。芝加哥華僑謝聖泮及謝維立父子，一九三〇年在開平潭溪鄉建設的立園，就是一個例子。不過，這不是一般普通華僑有能力或有要求辦得到的。至於買田地，絕大多數華僑華人，只能夠購置少許田地，以求家眷生活上有所保障。擁有大量土地出租的華僑地主，只屬於極少數。

海外華人的鄉土觀念也推動他們熱心捐款在家鄉辦公益事業。在十九世紀《新寧縣誌》已經提及"……近年頗藉外洋之貲;宣講堂, 育嬰堂, 贈醫院, 方便所, 義莊諸善舉所在多有……"但海外華僑華人辦公益事業的高潮, 是二十世紀到抗日戰爭前夕的幾十年, 而最顯著的就是他們對於改善僑鄉教育設備所起的作用。十九世紀末, 在資產階級民主主義浪潮影響下, 很多中國人認為有知識的人民, 才能夠振興中華, 乃至於將東亞病夫變為強國。美國華人生活在西方工商業先進的國家, 對教育與現代社會的密切關係, 尤有深刻的體會; 所以他們鼓勵子弟求學, 以求上進。同時這種思想也推動他們捐款在家鄉建築學校。一八七二年留美學者容閎在故鄉香山縣南屏 (現屬珠海市), 倡儀及發動鄉親集資創辦甄賢義學, 並捐了白銀五百兩起帶頭作用, 開闢了海外華人在家鄉辦學的先河。[49]到清末, 清政府廢科舉, 興學堂, 各地區也在原設有的書院, 義學或私塾的基礎上改設學堂。民國初期, 僑鄉的教育事業更迅速發展, 各地方紛紛利用祠堂開辦小學, 稍遲, 一些學校又擴充成為中學, 由於華僑起的推動作用, 僑鄉教育事業的發展特別快, 到一九二〇年, 在台山縣經登記立案的已經有兩間中等學校, 一〇四間小學, 一間品業學校及一間女子學校。成為廣東省裏教育較發達的一個先進縣份。這些發展跟這期間台山海外鄉親的熱心捐款是分不開的。

早在一九一三年, 台山光大鄉海外華僑華人捐白銀二萬元, 為光大學校建築一座兩層的洋樓, 這是台山較早的新式校舍。到一九二〇年加拿大台山鄉親在幾個月間又募集加幣二十四萬九千五百九十六元為台山縣立中學建校, 一九三三年美國華僑又籌款為同一學校建築圖書館, 高中課堂及宿舍, 這是第一座由台山華僑捐建的中學校舍, 也是當時全縣最輝煌的一個建築羣。這期間華僑華人捐款興學, 已經成為一種風氣, 跟着美洲華僑華人捐建台山師範學校 (一九三〇年), 端芬中學 (一九三五年) 校舍,至於小學更數以百計，難可盡錄。到一九三四年，台山的小學已經增加到一千二百七十七間，居全廣東省首位。附近其他各縣的僑鄉也有同樣的建設，例如花縣的思明小學（一九二七年建成校舍），中山縣的周崧小學（一九三〇年建成校舍），及下澤鄉學（一九三〇年捐贈學校桌椅及工具，一九三二年建成校舍），開平縣的開僑中學（一九三三年建成校舍）及開平縣立中學（一九三五年建成教學大樓及宿舍大樓），南海縣的九江中學（一九三六年建成朱九江先生紀念堂）。⑤⓪在一些鄉間，華僑也捐辦圖書館、醫院、橋樑等公益事業，例如開平縣赤坎鎮有司徒氏圖書館（一九二五年開幕），及關族圖書館（一九二九年開幕），中山縣石歧有中山僑立醫院（三十年代開幕），台山縣斗山有太和醫院，（一九三二年開幕），開平縣合山渡有鐵橋（一九三四年開幕）。廣州市一些教會學校擬擴充，如嶺南學堂（後來改為嶺南大學），培正學校（後來改為培正中學），培英學校（後來改為培英中學），培道女校（後來改為培道女子中學），眞光女子中學等，甚至公立機構如廣州國立中山大學建築校舍（一九三六年），中山縣政府在石歧倡建圖書館，（一九三六年）也派員到海外向華僑華人等募捐部份經費。⑤①

　　二十世紀上半葉，僑鄉政治混亂，匪風猖獗的時期，華僑或僑眷財產多招賊，往往成為土匪打劫綁票的對象。海外華僑華人爲了保證家鄉親人的安全起見，不得不滙款還鄉購械助餉，加強自衛能力；所以一些村落，有美洲華僑接濟下購備長短槍，成為一股地方武裝力量。華僑華人也捐款增設農村的防禦工事，例如在村的週圍栽植簕竹，或用杉木築環村的圍牆，設閘控制出入口。由二十世紀初到二十年代中，很多僑鄉又構築高四五層的三合土碉樓。當土匪侵犯的時候，村民可以在這裏躲難並自衛。有許多華僑洋樓也有類似的武裝設備，用三合土塞牆心，樓上開槍眼。這些碉樓及碉樓式的洋樓，在僑鄉林立，尤其是台山開平一帶，據估計台山縣有五千多座。在鄰縣開平，只長沙、赤坎、塘口、百合、蜆岡一帶的僑鄉，也有二千四百五十多座。的確是消耗了不少海外華僑華人的血汗錢。

華僑華人滙款返家鄉，促進了僑鄉的經濟發展，他們又帶回來介紹在外國所見所聞，打通鄉民的閉塞，提高他們對世界的認識，這樣在一定程度幫助削弱鄉間的封建勢力。僑滙在改善僑眷生活的過程中，也影響社會風氣，早在十九世紀《新寧縣誌》已經注意到：“……民風漸入奢靡，冠婚之費，動數百金……”進入二十世紀，這些社會風氣，還變本加厲，很多僑眷靠僑滙渡日，脫離生產；子弟遊手好閒，過着寄生式的“金山少”生活；所以一九三二年《新寧雜誌》爲此而發表社論抨擊這些陋習。㊿

前文提過，有部分僑滙是投資入各種企業，這種投資在發展民族資本主義經濟是起重要作用，單在中國工商業最發達的上海市，華僑華人資本就佔民族資本的一成，在華僑的家鄉廣東及福建，這比例更高。

十九世紀末，正當資本主義因素在中國社會滋長，海外華僑在資本主義國家或這些國家的殖民地，能夠汲取一些先進技術及經營方法，將一些較先進的技術與生產方式介紹到中國，促進中國資本主義的發展。一八六二年，秘魯華僑黎某在廣州設萬興隆出入口商，是記載裏最早一間華資企業。一八七三年南洋華僑陳啟沅，在南海縣西樵簡村設繼昌隆汽機繰絲廠，是海外華僑華人在中國投資現代工業的開始，二十世紀初年澳洲華僑又先後在香港設百貨公司，介紹西方百貨營業方式到中國。

辛亥革命推翻中國的帝制，在某程度開闢中國民族資本發展的道路。到第一次世界大戰，帝國主義忙於互相爭奪，又暫時放緩對中國經濟的侵略及掠奪，更給予中國民族資本主義發展的一些有利條件。由一九一二至一九一九年的幾年間，華僑也趁這機會在中國投資，資金額激增，超過中華民國成立前四十年的總數。

直到三十年代初，華僑的投資，不斷增加，但一九三二年以後，世界資本主義經濟危機嚴重地打擊海外華人的經濟，所以輸入中國的資金也萎縮下降了。

一九四九年以前，粵籍華僑佔海外僑民約三分之二，由於鄉土觀念的影響，他們喜歡在家鄉或附近一帶投資。由一八六二年直到一九四九年，華僑華人在廣東的投資額佔華僑華人全國投資額的百分之五十五，而在廣東省，資金約七成是輸入珠江三角洲及四邑。這些都是與美國華僑華人有密切關係的地區。其中在廣州的投資佔百分之三十七點五，江門市、台山、開平、恩平、新會、四會、廣寧、高要等縣共佔百分之二十八點二（江門及台山佔了過半數）。南海、番禺、順德、中山、東莞、惠陽等縣又佔百分之六。

美洲華僑華人人口雖然只約等於東南亞華僑人口的百分之三，但由於美金滙率高，而美洲生活水平也較高，所以美洲僑滙佔全球僑滙總額很高的百分比。在三十年代，美洲雖然經濟蕭條，但僑滙卻佔總額的三分之一至三分之二。在投資方面，美洲華僑所佔僑資總額的比重，也遠超他們在全球華僑人口所佔的百分比，在一九四九年以前期間約佔華僑在中國投資金總額的百分之十三點六。美洲以美國華人最多，所以來自美國的資金也佔重要的地位。在十九、二十世紀一些美國華人已經積累資金在當地投資企業，但這新興華人資產階級的經濟實力，不及美國的大資本集團。同時華人的營業，又經常受社會排華情緒的干擾；所以華人資產階級在美國的發展受到很大的制肘。在這情況下，鄉土觀念及民族主義思想，就影響很多人認為他們的資金及經營能力，在中國、香港或澳門，才能夠發揮應有的作用。華僑投資以房地產業居首位，在廣東佔總投資額的百分之五十二點六，其中佔了百分之五十至七十是在世界經濟危機前後（約一九二七——一九三一年）的投資。這些投資較多投入廣州、江門、台城等市鎮。一種重要因素是農村不安，匪患極多，很多華僑不敢回家鄉長住，只好在廣州、江門、台城等市鎮另闢新居。這些市鎮進行市容改革，拆城牆、築馬路、建新市區等等原因，也吸引不少僑資購買房產。例如廣州東山區就這樣成為一個歸僑僑眷集中的地區（這裏的培正也是很多華僑子弟肄業的學校），這些絕大部份都是小型投資者，資金一般是個人的積蓄。據廣州市的統計，華僑房地產中，有四分之一的所有權是屬於工人，主要是美洲的洗衣，餐館及一般工人。

在廣東省商業，金融與服務業方面的投資是居第二位，約佔百分之二十七點七。商業中一類型是帶有買辦性，經營進口物資及生產資料，另一類型是經營農產品及日常消費品。金融業則包括主要處理僑滙的錢莊、僑批局、銀行等。服務業裏有旅店、酒家、戲院各項經營。由於美國華僑的職業和這些企業接近，所以他們特別有興趣在這方面投入資金。例如到二十世紀上半葉，在廣州市僑資服務業共九十一家，其中旅社及戲院七十六家。這些企業過半是部份或全部由美國華僑在抗戰以前投資的。其中一間著名旅館愛羣大廈，在一九三七年開始營業，是廣州當時最高的大廈。⑤

在出洋美國較多的台山縣，僑資企業有更顯著的地位，在人口僅一萬的縣治台城鎮，就有三十二家旅社及茶樓，主要都是華僑與歸僑合資的機構。這些企業加上鎮上為汲取僑滙而設的衆多銀號、米店、洋貨店等，使這鄉鎮在二三十年代，呈現繁榮景象，享有“小廣州”的稱號。

上海也是華僑投資商業的一個重點，投資額佔華僑在上海總投資額的約三成。但美洲華僑華人的總投資僅佔上海華僑總投資的百分之三點四，其中一個企業就是檀香山華人在一九二四年籌辦的大同百貨公司。不過這公司不久就失敗了。

交通行業也是廣東華僑投資的另一個重點。這些企業包括經營輪船、公路、公共汽車、電車、鐵路等公司。在珠江三角洲及四邑一帶的投資者，多是美洲華僑。最早是一九〇二年美國加拿大華僑創辦的四邑輪船公司，集股港幣六十萬元，載客及貨運來往江門及香港之間。一九一二年美洲華僑伍植磐，成立廣東電車股份公司，準備在廣州築有軌電車，是華僑投資廣州現代交通事業的開始，這公司因事延長籌建計劃，到一九一九年後，才開始營業，經營無軌電車。這時期，華僑又紛紛在僑鄉投資建築公路及經營公共汽車，開始改善僑鄉交通的落後狀態，方便物資交流。

美洲華僑華人在交通業最大規模的投資，是新寧鐵路（一九一六年改稱寧陽鐵路）。這鐵路的創辦人是陳宜禧（台山縣六村人），十九世紀來到美國，定居在西雅圖，當時這地區正在開拓築鐵路，開煤礦，辦工廠，急需大量廉價勞工。陳宜禧把握機會，先在同鄉陳程學辦的華昌店及後來自己創辦的廣德店當上勞工經紀，不久就有些積蓄，而且也成為華人社會有名望領導人物。這期間，他飽受白人種族主義的欺凌及歧視，尤其是身歷一八八六年西雅圖驅逐華人的風暴，所以有濃厚的民族主義思想。

一九〇四年，陳宜禧六十歲，回中國擬投資創辦德和織造廠，他回到家鄉，中國各地當時正掀起爭回鐵路修築及借款權利運動。卻推動了他，正如他後來所說："憤爾時吾國路權，多握外人之手，乃不忖綿薄，倡築寧路。"[54]當時織造廠計劃還在進行，但很緩慢，陳宜禧就決定不再搞下去。轉而與台山鄉紳余灼等商研倡辦台山的地方鐵路，他們組織新寧鐵路公司，這鐵路是"自籌自辦"，"聲明不收洋股，不借洋款，不僱洋工，以免權利外溢。……"[55]

一九〇四年秋，陳宜禧到香港招股。一九〇五年初，又到美國展開集股活動，得到各地中華會館及台山人的鄉親組織寧陽會館的熱烈支持。與這同時，這公司又繼續在香港，新加坡各地方集股，所以到年底已經招得股銀二百七十五萬八千四百一十二元。其中美國華僑的股份約七成。由於他們擔心當時中國社會的貪污黑暗會破壞這事業; 所以有聲明在先, "……除信〔陳〕宜禧總理路事外, 倘假手別人, 定將股款截回, 決不公認。……"這樣, 陳宜禧就被公舉為公司總理, 余灼為副。

這公司一開始就遭官吏的阻難, 又受地方封建勢力的破壞。新昌甄姓鄉紳有意刁難, 鐵路公司為了避免延誤建路計劃, 就不得不擱置了原定新昌到台城一段工程。在一九〇六年, 公司開始由斗山到公益一段, 共六十一點二五公里的建築工程, 於一九〇九年完成。到一九一三年又完成公益至新會北街第二段, 一九二〇年則完成台山城到白沙的支線。

在建路的過程, 鐵路公司不斷遭受地方封建勢力的阻撓。"……所過通都大邑, 名鄉鉅村, 以至小里落。各姓各族, 鮮不恃其龍蟠虎踞之雄, 嚴其彼疆此界之限, 或迷風水而起反抗者有之, 或恃強權而起反抗者有之, 或鬧意見借事生端而起反抗者又有之。工程所至, 風潮斯起。統二百二十一里間, 動輒負隅以相抗者, 前後不下百數十處計。……"這種種事件, 使鐵路路線要多次更改。僅斗山至公益一段就有三十九處, 耽誤完成日期, 也增加了鐵路築路的成本。

這鐵路的鐵軌、枕木、鐵板都是由美國進口; 火車頭、火車廂是由德國製造。[56]除此之外, 全部由華人計劃與建築。這鐵路與汕頭僑資興辦的潮汕鐵路同是中國最早的民營華資鐵路。

鐵路公司完成了之後, 負上很重的債務, 長期沒法分派股息。這影響美國鄉親, 使他們的積極性消沉, 鐵路公司很難再從他們籌集更多資本發展; 所以推後的新昌至台城一線, 始終沒法實現。後來建銅鼓商埠, 伸展鐵路到陽江縣的計劃也落空了。

新寧鐵路在開始的時候, 曾有意招股築路到佛山與粵漢鐵路啣接, 但遭粵漢鐵路及清政府局部反對, 而不得不停止。鐵路不能夠伸展到工商業發達的廣州地區, 使業務發展局限於四邑一隅。不過在這範圍, 新寧鐵路卻促進了台山與鄰縣的物資交流, 刺激台山僑鄉經濟的發展。

新寧鐵路很多原料是進口的，所以經營成本很高，管理費也很高，贏利有限，但中國當時的政治局面卻更使鐵路的經營加倍困難。民國初年，鐵路公司為了支持廣東省革命政府，借出十二萬元，跟着地方軍閥卻認為這是一塊肥肉，不肯罷手。在一九一五至一九一七年間，他們向鐵路敲榨勒索，又"借"了五萬元，政府官兵又經常不購票乘車，使鐵路蒙受經濟損失。一九二三年，廣州政府財政上困難，又向鐵路要求借款。地方軍閥的勒索，也有加無已。所以到一九二四年後，鐵路公司的財政不斷惡化。到一九二六年，債項達一百四十多萬元。當時債務人紛紛要求清還債務，屬於國民黨右派的新寧鐵路機器工人工會，又與台山土豪劣紳勾結，製造怠工，罷工風潮。到十一月，廣東省政府就以整頓路政為理由，迫陳宜禧辭職，派三名官員管理，直到一九二九年，才把管理權交還鐵路股東。陳宜禧也在同年去世。⑤到這時候，台山新會縣都建築有公路與鐵路平行，汽車與鐵路競爭經營客貨運。為了加強鐵路的競爭能力，鐵路公司向美國訂購有軌汽車，但跟着不景氣籠罩世界資本主義國家及殖民地，僑滙下降，僑鄉經濟蕭條，新寧鐵路的營業也受嚴重打擊。一九三三年以後，鐵路的收入下降並出現了虧損，營業每況愈下。到抗日戰爭爆發，這鐵路成為日本飛機轟炸的目標。一九三八年，廣州失守，中國政府下令鐵路公司拆毀設備，企圖阻止日本軍隊利用，這樣新寧鐵路就成為歷史的名辭。

華僑在廣東很早已經向工業投資。一八八○年，美國歸僑步陳啟沅的後塵，在順德縣設順成昌繰絲廠。其後到二十世紀二十年代中，僑資辦的繰絲廠有十九家，其中十二家是全部或部份美國或美洲華僑華人資本。到二十年代後，絲業開始衰落，使本地區的華僑資金才轉尋其他出路。一八九○年，舊金山的黃秉常等又集資組織廣州華商電燈公司，以兩座一百匹馬力的發動機提供電流給店舖和公共場所使用，這是廣州第一間發電廠，到一八九九年，就停辦了，⑱跟着，華僑卻相繼在各地開辦小型電燈公司，推動一些鄉鎮走上電氣化最初的一步。在珠江三角洲四邑一帶，如新會、南海、台山，在一九一〇年至一九二〇年設立的一些電燈公司，都是美國美洲華僑、華人投資的企業。一九二〇年在台山成立的第一家電話公司，也是美洲華僑、華人投資的企業。

發展工業，能促使中國富強。這一願望推動了美國華僑余覺之等集資於一九一〇年在江門建設第一間造紙廠。進入民國，華僑投資進入更多企業。其中以米機廠有較多美國或美洲的華僑資本。在二十年代，舊金山鄧仙石，曾經又招股在廣州設興亞火柴公司。此外如江門的萬就榨油廠（一九二八年創辦），廣新棉廠（一九三一年創辦），雪廠（一九三一年創辦）和廣州的天工布廠（一九三一年創辦）等企業也是部份或全部由美國華僑投資。直到一九四九年，各國華僑，在廣東投資的工業超過三百間，數量不算多，而投資額只佔廣東省華僑投資總額的百分之六點五，但這數目卻佔全省民族工業的二分之一到三分之二左右。

在十九世紀，不少美洲華僑在美國及加拿大礦區活動。一些人返中國，也向礦業方面發展，十九世紀七八十年代，一名英國人的遊記提及一些美洲、澳洲歸僑在台山那扶附近淘金，是較早的記載。⑲辛亥革命前後，美國華僑劉興，譚貞謀等招股設兩廣煤礦有限公司，擬在廣東開採煤礦。在民國初年，伍學銙、廖致和、余星南、余安禮等又在美國招股，在恩平縣籌辦金雞水金礦。

美國華僑也集資在廣東以外一些地區辦礦務公司，例如十九世紀末，美國華僑李祐美，（台山縣人）與譚乾初（開平縣人），曾集資四十萬到山東開辦金礦。黎強（開平縣人）也到新疆伊犁辦同樣礦務。但這些企業，不過一兩年，都因為資本用罄而失敗了。⑳二十世紀初，又有廣西振華公司辦天平山銀礦，主要股東都是美洲憲政黨人，後來公司內部爭權，主持人劉士驥被暗殺，導致憲政黨內部分裂，這企業不久也倒閉了。

　　在第一次世界大戰後至三十年代，美國華僑也分別曾集資在江蘇、安徽設農場，例如曹起謀、李殷宏等曾在一九一九年在舊金山招股辦華興農業畜牧公司，擬在長江下游開墾荒地，[61]但這些不過是個別例子。美國華僑在農業方面的投資，始終佔低的比例。

　　除上述，美國華僑華人也介紹一些西方新興的企業，電影業就是一個例子。二十世紀二十年代，是美國電影業迅速發展的時期，美國華僑華人早也注意這媒介對文化教育所能夠起的作用。在這期間也組織有影片公司，一些後來對中國雛型電影業的發展，也作出貢獻。

　　一九二〇年，美國紐約放映辱華影片，當時《民氣報》職員梅雪儔及劉兆明十分憤慨，約黎錫勛、林漢生、程沛霖、李文光、李雲山、李澤源等組眞眞學社，研究電影事業。在一九二一年他們進一步在紐約招股辦長城製造畫片公司，拍攝兩套介紹中國服裝及國術的影片。這批青年在一九二四年攜帶電影器材回中國，在上海設長城畫片公司，是中國早期電影公司之一。[62]稍遲，趙樹燊（Joseph Sunn Jue）一九三三年在舊金山創辦大觀聲片公司製作粵語片。不久由於演員多在遠東，製片成本也較低，同時又接近推銷影片的市場，所以遷移到九龍設製片場，是華南最早的粵語片場。[63]

　　華僑華人的投資，對中國經濟的發展起着積極的作用，在一定程度上推動了民族資本主義經濟的發展。美國華僑華人投資的影響，主要是局限於廣東珠江三角、四邑一帶。在這些地區，僑資企業推動城市鄉鎮經濟的繁榮發展，改善城鄉的交通運輸，促進城鄉物資交流，但直到一九四九年，帝國主義的侵略，封建勢力與軍閥混戰的破壞，與官僚主義的壓迫，使大部份僑辦企業不能夠正常生產，營業虧損，以至停業、倒閉。在美國美洲華僑投資較多的廣州市，失敗的僑辦企業，高達百分之九十三點九。新寧鐵路的失敗，可以說是僑資企業的典型遭遇。

華僑在海外被壓迫、被排擠，他們有些人希望回到祖國投資實業，建立富強的國家，但由鴉片戰爭直到第二次世界大戰結束，中國的經濟政治一直不上軌道，華僑一般又沒有强大的政治勢力作後台；所以儘管他們懷有大志，但在冷酷的現實面前，這些抱負及期望，大部份都終成泡影。

注釋：

① 見《世界日報》，1911年12月10、11、12、13、15日。

② 《趙昱與上海五祖祠》，見《民治雜誌》第4期（1948年）；《五祖祠開幕特刊》（上海，1925年）。

③ 毛注青，《黃興年譜》（長沙：湖南人民出版社，1980年），第249—284頁。

④ 吳鐵城，《吳鐵城回憶錄》（台北：三民書局，1968年），第74—77頁。

⑤ 見《少年中國晨報》，1915年12月16日。

⑥ 見《中西日報》，1919年5月5、6、8、10、11、12、13、14、15、16、17、19、20、24、26、27日，6月2、3、10、20、26日。

⑦ 見收藏在柏克利加州大學亞裔研究圖書館憲政黨檔案，徐勤給舊金山中國憲政黨的信件，1923年4月12日；1924年2月1日；1925年5月25日。

⑧ 見《中西日報》，1923年7月20、30、31日，8月25日。

⑨ 見《中西日報》，1923年9月26日。

⑩ 見《中西日報》，1923年9月24日。

⑪ 見《中西日報》，1923年10月6日；《少年中國晨報》1923年10月20日。

⑫ 見《少年中國晨報》，1919年1月21、22日。

⑬ 見《中西日報》，1919年12月4日。

⑭ 老工人劉伯達口述，1972年12月22日。

⑮ 見《中西日報》，1927年4月8、13日；活（即謝創），《三藩市華僑革命鬥爭史片斷》，見《為民報》，1975年4/5月。

⑯　張恨棠給麥禮謙函，1973年1月22日；張恨棠口述，1975年3月28日；《先鋒報》1935年7月27日。

⑰　見《先鋒報》，1935年9月14日，11月9日。

⑱　《〈先鋒〉7週年的回顧與前瞻》，見《先鋒報》1937年4月28日。

⑲　見《先鋒報》，1938年7月28日。

⑳　張恨棠給麥禮謙函，1973年1月22日。

㉑　見《民氣日報》，1934年11月19日，12月27、28日。

㉒　見《先鋒報》，1934年3月15日。

㉓　老工人李伸棠口述，1969年1月31日；見《中西日報》，1927年9月26日；張恨棠給麥禮謙函，1973年7月29日。當時舊金山華埠報館全部被保守勢力控制，《羣聲》卻得到日裔進步人士的幫忙。據張恨棠1975年3月28日口述，《羣聲》是在日裔社區的印刷公司排版及刊印。據劉北達1972年12月22日口述及《先鋒7週年》，《先鋒》週刊也有一短時期在日裔印刷公司出版。

㉔　見《中西日報》，1929年1月14、28、30日；《中國留學生月報》第24卷第4號（1929年2月），第190頁。

㉕　見《中西日報》，1928年6月5、11日。

㉖　見《世界日報》，1928年10月18日。

㉗　見《舊金山紀事報》，1929年10月23日；《中西日報》1930年6月12日。

㉘　見《世界日報》，1928年10月28日。

㉙　見《公論晨報》，1931年11月30日，12月4日。

㉚　見《少年中國晨報》，1927年10月15日；《中西日報》1927年11月18日。

㉛　見《少年中國晨報》，1927年12月3日。

㉜　見《少年中國晨報》，1935年8月20日。

㉝　見《華美週刊》，1938年1月。

㉞　見《國民日報》，1939年6月19日。

㉟　華盛頓國家檔案館收藏的戰略事務局（Office of Strategic Services）報告（機密第77748號），主題：三民主義青年團，日期：1944年6月6日。

㊱　《我國第一個飛機設計師，製造者，飛行家馮如事跡》（恩

平: 1983年）；關若谷、吳健生、梁錫鵬、梁錫平合寫，《中國第一架飛機設計師之一的司徒璧如》，見《時代報》，1986年10月16日。一些文章說孫中山曾在美國目擊馮如飛行，但查當馮如飛行的日子，孫中山並不在舊金山一帶。

㊲　見《世界日報》，1912年6月12日。

㊳　見《世界日報》，1917年11月30日；《民國公報》，1919年11月8日。

㊴　見《中西日報》，1927年7月22日。

㊵　見《世界日報》，1919年8月18日。

㊶　祝秀俠，《粵海舊聞錄》（台北：聖文書局，1987年），第323—324頁；樊蔭南，《當代中國四千名人錄》（香港：波文書局，1978年）第112頁。

㊷　馬湘，《跟隨孫中山先生十餘年的回憶》，見《辛亥革命回憶錄》第1集（北京：文史資料出版社，1981年），第559—607頁；陳紹康，《姚觀順事略》，見《中山文史》第4輯（中山市，廣東省中山市政協文史組，1984年），第20—71頁；姚曼裳，《孫中山衛士隊大隊長姚觀順小傳》，見《文史資料選輯，第16輯》（北京，中國文史出版社，1988年），第95—101頁。

㊸　見《時代報》，1984年11月29日。

㊹　蔡憎基，《在華30餘年》（英文）《香港：東西出版社，1974年），第XIX頁。

㊺　《前言》，見《廖仲愷集》增訂本（北京：中華書局，1983年），第1—4頁。

㊻　江河，《西柵西洋菜的由來》，見《新寧雜誌》，1980年第4期，第44頁；素辛文，《漫步斛街話菜農》，見《新寧雜誌》，1980年第1期，第47頁；陳松伯，《旅美華僑引種濕地松綠化家鄉》，見《台山文史第一輯》（台山：廣東省台山縣政協文史委員會，1983年），第72頁。

㊼　見《僑滙的研究》（台北：僑務委員會研究發展考核處，1970年），第14至15頁；《外滙統計彙編初集》（北京：中國銀行總管理處，1950年），第2至9頁。

㊽　陶大鏞，《論利用華僑資金》，見《四邑華僑導報》，1941年7月15日，（卷1第6/7期），第3至8頁。

㊾　張泉林等，《愛國愛鄉，捐資興學》，見《華僑教育，第一輯》（廣

州: 暨南大學華僑研究所，1983年），第13—33頁。

　　⑩　《花縣鄉音》，1982年12月（第1期），第30頁；《周崧學校50週年紀念專刊》；《中山僑刊》，1983年11月（第4期）；《開僑校友慶祝母校50週年特刊，1933—1983》，第8—9頁;《開平一中學校簡介》；《九江中學建校50週年紀念特刊》第2—3頁。

　　⑪　見《嵩角月報》（中山: 1948年4月），第25頁；《中西日報》，1929年4月6日;陳迥常，《太和醫院史略》，見《台山文史第一輯》（台山，1983年12月），第44—48頁。

　　⑫　傾傾，《因民廳通令屬行節約聯想及於台山奢風》，見《新寧雜誌》，1932年12月25日（第24卷第35期）。

　　⑬　鍾潔，《說古道今話愛羣》，見《羊城晚報》，1983年4月30日。

　　⑭　見《中西日報》，1905年3月5日;《陳宜禧致寧路股東暨各界書》，見《世界日報》，1921年11月1、2日。

　　⑮　《商部奏紳商籌辦新寧鐵路擬准先行立案摺》（台山，新寧鐵路公司，1909年），見《商辦廣東新寧鐵路股份簿》，第1—2頁。

　　⑯　據R・N・謝倫斯（R. N. Schellens）1967年11月7日提供的史料。他的父親理查德・謝倫斯（Richard Schellens）是陳宜禧委託在歐美購買鐵路器材的代理人;《商辦廣東新寧鐵路實業估值統計冊》，見（台山，新寧鐵路公司，1918年），第11A—16B頁。

　　⑰　見《交通史路政編》（南京: 中華民國交通部，1930年至1937年），第360、368、370、378—380頁;《中西日報》，1929年6月27日。

　　⑱　《中國近代工業史資料第一輯，1840—1895年》（北京，科學出版社，1957年），第1018至1020頁;《陳宜禧致寧路股東暨各界書》。

　　⑲ B. C. Henry, *Ling-Nam: Interior Views of Southern China* （倫敦: S. W. Partridge & Co., 1886年），第86頁。

　　⑳　《陳宜禧致寧路股東暨各界書》。

　　㉑　見《中華民國公報》，1919年10月22日。

　　㉒　程季華、李少白、邢祖文合著，《中國電影發展史》（北京: 中國電影出版社，1963年），第90—91頁。

　　㉓　《大觀戲院開幕專刊》（舊金山: 大觀戲院，1940年）。

251

二十世紀初舊金山公立學校的華人學童（圖片
來源：加州大學美亞裔研究系圖書館收藏）

二十世紀初在美國聯邦政府機構工作的華人婦
女梁亞娣（圖片來源：美國華人歷史學會收藏）

二十世紀二十年代土生華人黃柳霜已成爲好萊
塢的女電影明星（圖片說明：美國華裔婦女研
究組收藏）

一九一一年愛達賀（Idaho）州波伊斯（Boise）
市華人春節大巡遊（圖片來源：愛達賀歷史學
會收藏）

二十年代拘留在天使島的
華人移民（圖片來源：美
國國家檔案館收藏）

三十年代美、加華人捐資興建廣東台山一中的
新校舍（圖片來源：麥禮謙拍攝）

第七章　工人運動的發展

一、二十世紀初的工人組織

　　從十九世紀末到二十世紀初，美國工人為了改善生活待遇而跟資本家不斷進行着鬥爭。在這鬥爭過程中，白種工人和華工的利益基本上是一致的，但在當時，種族主義卻是美國工人運動的主要組織美國勞工聯合會（American Federation of Labor 簡稱勞聯）的主導思想。工會領導人對華工採取否定的排斥打擊政策，拒絕接納他們加入工會。與此同時，一般華人在美國社會裏，也被擯斥在很多職業之外，只能夠在隙縫裏求生，從事白種人不願意從事的工作，如當僕役、洗衣等。在這情況下，許多華工不得不在華人經營的企業裏謀生。但華人老闆同樣受種族主義排擠，他們在市場上提供的勞務或產品，往往要比白人的便宜，才能夠推銷。為了保證有利可圖，華人老闆盡量壓低自己的成本；因此，報酬低，工作時間長，工作環境差，是華人企業、尤其是小型企業的普遍現象。這現象更加深華工與白種工人之間的矛盾，並提供把柄給美國工運的種族主義者執着攻擊華人。所以，直到二十世紀三十年代，工會組織，尤其是加州勞工聯合會，每年開會時例必通過議案，呼籲工會會員抵制華工製造的產品，不要光顧華人經營的洗衣店或肉店。

　　華工雖然得不到美國工運的支援，而且在美國排華法例下，他們居留在這個國家的權利，長期受到威脅，但他們所受的剝削，往往激發他們組織起來反抗不合理的待遇。然而，大部份華工都分散在服務行業或小商店裏就業,這對工人的團結有一定的障礙。只有在工人能夠集中進行生產的情況下，才比較有利於組織工作的進行。不過，這期間很多華人經營的行業如捲雪茄烟、製皮鞋、製拖鞋等已經衰落，只有縫紉服裝（即車衣）行業還可以勉強維持;因此，二十世紀期間，車衣業就曾多次成爲勞資鬥爭的場所。

車衣工人在十九世紀已經成立行會錦衣行，這行會的行規，據說是黃遵憲（一八八二至一八八五年在舊金山任總領事）在調解勞資糾紛期間幫助工人訂定的。錦衣行的內部組織，反映了當時華人的濃厚鄉土觀念。不同籍貫的工人各自選出相同籍貫的工人擔任行長代表他們。這些行長又組成錦衣行的最高領導機關。在二十世紀初，這行會定期和老闆交涉議定屬下各工廠的工作條件及規則。例如:

一、廠裏縫紉工人必須加入行會。

二、每位工人需自備縫紉機。沒有縫紉機的工人可以向廠主按定價租賃。

三、廠主不能任意開除工人。

四、每週工作六天，每天工作時間由上午七時至晚上六時。上午九時及下午四時爲用膳時間。每年有一定假日，包括舊曆新年、端午節、中秋節及師傅（軒轅）誕等。

五、工作按件計算。每一款式服裝由行會與廠主議定工價後，無論哪間工廠，工價均應劃一。

六、老闆所收膳費不能超過議定的最高價錢。

七、新入行的工人可以當學徒。做學徒期間，師傅要供給膳食，但他可以留下學徒在這期間工作所得的全部報酬。

八、每廠有一人任"緣首"。主要任務是收會費及檢查確定廠主及工人是否都遵守行規。

錦衣行的會員主要包括舊金山及奧克蘭一帶縫製工人服裝的

工人。早期全部都是男性。二十世紀初大約有六七百會員。當時，這行會在保障工人權益上起了作用，所以在第一次世界大戰前，車衣工人的月薪較店員爲高。第一次世界大戰後，很多工人年老退休或去世，加上禁華工法案之故，後繼無人，工人人數日減。廠主趁這機會開始僱用女工，一般是家庭婦女，而且很多和老闆有親朋關係。她們的收入大都用來增補家庭生計，因而對參加行會組織沒有很強的主觀要求，加之錦衣行成員本身多受中國宗法社會影響，男女之間有所界限，不大願意吸收女工加入行會，因此，錦衣行會員日漸減少，行會勢力衰落。到二十年代，大部份車衣廠普遍僱用女工，只剩下個別男工繼續工作，到此時，錦衣行在工人運動方面已不能夠起作用了。①

第一次世界大戰前後，有些華工受到美國工人運動和社會主義思潮的影響，開始組織新型的華工組織。從這時期到第二次世界大戰，這種進步思想對華工爭取改善生活起了主導作用，啟發他們參加美國工運主流，與美國各族工人共同爭取改善生活。

一九一八年，芝加哥華人餐館工人就這樣團結起來爭取改善待遇。當時芝加哥餐館工人工作時間很長，每週工作七天，由開店至收市爲止，每天十二小時，但他們每年的報酬，一般卻不到五百美元。這時歐戰方酣，美國社會勞動力短缺，美國工人趁這機會紛紛團結起來要求改善待遇。華工也被推動成立自己的組織。

這年九月，三十六名老資格的華人侍應生（美國華人稱企枱）在芝加哥華埠召開會議，決定成立民生社，宗旨是"團結工人之實力，以謀改良工人之待遇;培養工人之智識，以謀發展工人之利益。"

民生社成立後，就向老闆提出每週休息一天以及增加工資的要求，又設立職工介紹所。不久，該社的會員增加到一千二百多名，過半都是餐室侍者，亦有廚師，商店雜役，衣館工人等。民生社在芝加哥大約活動到三十年代。②

民生社是否直接受當時流行的社會主義思潮所影響，目前未能下結論。但當時社會主義各流派的思想，已經開始在華人社會裏傳播，這是可以肯定的。

二十世紀初，受無政府工團主義思想影響的世界產業工人聯盟（Industrial Workers of the World）有別於美國工人運動主流所抱的種族主義偏見。他們認爲華工及其他有色族裔工人同樣都是出賣勞動力、被剝削的工人階級，所以應該一視同仁，招募他們入工會，與白種工人並肩跟資本家進行鬥爭，爭取工人利益。當時，舊金山已經有些華人爲這工會翻譯文件傳單了。③與此同時，太平洋彼岸政局的變化也推動了社會主義思想在美國華人社會的發展。

一九一三年，袁世凱解散提倡無政府主義的中國社會黨。該黨領導人江亢虎逃亡到美國。由於當時美國當局搜捕國內無政府主義黨人，江氏不敢在這裏組黨。一九一四年他組織了一個社會主義同志會，國民黨人如馮自由、張藹蘊等也有參加。不久，另外一些華人社區人士成立中國平民書報社，“以閱書觀報，談話演說，研究學理，交換智識，補助社會教育，聯絡僑胞感情爲宗旨。”這組織大多數社員贊同社會主義，因此借平民書報社社址給社會主義同志會爲會場和通訊機關。以後同志會就經常邀請美國社會主義名人和其他激進人士到這會場演講。江亢虎在這期間也刊印宣傳社會主義的小册子派送。④稍遲，在舊金山另外一名積極宣傳無政府主義者是鄭彼岸（香山縣人），他受中國當代另一名無政府主義倡導者劉師復很深的影響。他來舊金山僑居之後，曾設黑光華文夜塾。⑤

這期間，美東也出現支持社會主義的華工組織。一九一八年，波士頓成立美東華人工務會，“……謀人羣之進化，促進社會主義，聯絡各僑胞之感情，提倡振興各種藝業。”一些受無政府主義影響的工人也在紐約華埠成立俱樂部。同年，紐約又出現中文的工人月報《勞動潮》。⑥這時候，由二十世紀初年到第一次世界大戰末，是世界產業工人聯盟最活躍的時期。在美西，聯盟積極分子不但在城市組織工人，他們還到農場組織農工。但華人社會裏無政府主義者的活動，一般只屬於宣傳教育性質。到聯盟受美國當局迫害打擊而走向下坡時，無政府主義分子才在舊金山華人社會工人運動裏有所收效。這時候，製襪衫業（美國華人稱為白衣業）是舊金山地區較多華人從事的一個行業，有數十家白衣廠和白衣店，僱用着數百男女工人。老闆工友很多都是香山縣人。工人的待遇很差，普遍有改善的要求。

一九一九年五月，一些華人無政府工團主義分子和工人積極分子在舊金山的談瀛社召開座談會，討論怎樣爭取改善待遇，出席這會的共有二十九人。當時就決定以僑美白衣工業同盟會同人名義印發通告，徵求白衣工廠、白衣店工人的意見。通告文字摘錄如下：

> ……同人等為維持白衣工業，促進勞動民生起見，爰擬設立團體，共策進行，減時間以重衞生，加工值而維持生計。況際茲時代，百藝皆已實行，減時加工，為我勞動界謀普及權利……祈賜函贊成，俾得定期召集白衣全體大會……。

這通告得到百多名工友的熱烈反應。於是在這月中在陽和會館召開成立大會，議定簡章，並選出職員，定名為三藩市工藝同盟會。這組織提出以下九大條件，要求各廠主和店主在四天內函覆接納，否則實行罷工：

一、凡操工每日以九點鐘為限。

二、凡工值自今日起有增無減。

三、凡在工廠操工過九點鐘以外者，每點鐘須給點半鐘工值，餘類推。其外如幫賣舖面做夜市者，由各個人自行酌量加值。

四、凡星期日操工，須倍給工值，如一點鐘作兩點鐘計算。

五、凡遇美國各慶日停工，須照本會規定一律給回工值。若須操工，則倍給工值，照第四條辦理。

六、凡在工廠操工為機器所損傷，除個人買保險不計外，給回醫藥費。

七、凡初學以兩個月為畢業，在學習期內，每星期需給回雜費銀一元。俟畢業後，視其工藝如何，以定相當工值。

八、凡在舖內或公司住所寄宿，倘逢火災，所有損失，除個人自行買保險不計外，須由各公司每人賠償損失費五十元。

九、凡在工廠當工，有不遵守以上條件，或陽奉陰違，一經本會查出，認為有意破壞者，本會得函將該工人開除，不得借事推諉。

勞資雙方經過幾次討論，終於達成協議，承認了八條，刪除了第九條。共有三十二家工廠承認合約。

工藝同盟旗開得勝，進而要求老闆取消每星期收工人縫紉機位銀一元和工人縫衣線費用的規例。當時工會的勢力正在增長中，自稱會員達一千多人（該地區的華人不過是一萬二千人左右）。

工藝同盟不久增加農業、雜務兩部。港灣區附近休松（Suisun，粵人稱蘇遜）的華人農工，多來自香山隆都人。當年九月，他們也組織休松工藝同盟分會，目標是爭取減時間，加工資。這分會在十月和園主簽訂了以下規約：

一、凡操工每日以十點鐘為限。

二、凡工值自今日起有增無減。

三、凡在各園口操工過十點鐘以外者須給點半鐘工值，餘可類推。或用些少時間者不在此例。

四、凡星期日操工以九點鐘為限。

五、凡遇祖國慶日暫照星期日例。

六、凡在園口當工者須由各該園華人東主照加省例買工人保險。至賠償之多少，歸保險公司負責。

七、凡在各園口住宿，倘遭火災有所損失，須由該園東主每人補回損失費五十大元。

　　八、凡屬本會會員或爲東主者及承接一切工務者，不得與會外人同伍。

　　九、凡操剪菓枝工時，若開工到園遇雨回來，須作二五工計，過十五分鐘作半工計，餘可類推。

　　休松分會成立之後，工藝同盟改名爲美洲工藝同盟總會，表示了進一步推廣這組織的決心。但這時候，廠東們也團結起來，組織西裝商會來對付同盟的攻勢。

　　同盟雖然會員不少，但本身卻有嚴重的弱點。大部份工人會員的積極性不高，繳納會費和履行會員義務的人也僅佔總數三分之一。另方面是組織散漫，缺乏强有力的紀律。有幾次工人進行罷工，正在跟老闆談判，一些工友就擅自脫離罷工行列復工，以致功虧一簣而失敗。這些因素成了工藝同盟繼續發展的障礙。

　　一九二〇年，同盟領導人企圖帶領工人脫離廠東的剝削，發起舉辦合作性質的平民製造廠，由李白儔負責招股。當時招得約萬元股銀，廠房租賃了，縫紉機也購置了。但事與願違，當時美國經濟不景，認股的人交不出股款; 所以不得不取消了計劃。到這階段，很多會員已經消極，人心渙散。以後工藝同盟雖然由積極分子陳迪堯、林一寰、岑慧劍（Alice Sum）、李白儔、周仁牧等努力維持，也試圖加以改組，但到二十年代中期這組織繼續走向下坡。大約二十年代末，這組織已經成爲歷史名詞，一些積極分子如李白儔跟着國民黨走了，另一些如岑慧劍參加了美國共產黨。也有少數人如劉中時（Ray Jones 又名蔡賢），堅持信仰，繼續掙扎下去。

　　工藝同盟並不是美國華人的第一個現代工人組織，但由於它的活動地區是美國華人最集中的舊金山，所以在華人工人運動史上佔有重要的一頁。值得注意的是這組織能夠突破種族界限，聯繫其他種族的工人，共謀自身的利益。例如一九二四年，工藝同盟反對果廠老闆削減包果工價，就號召日裔工人採取一致行動。⑦一九二五年"五・卅慘案"發生之後，工藝同盟又呼籲美國西人工會援助上海工人，得到許多工會工友的捐款。這是白種工人支持華人工人運動比較早的一次。⑧

二十年代，無政府工團主義在美國社會已經趨向沒落。但當時的華人社會裏還有一些無政府主義組織，如舊金山的平社（Equality Society）、洛杉磯的仁社、紐約的覺社均在苟延殘喘。它們又越境與墨西哥的黑社，溫哥華的華人工會（Chinese Labor Association），中國，歐洲等地的無政府主義分子聯繫。稍後在一九三四年美國經濟大恐慌時期，舊金山又有無政府共產主義者聯盟出現。不過到這階段，無政府工團主義在華人社會差不多已是強弩之末了。

二、在舊金山

(一)工餘俱樂部、失業工人會

俄國於一九一七年發生十月革命，成立了蘇維埃政權。不久，很多國家也出現左翼分子組織的共產黨。一九一九年美國社會黨內部分裂，左翼分子退出後另外成立了美國共產黨。

華人社會中一些人士在這時也已經注意到馬克思主義的研究。不過，由於懂英文的華人不多，不易和美國社會其他族裔人士溝通；因此，美國共產黨在華人社會裏的影響很有限。到一九二三年孫中山領導下的國民黨在中國廣東宣佈"聯俄、容共、扶助工農"三大政策後，共產黨人在華埠才有機會發展。當時在美國，尤其在舊金山灣區，已有一些留學生及青年學生出來響應支持中國革命新階段的號召。由於他們中一部份是與華人社會關係較疏的高級知識分子，而另部份人還是較年輕的中學生；所以在這時候少有機會插足華人社會的工人運動，他們的注意力是集中於中國革命的發展。

一九二七年，國共分裂，國民黨清黨，中國革命走向低潮。這時候，馬列主義者在美國華人社會的工人運動裏才加緊活動。當時美國共產黨成立了中國局，不久，參加這組織的進步留學生大部份來到東岸的華人社區活動，華僑青年則留在舊金山。大約一九二八年，謝創（Xavier Dea）等十多人在舊金山成立工餘俱樂部（Kung Yu Club），試圖在華埠組織雜貨店和餐館工人工會。當時提出口號要求把工作時間減到八小時，但由於工人受封建宗法制度的影響，階級覺悟程度不高，加上這些青年人還缺乏組織工會的經驗，所以這行動未能成功。⑨

不久，這組織內部因路線分歧而發生分裂。較穩重的一部份成立華僑工人會，後來改名華僑工會。華僑工會的主要活動限於為華人找職業。這組織每月介紹長工、散工、讀書工和女工數十份，一般都是服務性質的低薪工作，但這組織對於不合理的工作待遇卻沒有採取鬥爭行動，和美國工人運動也沒有積極的聯繫；因此，它對於改善華工的生活作用不大，到三十年代初就停止活動了。⑩

以中國學生會的積極分子為核心的一部份進步青年，卻繼續把持工餘俱樂部進行社會鬥爭。不久，他們積極投入了支持舊金山港灣地區洗衣館工人爭取改善待遇的鬥爭。

洗熨業是舊金山華人主要行業之一。老闆組織有東慶堂，工友組織有西福堂。兩者都是有相當長歷史的傳統式行會。西福堂（或西福工會）雖然是工人組織，卻被封建宗法氏族思想所束縛，一向不能積極展開爭取工人利益的活動。當時工人待遇很差，有些人每天竟要工作十五個小時，由早上七時開工到晚上十時下班，只有星期日一天休息。後來在工餘俱樂部積極支持下，西福堂領導人才決定在一九二九年初向老闆提出星期六減少五小時工作的要求，從早上七時做到下午五時，以及允許婦女工人入會。這些要求並不苛刻，但東主們卻不肯接納，結果談判破裂。西福堂逼不得已，召開大會決定罷工。

宣佈罷工後，舊金山六十多間洗衣館關閉，五百多名工人參加罷工。老闆企圖僱用黑人代替華人工人。西福堂的罷工委員會立即與西人工會接洽，決定由西人工會派人在洗衣館門前設立糾察，黑人工人因此而不能越過糾察線。⑪

由於勞資雙方大部份是台山人，所以由寧僑公會出面，委託陳敦樸、李蘭明、黃璧傳、黃竹、李韻琴、甄艮秀六人調停。一週後，終於達成協議：每星期減工作時間四小時（由早上六時至下午五時），並由資方支付罷工時間工人所損失的工資，但對於婦女入會一項卻擱置不提。

西福堂工人罷工的勝利，打破了白人認為華工是馴服奴性工人這一個訛誤概念，舊金山勞工理事會特邀請西福堂代表陳比利（Billy Chan，音譯）及岑慧劍報告罷工的經過與成績。⑫這是排華運動以來，華人工人運動第一次得到美國主流工運的重視，而華人代表正式被邀請出席工會會議，標誌着進步的華人工人與白種工人已經開始認識到他們利益的一致，進入互相合作爭取工人共同利益的新階段。

但東慶堂東主們也有自己的苦衷。在瀰漫種族主義的美國社會，華人洗衣店一定要保持低廉的價格，才能夠爭取更多顧客。要達到這目的，就必須要降低成本，在工人身上打主意。東慶堂東主們害怕西福工會勢力增長損害本身利益，遂找機會打擊這工人組織。兩年後，由於洗衣館老闆拒絕西福工會代表登門收取工會費，西福工會與東慶堂的糾紛復起。一九三一年四月，西福工會決定再度罷工，結果影響數十家洗衣館，有數百人停工。西福工會向東慶堂提出十項要求。但這時的客觀情況跟第一次罷工時已有顯著不同。

一九二九年，發生了震動整個資本主義世界的大規模經濟危機。這年十月，美國證券價格直瀉，在一個多月裏幾乎有三千萬份股票拋至市場，股票貶值三百億美元，跟着大批工廠企業倒閉，工業生產量減至一半；農場荒棄或被債主沒收。千千萬萬工人被解僱。失業人數到一九三一年達九十萬左右，而且繼續不斷增加。美國的經濟蕭條，對華人營業和工人都有很大的威脅。有些工人由於生活受到很大壓力，不再願意參加罷工。

　　老闆們也知道工人經濟條件薄弱，不能夠維持長久罷工，況且洗衣工人分散在各店工作，難以一致行動，可以向他們個別施加壓力。他們立意打擊西福工會，以杜絕工會日後勢力滋長而更嚴重地威脅自己的利益；因此，東慶堂採取了強硬態度。中華會館與和平總會插手調停，對於工會要求的九項雖達成協議，但對於工會入各衣館收會員經費一項，雙方堅持各自立場，成爲僵局。老闆又散佈言論指控這場工潮是由共產黨人所煽動釀成。這樣他們可利用美國社會的恐共心理，爭取輿論同情，遮掩世人耳目。在這重重壓力下，到六月，大部份工人已經復工，罷工因此而失敗。⑬

　　當洗衣工人醞釀罷工期間，美國社會的失業情形越來越嚴重。救濟失業工人成爲需要迫切解決的問題。一九三〇年三月六日，美共和工會統一聯盟（Trade Union Unity League）發起國際失業日。在全國各大城市號召十多萬失業羣衆示威遊行要求救濟。七月四日，又在芝加哥成立全國失業工人會（National Council of the Unemployed），要求建立失業保險制度。舊金山工餘俱樂部的十多名工人也積極支持這反失業運動，參加了三月六日的示威遊行。這一天，十萬失業羣衆和支持者，組成浩浩蕩蕩的隊伍，高呼“我們不願捱餓，我們要工作或生活費”，向舊金山市政廳邁進。市長爲了平息羣衆的激動情緒，就向他們表示同情，並許下許多不能兌現的諾言。⑭

　　美國華人在許多行業本已受到排斥，在社會上也遭歧視，失業給他們的生計造成更嚴重的打擊。據估計，在一九三〇年，僅舊金山一地，失業華工就有三、四千人，佔舊金山華埠人口約四分之一。年老華人受凍餓死的迭有所聞。工餘俱樂部爲配合反失業運動，在華埠街頭演講，揭露資本主義社會的矛盾和失業的原因，並提出當前解決失業問題的措施。初時到場聽衆不多，後來竟增加到千人左右，迫得警察要動手干涉，拘拿演講者入獄，並禁止集會。羣衆對於演講宣傳的熱烈反應，鼓勵了工餘俱樂部進一步去籌組華人失業工人會。一九三一年一月底，舊金山的失業工人會借用中華學校禮堂正式舉行成立大會。三月底，失業工人會又在大舞台戲院舉行集會，向到會的五六百人提出中華會館救濟的要求，並就全體通過請願書，呈給中國領事館和中華會館。

失業工人的要求迫使中華會館不得不有所表示，商董們通過提案謂："今因失業工人，要求救濟，情殊可憫，惟是失業工人之多少，無從而知，但此事應由各屬會館，切實調查，方有辦法云云。"但後來中華會館卻沒有採取實際行動。

工餘俱樂部的青年工人除了繼續組織失業工人會進行鬥爭之外，還鼓勵華人工人聯合西人失業羣衆共同鬥爭。由於美國華人長期遭受種族歧視和排華的痛苦，加上他們與西人有語言及文化上的隔閡，因此並不容易溝通。工餘俱樂部的積極分子長期耐心地說服他們，並帶領他們到西人工會或參加西人的晚會，令華人感受西人工人的熱情招待，逐漸排除他們思想上的障礙。這樣，華人工人開始和其他各族裔工人攜手合作，共同爭取自身的利益。

工餘俱樂部在這些鬥爭中所起的積極作用，使它成爲統治者及東主的眼中釘。爲了鏟草除根，他們向工餘俱樂部的領導人開刀。一九三一年，西福堂第二次罷工，移民局趁機會拘捕了謝創，囚禁在天使島，一九三二年驅逐出境，到了蘇聯。⑮

但華人失業會仍繼續在華埠活動，爲失業華人向各界請命，且又發動華人工人參加反失業的遊行。例如一九三三年一月，他們參加了州飢餓大巡行，向州議會提出用現金救濟工人，反對當局驅逐僑工出境，並要求通過失業工人社會保險提案。⑯

舊金山市政府和華埠僑領感到再也不能忽視失業工人的問題了。同年一月，中華會館及市政府人員籌備華埠失業工人救濟處，由華埠團體組織委員會辦理。委員中有中華會館代表一名，寧陽會館九名，肇慶會館三名，三邑、合和、陽和、岡州會館各兩名，人和會館一名。賑濟所的用具、租金、水電、煤氣，由市政府負責，並每日每人撥膳費一角，供養三、五百失業華人。救濟處還舉辦食堂，及租賃大東旅館部份房間，作為百餘失業者的寄宿所。這些措施幫助了部份失業工人，但畢竟是杯水車薪。⑰

失業問題嚴重，迫使美國統治當局不能不作若干讓步措施。一九三三年羅斯福總統就任後，國會迅速通過議案創立公共建設工作計劃，收容部份失業工人，同時大力資助各企業，刺激生產，又設立失業金、社會保險金，及承認工人有組織工會的權利。但這些措施並沒有解決當時的社會危機，美國經濟要等到第二次世界大戰前夕才開始復甦。

(二)華工中心、加省華工合作會

繼工餘俱樂部之後，華埠又成立了華工中心。初時有三十多名會員，比工餘俱樂部的人數為多。華工中心旨在聯絡華工並宣傳進步思想，它與美國工運裏的進步分子有密切的聯繫。還有一些青年華工在一九三三、一九三四年加入了碼頭工會。一九三四年舊金山碼頭工人罷工和全市總罷工時，這些青年華工，大約二十名左右，積極參加了有關各種活動，是舊金山華人參加美國工人運動較早的一次。其中李仲棠因在街頭派發傳單抗議警察用武力對付罷工工人而被捕入獄，判監禁九十天。

資方指控這次罷工是共產黨人煽動的工潮。總罷工期間，舊金山出現了一些所謂自警委員會（Vigilante Committees），到處搗毀共產黨及左派機構。有人指控華工中心是共產黨黨部，於是自警委員會分子破門而入搗毀華工中心會所的枱椅、書籍及壁上鏡架。⑱

華工中心也試圖在華埠組織工人。當時美國失業工人固然要過飢寒交迫的生活，但有職業的工人也不見得生活會好得幾多。社會上存在大量的失業勞動者，有利於老闆壓低勞動成本。他們往往就乘機加緊向工人施額外的壓榨和剝削，藉此鞏固改善自己在市場上的競爭地位。舊金山華埠的服裝製造業（即車衣行業）就是這樣一個行業。當時華埠約有三十家工廠，工人不僅待遇差和工作時間長，而且老闆壓減或吞沒工人工資的行為也常有發生。因此，這行業裏的工人普遍存在不滿的情緒。

一九三三年，華工中心的一些積極分子開始聯繫工人組織車衣工會。這年底，舊金山廣隆廠不依時發放工資給工友。工人在車衣工會的工廠委員會的指導下就發動罷工，得到局部勝利。車衣工會繼續在華埠其他車衣廠發動多次罷工，爭取改善工作待遇，例如要求加薪，取消向老闆繳納縫紉機的租金，反對代老闆向勞工局虛報工資等。⑲工會負責人也鼓勵華工參加美國工人運動主流，和各種族勞工團結一致爭取共同利益。基於這個原則，車衣工會在一九三四年曾號召華埠車衣工人參加舊金山勞工總同盟發動的全市總罷工。⑳

車衣工會積極分子雖然積極團結工人，但他們卻不善於團結女工和錦衣行行友。同時大部份華工的思想又深受中國封建宗法制度的影響，所以不容易接受這工會領導的戰鬥性主張。加上美國當時反共氣氛，更令工人有顧慮。這些因素就給予老闆可乘的機會，挑撥離間工人之間的關係，使他們互相猜忌，阻礙他們團結對付資方。㉑工會組織也受工人運動政治路線上分歧嚴重的影響。一九三四年，主流社會較穩健的國際女服裝工會開始進入華埠活動，與車衣工會對立。這年十一月派露斯・匹撒打（Rose・

Pesotta）調查華埠車衣業及組織華人工會分會，但她也失敗了。㉒

一九三六年，碼頭工人再次罷工，幾名華人工友首次在糾察線上出現。碼頭工人這兩次罷工，使華埠工人與美國工人進一步團結起來，爲共同目標而鬥爭。碼頭工人的鬥爭，也對西岸其他行業的工人起了鼓舞作用，推動他們紛紛採取集體行動，爭取改善待遇。他們的行列開始有更多的華人參加。總罷工之後，舊金山的雜役工會第110號分會開始接受華人會員。較早的一名是華工中心的李仲棠。一九三六年他被選爲出席這工會全國代表大會的第一位華人代表，隨後又擔任了分會的主席。到一九三七年，在這工會三千名會員中，華人約有四百多名，後來又增加到六百名，是華工較多的一個工會。㉓

一九三七年，正當金門橋開幕前夕，舊金山大酒店老闆與工會發生糾紛。老闆不肯給予司帳員及辦公室僱員組織工會的權利。同時他們堅持工人每星期需工作四十八小時。雙方代表協商無結果；五月一日，三藩市十五間大酒店六個工會管轄下的職工數千名聯合罷工，其中包括華工多名的雜役工會。這次罷工涉及的華工約一百五十名，都加入糾察隊伍，是較多華工在美西積極參加工人運動的第一次。㉔華人工人自此以後參加到美國工人運動的主流中。其他非技藝工人的工會組織也相繼接受華人爲會員。但技藝工人工會卻繼續排斥有色人種，包括華人。直到五十年代之後，這些工會才開始在舊金山接受少數華人爲會員。

美國西岸工人運動的繼續發展，推動舊金山華埠出現一個新的進步工人組織，而美西"魚濕"工人爭取改善待遇的鬥爭，對這新組織的成立也起了媒介作用。

"魚濕"是美國華人對入裝鮭魚罐頭廠的稱謂。自十九世紀七十年代，罐頭廠老闆每年將鮭魚的加工入罐工作交給華商承包。當時華工是罐頭廠的主要勞動力。排華移民法例實施之後，華工人數逐漸減少，承包商招募日本人、菲律賓人、墨西哥人、印第安人、黑人以及一些白人來應付生產所需的勞動力。到一九〇七年，華人工人只有二千二百多名，佔鮭魚行業在陸地廠房（主要是罐頭廠）工作工人總數的三分之一。以後，這數字繼續下降，到一九三四年，華工人數降到八百七十多名，不及工人總數的一成。

華人承包商號主要集中在舊金山。營業規模較大而歷史較長的一家是廣謙和號（Quong Ham Wah），在一九三一年曾提供工人給五家罐頭廠。舊金山承包商人有趙牧、趙墀、陳象偉、李洽、林純、林榮焯等。西雅圖的阮洽、馬登、胡伯珍和波特蘭的梅伯顯、黃崇錫等人也在這些地區承包鮭魚罐頭廠工作，招募工人。前兩地區的工人多到阿拉斯加工作；波特蘭則供給哥倫比亞河流域鮭魚廠的勞動力。後來哥倫比亞河流域的鮭魚業衰落，鮭魚罐頭業就集中在阿拉斯加地區。

到二十世紀，其他種族的工人日漸增加，而且有日裔和菲律賓裔商人跟華商競爭承包合同。因華人先入為主，所以在這行業仍保持優勢，是罐頭廠鮭魚加工工作的主要承包商。在這期間至二十年代中，承包商每年招募工人約一千至二千名（其中華工平均約佔百分之二十八），大部份是由華人承包商所承擔。不過由於應招的其他族裔工人日益增加，華人承包商又和另一些公司訂立分包合同，代為招募工人。二三十年代在舊金山營業規模最大的就是廣謙和號分包的楊邁耶（Young & Mayer）公司。

承包和分包制度弊端百出，很久以來已令工人不滿。以楊邁耶公司為例，工人應招找工作必須先在這公司購置一套西裝和衣着被褥等，而公司所定的價格卻比市場上高得多。一套在市面售價十五至二十元的西裝，楊邁耶公司卻索價三十至四十元，衣着被褥也超過市價兩成到一倍半。此外，工人上船前往工地的時候，工頭會給一些零用錢，但工頭又要留下一部份作為佣金。

在三十年代，輪船已在運輸業裏被普遍採用，但阿拉斯加罐頭廠商公會（Alaska Packers Association）爲了節省經費，卻仍用帆船載工人及物資往返於阿拉斯加之間，這種落後的交通工具，要三四十天航行才到達目的地。船上不僅設備差，而且工人住宿的大艙更是骯髒不堪，臭氣薰天。

"魚濕"工作屬季節性質，通常由晚春到初秋，大約三個多月。廠房都設在人烟稀少、遠離大都市的荒涼地區。工地的一切生活設備簡陋，而且在這與世隔絕的地方，工人完全被工頭支配，每天工作時間平均長達十一至十四小時。在高峯的時候，工頭爲了保證達到或超過合約定額，每每強迫工人加快工作效率，有時還會延長工作時間到二十多個小時。

工頭爲了節省成本，往往提供劣質膳食。而工人需要的日常用品，則要付高價向工頭賒賬購買。有些工頭又設賭檔和供給毒品，進一步剝削工人。所以，工人辛苦了幾個月，往往所剩無幾; 賭徒和有毒品癮的人更是白幹了一季。

這行業的黑幕，早已被政府當局揭發指責，但終無法杜絕。後來還是工人自己團結起來才改善了待遇。

一九三三年，魚濕工人曾試圖組織工會，但未成功。到一九三六年，魚濕工人在碼頭工人工會支持下，再次組織起來，在舊金山碼頭設立糾察線，拒絕越過糾察線起卸阿拉斯加罐頭廠商公會船隻的貨物。這些船隻不能按期運送工人到阿拉斯加工作，資方就會蒙受極大的經濟損失; 因此，資方不得不讓步，承認工會組織。更重要的是工會和資方簽訂合同，設立職業待僱所（hiring hall），取消承包制度。在組織工會的過程中，華人有積極的表現，但爲了避免承包商僱用堂號打手對付這些華人，所以他們只做幕後的策劃支援工作。

一九三七年，新成立的阿拉斯加罐頭廠工人工會（Alaska Cannery Workers Union, 又稱魚濕工會）派楊森（Sam Young）

和方家常（Willie Fong）到阿拉斯加，進一步組織工人。

一九三七年魚濕季節結束之後，一羣工友在歸航船上交換意見，認爲有必要在舊金山成立一個華人工人組織。後來，張恨棠、楊森、彭飛、方家常、李仲棠等人就發起組織加省華工合作會（Chinese Workers Mutual Aid Association），並於一九三七年十月九日正式成立。㉕

華工合作會第一屆職員是:

正會長: 楊森，副會長: 趙天佐

文書主任: 張恨棠

財政主任: 趙昌

教育主任: 彭飛

調查: 趙壽

遊藝: 陳長伯

監察委員: 嚴宋、周長、黃就㉖

華工合作會雖然由魚濕工人創始，但成立後就受到許多其他行業華工的響應。不久，餐館工人、洗衣工人、車衣工人、農工、海員、碼頭貨倉工人紛紛加入。華工合作會的領導人物大都在三十年代美國工人鬥爭中鍛煉出來的，深信工人階級無論屬於任何種族，是有共同利益，所以成立不久，就和國際碼頭工會，海員工會，雜役工會有密切聯繫。這些聯繫也方便了華工參加西人工會，在華埠以外找到工作的機會。他們又通過美國工運的關係，在華埠設立萬國工人保險互助會（International Workers Order）華人部，爲工人提供人壽及疾病保險。㉗當時醫療保險制度尚未在美國建立，所以互助會的設施對工人生活的保障確是起了肯定的作用。

華工合作會在很多地方替工人服務。如幫助工人辦領失業保險，介紹工作，代理死去孤寡喪事，援助貧病等。這會還經常舉行各種講座教育工人，提高政治認識。因爲當時正當抗日時期，因此很多題目是與抗戰有關，其餘的講題多涉及工運各種問題。華工合作會又出版《合作小刊》報導會務和美國工人運動的消息，內容又有政論、時事分析和文藝創作。這中型册子，是季刊形式，前後出版了三十多期。到第二次世界大戰期間，阿拉斯加罐頭廠商公會爲了避免工會的掣肘，趁機會將辦事處移到工運比較弱的西雅圖，在那裏招募工人。這樣華工合作會失去了部份羣衆基礎，加上戰時合作會不少積極分子參軍，暫時離開，因此會務開始呈收斂現象。㉘

華工合作會是華埠近代對華工有影響力的一個工人組織。在極盛時期，會員號稱五、六百人。這會對於舊金山華工加入美國工運的主流，起了先鋒的橋樑作用。它在華人社會裏，也積極協助工人組織起來，不過由於客觀環境的限制，所以收效有限。

(三)國際女服裝工會

華工合作會成立不久，美國工會也打入舊金山華人社區。突破的點就是歷來工人運動最活躍的車衣行業。當時華埠裏最大的車衣廠是屬於中興公司，有百多名職工。這期間美國經濟蕭條，工人不容易找工作，有工作的所得工資也只僅餬口而已。廠方就趁這機會更壓低工資。不但如此，廠方還以比中興公司本廠成本更低的價格，將女服裝轉讓給華埠其他承造商製造。在這情況下，中興工廠工人經常沒有工作。

工人迫不得已，聯合起來向廠主要求增加工作以維持生活。但得不到廠方的理會。因此，他們進一步要求組織起來爭取改善待遇。初時，華工合作會的一些積極分子和這些工人聯繫。後來國際女服裝工會再入華埠。張恨棠也參加工會組織工作，但不久被工會指派的負責人珍妮‧馬特雅斯（Jennie Matyas）排斥。

經過幾個月的籌備工作，國際女服裝車衣總會之第三四一號華人婦女車衣分會終於成立了。共有會員一百二十五名，包括土生及中國移民。一九三七年底，他們開始與廠方磋商增加工資，與及要求廠方承認工會，規定工作時間。當時廠方認為工會不代表工人，要求在舊金山區勞工局監督下，工人進行選舉。但結果工會得到絕大多數工人所擁護，中興公司不得不同意與工會談判。到一九三八年二月初，廠主忽然將這工廠"售"給金門製造公司。買者是中興公司經理王官梧及工廠管工孫某。當時工人要求新廠主保證有十一個月的工作，但得不到廠方的肯定答覆。因此，一九三八年二月底，車衣廠工人開始了美國華人社會持續時間較長的罷工，雙方對峙了一百零五天。

在罷工過程中，廠方試圖在報章上替自己辯護，但社會輿論卻傾向同情工人。工人又能夠堅持團結鬥爭。因此，老闆終於屈服，承認工會而同意加薪百分之五。當時一些工人覺得加薪不足而拒絕接納，工會代表經過長期反覆討論，才說服了大部份工友，有少數女工人卻覺得被出賣了，憤而脫離這組織。廠方雖然在表面上承認工會，但心裏卻不服。一年以後，老闆關了舊金山的工廠，服裝也改在工會勢力較弱的洛杉磯縫紉。這樣，華人車衣分會也不得不解散，會員分別加入另一個族裔混合的分會，工會也設法將這些失業工人，安排到一些西人工廠裏。由於當時很多白人對華人仍有很深的偏見，個別工人不肯與華人一起工作，有些還揚言如華工要進來，白種工人就會罷工。後來工會負責人費了許多唇舌，才說服他們。這是華工在西人車衣廠就業的開始。㉙

在華埠，跟着的幾年也有多間衣廠的工人加入工會。但這些組織與中興公司工人組織的車衣工會有很大的不同。一般是由廠方與工會磋商簽約，而工人在談判期間，多扮演被動角色。在這些工廠裏，工人待遇在某種程度上有一定的改善，但由於這是由上至下而成立的組織，工人一般對於工運的認識不高，很容易被老闆用各種方法愚弄，甚至作出損害工人本身的利益。因此，這些工會的存在，對於華埠各行業的工人運動不能起很大作用。

在一九三八年初，美國產業工人聯合會承繼了西福工會的衣鉢，組織華人衣館工人加入工會，並罷工得到勝利。[30]同年五月，奧克蘭工會也和華人肉店達成協議，接納華人入工會而撤消工會設在肉店前的糾察線。[31]

不過，有不少工會裏的領導人物，往往只重視多收會員，伸展工會的勢力，鞏固工會的地位，但對華人工人利益卻漠不關心，加上華人工人仍然被封建宗法思想的影響，所以老闆往往可以利用這弱點，哄騙工人反對工會，或和老闆合作，對工會的工作規例陽奉陰違。由於這種種因素，舊金山地區華人社會裏的工運在三十年代雖然活躍，但過了一個時期又沉寂下去了。這時期肯定而持久的成就，還是華人工人打破了華埠的藩籬，加入美國工運的主流。

三、在美東

（一）華僑失業會、華工中心

紐約市的華人人口僅次於舊金山。據一九三〇年官方人口統計約有一萬人弱，但不包括為數不少的非法移民，尤其是潛逃登陸的海員。這裏的華人工運像舊金山一樣，也跟左派有密切的關係，扮演重要角色的是華僑反帝大同盟（簡稱大同盟，Ta Tung Meng）大同盟與美共有密切關係。早期很多成員曾是國民黨裏反對蔣介石的左派人士，大部份是知識分子。在初成立的幾年，他們有嚴重的教條主義作風，往往提出一些羣眾覺得和自己切身利益沒有很大關係的抽象政治口號，唱高調。因此，大同盟在這期間的活動，往往脫離羣眾，收效不如主觀所要求。在三十年代初，他們檢討總結經驗，才慢慢將這現象改變。[32]

這時候，美國的經濟恐慌對紐約華人經濟有很大的打擊，對華工的影響更大。據官方資料，華人失業率當時高達三成，更多工人長期陷於半失業狀態中。因此，解決失業工人的生活，成爲社會上一個嚴重的問題。

在這以前，美國各地，包括舊金山華埠，已經成立失業分會。這時候，紐約大同盟的成員也積極參加紐約市其他社區的失業會活動，並號召華人參加。不久，紐約華僑失業會（Chinese Unemployed Alliance of Greater New York）也成立了。這組織的宗旨是"團結全體失業華僑之力量，達到各種失業救濟之要求"。到二月，失業會派代表團到中華公所要求救濟，但這華人社會最高領導組織卻推卸責任，提出"救濟失業事宜仍以由各團體（指同鄉宗親組織）自動辦理"。在其他方面，失業會的努力卻有些肯定的收效，他們向商人募捐衣服、米糧報紙等物供給失業工人，又和其他分會合作，阻止業主非法驅逐經濟上有困難的租戶。在六月，失業會印發刊物《失業工人》，作爲團結華工採取一致行動，爭取失業救濟及保險的宣傳工具。㉝

但這會的積極分子忙於謀生，另一些領導人物又集中精力於全國性的失業運動。這樣忽略了落實華人失業工人的具體要求；所以到九月底，失業會"⋯⋯除化緣式的募集米菜開飯團外，對於當初之樓宇、街道等委員會的減租運動，對中華及各公所要求救濟等鬥爭路線，幾全盤放棄。《失業月刊》也停頓⋯⋯"很多會員見不到什麼成績，也脫離了。

不過到一九三四年，失業會還在活動。這年十一月底，這會又派代表到中國領事館和中華公所要求他們贊助國會正在討論中的工人失業及社會保險法案。不過，到這時候，美國社會情況已經有變化，國會通過了法案給予工人權利組織工會，並跟老闆訂集體合同。工人運動的重心開始由救濟失業工人轉移到爲工人爭取職業保障及提高工資的活動了。所以失業會也隨之解體。

一九三四年初，左翼華人又成立華工中心，目的是提供文娛活動，推進工人互助團結精神並提高工人文化政治水平。稍遲，又成立美國工人保險互相會華埠分會，曾有會員八十多人。這些組織也經常主持社會的政治活動，使不同種族的成員相聚，增進互相之間的了解和政治上的團結。

(二)美國工會與華人

紐約華人的就業情況跟舊金山不同。這裏超過八成華人在洗衣業或餐館業謀生。組織這些行業的華人參加工會，經常碰到很大的阻力。

在一九三五年，已有少數華人餐館工人加入工會。當時左派的餐館食品產業工會（Restaurant and Food Production Union）宣稱有華人會員幾十名，但他們都不在餐館和華埠工作。在華埠外附近的新中國餐館，也有一些職工參加了自助餐廳職工工會（Cafeteria Employees Union），其中七名華人是當時唯一參加工會的餐館華人職工。㉞紐約大部份的華人都在小型洗衣館和餐館裏工作。這些行業裏工人收入低，工作時間長，工作環境也差。但這些行業的性質和其他一些客觀因素，卻使工人運動難以發展。以洗衣業為例，這行業於一九三三年成立華僑衣館聯合會，會員包括紐約絕大部份洗衣館。這是一個以新姿態出現的同業組織，有活力，有鬥爭精神，但它畢竟還是行會性質，老闆與工人兼收，是一個代表小型經營者利益的組織；因此，在改善工人待遇方面有很大的局限性。這也就是大同盟和其他華人左派對衣聯會不予重視的原因。

但到一九三四年，情況的發展又使華人左派認為衣聯會反抗種族歧視法例以及它跟華埠保守封建勢力的對立，都是進步的社會鬥爭的一部份；因此，開始積極聯絡衣聯會，同時號召美國各左派組織支持衣聯會的鬥爭。一些華人左派人士還成為衣聯會的中堅分子，例如留學生唐明照在一九三八年曾帶領衣館代表團跟批發濕洗洗衣公司（粵人稱衣偈）進行談判；一九三九年他又是衣聯會幹事之一。㉟這樣，左派和衣聯會逐漸形成密切的工作關係，衣聯會也發展成爲美東最大的華人進步團體。

當時抗日救亡運動正在發展，衣聯會在這方面起了重要作用。左派不得不考慮在洗衣業裏搞工運是否會破壞統一戰線。華人左派認爲華人衣館“……根本是一種小商業，他們是勞苦的工人，同時又是自己做東家，勞資關係在華僑衣館中可以說沒有存在，因爲衣館絕大多數是個人生意或伙伴生意。就算偶然請一個半個工人，被僱的不是親戚即爲朋友。因此……衣館沒有勞資對立的現象，另方面它本身又是一種比較落後的小手工業，故其同業組織，只能是一種職業性的行會組織，不適宜組織工會……”。㊱因此，美國工會雖然組織了大洗衣廠的工人，但華人左派卻沒有支持他們在華人洗衣行業組織工會。

在餐館業，自一九三五年組織少許華工加入工會後，工人運動幾乎完全停頓。到一九三八年，美國勞工聯合會在紐約市布魯克林區幾家華人餐館門前設置糾察線，要求僱聘工會會員，組織華工的活動才告復甦。同一時期，紐約市曼哈坦區（粵人稱民鐵吾區）另一分會又宣佈組織該區所有餐館工人的計劃。一九三九年四月，勞聯的樓宇服務工人工會第211號分會，發起組織了華人事務服務工人工會（Chinese Establishment Service Employees Union），又名中華總工會。會長是司徒成（音譯），副會長是西人。該工會擬先着重組織餐館工人，然後再組織衣館工人。到十月，新工會招募了一些華人餐館工人，就以華人餐館工人聯合會名稱正式成立。

這時候，華人餐館同業會改名華僑餐館工商總會，以表示勞資共同合作的精神。同時老闆又利用種族感情和宗法關係分化工人，並開除工會的積極分子，將他們列入黑名單，使不能在華人餐館找到工作。這軟硬兼施的手段很快收效，參加了工會的工人紛紛退出，其他工人有了思想上的顧慮也裹足不前。

勞聯對這件工作，卻像看待一宗生意。它聘請的司徒成，在事前很少接近華人工人；他又沒有深入華工發動他們來組織工會。勞聯還與他訂了五年合同，給他組織華埠餐館工人的專利權。這是一件沒有羣眾基礎、由上而下的組織工作；所以被左派指斥為勞聯企圖包辦控制工人的組織。不久，國民黨分子見工會不熟悉華埠情況，又趁機會混入這組織沾些個人利益，以及希望在政治上可以控制該工會。這發展被紐約華文報紙披露。這種種現象使工會信譽掃地，組織活動更趨癱瘓，所以到一九四二年，勞聯不得不承認失敗，撤消該分會，組織餐館工人的活動暫告一段落。㉧

　　美東華人開始大批參加工人運動卻不在華人企業裏，而是發生在美國的海運行業。紐約是美國的大海港，這裏也是很多華人海員暫居或久居的地方，他們多在船上當低級低薪的職位，如廚工、膳務員、服務員等，平均收入比白種人低三成多。但他們不獨待遇差，而且受工會的歧視。

　　這時期，船上是國際海員工會（International Seamen's Union）的組織範圍。到三十年代，這工會已經變質，是一個內部腐敗，與老闆合作壓迫工人的機構。於是一些進步海員就出來另組織全國海運工會（National Maritime Union），這新組織從開始就建立民主制度，而且對入會的人又採取不分種族膚色、不分信仰的政策。不久，這進步工會就成為全美國最大的海運工會。

　　一九三六年，該工會號召全國會員舉行大罷工。很多海員因此也就滯留在各海港。華人以紐約最多，有數千人。由於他們沒有組織，所以都感覺徬徨。當時一些積極分子就利用孫中山在一九一〇年前在美國設立的海員組織聯義社，㉨希望用這組織的力量幫助同行渡過難關。剛在這時候，海運工會為了團結更多工人，更有效地與老闆鬥爭，就與聯義社接觸，提議動員華人海員並肩爭取工人共同利益，聯義社提出三點作為華人支持罷工的條件：

一、華人海員享有平等待遇；

二、華人海員抵達港口，有權登陸休假（在排華法案執行時期，船隻到港，移民官員往往禁止華人海員上岸，以提防他們非法居留美國）；

三、報酬和白人員工劃一。

海運工會同意為華人爭取這幾點之後，約有三千多華人海員參加罷工行列。國家海運工會罷工勝利後卻沒有解決華人海員所關心的幾個問題。這時候，又加上另一個新難題。一九三六年，美國國會通過法案，完全僱用美籍海員的船隻載美國郵包，可以獲得政府一筆津貼費。美國一些海運公司為了贏得這筆可觀的收入，就有步驟地陸續開除外籍海員，當時主要是華人。船公司往往沒有預先通知，就在任何方便的海港解僱海員，而被解僱的人就要自尋辦法摸回他的原地。不過華人參加海運工會的罷工，卻促進了他們的互相團結，增強鬥志，使他們認識可用集體力量爭取改善待遇。

一九三七年六月中，大來公司（Dollar Shipping Company）的"塔夫脫總統號"（S. S. President Taft）船剛抵達紐約，船上的華人海員宣佈罷工，抗議該公司對華人員工的不平等待遇，尤其是解僱華人所採用的步驟。他們很快得到華人社區的支持。當時已經在港停泊的"波爾克總統號"（S. S. President Polk）的華人海員也罷工以表示同情。最重要的是國家海運工會宣佈全力支持華人海員的要求。後來經過談判，大來公司應允被解僱的海員可以領取六個月的薪金而且再僱用罷工工人。

這次罷工，華人海員雖然沒有得到全部勝利，但待遇也有改善。在鬥爭中也增強了團結，提高了政治認識。到這階段，華埠裏左右對立的鬥爭卻擠進海運工人運動裏，國民黨特別疑懼左派勢力的增長會削弱他們對聯義社的控制，因此下令清除左派激進分子，後者因此退出另設組織繼續和全國海運工會合作。

美國大陸其他各地區，當時華人人口比舊金山和紐約少，所以華人工人本身組織起來也力量有限。有些地方如芝加哥曾成立民生社或類似組織。它衰落了，卻又難以再組織承繼的團體。所以在這些地區，華人工人不能不繼續忍受較差的工作待遇。有少數工人卻接近美國進步分子，進入當地工運，和其他種族並肩攜手爲爭取改善工人待遇而進行鬥爭。在當時社會鬥爭裏，資方往往認爲左派是眼中釘，指控共產黨和左翼分子煽動工潮，動輒指使警察拘捕"鬧事分子"，又慫恿移民局拘捕外籍工人出境，前面已提過舊金山謝創的遭遇。這期間其他地區一些外籍進步分子也受到同樣的迫害，例如留學生魏明華在洛杉磯活動，組織失業會及大同盟支部，也在一九三二年被移民局拘捕離境到蘇聯。[39]

由於左派華人需要一定的法律保障，所以很多人參加了捍衛工人權利、反對拘捕外籍工人的國際工人保障會（International Labor Defense）。這組織在華人人口集中的地方設有華人支部，如紐約有蘇兆徵支部，波士頓有楊杏佛支部。[40]

四、夏威夷的行會組織

華人工人運動在太平洋中夏威夷羣島的發展卻和美國大陸不同。檀香山經濟是以農業爲主。在十九世紀末二十世紀初，這地方的工商業才開始發展，華人也把握時機進入工商業各行。這時候華人就組織行會保護本行的經濟利益。計一八九〇年火奴魯魯的洗衣業組織有華興堂；一九〇一年酒店和餐館廚師和服務員組織有羣安閣；同年，島際航行船隻員工組織有海安堂；木匠有上架行；油漆行業有集義堂；魚市營業有永樂魚行；一九〇四年，裁縫業組織錦衣行；女服和白衣制服行業有白衣行。

後來在一九二四年住家廚師和僕人又組織有聯興俱樂部，一九二八年肉食行業和屠夫有牛肉行；到這階段，夏威夷總人口雖然不斷增加，但由於排華法案的影響，以及華人覺得在檀香山發展的機會不多，所以在那裏定居的移民較少，人口的增長率比其他族裔慢；華人在一些行業的百分比也隨之下降。到二十年代末，行會組織的力量已經大減，走向衰落；一些行會演變爲同行進行社交的團體了。

但在種族混雜的夏威夷社會裏，華人工人和其他種族和平相處，種族主義也不會是阻礙華人參加工運的因素，所以華人也沒有像美國大陸成立華人工會的要求。例如一九二〇年夏威夷過半蔗園的菲律賓農工舉行大罷工，當時華人及其他族裔工人也參加罷工行列並肩鬥爭。不過在蔗糖公司不斷威迫利誘、挑撥離間的情況下，工人運動卻長期無法在夏威夷立足。這地區也因此缺乏一些保障工人福利的法律。到一九三五年，碼頭工人工會在希洛成立分會，工人運動才在夏威夷開始生根。

注釋:

① 車衣工人麥炳口述，1967年3月至6月；車衣工人伍茂口述，1974年11月10日；1975年1月5日。

② Fan, Ting－Chiu, *Chinese Residents in Chicago*（芝加哥大學碩士論文，1926年）第136—137頁；民生社先後在1923年（見《少年中國晨報》1926年10月29、30、31日）及1933年（見《先鋒報》1933年12月21日）曾改組，但每況愈下。

③ Philip S. Foner, *History of the Labor Movement in the U.S.*（紐約:國際出版社〔International Publishers〕，1947年）第4冊，第82頁。

④ 見《少年中國晨報》，1914年1月9日，2月22日，3月8日，4月2日，5月3、6、18日，6月1、6、29日。

⑤ 李仲棠口述，1973年1月9日。

⑥ 見《世界日報》，1919年8月3日，10月7日；《少年中國晨報》，1919年1月19日。

⑦ 述堯，《美洲工藝同盟總會的經過》，見《工聲》，1924年3月1日，

4月1日, 6月1日, 7月1日;在1928年中國學生會還能夠借工藝同盟會會所開會, 見《中西日報》, 1928年1月28日。

⑧ 見《中西日報》, 1925年6月10、11日。

⑨ 謝創, 《美國舊金山華僑反對失業的鬥爭》(廣州: 廣州人民出版社; 1965年), 第147－156頁。

⑩ 張恨棠給麥禮謙函, 1973年1月22日;見《中西日報》, 1928年6月25日, 7月27日;1929年1月4、29日, 3月2日, 4月2日, 6月4日, 9月10日, 11月13日;1930年1月11日。

有關華人工人會或華僑工人會的報導見於1928年的《中西日報》。1929年以後的《中西日報》卻只報導有關華僑工會的消息。1930年1月11日華僑工會發表的宣言有說"……專以介紹職業……瞬逾二載"。這樣, 介紹工作項目應在1928年已經開始; 這年7月27日報紙也曾載過華僑工人會設職業介紹部的消息（可是由職業介紹項目宣佈的日期到華僑工會的宣言僅經過一年半的時間。這可能是宣言執筆者一時大意弄錯了）。華僑工人會和華僑工會是同一個地址; 所以這兩者應該是同一個組織, 不過是前後名稱稍有不同。

華僑工人會1928年初見於報章的時候, 以括弧注明"前工餘俱樂部"。但到1929年, 《中西日報》又報導工餘俱樂部紀念"五卅"的消息。所以顯然在1928年工餘俱樂部已經分裂為兩個組織了。

⑪ 見《中西日報》, 1929年1月7、29、30日;謝創口述, 1979年11月9日。

⑫ 見《中西日報》, 1929年2月1、4日;《勞工號角》(The Labor Clarion), 1929年2月15日。

⑬ 見《公論晨報》, 1931年4月14、21日;《三民晨報》, 1931年4月21日;《世界日報》1931年5月23、6月11日。

⑭ 《一位老華工回憶過去, 瞻望未來》, 6之3, 見《工人報》, 1978年1月。

⑮ 見《世界日報》, 1931年5月16日;謝創, 見上引口述。

⑯ 見《國民日報》, 1933年1月25日。

⑰ 見《世界日報》, 1933年1月20、2月13日;《國民日報》, 1933年3月15日、4月2日。

⑱　1934年5月初，美國西部碼頭工人罷工，要求改善待遇。不久，其他各航運工會也跟着採取同樣行動，運輸工會也決定遵守罷工工人設立的糾察線。勞資雙方相持了一個多月，資方執強硬立場，不肯退讓。到6月底，資方在警察保護下企圖衝破工人在舊金山碼頭設立的糾察線，工人和警察發生衝突。

7月5號，官方市政府派出大批警察用催淚彈和槍彈，驅逐罷工工人糾察隊，打死兩名罷工者。當日下午，加州州長命令省防軍入駐舊金山碼頭，氣氛非常緊張。跟着舊金山各工會爲表示支持碼頭罷工工人，一致決定在7月16日開始全市總罷工，並抗議警察暴行。整個舊金山停頓了三天，沒有公共交通，沒有運輸; 雜貨店、汽油站及大多數餐館都關閉。舊金山像個死市。

工人的團結力量，使資方一些人不得不重新檢討對付罷工的策略。最後被迫同意找中間人仲裁爭執的各問題。結果經過82天的流血鬥爭，罷工結束，工人得到勝利。總罷工是舊金山工人運動史裏的重要轉折點。從此之後，工會成爲舊金山政壇上一股不可忽視的政治力量。

劉北達口述，1971年3月17日; 李仲棠口述，1973年1月9日; 見《世界日報》1934年7月19日。

⑲　見《先鋒報》，1934年2月1、15日，7月15日。

⑳　見《先鋒報》，1934年8月1日。

㉑　見《先鋒報》，1934年2月15日。

㉒　見《先鋒報》，1934年6月15日; 1935年1月19日; 張恨棠給麥禮謙函1973年2月18日。

㉓　李仲棠口述，1973年1月9日。

㉔　見《少年報》，1937年5月7日;《華美週刊》1937年6月。

㉕　林堅夫，《華工合作會回憶錄》，見《團結月刊》1981年1月第4至6頁; 懷德，《1936年華工參加魚濕工人的鬥爭》，見《爲民報》1974年5月。

㉖　見《合作報告》，第1期，1937年11月22日。

㉗　見《先鋒報》，1937年12月23日; 1938年4月21日。

㉘　方家常口述，1971年7月31日; 1973年1月21日; 方家常、余達明、林堅夫口述，1977年9月25日，10月2日。

㉙　見《中西日報》，1938年2月27日，3月16日。

㉚　見《中西日報》，1938年5月28日；《華美週刊》1938年7月。

㉛　見《中西日報》，1938年5月28日。

㉜　徐永瑛，《衝破華僑羣衆鬥爭發展上的難關》見《先鋒報》，1933年2月1日、15日，3月1日。

㉝　見《民氣日報》，1933年1月11、17日；《先鋒報》，1933年1月15日，2月1日，3月1、15日，7月15日，10月1日；

㉞　見《先鋒報》，1935年3月23日，10月5日。

㉟　見《先鋒報》，1938年3月17日；《民氣日報》1939年4月24日。

㊱　唐明照，《論〈華僑總工會〉》，見《民氣日報》，1939年4月24至27日。

㊲　趙建生，"對於紐約中華總工會的意見"，見《救國時報》，1939年4月20日。

㊳　黃朗正，《聯義社社史》（香港，義聲出版社，1971年），第3頁。

㊴　見《先鋒報》，1933年2月1、15日。

㊵　見《先鋒報》，1935年7月6日，8月24日。

第八章　救亡運動及第二次世界大戰

一、抗日戰爭以前

(一)二十世紀初至"九·一八"

　　華僑華人多年來在美國飽受種族偏見的欺凌苛待，所以都渴望中國富強，這樣可以稍減本身遭受的歧視。他們關心中國的發展，參與建設家鄉及投資企業，甚至回中國找出路。他們又經常慷慨傾囊幫助中國一些慈善救濟措施。這些在前文已有叙述，但華僑的民族意識最突出的表現卻是他們聲援中國當局抗拒帝國主義侵犯中國領土主權的愛國行動。

　　早在一八八四年的中法戰爭，美洲華商曾通過中華會館捐助廣東省海防總局，抗拒法國艦隊的侵犯。但由十九世紀末到二十世紀四十年代近半個世紀裏，華僑愛國行動的主要對象是日本帝國主義。

　　日本自一八六八年明治維新踏入資本主義社會之後，很快便進入帝國主義階段，向國外發展，劫掠資源，侵略土地，輸出資本，鄰邦正首當其衝。到十九世紀末，日本帝國奪取中國藩屬琉球及朝鮮的宗主權，並佔領中國領土台灣及澎湖列島。二十世紀初，日本又繼續向中國大陸擴張。一九〇四年，在中國東北戰敗帝俄，南滿淪入日本的勢力範圍。到這階段，日本已經逐漸代替了西方列強，成為中國獨立自主的最大威脅。

　　二十世紀前半葉，日本對中國的侵略行動，輒觸發美國華人社會的强烈反應。例如一九〇八年的二辰丸案，一九一五年袁世凱簽二十一條款，一九一九年的山東問題，以及一九二五年的上海五卅屠殺，都先後引起美國華僑華人的抗議，而且往往採取抵制日人商業、日貨、日本航運或其他適當行動。

到國民黨在一九二七年成立南京政府之後，日本帝國主義更加緊侵略；所以跟着的十多年，抗日救亡活動在華人社會差不多習以爲常。南京政府在一九二八年動員第二期北伐，進攻華北統一中國。當北伐隊伍進駐濟南，日本皇軍立即採取敵對行動，在五月三日，日軍大舉進攻濟南，屠殺中國軍民五千人，是爲濟南慘案。日本軍隊在中國領土的橫蠻行動，激發華人社會的民族情緒，各地團體紛紛發電抗議日本行動並支持南京政府，又繼續發動抵制日貨運動。這些活動均由各地國民黨積極參加並起了重要的推動作用。五月十三日，舊金山中華會館召集各社團決議組織美洲華僑對日外交後援會，在這敵愾同仇的情緒，也通過改懸新政府"三色旗"（即青天白日滿地紅旗）。其他地區華人也先後紛紛成立相同性質的組織。不過，濟南的緊張局面，不久通過外交交涉解決了，華人社會的反日情緒也逐漸和緩下去。

隨後，國民黨政權鞏固在華北的統治；到年底，東三省的張學良也通電服從國民政府，中國改變歷年軍閥割據的局面，表面上是統一了。這新局面對帝國主義繼續在中國享有的特權構成一定的威脅。

(二)"九‧一八"至"七‧七"

到二十年末三十年代初，世界性的經濟危機導致資本主義國家市場蕭條，失業人數以千萬計。當時西方列强自顧不暇，日本帝國主義便乘機加緊向中國領土進攻。一九三一年九月十八日，日本關東軍在中國遼寧省瀋陽附近製造事件，出兵强佔東三省土地，準備成立傀儡滿洲國。那時候，蔣介石領導下的南京政府，正忙於"剿共"以及用武力對付黨內各反對派，因此就下令張學良統率下的東北軍不可採取抵抗行動，派施肇基爲代表到日內瓦的國際聯盟要求列強迫日軍退出中國領土。

美國華人對"九一八"事件卻抱着很堅決的態度，而且反應很快，大部份主張反擊侵略者。《中西日報》發表社論:《對日可宣戰矣!》。當時輿論對國民政府的不抵抗政策，頗有非議。憲政黨及致公堂的輿論機關，更直斥南京政府爲賣國政權。

"九一八"過了兩天，舊金山的中華總會館就開會決議發電給施肇基代表請國際聯盟主持公道，並分別發電給當時正在對峙的南京及廣州國民政府:"……日寇強佔我東三省，全僑憤慨，請即息內爭，禦外侮，以挽危亡，願爲後盾。"這些話可以說是代表華僑的心聲。其他各地區的華人團體也採取同樣行動。

到二十四日，中華總會館召開全體華僑大會，決定組織駐美華僑抗日救國後援總會作反日宣傳，並籌款接濟東北抗日將領馬占山。在二十八日，又選出李韻琴、陳敦樸等十二人爲該會的領導成員。

紐約華僑也在同一時期成立抗日會，選出阮快亭、陳樹棠等九人爲委員。①美國大陸其他各城市的華人社會亦先後成立拒日會。在檀香山，則由李奕樞等發起組織華僑救國會。各地區的留學生也另成立抗日團體。

美國華人的抗日救國活動很快也反映華人社會裏對中國國內局勢的歧見。這現象在舊金山最爲明顯，當中華會館正在討論成立拒日會，憲政黨的陳敦樸在會場上提議發電給國民政府，作爲民意表示，結果全體通過電文"……請〔政府〕取消黨治，組織一軍事委員會，引用全國軍事人才，與日宣戰。……"

國民黨右派總支部不滿中華會館的態度，因此在十月初又另外組織旅美華僑反日救國宣傳會（Chinese National Salvation Publicity Bureau in U.S.A.）與拒日會唱對台戲。宣傳會成員包括國民黨、南僑、陽和、協和、浸信會等幾間華文學校，加州大學中國學生會，大中華班藝人自治會，聯義海外交通部舊金山支部等，常務是鄧亞魂，總務是吳東垣。這年舊金山舉行慶祝雙十大巡行，散隊之後，拒日會在中華學校開演講大會。宣傳會卻在同一時間於華人遊戲場另召開宣傳大會。②

這些在美國華人社會裏對中國政局的歧見：國民黨與憲政黨及致公堂，國民黨左派與右派，國民黨與共產黨各集團的對立，繼續構成影響社區團結反日的因素。在華人人口最集中的舊金山及紐約，這因素又促成兩個抗日團體同時存在，各行其是。不過，華僑華人雖然內部有不少矛盾，但絕大部份美國華人是主張支持並催促中國政府抗拒日本帝國主義的侵略。

瀋陽事變之後，日本又在上海向中國當局提出多項無理要求。包括立刻解散當地抗日救國團體，取締一切反日行為。上海市政府執行南京政府的不抵抗政策而全部接受了。但日本仍蓄意挑釁，進一步又要求中國撤退上海北站一帶的駐軍。他們還未得到中方的答覆，就在一九三二年一月二十八日派海軍陸戰隊登陸驅逐中國軍隊。那時候駐防在那裏的十九路軍本來已經奉令換防，但當他們發覺日本武裝部隊進攻，便奮起抵抗，擊退日軍，揭開"一·二八"淞滬戰役的序幕。

當初，日本海軍司令鹽澤誇言在二十四小時內就可以全部解決華軍。但結果日軍要三易其帥，並調動陸軍七萬，配合海軍、空軍來作戰。在中國方面，除了張治中將軍率領第五軍自動參加戰役以外，南京政府始終沒有發一兵一卒來援助。最後十九路軍以孤立無援，兵力不敷分配，以致被日軍襲擊後路，在三月三日不得已撤退。但十九路軍在上海人民支援下與強敵相峙三十三天，發生大小戰役百多次，以實際行動粉碎外國人認為中國軍隊是不堪一擊的看法。

淞滬戰役的經過不及五個星期，但十九路軍抵抗侵略者而表現的英勇精神卻給中國人民及海外華人留下極其深刻的印象，一刷多年來顧頇政府喪權辱國外交所帶來的恥辱，並加强抵抗侵略者必勝的信心。由於十九路軍將官士卒多是廣東人，這更令一般美洲華僑華人產生自豪感。十九路軍的長官蔡廷錯將軍，更成爲美國華僑最崇拜的抗日英雄。當時美國各地的華僑都踴躍捐款慰勞前方軍隊。在美國大陸由各拒日救國會負起主要責任; 在檀香山則由華僑救國會及國難救濟會分擔。不過以其他名義滙款勞軍的個人或機構亦爲數不少。據《第十九路總指揮部收入抗日慰勞金報告書》，在一九三二年二、三月間美國大陸所捐慰勞金數目超過四十五萬美元。檀香山華僑華人也捐出五萬多美元。美國華僑華人所捐出的抗日慰勞金約佔中國全國各省及海外華僑華人所捐出總數約五分之一! [3]一方面這是因爲美國華人生活水平及收入比中國或南洋華人高，而當時南洋華人受世界經濟恐慌的影響也比較嚴重; 但另一方面也是美國華僑華人濃厚民族主義的具體表現。

不過，中國人民及海外華僑雖然有這麼高的抗日情緒，南京政府始終希望委曲求全，向侵略者節節退讓，與日本簽訂的淞滬停戰協定同意中國軍隊不能進駐上海。上海實際上成爲自由市。

淞滬地區停火，日本侵略軍又轉移進攻的目標，在一九三三年侵入長城以北的地區。但南京政府依舊採取不抵抗政策，結果繼續淪喪領土。這年底，已經被南調到福建「剿共」的十九路軍卻成立抗日反蔣的福建人民革命政府。在蔣介石發動大批軍隊的全面進攻情勢下，人力物力處於劣勢的十九路軍因力量懸殊不敵而失敗了。隨着，蔡廷錯被迫下野。

到這階段，中國國內的抗日運動被國民黨政府不斷迫害，一時走向低潮。在美國社會，抗日運動也受影響，抗日會的工作趨向癱瘓。只有華人進步分子沒有氣餒，還能夠堅持抗日活動，繼續發動羣衆支援抗日戰爭。一九三四年初，華僑失業會，衣館聯合會，國際工人保障會華人部，海員工會華人部，華僑反帝大同盟紐約幹部等幾個進步團體在紐約發動組織華僑抗日救國聯合會，與中國人民之友社等西人左派團體建立合作關係，進行宣傳抗日。④

這時候，宋慶齡、何香凝、章乃器等人又在中國發起成立羣眾性的抗日救亡組織中國民族武裝自衛委員會（簡稱武自會），以宋慶齡爲主席。這年四月，以武自會籌備委員會名義發表中共中央草擬的《中國人民對日作戰的基本綱領》。簽署的發起人有宋慶齡等一千七百七十九人，後來公開簽名贊成這綱領的人達十萬。跟着，武自會發表《中國民族武裝自衛委員會對日作戰宣言》，提出建立反日統一戰線，美國華人進步人士很快就響應這號召，反帝大同盟積極鼓吹聯合抗日，並推動成立武自會分會。⑤

一九三四年春，淞滬抗日將領蔡廷鍇出國作環球“視察”旅行，當年八月廿日抵達美國。這時候，美國已經感覺到日本在東亞的侵略行動威脅到美國在太平洋地區的利益。美日矛盾，開始日趨尖銳。他們對中國抗拒日本侵略也採取肯定的態度；所以蔡廷鍇遊美一百六十天，得到美國朝野中西人士熱烈歡迎。

蔡廷鍇由英國乘船抵達紐約。“……船將入口，見有飛機三架，翺翔空中，表示歡迎……僑胞在碼頭歡迎者達三千餘人，各西報訪員及各西人男女……亦千數百人，汽車三百餘輛……由警察電單車爲前導，各歡迎汽車依次隨行，風馳電掣，直到華埠而去……〔29日〕全埠僑眾舉行大巡遊……所經各處，中西人士鼓掌歡迎。電影公司、照相館沿途拍照。到勿街安民堂前，復舞瑞獅助慶。中西音樂，沿途吹奏，響遏行雲。中西各報均謂爲華僑有史以來所未見之歡迎盛況！……”他跟着訪問美東、美中、美南幾個城市，在十一月初到舊金山，情形更爲熱鬧。舊金山市官員親自到車站迎接。當晚的公宴要分別在華埠六大酒家設三百多席，“……在未公宴開始之先，各酒樓及各商店，均燃放爆竹，

響徹遐邇。是晚華埠各團體商店，均大放光明，如同白晝，街上
中西人士，肩磨接踵，其熱鬧之狀，有如我國之元旦。"三天後，
他在華埠遊戲場開演講大會，台前滿砌鮮花，並以鮮花砌成"歡
迎民族英雄蔡將軍演講大會"字樣，及種種標語。這天雖然不是
週末，但很多華人都請假參加，赴會人數逾萬，"全遊戲場，兩
旁街道，地無餘隙，四週樓宇，不論窗戶、瓦面、火燭梯〔即太
平梯〕，亦有多人。"⑥美國華僑華人這熱烈歡迎，表示他們對愛
國將領的敬仰，以及他們對抗拒日本侵略的堅決態度。

　　蔡廷鍇在華僑社會領導人物司徒美堂、陳敦樸、何少漢等人
安排之下，訪問了美國大陸二十多個市鎮，後來離開美國大陸，
又在火奴魯魯停留十小時，由僑商張鵬一接待。蔡廷鍇在美國大
陸及檀香山所到的地方，都盛況空前，中西人士爭先恐後設宴款
待，饋贈禮物，並請他題字。他在每個地方的演詞，都是以抗日
救國爲主題，並抨擊南京政府的政策爲賣國政策；所以南京政府
的駐美外交人員及國民黨左右派黨部對他的來臨都表示冷淡，但
他在每個地方都大大鼓舞羣衆，包括很多國民黨員，提高他們的
抗日情緒。蔡廷鍇離開美國不久，紐約的進步組織中國人民之友
社就發動中西人士在碼頭糾察禁止運廢鐵到日本製造侵略殺人武
器，又在紐約日本領事館前示威。在華人社區進步分子也加緊反
日宣傳。這些活動提高了中西人士對日本帝國主義侵略的認識，
不過參加的人士大多數還是中西進步人士，他們與華人社會裏傳
統社團的領導人物仍然有很大的隔閡，往往被保守勢力所排斥。
例如一九三五年六月十六日，紐約抗日聯合會分子參加中華公所
召開的全僑抗日大會，擬提出"抗日討蔣"主張，就被警察推出
會場；同年十月，舊金山的中華會館也拒絕武自會分會參加雙十
節的巡遊。⑦

　　中國局勢不斷惡化，日本侵略軍佔領了長城以北的熱河省及
察哈爾省東部，就進窺華北。這年八月七日，中國共產黨代表王

明在共產國際第七次世界代表大會宣佈中共願意與一切誠意的分子合組國防政府，實行人民戰線來反抗日本帝國主義進攻中國。

不久，留美中國學生會八月三十日至九月五日在芝加哥召開全美中國學生代表大會，成立北美中國學生會（The Chinese Students Association of North America），選出卿汝楫爲總幹事，馬祖聖及韓茂林爲幹事。當年雙十節，發表《北美洲中國學生會抗日救國宣言》，內容與中共的主張相吻合，呼籲"……各地政府民衆團體務必放棄以往成見，竭誠協作；海外僑胞宜立即成立國難時期緊急行動會，集中財力，爲戰事需；華僑青年及留學之士，尤宜立即成立國防行動會，集中技術人才，效命疆場……"這大會也得到芝加哥的安良工商會、譚贊（國民黨右派）、任華及其他華埠人士捐助經費。⑧

在紐約的進步人士也團結更多華埠社團擴大抗日陣容。在一九三五年雙十節紀念大會，他們發動紐約華僑組織抗日救國協會，參加單位有紐約衣聯會、金蘭公所、抗日救國聯合會、紐者市衣聯會、《商報》、《先鋒報》、羣社、反帝大同盟、陳鰲山房、李秉正房、同興房等。救國協會在十二月一日正式成立。宗旨是："……根據共和國民主原則，聯合海內外華僑團體及個人與國內民衆抗日，促進實行不分黨派武力抗日的國防政府及國防會議；剷除一切阻礙抗日喪權辱國的政權，掃除日本帝國主義在華一切特權，實現民主政治，完全收復失地，建設獨立自主國家……"⑨但不久，中國局勢的急轉變化，卻推動美國華人抗日陣容有新的發展。

這期間，日本帝國主義發動所謂"華北自治運動"，直接威脅中國的心臟地帶，在這燃眉之急情勢面前，南京政府又準備談判退讓，但民間卻情緒沸騰。在年底，北平學生發動氣勢浩大的"十二·九"及"十二·十六"示威遊行，反對日本侵略及反對華北自治，高呼"停止內戰，一致抗日"。他們很快得到各地學生的熱烈響應。國民黨政府雖然以武力暫時鎮壓這示威行動，但全國的抗日救國運動如火如荼地發展，抗日情緒，繼續高漲。由十二月底開始，上海各界先後成立救國會。不久，全國各地也起連鎖反應。到一九三六年五月三十一日，全國各界救國聯合會在上海正式成立，選出宋慶齡、何香凝、馬相伯、鄒韜奮等四十多人爲執行委員。

在美國的華人社團及留學生團體都發電支持中國學生的反日救國行動，並勖勉他們繼續鬥爭。救國會的主張也正符合美國華人社會輿論的要求，所以推動美國華人抗日力量再進一步發展。

美國華人很快就響應這組織民族統一戰線的號召。全國各界救國聯合會還未正式在上海成立，美京華盛頓安良堂、協勝、致公會及反帝大同盟已經建立統一戰線，組織抗日會。[⑩]紐約中華公所也在十二月十八日召開全僑大會，當日華商總會會長李穰衂首先發言，力勸各黨派大聯合，從速組織抗日救國會。各團體代表熱烈參加討論，即日決議成立紐約全體華僑抗日救國會，二十八日，通過章程，宗旨明顯指出：“本會不分黨派，以聯合全國海內外民眾，實行武裝自衛，反對一黨專政，促進國防政府積極抗日，剷除賣國漢奸”，措詞嚴厲，表示美國華人對中國政局的關懷。

到一九三六年一月二日，拒日救國會選出執行委員，名單包括左中右各黨派人士。但國民黨紐約分部卻反對這組織，其喉舌報《民氣報》指這會“外言團結救國，內實處處挑撥，製造內戰”。[⑪]但多數華僑華人卻不理會這些有偏見的言論，抗日情緒繼續高漲。在一九三六年一月五日，芝加哥華人舉行示威大遊行，抗議日本侵略中國，向美國社會人士指出“日本爲世界之第一公敵”，參加遊行行列者有千多人，包括留學生及華埠各界人士。[⑫]

當紐約正醞釀成立抗日救國會期間，中國察哈爾省抗日將領方振武也到美國向華人鼓吹抗日，方與國民黨西南派有聯繫，所以美國國民黨右派（擁胡漢民派）也表示支持。方振武離開紐約，跟着到美國加拿大各華人社區作反日宣傳；四月九日，他在美國華人最多、政治影響力最大的舊金山發動成立中華民國國民抗日救國會。廿六日開成立大會，發表宣言，要點如下："（1）集中民智民力，對外抵抗日本帝國主義，對內努力發展建設事業；（2）喚起與太平洋有關係之各國民眾，及世界上主張和平之國家，共同為太平洋及世界之和平而奮鬥；（3）要求政府當局，立即停止壓制民眾愛國運動，停止屠殺拘捕愛國學生，而應協助及保障愛國力量之發展，共同負救亡之責；（4）政府此後若抗日救國，我人當贊助擁護之；若仍媚敵害國，我人誓當反對之。"⑬

新的救國組織雖然成立，但在壁壘分明，各政治集團有相當實力的舊金山，已存在的拒日救國後援總會卻沒有解散。這兩個組織代表兩個不同的政治集團。新設的救國會的成員是以個人名義參加，但國民黨右派是其中的積極分子。拒日後援會卻以中華總會館為核心，成員以團體名義參加，很多是憲政黨、致公堂及國民黨左派分子。

舊金山救國總會成立之後，美西其他各地區、墨西哥、加拿大紛紛響應，成立分會。

繼方振武之後，中國全國各界救國會發起人之一陶行知以及中國全國學生救國聯合會代表陸璀女士，在十一月九日由歐洲乘船抵達紐約。跟着的幾個月，他們長途跋涉到美國加拿大各地宣傳抗日，得到熱烈的反應，華人社會的抗日情緒更加高漲。

一九三六年十二月十二日，張學良在西安發動兵諫蔣介石停止內戰，一致抗日。蔣介石被迫同意，國共開始第二次合作，團結禦侮。到翌年七月七日，日本軍隊襲擊北平附近的蘆溝橋，中國軍隊還擊，抗日救亡運動轉入新階段。

二、抗日戰爭與第二次世界大戰時期

(一)募捐活動

"七·七"蘆溝橋事件發生之後，中國人民高聲疾呼，要求當局抗日。但南京政府仍然舉棋不定，希望能夠僥倖與侵略者妥協，但到八月十三日（"八·一三"），日軍進攻上海，直接威脅到國民黨政府統治集團勢力所在的核心。跟着和平希望的幻滅，國民政府下令展開全面抗戰。

美國華人所表示的立場，卻比南京政府堅決得多。日本進攻平津之後，華人社會輿論要求當局動員全國力量，抗拒侵略者。但蔣介石的曖昧態度，使救亡運動一時陷於混亂狀態。到"八·一三"之後，國內的局勢才明朗化。這天中國的僑務委員會發電給舊金山總領事，請轉交各僑團："……強敵壓境，惟有應戰。祖國存亡，在此一舉。本會現奉命統辦全僑義捐。無論救濟難民傷兵慈善金，及各種款項，均滙本會轉達，吾僑愛國，向具熱忱，嚴重關頭，幸共力任……"。⑭

美國華人立即響應這號召，在一個星期內，舊金山的大明星劇團就捐出國幣七千八百元（按當時的滙率，三點三元國幣約等於一元美金），廣鴻發辦莊同事捐國幣二千元，⑮紐約衣館聯合會到八月廿二日先後已經籌捐大洋三千多元。⑯各地華人社區也紛紛組織起來促進籌餉及進行抗日宣傳工作。初時，國民政府擬通過外交官員，直接控制這些組織。大使王正廷在八月中發表《告旅美僑胞書》，要求美國華人"……籌集之款，均請存入紐約中國銀行……如係供軍備之需，則請存入中國大使館戶下，以便按時分別彙滙國內……"。這提議不無道理，但卻不配合華人的情緒，他們都希望將所捐款項迅速寄到中國作前線作戰或救濟難民之用。《告旅美僑胞書》又提議華僑組織中華旅美愛國會，徵求各社團加入。當時就引起華僑社區裏衆議紛紜。紐約開會討論時，就被華僑提出尖銳的問題。例如"爲甚麼要避免'抗日'字眼，而改用'愛國'？""各地已經組織有抗日團體，何必又多此一舉？"⑰結果國民政府知難而退，由華人社區按照當地具體情況成立抗日組織。

在抗戰期間，美國華人前後一共成立了九十五個抗日救亡組織。其中是以舊金山、紐約及芝加哥的爲最大。但大致上凡有五十個華人以上的社區都成立有這類組織。

在華人集中的舊金山，政治情況複雜，矛盾也最尖銳。全面抗戰爆發之後，在國民黨右派支持下，以中華民國抗日救國會爲基礎，成立了旅美華僑聯合募捐救國總會，拒絕參加由中華會館領導由拒日救國後援總會改組的駐美中華民國救國後援會。國民黨左派及憲政黨、致公堂分子卻支持這後者。

後來中國總領事兩頭奔走，才說服他們自動取消這兩個機構，而由總領事另擬章程組織一個統一的團體。在八月二十日，舊金山九十一個有廣泛代表性的華人社團開會，成立旅美華僑統一義捐救國總會（Chinese War Relief Assn. of America），並選出執行委員會常務委員會，正主席是鄺炳舜；副主席是李雲煦及何少漢。其他常務委員十八人。這組織裏領導權力的分配，大致上是反映舊金山華人社會裏上層的各政治派系及勢力集團。美國共產黨華人部，及萬國工人保險互助會三藩市分會幾個左派團體雖然出席，但沒有被選任重要職位。

統一義捐救國總會的名稱有包括全美的含義。但實際上，美國華人較多的市鎮，各自成立抗日救亡組織進行募捐及宣傳活動。加州洛杉磯有羅省華僑拒日後援會，薩克拉門托有金山二埠華僑救國籌餉會，美東、美中各埠也同樣各自有本地的救國會。所以統一義捐救國總會直接領導範圍是限於芝加哥以西，主要是舊金山港灣區，加州較少華人的市鎮，美西華人人口較少的各州，以及墨西哥，中南美洲各地華人社區。不過這仍然是抗戰時期美洲規模最大的華人抗日救亡組織。

八月廿日，芝加哥華人社區也成立美中芝城救國後援會。這會的執監委員會委員長是梅友卓，副是李偉沣及譚贊。

到九月二十四日，紐約六十多個華人社團的代表開會，成立紐約全體華僑抗日籌餉總局，選出十九個社團爲常務委員。但這籌餉局的權力不大，各社團一般仍然各自募捐及滙款。到十月十八日，中華公所再召集各僑團開會，議決修改章程，擴大組織，並改名爲紐約全體華僑抗日救國籌餉總會（General Relief Fund Committee of the Chinese Consolidated Benevolent Association）；職員也改爲委員制。到十一月七日，這組織正式成立。⑱

紐約籌餉總會的權力跟舊金山的救國總會一樣，也是一個統一籌餉的機構。在美國差不多每個華人集中的社區都組織有這種組織。這形式使籌餉工作能夠有系統地順利進行。權柄是把持在那些較保守的華人社會上層分子的手裏。由於國民黨與國民政府的密切關係，國民黨人在救國會裏有很大的影響力。製造了他們支配美國華人社會輿論的有利條件。

救國組織的稱謂，本來沒有統一。有救國後援會，拒日救國會，抗日後援會，統一救國會，愛國會，抗日救國會各式各樣的名稱。後來在一九四三年九月，全美抗日救國團體在紐約舉行全美華僑抗日救國籌餉機關代表大會，討論救國及僑務工作，才通過用"旅美〔地名〕華僑救國會(Chinese Relief Assn. of〔地名〕)"爲統一名稱。

全面抗戰開始，中國政府通過救國會在一九三七、一九三八年推銷第一、二期救國公債。到一九三九年，美國政府卻出面干涉，下令禁止外僑在本國公開推銷外國公債; 所以救國會改稱爲義捐來掩飾美國當局的耳目。跟着一九三九年有美金公債及一九四〇年有航空救國公債。但不久，美國參戰，購買美國戰時公債成爲美國居民的主要任務，代替了中國公債。此外，在抗戰八年期間，各類捐贈及慰勞的名目甚多，有些是一次兩次過的，如購買前方將士雨衣，爲前方將士募捐蚊帳，購買救護車，棉衣捐，廣東人民購機捐，藥品捐，等等。另一些是一年一度的，如"春節獻金"，"七・七獻金"，"雙十獻金"。很多華人團體舖戶經常設有救濟箱，讓顧客將零款存入。一些地區又舉行各種籌款，採取很多不同的方式。除了直接募捐之外，還有演劇，舉行舞會，遊藝會，時裝表演，義買等，又有在華埠以"中國之夜"、"中秋節"等名目舉行慶會吸引觀衆。

在這國難時期，大部份華僑都很自覺地解囊支持祖國抗拒侵略者。但救國會也開設各捐輸定額。例如紐約的救國會規定每人應交最低的額捐如下：

第一期救國公債：五十元大洋

第二期救國公債：五十元大洋

美金公債：每月五美元

購飛機捐款：十美元

購救護車捐款：三美元

救國會還印有"僑胞購買公債救國義捐登記證"派給十八歲以上的華僑隨身攜帶，以備救國會調查員隨時可以檢查。救國會又要求華人舖戶擬聘請職員，必須查察這人是否已經盡了義捐的義務，才可以僱用。其他地區也有同樣的措施，例如舊金山規定每人最少要認捐棉衣兩套；薩克拉門托（沙加緬度）規定航空救國義捐每人最低限度要捐出五十美元。

由於在第二次世界大戰前一般美國華人的經濟情況並非富裕，到美國參戰之後，經濟情況才稍爲改善；所以這種捐獻是一個相當吃力的負擔。有些人由於經濟能力較差，或種種其他原因而不能或不願意捐出最低定額，救國會對這些分子就施加壓力，如果他們就範則罰了事。如果他們繼續反抗，往往就被指控是"漢奸"，或被毆打，或被捆縛遊街示衆。嚴格地看，這種行動是違背了美國社會的法治精神，但當中國面臨存亡緊急關頭，這些分子的態度是華人社會所不能容許的。由於當時美國華人社會與主流社會隔離，地方官吏對於救國會這種行動也多採取不聞不問的態度。

在八年抗戰期間，美國大陸華人共捐款約二千五百萬美元，其中以舊金山旅美華僑統一義捐救國總會募得的五百萬美元爲最高，紐約的救國會居第二位，籌得三百二十九萬多美元，芝加哥則籌得二百四十多萬美元，⑲每個華僑平均捐出三百元，但如除去婦孺老弱不計，只有半數有捐輸能力，而這些人有七成左右經常繳納捐款，那這平均數字就會超過八百美元了。

抗戰開始，美國主流社會一些開明及進步人士，知識分子，傳教士，以及工商界領袖，很快也認識到日本帝國主義對美國在太平洋地區所構成的嚴重威脅。他們對中國人民的英勇抗戰，深表同情，因而發動籌款賑濟中國傷兵難民。當時先後有"籌賑中國難民聯合會"（United Council for Civilian Relief in China）及"籌賑中國聯合會"（United China Relief），都由美國社會名流主持；此外又有"美國醫藥助華會"（American Bureau for Medical Aid to China）、"援華會"（China Aid Council）、"中國人民之友社"（Friends of the Chinese People）等。華人社會經常與這些組織合作募捐籌賑，最著名的是全國性的"一碗飯"（Bowl of Rice）運動。這運動是首先由紐約的籌賑中國難民總會在一九三八年發起，後來在一九四○年、一九四一年在全國各地又舉行第二、第三次籌賑集會。在華人集中的城市，抗日救國會也配合這運動，在華埠張燈結彩，舉辦文娛節目，誘導中西觀衆爲賑濟難民解囊捐輸。舊金山華埠舉辦的三次"一碗飯"運動，就分別籌得五萬、八萬及十萬多美元。

另一個援華團體是全美和平民主同盟下的援華會（China Aid Council），這組織通過宋慶齡主持的"保衛中國同盟"（簡稱"保盟"China Defence League）多次捐贈醫藥、醫療設備及其他賑濟物資給游擊區及中共領導下的抗日根據地，在一九三八年，又派出醫藥團到山西、陝西服務。一九四一年皖南事變之後，國共關係惡化，重慶政府斷絕接濟中共領導下的游擊隊。美國的援華會及各國的進步援華組織卻能夠通過"保盟"在極端困難情況下，供應少許必需的醫藥物資。一些華人也通過這渠道捐款支援游擊區，[20]這些捐輸雖然對支持抗日游擊隊的作戰有重要作用，但總額遠不及滙到國民政府統治區的賑濟款項。

檀香山遠離美國大陸，華人社會情況不同，而且當時還是準州，由華盛頓派員直接管轄；所以抗日籌餉的表現有異於大陸。在一九三七年八月八日，華人在火奴魯魯成立祖國傷兵難民救濟總會，首屆主席是杜惠生；不數天，在十六日又成立婦女獻金會，協助傷兵救濟會及進行其他各種募捐，這會首任會長是雷燕開夫人及黃冠寰女士。此外，中國領事館又通過僑團推銷中國公債，在八年抗戰期間，檀香山華人捐出或認購公債的款項約七十萬美元。

檀香山華人分散居住，不少也跟華人社會脫節，所以不容易接觸募捐。同時這裏人口雖然有二十八萬，但婦孺老弱的百分比比美國大陸高，當地的經濟發展卻比美國大陸幾個華人集中的地區差，所以在檀香山經常有能力捐款認購公債的人只六千多人，以這數字為基礎，檀香山每人平均捐出117美元。

美國華僑響應祖國的呼籲，盡了責任而有餘。他們節衣減用捐出的款項，對於支持中國抗戰是起了重要的作用。一九四一年，日軍空襲珍珠港，繼續佔領了華人眾多的東南亞地區之後，美國華人所捐款項，成為國民政府僑滙的主要來源。但由於當時國民政府貪污腐敗。所以這些款項，有多少對支援抗戰起了作用，是一個目前還沒有答案的疑問。

第二次世界大戰結束後，很多救國會尚存的款項，多用作建築當地的中華學校或撥爲學校基金。舊金山的旅美華僑統一義捐救國總會，也撥存款二十一萬零三百三十五美元改建中華學校爲勝利紀念堂（一九五二年開幕），並另購樓宇一座，歸中華總會館管理。

(二)對內對外的宣傳

在抗戰初期，社會上情緒激昂，很多華人都很自動地爲抗日出財出力，但到一九三八年以後，廣州武漢相繼淪陷，國民政府困守四川重慶；日本軍隊相繼佔領華北與華中、以及華南一隅，而且又封鎖並阻塞了華北、華東與華南的主要海口。至此日本軍的進攻暫告一段落，戰事轉入相峙局面。這時候，鼓舞人心，加強抗日意識的宣傳工作更顯重要。在一九三九年五月，重慶的國民政府發起全國國民精神總動員運動，根據一切服從抗日利益，一切爲着抗戰勝利的基本原則，從政治上動員全軍全民起來奮鬥，爭取抗戰建國的勝利。不久，美國的救國會響應這號召，召開集會，加強美國華人的意志，長期支持祖國的抗日戰爭。舊金山的抗日救國會在五月二十一日召開大規模的國民精神總動員宣誓大會，當時華埠各商店都停止營業以便各店員赴會。跟着其他各華埠也相繼效法。其後，直到戰事結束，救國會矢志不渝，繼續努力，動員僑衆捐款。

宣傳多採用紀念會、演講會、報紙上刊載文章等方式，在舊金山又有粵語廣播節目，是由華埠商人唐憲才（Thomas Tong，祖籍恩平縣）創辦的，一九三九年四月開始廣播，是美國大陸首創的華語廣播節目（檀香山火奴魯魯較早在一九三三年已經設有華人播音局[21]），正好配合抗戰宣傳的需要。

救國會在華人社會設嚴格的新聞檢查制度，禁止發表不利於抗戰的輿論。在國民黨分子控制下，救國會往往認爲不利於國民黨或國民黨領導人物的言論，就等於不利於抗戰的言論。例如一次舊金山《金山時報》記者發表文章提及蔣介石，而在委員長三字加上括弧。不久，救國會便邀請他到中華會館，要求他解釋用意何在。㉒

八年抗戰期間，華僑社會裏的輿論長期受着這種鉗制。除了少數反對派之外，一般報刊不敢批評救國會的工作，更不敢批評國民黨在中國的統治。報章裏刊載的大多是千篇一律，公式化的官樣文章。在這情形下，國民黨逐步控制了華埠的輿論媒介。

半官方的國民外交協會（The People's Foreign Relations Association of China）也是宣傳機關之一，這協會於一九三八年在漢口成立，一九四二年在紐約成立駐美辦事處，由陳汝舟（N. C. Chan，台山縣人）主持，一九四三年出版《國民外交月刊》，向華僑宣傳抗戰。到一九四四年這刊物改爲《國民外交導報》季刊。

華人在美國社會裏舉行的反日宣傳及行動，也起肯定的作用，幫助社會人士了解及同情中國人民的鬥爭。抗戰剛開始，就發生全美國人士注意的“廣源”輪案件。

一九三七年，美國的蘇登與克里斯坦森公司（Sudden & Christenson）將一艘重三千多噸的舊船售給烟台的永源輪船公司。改名爲“廣源”（S. S. Kwang Yuan）。到八月間，這公司在舊金山的代理人，到中國領事館請求發給中國船籍證書，以便離港航行回中國。當時中日戰爭已經開始。中國總領事黃朝琴查出這船載有廢鐵二千一百噸，擬運到日本大阪作製造軍火的原料。同時這船的船長及大副都是日本人，二副以下及船員二十人才是華人。顯然永源公司很可能是日本假借中國人名義而設立的機構；所以便拒絕發給中國船籍證書。美國海關因此也不發給出港證，因而引起訴訟。美西華人聞訊，都紛紛支持領事館的行動。

這船下碇附近華人漁村（粵人稱"蝦寮"）的工友又派船監視，提防船隻暗中起碇潛逃。他們也代轉送美國華人送來給"廣源"輪華人海員的食物、燃料、衣服、用品等。後來美西各地華僑又捐出二千二百多美元，作爲遣送"廣源"輪華人海員回中國的經費。"廣源"輪的所有權，船上所載廢鐵的所屬權，華人海員與日本人船長和職員在船上發生了衝突，而後發展成爲訴訟案件，分別上了法院。

一九三八年四月，國民政府下令將這"中國公司"的船徵用。這樣，船的屬權名正言順歸中國，而根據美中條約，中國船上糾紛的處理，是屬於中國領事的權限，美國法院無權干涉。日本橫濱正金銀行卻要求法院下令強制"廣源"輪移到碼頭卸船上的廢鐵。聯邦法院在一九三九年六月底以不屬管轄範圍爲理由而拒絕辦理。正金銀行上訴不得逞，中國方面獲得全勝。至是已經一九四〇年，這船受了四年的風雨侵蝕，缺乏適當的維修，船身及機件陳舊生銹；結果由領事館變賣了，所得款項滙給重慶國民政府當局，作爲購置外交官宿舍費用。至於廢鐵，則由日方領回，但正金銀行須立約不運到日本，後來就轉售給美國鋼廠。

在"廣源"案件訴訟期間，美日關係已經日趨惡化。這局勢的變化想亦對聯邦法院的判決不無影響。

但這種個別偶然發生的事件只能夠在短期內暫時引起社會人士的注視，不能夠徹底影響社會對日本的態度。只有不斷宣傳教育，才能夠使美國社會了解日本帝國主義對世界和平以及美國利益的威脅。因此向美國朝野的知識分子、政客、工商界人士、宗教領袖宣傳，也是救國會的重要活動。在抗戰初期，華人抗日組織就印發英文宣傳小册子，如舊金山中華會館一九三七年刊印了《日本對中國的侵略》（*Japan in China*）、在一九三八年又刊印《中日戰爭的分析》（*Analyses of the Sino-Japanese Conflict*）等小册子。紐約的"國民外交協會"則出版《中國文化的精神》

（*The Chinese Mind*）介紹中國傳統文化。此外，一九三九年又有《英文中國月刊》（*Chinese Monthly*）創刊。這後者的經費來源從來沒有公開發表過，但立場卻是明顯地擁蔣反共，跟蔣政權亦步亦趨。董事的名譽主席是于斌主教，初期總編輯是美京華盛頓大學（Catholic University of America）哲學教授奧圖爾（G. Barry O'Toole）；一九四四年由蔡任漁神父（Mark Tsai）繼任。這份具有相當影響力的雜誌，在第二次世界大戰期間奠定基礎，大戰後成爲"中國說客團"（China Lobby）的重要喉舌，製造輿論擁護台灣政權反對中華人民共和國。

華人左派進步團體也很積極對華人社會以及主流社會中下層進行宣傳，而且獨樹一幟。這些活動，以紐約及舊金山最蓬勃。紐約當時是美國左派活動最活躍的地區之一，到三十年代，華人進步分子已經先後在華人社會成立華僑反帝大同盟，衣聯會及華工中心。到一九三八年，青年人數增加，又成立華僑青年救國團。㉓這些團體互相聯絡，跟主流的進步力量又保持密切聯繫，所以在華埠形成一股勢力。

由三十年代初到一九三八年，紐約華人左派勢力的喉舌是《先鋒報》，但歐戰的開始，迫巴黎的《救國時報》在一九三八年遷移到紐約，當年八月十日復刊，承繼了《先鋒報》的任務。不久，鑒於抗日形勢發展的需要，進步人士醞釀在這基礎上組織日報。到一九四〇年《美洲華僑日報》出版創刊的《七・七特刊》，這是美洲華人社會第一家以進步立場出現的日報，社長是梅參天（Eugene Moy），總編輯是冀貢泉。

《華僑日報》發刊詞提出"十綱二義"，作爲辦報的方針與使命。正如《先鋒報》一樣，《華僑日報》採取進步立場，敢於批評中國及美國社會黑暗不合理的一面。這也是美國唯一經常報導中共抗日根據地情況的中文日報。這報刊另一特點是梅參天主持下的副刊經常發表美國華人作家的文學作品，鼓勵"華僑文學"

的發展。很受廣大讀者，尤其是青年讀者的歡迎。在第二次世界大戰時期，《美洲華僑日報》發展成爲紐約華人社會流行的日報，而美洲其他地區也擁有不少讀者。

舊金山在“七·七”抗戰開始的時候，參加華僑統一義捐救國總會的左派，只有甄錫坤代表“美國共產黨華人部”以及翁國信、方家常代表“萬國工人保險互助會華人分會”。不久，“加省華工合作會”成立，也指派彭飛及趙天佐爲代表加入救國會。㉔與此同時，由於舊金山左派的《羣聲》早已被淘汰，故沒有輿論機關存在。到一九三七年十月，張恨棠等創辦《抗戰》小刊，但由於缺乏人力物力，故壽命不長。而“華工合作會”卻能夠不定期刊印《合作》小刊，並定期在會所舉行羣衆性集會，邀請救國會的積極分子在場演講，提高羣衆對抗日救亡運動的認識。到一九四〇年，舊金山進步青年知識分子又成立“新文字研究會”（後來改組爲“華僑青年救國團”）。這兩個組織——華工合作會及青年救國團，成爲美西華人進步力量進行抗日救亡活動的核心。他們與美東華人進步團體相呼應，並與美國主流社會的進步團體合作，進行抗日救亡活動。

左派很早就認識到日本法西斯對全世界的威脅。“七·七”之後，美國共產黨總書記白勞德（Earl Browder）九月三日在紐約市演講，就指出援助中國人民就是保護美國; 所以美國的左派團體及進步工會很早就採取具體行動與華人社會合作，積極支持中國的抗日戰爭。

一九三七年十月一日，左派的“美國反戰反法西斯同盟”及“中國人民之友社”等四十多個團體，在馬迪遜方園（Madison Square Garden）舉行援華大會，提出抵制日貨。當日到會的羣衆有一萬五千多人，參加的華人有二千多名，包括中華公所主席練天然，安良工商總會總理司徒美堂、前武漢國民政府中央委員陳其瑗以及其他華人社團的領導人及成員。㉕這麼多華人參加美國主流社會召開的集會，是當時罕見的現象。

十月二十四日，北加州八十多個團體又在舊金山舉行反戰反法西斯會議，華工合作會及萬國工人保險互助會華人分會都派代表參加。這次大會發動抵制日貨，並呼籲美國政府與日本斷絕通商關係。到十一月七日，航業工會聯合會繼續在舊金山華埠的同源會召開會議，組織抵制日貨委員會，有一百七十多名中西代表赴會。㉖

由於華人與美國進步人士合作舉辦援華活動，視線也擴大了，一些人也進一步認識到抗日戰爭是反法西斯鬥爭的一部份。在一九三七年十一月二十至二十八日，美國反戰反法西斯同盟在匹茲堡召開全美國和平民主大會，參加的代表有一千三百二十人，代表八百多個團體。華人團體代表來自美京抗日會、芝加哥救國會、紐約抗日籌餉總會、紐約衣館聯合會、紐約華工中心、三藩市統一義捐救國總會、三藩市女青年會等。會議議程不只限於抵制日貨，還反對排華移民法律，反對種族歧視，反對法西斯侵略等問題。這大會又決定將美國反戰反法西斯同盟改稱美國和平民主同盟（American League for Peace & Democracy）。衣聯會被選為全國委員之一。㉗這個羣眾基礎相當廣的組織不久又成立"援華會"（China Aid Council）推動援助中國的宣傳及募捐活動。這組織是積極支援中國游擊區的一個重要團體。

示威遊行也是一個引起美國社會注意的方式，如一九三七年十月九日，舊金山中西人士幾十人曾到日本領事館前示威。隨後在都板街日本商店前持標語糾察，到十六日再回來糾察這些商店。㉘剛在這時候，日本政府遣派鈴木文治率領五人代表團來美國宣傳，企圖粉飾日本在中國的侵略行為，而說服美國朝野改善日、美關係。這團在廿七日到舊金山港的時候，就有六大工會的代表五百多人及市民幾百人，其中包括華人二百多人，聚集在碼頭進行吶喊示威。隨後在二十八日當西人團體在馬克·霍普金斯

旅店（Mark Hopkins Hotel）裏設宴招待這代表團的時候，幾十名中西人士又到這旅店前糾察。㉙

　　這宣傳團到紐約，"美國反戰反法西斯同盟"及"中國人民之友社"即組織二百多羣衆在瓦爾道夫旅店（Waldorf Hotel）前高舉反日標語，並散發傳單號召美國人民抵制日貨。同日，萬國工人保險互助會的加省分會及華人分會，在舊金山集合會員及華人男女二百多人，又到日本領事館及舊金山華埠邊緣的日本商店前糾察。事後幾個左派團體發表聲明，支持華人的正義行動，並呼籲美國人士抵制日貨。㉚十二月十二日，"中國人民之友社"在紐約市區組織一千多名中西人士遊行，也呼籲美國婦女抵制日本製造的絲襪。㉛到翌年十二月十日，又發動第二次反日絲大巡行。其他很多城市也有舉行同樣的示威及集會。

　　這些大會及糾察示威活動，都幫助提高了美國各界人士對於日本侵略中國的認識，但最引起美國社會人士注目的行動，還是進步人士發動的反對運廢鐵運動。

　　日本是一個資源貧乏的國家。製造軍需品的原料，大部份要從國外購買。先進工業國家經常拋棄的大量廢鋼廢鐵，卻是日本兵工廠可以加工的原料。三十年代經濟不景氣籠罩着整個資本主義世界，美國及加拿大一些商人，為了眼前利益，就收購大量廢鋼廢鐵，銷售給日本。據一些估計，當時美國每年所供給的生鐵及廢鐵，可以足夠日本軍需原料四成至六成。所以禁止運廢鐵去日本，就可以打擊日本軍用工業的生產。這樣，反對運廢鐵運動就應運而生。

　　早在一九三八年正月底，舊金山有三十九名在美國船"聯邦"號任職的華人海員，由於不願意運廢鐵而被資方開除。到五月初，反運廢鐵運動更進一步發展。在紐約，二十三名海員拒絕在一艘運廢鐵到大連的船上服務。同一期間，西岸南加州聖佩得羅（San Pedro粵人稱山匹度）華人船員又曾關閉碼頭上貨機的蒸汽，阻止將二萬五千噸廢鐵送入船艙。不久，加拿大也響應這反運廢鐵運動，同年十一月，加拿大西部納奈莫（Nanaimo粵人稱乃麼）港的進步人士在碼頭進行糾察，阻止將二千噸廢鐵裝載上船運日本。但最引起美國輿論界注意的，還是幾個月以後在舊金山爆發的大規模反對運輸廢鐵事件。

一九三八年十二月初，日本三井公司（Mitsui Co.）租用希臘船"斯拜羅斯"號（S.S. Spyros）到舊金山海港，準備運一批廢鐵赴日本。西人進步工人聞訊，便通知華工合作會。當時華工合作會當事人商量，認為只發動本會會員糾察，結果可能影響太小，形成局部行動。所以為了要擴大事件而造成國際宣傳，就一方面通知舊金山各團體，聯合組織抵制日貨委員會，另方面又通知旅美華僑統一義捐救國總會。救國會在十二月十四日議決支持這一行動，且交給一個具有廣泛代表性的糾察委員會組織這項工作。

在十六日，糾察活動開始，中西人士共七百人到碼頭組成糾察線。旁觀者也有三千多人，包括報界記者。碼頭工人拒絕衝過糾察線，所以這批廢鐵不能夠移入船艙。次日，糾察委員會動員了三千五百多人，使糾察行動處於高潮，至少有二千多人參加各方面的工作。

到十九日，糾察行動又伸展到正在碼頭等待裝載廢鐵的美國船"布雷肯里奇"號（SS Breckenridge）。但這時候，資方組織海旁船務聯合會（Waterfront Employers Ass'n）卻出面維護經濟利益了。這會的總理羅思（A.E. Roth）以執行工會會約為詞，要脅工人復工，要不然則封閉舊金山海港。華人方面為了照顧碼頭工會所面臨的經濟威脅，所以在二十日下午便宣佈解除封鎖線。

這次糾察運動，估計前後共動員了八千多人，參加的美國工人也有五百人以上，在報紙電台報導收到很大的宣傳效果。㉜

跟着反對載運廢鐵運動如火如荼地發展，在美洲各地風起雲湧，在十二月底古巴夏灣拿有二十名華人海員進行罷工，拒絕在他們任職的船上載運廢鐵給日本。美國西岸到日本的航線較短，所以很多船隻在那裏裝載廢鐵，但當地工會裏的進步勢力較大，尤其是在這次運動中佔重要地位的碼頭工人工會裏，因此反對載運廢鐵運動在西岸海港最活躍。一九三九年一月中，在南加州的長灘市（Long Beach 粵人稱郎必治）有六千多人進行糾察，參加的包括華人一千多人及好萊塢明星。載運廢鐵的貨船到華盛頓州的阿伯丁港（Aberdeen）及西雅圖，俄勒岡州的阿斯托里亞（Astoria），庫斯灣（Coos Bay），及波特蘭等港，都遇到同樣的糾察隊伍。四月底，在舊金山又再一次遇到糾察線的出現。美東亦有糾察事件發生，但次數較少。如在一九三九年五月二十六日，紐約進步人士就發動了一千多人到碼頭糾察一隻正在等待裝運廢鐵的日本船，但日人船長探知風聲，趕快把廢鐵裝載入船，當糾察隊抵達的時候，已經起錨離開了。

反對載運廢鐵運動一直維持到美國一九四一年十二月正式參戰的前夕。在當年八月底，還有中西人士四百多人在舊金山碼頭舉行對日禁運示威大會。

糾察行動一般沒有直接制止載運廢鐵赴日本，但這些活動對於啟發美國各階層認識日本侵略行為，卻起了重要的教育作用。同時也幫助美國人對美國參加太平洋戰爭的必然性作了心理上的準備。這運動主要是由主流社會的進步人士推動，但在華人集中的地區，得到華人熱情參加合作，更增加了這次運動的聲勢，收到更大的宣傳效果。

藝術界和留學生也對救亡運動起積極作用。在抗戰期間名畫家如張善子、張坤儀、張書旂等都曾先後到美國各大城市舉辦畫展為救亡運動宣傳募捐。[33] 中國電影演員王瑩來美國深造，又與美國女作家賽珍珠（Pearl Buck）合辦中國劇團，到美國各大城市、大學、工廠以英語演出抗戰戲劇。王瑩在一九四五年又應邀到美京華盛頓的白宮演出《放下你的鞭子》與及演唱抗日歌曲。[34]中國救亡歌詠運動發起人之一劉良模到美東留學，則一九四一年在紐約華埠組織華僑抗戰歌詠團。這歌詠團同年與著名黑人歌手保爾‧羅布遜（Paul Robeson）合作將中國抗戰歌曲灌唱片介紹給美國社會，其中一首是《義勇軍進行曲》。[35]

三、青年運動與華僑文藝的出現

美國華人的抗日宣傳活動，有很明顯的分工，報章上的宣傳文章，以及播音台、講台上的演講，主要是由較年長的人，尤其是知識分子負擔。一般文化活動，如話劇、歌詠、音樂等卻是以青年為骨幹。抗戰及第二次世界大戰期間，青年人所辦的救亡活動，是這時期的一個特點。

三十年代末美國華人社會裏青年人數有顯著的增加，據一九二〇年的人口統計，十五歲至十九歲的青年只佔加州華人人口的百分之五點一，但到一九四〇年，這百分比已經升到百分之十一點四，舊金山港灣地區估計約有四千人，為美國大陸之冠，僅次於火奴魯魯的五千四百人。但在舊金山港灣地區的青年，移民的比例卻比檀香山高。其他如紐約約有一千一百名，洛杉磯也有八百多名。這青年羣就造成青年文化組織能夠成立的條件。

日本在華北挑釁之後，戰事逐漸向南蔓延，一九三七年末，華東的上海、南京陷落；到一九三八年秋，華南的廣州及華中的武漢，也相繼失守。當戰雲威脅到廣州附近的僑鄉，很多海外華人就盡量設法召子弟到海外避開戰禍。當時，由於早一代的苦心經營，廣東僑鄉已經有質量較高，較現代化的教育制度，所以這時期移民到海外的青年，一般的教育水平比先一代高，不少已經具有中學程度。有些青年曾經在中國參加過救亡活動，所以有較高的政治認識，小部份還接觸過進步思想。這些青年來到美國，在工餘課餘時間，對於康樂文化活動有需求。在華人社會缺乏這種設備情況下，一些興趣相投的青年便自發結成各種團體，他們的文化活動，也正好適合當時救亡及勞軍運動的需要。

這些團體的核心成員，一般是在中國受過中等教育的青年，但也有不少土生或幼年來美、在美國長大的青年。

舊金山是華人青年團體活動最蓬勃的地區。在那裏最早崛起的組織是叱咤社，名稱是採自"叱咤風雲"。據說"七‧七事變"之後，舊金山一羣愛好音樂的青年，一度集中學習演奏陶行知改編的"鳳陽新歌"。陶行知來到美西宣傳抗日救國的時候，便鼓勵他們正式成立一個演唱救亡歌曲的團體。隨後，這羣青年之中的一名甄錫坤發動組織叱咤音樂社（Chick Char Musical Club），在一九三七年十二月二十六日正式成立。該社在最活躍期間大約有五十個會員，男的多是由中國來的青年，女的卻大部份是美國土生。

在抗日戰爭期間，叱咤社社員經常參加各種救亡活動。在抗戰初期，這羣熱情青年每兩週便在會址用擴音機向鄰近街坊進行宣傳，播放救亡歌曲及播音話劇。後來被警察以干擾街坊寧靜為理由，上門干涉才停播。

在初期，叱咤社集中演唱救亡歌曲，但後來也發展到演奏粵曲和廣東音樂。在抗日戰爭期間的各種文化演出的場合都少不了他們一份。例如他們參加歡送"廣源"輪華人海員回中國，糾察運廢鐵赴日本，"一碗飯"運動、"精神總動員"大會等活動，又在電台播放話劇。除此之外，他們也曾經到過加州其他市鎮演出。㊱

話劇能夠啟發羣眾對一些政治社會問題的認識。因此在抗戰期間，話劇是經常被採用的宣傳方式，話劇運動在華人社會空前蓬勃。

"叱咤音樂社"的活動包括廣播劇。但在抗戰時期最早的話劇研究團體，是由國民黨發動。在一九三八年，黨員黃滋及陳界正召集華僑社會知識分子，組織民鐸戲劇研究會。分別選出黃滋及陳界正兩人爲正副總幹事。㊲ "民鐸社"有國民黨組織的支持，同時又能夠招募華文學校的師生參加活動，所以初期在救亡運動裏相當活躍。在一九三九年七月，"民鐸社"演出《刈葵》、《精忠報國》及《國恨親仇》幾齣短劇，爲前方將士籌款購買防毒面具，籌得美金約三千元。據云這是話劇在那時期籌款的最高紀錄。㊳

在戲劇運動裏能夠持久活動的，還是資歷較淺的知識青年所組織的團體。主要原因是由於這些組織的大多數成員仍在求學階段，沒有家庭負擔，閒暇時間較多，而且幹事有高度的熱情。一九四〇年夏，十一名青年在舊金山發起組織"蘆烽話劇社"，這名稱的含義是"蘆溝橋的烽火"，這也是象徵這些青年的抱負: 用戲劇爲工具，改造社會及配合中國抗戰的需要。

"蘆烽話劇社"的活動包括歌詠、音樂及體育，但重點還是研究戲劇。在救亡運動裏，這劇社曾演出舞台話劇及播音劇多次，其中表表者有一九四一年演出的抗戰名劇《夜光杯》。㊴

"蘆烽話劇社"成立的同一時期，一些進步知識青年在同年七月又響應中國的新文字運動，成立"新文字研究會"(New Chinese Alphabetized Language Study Society)，由林堅夫及李原等人發起。這會是美洲專爲提倡"新文字"而設的首創組織。其宗旨是: "……研究中國新文字，推廣中國新文字運動，掃除文盲，促進中國語言之統一，發揚中華民族之文化，配合中華民族解放的神聖戰爭……"。㊵

"新文字會"爲着推進新文字運動，開辦了廣州話、北京話及函授新文字班，舉辦"新文字座談會"，出版《中國新文字報》，並設立圖書部。但"新文字運動"畢竟號召力有限，所以創會不久，青年會員就組織口琴、歌詠、話劇等小組。"新文字會"被邀請到播音台演奏救亡歌曲，一九四〇年又參加舊金山碼頭舉行的反對載運廢鐵赴日本的活動。這時候"新文字會"的重點已經遠遠超出學術研究範圍了。

到一九四一年，美國與軸心國——德、意、日三國的矛盾日益尖銳。在歐洲戰場，以軍需物資積極支援英法軍作戰；在太平洋則明顯表示不能夠容許日本伸展勢力到太平洋西南部及東南亞，態度日趨強硬。日本爲了先發制人，在十二月七日空襲檀香山珍珠港。美國太平洋艦隊幾乎全部覆沒。美國隨即向德國、意大利及日本宣戰。跟着中國亦向這些敵國採取同樣的行動。

這種國際形勢的新發展，影響到華人社會的救亡活動。美國參戰，當然鼓勵居民多購公債，支援本國作戰。同時華人壯丁入伍，華人社會少了一批可以捐輸或可以負責救亡工作的人們。在第二次世界大戰的四年裏，亦即抗日戰爭的後期，爲中國舉行的特別募捐次數顯然減少了。不過由於救國會的努力，加上美國華人節衣縮食，他們的工資收入及生意的利潤在戰時又增加，所以募捐的成績仍然可觀。到這階段，華埠青年團體仍然繼續從事於救亡工作，但同時也開始組織慰勞參軍華人子弟的各種活動。

"新文字會"就是較早勞軍的一個青年團體。在一九四二年它與"蘆烽劇社"及奧克蘭的"野火社"組織"聯合救國宣傳團"（簡稱"聯會"），在舊金山港灣區公演話劇《戰鬥》，籌款慰勞華裔軍人。後來在一九四三年"聯會"又改組爲"加省華僑青年救國團"（Chinese Youth League, 簡稱"青救"）。

到這階段，美國爲了應付戰事的需要，大舉徵兵。很多團體的中堅分子都先後入伍，使得"民鐸社"及"蘆烽劇社"大受影響，活動停頓。這因素同樣也影響"青救"，但"青救"卻能夠維持，而且舉辦更多青年康樂活動，在華埠展開影響。在話劇運動方面，這團體承繼了蘆烽劇社在話劇運動中的地位。在一九四三年初，"青救"創辦油印綜合性月刊《戰鬥》，定期發給各地的美國華裔青年。

"青救"的活動不限於華人社會，個別成員也參加美國民主青年團（American Youth for Democracy）與其他種族的青年合作爭取美國內更民主，參加競選運動，號召選民投票給提出進步政治綱領的候選人。

新文字會在一九四〇年成立之後，在一九四一年，另一羣較年長的知識分子又組織業餘小劇團（Yip Yu Dramatic Club），這機構的成員包括林登、邵丙昆、胡景南、區寵賜等。大部份受過中國新文學的影響，或本人在華人社會裏從事文化工作。這劇團在一九四二年初公演曹禺四幕話劇《雷雨》改編的粵語白話劇，演出水平堪稱美國華人社會話劇運動的一個高峯。但當時能夠欣賞這種新文藝作品的觀眾有限，而且美國剛參加戰事，題材與時局脫節，所以賣座率不高。業餘劇社內部組織也很鬆散，這團體在華埠曇花一現，演出後就散夥，不能夠繼續在美國文化界發生影響，所以業餘劇團只能夠成爲華人話劇運動過程中的一支插曲。⑪

國民黨早亦有意插足華人社會裏正在蓬勃地發展的青年運動。抗戰初期，國民黨人成立的民鐸劇社，雖然有青年人參加，但這畢竟是一個由資格較老的黨員所控制的團體，且活動範圍也較狹窄，對青年人的號召力有限。

早在一九三八年，國民黨在中國成立"三民主義青年團"（簡稱"三青團"），爲國民黨培訓後備隊。到一九四〇年，國民黨中央委派黃文山來美國組織"三青團"（San Min Chu I Youth Association），決定成立美東（紐約）、美西（舊金山）及美中（芝加哥）三個直屬區團部，成爲唯一全國性的青年組織。國民政府外交部又下令中國大使館及領事館協助團的活動。

黃文山設團的時候發表意見，說明組織"三青團"的目的："……留美的中國青年，無論是來美留學的，抑或是僑居美國的，⋯⋯我們希望均參加本團，加強本團的組織，經過本團的陶冶，做抗戰建國的基本幹部⋯⋯本團駐美團務目前的主要工作，便是指導青年，予以嚴格的組織與訓練，使他們的思想行動，都有正當的歸宿，偉大的建樹，能成為抗戰建國的革命前衛，以力行來創造一個新中國⋯⋯"。但這立場卻惹起美國當局的注意及調查。所以不久，團的負責人就發表英文文章，解釋美國"三青團"的宗旨是："（一）⋯⋯在美國法律許可的範圍內，支持中國國內三民主義青年團的活動；（二）向美國人士表示，做一個好榜樣的華人；（三）培養團員對於中國文化傳統的認識⋯⋯。"這文章又強調"三青團""沒有從事傾覆美國利益的行動。相反地，它要求團員能夠成為美國模範公民，而促進他們效忠的國家（即美國）與他們的祖國之間的友誼。團員不需要到中國服務，團亦不要求他們直接支持中國，只要他們履行團的宗旨，這就已經是對中國、美國及本人作出最大的貢獻。"⑫不過，"三青團"在美國舉辦的活動，一般沒有也不可能跟中國國內"三青團"的活動有那麼濃厚的政治色彩；所以美國當局沒有採取制裁的行動。

在華人社會裏，"三青團"成為國民黨中央同志社的政治資本。《國民日報》成為這派系的喉舌，與《少年報》的右派相對立。

"三青團"有國民黨的支持，經費充足，所以可以舉辦各項文化教育活動。美西團部也曾演過話劇，也是舊金山一個重要的青年團體。"三青團"繼續活動到一九四八年才服從中國國民黨中央的命令與國民黨成立統一組織。

連同上述的幾個組織，舊金山在二次大戰期間先後成立大約二十多個青年戲劇音樂文化團體。

戰時美國經濟繁榮，華人生活水平稍有改善，所以青年在工餘、課餘時間能夠進行舉辦多姿多彩的文化康樂活動。這時候的青年運動蓬勃發展，團體眾多，達到美國華人社會有史以來的高峯。這些團體的活動，有些只限於文化康樂，有些卻較注意社會問題，或表現有較濃厚的政治色彩。概括而論，這些團體的出現是表示華人社會裏的變化，一些青年已經開始越出中國農村的傳統地域、宗族觀念的限制。其他城市也有相似的現象，但由於青年人口沒有舊金山那麼多，也不及舊金山那麼集中，所以舉辦活動的形式，一般沒有舊金山那麼豐富。

紐約的青年團體的活動，僅次於舊金山。由於當地左派力量已有基礎，所以進步青年團體也較早成立。一九三八年三月，成立華僑青年救國團（簡稱青救）。這團體經常積極參加抗日救亡運動，又舉辦康樂文化活動，如體育、歌詠、時事演講、英語班等等。前文提及劉良模組織華僑抗戰歌詠團，這團的主要成員也都是青救團員。[43]在華埠以外，又聯絡美國援華團體，參加美國進步組織"美國青年會議"（American Youth Congress）。其他城市如洛杉磯、美京華盛頓、西雅圖等也有青年組織，但活動的規模比舊金山、紐約小得多了。

檀香山華人青年，在抗戰時期，同化美國社會的程度已經很深；所以中國文化活動並不發達，文化團體也不多。當地的中國文化活動，主要還是由學校舉辦；間中也有配合救亡運動，例如在一九四〇年，火奴魯魯的"華僑國語文補習學校"曾經演過話劇，籌款幫助中國的工業合作社。[44]但一般地來說，青年人的中國文化活動，在當地救亡運動中並不起重要作用。一九四一年珍珠港事變之後，夏威夷進入戒嚴狀態，政府勒令一切外語學校停辦，使得中國文化活動更加減少了。

舊金山、紐約及洛杉磯，是美國華人青年團體比較活躍的三個城市，在這幾個地區，不久產生加強團體之間聯繫的要求。

抗日戰爭爆發後，到一九三七年十月，舊金山總共擁有五百多會員的三十個青年團體就為了配合救亡運動的需要，成立青年聯合會（Federation of Chinese Clubs），到一九三八年四月，洛杉磯十七個青年團體也步舊金山的後塵，這年九月，紐約十三個團體又組織紐約華僑青年聯合會，這些大部份是以土生為主的團體。每個聯合會都舉辦各種康樂活動、座談會、演講會等，對聯絡感情，教育青年，起肯定的作用，而且這種組織形式，也有利於發動青年參加救亡工作。但各個組合是以團體為參加單位，各單位宗旨不同，活動性質不同，成員的社會文化背景也不同，所以聯合會比較鬆散，很難進一步加強內部團結。

以中國文化活動為主的青年團體其性質比較相近，成員也大致上都受過一些中國文化修養。這些因素就構成有利於這些青年團體聯合的客觀條件。這些團體在舊金山比美國任何一個城市多；所以更方便於青年團體舉辦聯合活動。

一九四四年，舊金山女青年會幹事鄺蓮眞召開了慶祝國際青年節的青年週大會，一共有二十九個華人青年團體參加。慶祝之後，她提出組織青年聯合會，保證青年能夠經常聯合舉辦各種活動。但當組織工作還在醞釀中，會場上卻形成左派“青救”與右派“三青團”的對立，爭奪領導權，結果鄺蓮眞知難而退，聯合計劃流產。跟着“青救”聯合叱咤社、青華社、狂風社、前進社、勵坤社、先鋒社共同組織“青年聯合工作會”。後來叱咤社退出，其餘六個團體在一九四五年成立加省華僑青年團體聯合會（Federation of Chinese Youth Organizations），其宗旨是：“不存黨派觀念，不分宗教政治信仰，聯合一起共幹抗戰救亡工作，同謀青年福利，展開集體自我教育及聯絡感情⋯⋯”。這組織舉辦各種康樂救亡活動，也有較明確的進步政治立場。但不久，第二次大戰結束，很多青年入學，成立家庭，華人社會青年活動走向下坡，青年聯合會隨着也解體。到一九四六年，舊金山的叱咤社、先鋒社、青華社、前進社、華僑青年文藝社、華僑民主青年團（一九四六年改組為華僑青年救國團）等六個團體，雖然還聯合紀念“五·四”，但這已經是這階段青年聯合活動的尾聲了。

救亡運動推動劇運蓬勃發展，同樣也刺激華僑文壇漸趨活躍。在抗日戰爭之前，美國華人雖然忙碌於謀生，但吟詩，作對聯，寫文章者卻大有人在。在一些華埠文人又組織文社、詩社，以文會友，聯絡感情。但這時期的作品都屬於舊文學範疇，全用文言文。到抗日戰爭時期，由於中國本身教育制度的變革，年青一代對這種寫作沒有很大興趣，所以已經逐漸衰落了。

在抗戰前夕到美國的知識青年，一般在中國曾受過新文學的影響，所以寫作習慣運用語體文。他們創作的小品、新詩、小說和其他文章，多發表在華文報紙的副刊。一九四〇年在紐約創刊的《美洲華僑日報》在梅參天（Eugene Moy）主持下，對於青年作家特別起鼓勵作用。一九四一年在紐約創刊的《中美週報》在抗戰初期當張恨棠（Benjamin Fee）任代理編輯期間也刊載了不少華僑青年的文藝作品。到一九四二年，紐約一羣愛好文藝的人士成立華僑文化社，又創辦了美洲第一個純文藝期刊《華僑文陣》。其他在抗戰期間活動的青年團體出版的期刊或特刊也往往發表一些新文學作品。這些文藝雖然大部份與中國和抗戰有關，但間中也有採用華僑社會題材，描寫華僑人物，甚至運用華僑辭彙的創作。

"華僑文藝"，即美國華人本地的文藝與中國的文藝如何區別，直到一九四四年才在《華僑文陣》初次明確地提出來。跟着的幾年，卻是由《華僑日報》對這文藝創作運動起了推廣作用。

一九四五年美東西兩岸青年文藝愛好人士組織華僑青年文藝社，就借用《華僑日報》副刊的篇幅刊載《綠洲》專刊，發表有關華僑文藝的理論文章和創作。後來《綠洲》停刊後，又有三藩市華僑青年輕騎文藝社在一九四八年繼續主辦《輕騎》專刊。此外，一九四七年華僑文化社部份社員又與其他青年作家合作創辦《新苗》月刊，發表華僑文藝作品。⑤

正當文藝運動方興未艾，美國國內卻掀起反共歇斯底里，進步民主力量受到了嚴重的打擊。在這種形勢底下，華僑文藝運動便夭折了。雖然這運動時間不長，參加人數也有限。但它的興起正好顯示華人的意識已經從華僑到華人的過程中再跨進了一步。

四、航空救國及其他

自二十世紀初，航空業對美國華人具有特別强的魅力。爲數不多的早期美國華僑飛行師，佔很高的百分比到中國投入正在襁褓中的航空業。約由第一次世界大戰開始，美國一些地區志同道合的華人組織有航空會，學習飛行，互相切磋，交流經驗。國民黨在這方面尤爲積極，以"航空救國"爲號召，鼓勵華僑捐購飛機，以及輸送航空人材到廣東的革命大本營參加國民黨政府的空軍。這時期，華僑子弟在這雛型的空軍中佔了很高的比例，這在前文已經詳細叙述。

到二十年代中，中國本身培訓出來的飛行員逐漸增加，華僑子弟的比例雖然下降，但由南京政府成立到抗戰期間，由於日本的不斷侵略中國，"航空救國"的號召力對美國華人有增無減，各地的航空會就是這些活動的中心。

一九二八年五月發生"濟南慘案"，紐約華人發起組織"美洲華僑航空救國會"，這航空組織的宣言指出："……華僑研究飛行術、欲貢獻祖國，協助斯業之發展者，大不乏人，惟是散處各方，素無聯絡，或因經濟之困難，或孤立而無助，因環境之壓迫，不克深造，空懷衝天之志，未償報國之願。同人等爰組織斯會，一方聯絡航空界及與航空有關係之科學專門人才，研究航空學術，以期將來對祖國有相當之貢獻；一方聯絡有志航空青年及熱心表同情於航空事業，協助國府，謀中國航空事業之發展，此組織斯會之微意也……"。⑯

　　到一九二九年十一月，舊金山又成立華僑航空研究會。⑰其他地區的華人也有同類的組合，不過這些組織由於人力物力財力的限制，聚散無常，但卻不斷此伏彼起。

　　不久，日本軍國主義赤裸裸向中國侵略，佔領中國東三省。這危機更促使美國華人更關心中國軍用航空的發展。一九三二年"九・一八"事變之後，美國各地華人組織拒日救國會。不久，國民黨發動組織航空救國機構。最早採取行動的是紐約在九月底，紐約的拒日會召開"全體抗日大會"，在會上通過決議，成立華僑航空救國學校，計劃徵求一萬名發起人，由每人義助美金二十元作學校基金。這學校準備訓練三千名飛機師，在六個月內畢業。⑱可是中華公所由於早些時期在籌款方面，帳目糊塗，故其聲望在羣眾之中造成不好的影響; 所以籌款活動進行了半載，只募得四千多元。據說後來這筆款扣除了費用之後，捐了給中國東北義勇軍作軍餉用。⑲

　　到一九三二年八月，一羣熱心青年得到中華公所的支持，才正式成立了華僑航空救國會，隨即開辦中華航空學校。由於經費不足，學生們只能夠在西人開辦的航空學校裏學習飛行術或修理機械技術。航空救國會實際上變爲一個聯誼組織。中華航空學校有一九三五年和一九三八年兩期畢業生，共三十五人，有十多名到中國參軍。

　　正當紐約華人社會還處在研討有關航空會事宜時，華人人口不過二千多人的波特蘭卻先走一步，成立航空學校，一時成爲華人航空救國運動的重要中心。這地區在一九三〇年已經有八名華人青年在阿科斯航空學校（Arcos Aviation School）畢業。一九三一年瀋陽事變之後，國難臨頭，國民黨發動社區積極分子在十月成立美洲華僑航空救國會，選出梅志新等九人組成理事會。而後全體理事四出籌款，到十一月初，購得教練機一架。同月中，波特蘭的中華會館召開大會，通過美洲華僑航空學校（The Chinese Aeronautical School）招生簡章；宗旨聲明“訓練航空人才，對外爲鞏固國防，盡力拒敵；對內爲發展航空事業，永不參加任何政爭內戰。”這學校一共辦了兩期，在一九三二年及一九三三年有兩批學生畢業，共有三十二人到中國投入空軍。其中第一期的陳瑞鈿（Arthur Tin Chin）參加了廣東空軍，在抗日戰爭期間升到空軍少校副大隊長。由一九三七年至一九三九年，他屢獲戰功，單獨擊落日機六架，協同僚機擊落三架。一九三九年他的飛機在廣西崑崙關上空中彈燃燒，他幸生還，但面部及雙手受嚴重燒傷，被迫回美國植皮治療，後來退役。戰後他回中國在中國航空公司任駕駛員，一九四九年返美國。⑩

　　波特蘭有熱心於航空救國活動的幾名領導人物作爲核心，所以這裏的航空學校一時辦得有聲有色。但畢竟波特蘭華人人口太少，必須要求其他地區華人的支援，而其他地區也先後成立航空會，同樣向華人社會募款。正當美國經濟蕭條情況下，各埠華人感覺心有餘而力不足；所以，波特蘭航校第一期籌款還算綽有餘裕，到第二期已經捉襟見肘，難以維持，到第三期就不得不停辦了。

　　跟着波特蘭航空學校而興起的是舊金山灣區的航空學校。舊金山是美洲華人最集中的地區，人才衆多，籌款也較方便，所以歷來有活躍的航空活動。在二十年代末及三十年代初，一些青年如周一塵、李藝空、雷家波等已經在舊金山港灣區西人舉辦的飛行學校畢業而先後到中國投入空軍。一九三一年十二月，一羣青年成立中國航空聯合研究會，選出冲天及楊沾爲常務委員，擬進一步成立航空學校，但他們雖然多方面奔走，卻找不到門路。一九三三年二月，舊金山又成立飛鵬航空學會，選出朱忠存爲主席兼執行委員之一。六月，朱忠存等向舊金山的拒日後援會提出設立航校的要求，得到肯定的答覆。當年七月底，拒日會決議租機設旅美中華航空學校，暫用中華學校的課室，飛行實習則租用聖馬特奧機場，並選出李聖庭及譚光中爲正副校長，朱忠存及余孔和爲正副教務長。學校的宗旨是："……栽植航空人才，鞏固國防，永不參加任何內爭。"⑤

在拒日會主辦時期，這學校曾在一九三三年、一九三七年招第一、二期學生，在一九三四年、一九三八年有兩批學生畢業，共三十三人到中國去。到一九三七年全面抗戰開始，抗日團體改組，拒日會結束工作。這時候在國民黨人推動下，舊金山的飛鵬航空學會，滌漢飛行學會，華僑航空學會在一九三八年聯合組織中國航空協會美洲總分會（Aviation Club of China, American Main Branch）。這組織隨即派代表到中華會館要求繼續開辦中華航空學校，中華會館接納這提議之後，又選出黃君迪及李聖庭爲校務委員會正副主席，吳東垣及黃子秀爲正副校長，朱忠存及譚護爲正副教務長。

改組後，隨即招收第三期飛行及機械生各三十名。校務委員會又向全美各埠展開大規模募捐，籌得六萬多美元用來開辦學校，租購飛機，訓練學生，及提供畢業生到中國去的費用，所以學生免交學費，他們唯一義務是畢業後要到中國效力。這學校租購的教練機共有四架，另有一架是由三邑會館在一九三九年捐贈。第三期畢業生共有四十五名分兩批在一九三八、一九三九年到中國去。

到這時候，主事人發覺在美洲中華航空學校受訓練的華僑學生只能學得最基本的飛行技術。他們抵達中國還需要受進一步的訓練才能有資格被安排入空軍作戰隊伍服役。同時籌款長期支持這學校也是一件很吃力的工作，因此便決定停辦，在一九四〇年一月結束。在美國各地區辦的華僑航空學校，以舊金山所辦的維持得最久，規模也最大。

洛杉磯是美國航空業中心之一，所以那裏的華人人口在當時雖然不及舊金山眾多，但學習飛行術的華僑男女青年卻頗不乏人，獨樹一幟。在"九・一八"之後，十一月，洛杉磯華人組織華僑航空研究會（Chinese Aeronautical Association），[52]隨在一九三二年春籌款購機開課學習飛行技術。這飛機墜毀之後，在一九三三年春又再購一架飛機，正式組織學校，在中華會館舉行開幕典禮。一九三四年，這航空研究會擴大組織，改組為美洲華僑航空協會，選趙寶光為委員長，繼續招收學生二十名，他們畢業後有兩名到中國服務。抗戰初，洛杉磯又有華鷹航空會的組織。

此外，在菲尼克斯、圖森、芝加哥、底特律、匹茲堡、波士頓及火奴魯魯，熱心航空的青年也響應航空救國的號召，組織起來學習飛行。

一九三二年一・二八之後，波特蘭召開抗日會，國民黨人又發起組織美洲華僑航空救國義勇團，由波特蘭為第一隊，並呼籲各埠自行籌款，自行保管，組織其他隊。後來，菲尼克斯、芝加哥、紐約、匹茲堡、波士頓組第二至第六隊，其中菲尼克斯及紐約的義勇團是由當地組織的華僑航空救國會改編，約有六、七十名華僑青年飛行家通過義勇團回中國投效空軍。

由一九一一年到抗戰期間，回中國效力的華僑青年飛行家大約有二百人左右（第二次世界大戰跟美國空軍到中國作戰的華裔軍人不算在內）。其中大部份是曾在美國學習飛行術的，他們在中國航空界所佔百分比，遠遠超過美國華人人口與中國人口的比例。這些青年深受國民黨的影響，但卻不一定是黨員。他們很多年少到美國，或是美國土生，對中國的語言文化尚多陌生，但他們受民族主義思想的驅策，卻毅然放棄美國投入祖國的懷抱。不過，找尋出路也未嘗不是影響他們作出這決定的一個因素。華人在高度工業化的美國生活，有利於他們學習先進的航空技術，但學成之後，在這瀰漫種族偏見，而且當時經濟蕭條的美國社會裏卻沒有容納他們發揮專長的餘地。這些因素，正好配合航空救國的號召，推動這些青年人離開美國回中國從戎，以遂他們凌雲壯志的心願。一名同胞對他們卻有以下的評語："廣東籍飛行員包括華僑飛行員優秀人才甚多，但有一部份人只喜歡鑽研個人技術，不講求團隊合作。平居愛好美食，力求舒適享受……出口廣東方言，夾雜洋文，多滿言俚語，國語普欠流利，難與外省人溝通意見。對我國文書案牘頗顯生疏，尤不善官場肆應，練習飛行或參加作戰，雖能冒險犯難，勇敢衝擊，然多喜作獨行俠式表現，缺乏合作默契支援策應……"。但瑕不掩瑜，這些華僑、華人飛行師推動中國空軍的發展，有不可磨滅的功績。其中少數人如周一塵、楊仲安、雷炎均等，能夠在空軍裏被擢升到將領級地位，但更多卻因為失事或作戰而為祖國受傷或捐軀。以下舉幾個例: 在淞滬戰役，黃毓全（台山縣人）迎敵，失事機毀人亡。他的紀念碑豎立在台城鎮。抗日期間，中國空軍與強敵搏鬥，以寡敵眾，所以更多人陣亡。另一些飛行員也因機種陳舊，而毀機殞命的。如在一九三七年有美洲華僑黃波、黃元波、劉熾徽、蘇英祥、廖兆瓊、雷國來先後空戰失蹤或陣亡; 一九三八年有容廣成空戰陣亡; 一九三九年有陳瑞鈿空戰受重傷（見上文）; 一九四一年有江東勝和黃新瑞空戰陣亡及譚寬飛機失事喪生; 一九四四年有馬國廉及譚壽飛機失事喪生。其他在中國殉職的美國華僑華人飛行員還有陳錫庭，林聯青，黃進長，譚國材，張益民，劉福慶，梁松寧，王文星，岑慶賜，劉鐵樹。這些人大部份是舊金山旅美中華航空學校的畢業生。

美國華人不只培養航空人才幫助中國航空業的發展，他們又經常籌款捐購飛機。如一九三三年二月，火奴魯魯成立華僑購置飛機籌辦委員會; 一九三五年二月，波特蘭華人又購買三架教練機捐給國民政府。

這期間，也有少數婦女衝破社會的限制，投入航空界。但遺憾的是她們都沒有機會在中國做花木蘭。一九三一年，報章上載廣州航空學校拒收女生的消息，激發洛杉磯的張瑞芬心覺不平，她認為男女平等，何得有意偏倚，於是萌生學習飛行的念頭，擬學成之後，以事實向社會顯示男女能力平等。經過一年的苦練，她在一九三二年三月領得美國聯邦飛行執照，是第一名得這執照的華裔婦女，然而張女士卻沒有機會回中國幫助發展航空事業。[53]

在一九三三年，波特蘭華人舉辦的航空學校第二期畢業生中，又有李月英及黃桂燕兩名女生，她們與同學一齊回中國，中國空軍卻不肯錄用，失望的李月英旋返美國，黃桂燕卻留下，不久在一九三四年病逝。一九三五年，檀香山又有程天信夫人（Emma lng Chung）據說是檀島華裔婦女單獨駕駛飛機最早的一名。[54]

另一名華僑婦女飛行家李霞卿（一說祖籍恩平縣）卻有機會為中國的救亡運動服務。李在中國出生，幼年僑居歐洲。回國後，二十年代在上海電影界為兒童演員。一九三○年她棄影出國輾轉歐美學習飛行術，在奧克蘭的波音航校（Boeing School of Aeronautics）深造。一九三五年學成歸國。一九三九年應美國醫藥助華會（American Bureau for Medical Aid to China）的邀請到美洲各地表演飛行技術，為募捐宣傳。大約於一九四○年因飛行失事而殞命。[55]

航空救國運動也推動美國華人在第二次世界大戰時期開辦華人唯一的飛機廠。在一九四三年初，留學生航空工程專家胡聲求博士（江蘇人）聯同洛杉磯華裔土生青年研究航空工程的周樹容發起籌設計劃。目的是:（1）生產飛機來充實聯軍作戰力量;（2）為未來的中國航空工業訓練一些人才。

這計劃不久便得到中美官方贊同，但由於美國法律不容許外國政府在美國直接開廠;所以改變用美國華人身份辦廠。跟着胡博士與中國航空建設協會美洲各地支會接洽，請求贊助。後來決定將廠設置在美國華人人口最集中的舊金山。這年八月，中國飛機廠有限公司（China Aircraft Corporation）向加州政府立案，董事長爲何少漢，西人福特里仁爲總經理，胡聲求副之。這公司籌得資本十五萬元。廠房、機器、裝修、設備都由美國政府供給，職工幾乎全部都是由華人社會招募。到一九四四年八月七日，這工廠正式開始生產。在大約一年期間共生產了一千架轟炸機後節機身。到戰後，這工廠製造收音機，但無法與大公司競爭，所以在一九五一年宣告破產，結束營業。

中國飛機廠是航空救國運動在美國的尾聲。這廠規模雖然不大，而且也達不到創辦人要求製造全架飛機的最終目的，但一些青年工人卻能夠有機會掌握一些現代工業的生產技術，而且他們能夠在重工業部門裏工作，幫助推廣了美國華人就業的範圍。

在反法西斯戰爭中值得一提的是在三十年代末參加西班牙國際義勇軍的中國參戰團。這些華人本着國際主義精神，響應反法西斯的號召，參軍作戰，支持西班牙共和政府抗拒佛朗哥的武裝篡權。這團有百多成員，來自歐美各國。美國華人見於記錄的有張緝（湖南長沙人，美國共產黨員，曾在美國礦務公司工作），陳文饒（紐約華人，是《先鋒報》及華工中心成員）以及張紀都是一九三七年參軍。中國參戰團除了在前線陣亡或因疾病遣離西班牙前線外，其餘的人在一九三七年底撤退轉到中國參加抗戰。當時陳文饒和張紀似乎還留在西班牙。一九三九年西班牙內戰結束後，這團只剩下二十名華人退入法國，其餘的美國華人成員則下落不明。㊌

五、華人社會發展的轉折點

（一）華人在前線與後方的表現

第二次世界大戰爆發，美國壯丁紛紛入伍，美國華人男女人口懸殊，在當時約是三比一，而且大部份都是符合服兵役資格的壯丁，所以被應徵入伍或志願參軍的華人特別多，約有一萬六千人，佔美國大陸華人總人口的兩成，這數字佔美國全國人口入兵役的百分之八點六高出了一倍。例外的是檀香山，這地區的華人家庭的比例比大陸高，所以男女人口接近相等（比例大約是一點二十八比一）。同時這是國防重地，很多華人在軍事基地任職工，所以這裏華人參加服兵役的約有二千名，只佔華人人口的百分之七點二。[57]此外，各地一些華人婦女也參加海陸軍的後勤部隊或為軍隊護士，有個別如加州的朱美嬌（Maggie Gee）還加入空軍後勤隊作飛行員，按照部署的需要，她曾經駕駛飛機到美國各地。

第二次世界大戰參加軍役的華人，遠超過第一次世界大戰的數目。他們在歐洲、太平洋、亞洲戰場效勞，一般是與其他種族軍人混合編隊。但有千多華裔卻被編入以華人為主的第十四服務大隊，這大隊包括九個中隊，共一千三百多人，被遣派到中國戰場支持美國第十四航空隊作戰。[58]

華裔在陸軍裏當雜役、廚子、文員、醫生以至各作戰部門；他們在海軍人數較少，多充當雜役。在空軍的一部份則有當飛行員、槍手、或地勤工作。他們在軍隊裏雖然體驗到不少種族歧視的不平待遇，但西醫、牙醫、專業工業工作者、或者優異表現的小部份華裔，卻能夠突破這些障礙，被授銜為軍官。在第二次世界大戰因作戰或其他事故在軍中殉職的華裔，約有三、四百人。此外，戰時有一萬五千華人在英美商船上服務，其中有部份海員是由美國招募的華人。他們的船隻也常遭遇敵機及潛艇的襲擊，常有滅頂之災。

在後方，華人也積極參加支援作戰的各種活動，如慰勞軍人、參加民間防空工作、任徵兵局委員等。大量壯丁入伍，後方勞動力的供應大受影響，因此社會上的經濟不景氣消散了，失業問題解決了，工人工資也有適當的提高。這時期，很多行業都改變態度，也招募少數族裔或婦女塡補職工的缺額，美國華人也這樣有機會衝出服務行業的藩籬。很多進入國防工作，如以上曾經提及的"中國飛機廠"；此外，更多華人在其他飛機廠、船廠、火藥廠，或軍事基地工作。不少成爲技藝工人，推廣了華人就業的範圍。有些曾經受過高等工程科技教育的人才，也有機會加入這些專業發揮特長，開闢了美國華人的新境界。

到這時期，美國華人人口已經減到美國總人口千分之一，是美國少數族團中的少數。當時美國社會裏雖然普遍仍然存在歧視華人，但華人已經不再是種族主義者攻擊的主要對象。不少土生華裔逐漸進入美國社會，除了膚色不同之外，在語言作風上與美國白人沒有很大的差別。再加上華人在前方後方積極支持美國作戰以及中國英勇抗戰所給予的良好形象，都造成有利於撤銷排華法案的氣氛。但美國華人人口不多，在政界運動所起的作用有限；所以在撤消排華移民法例的過程，華人並不處在主要領導地位。而負起推動這活動的，主要是美國開明人士組織的"撤消排華律公民委員會"（Citizen's Committee to Repeal Chinese Exclusion）。

（二）撤銷排華移民法的經過

一九四一年，曾在香港美領事館任職的唐納德・鄧納姆（Donald Dunham）回到美國。當他在任的時候，就往往目擊排華移民法案怎樣令到華人窘迫，使他們對美國有很壞的印象。他回來美國之後，就撰一篇備忘錄交給《亞洲與美洲雜誌》（Asia and the Americas），主張撤銷排華律，而給予中國移民與其他亞洲移民有同等權利。隨着，這雜誌發表文章主張撤銷排華律，很快就得到美國社會知名人士如作家賽珍珠（Pearl Buck），國會衆議員周以德（Rep. Walter H. Judd），加州大學漢學學院（College of Chinese Studies）院長斐德士（William B. Pettus）

等來信表示支持。

一九四二年冬，中國跟美國商訂新條約的時候，中國駐美大使魏道明向美國國務卿表示："……中美兩國人民在彼此國境以內，應享有同等待遇，但因美國排華律之存在，實際上華人在美所受待遇並不平等，該項法律爲對我人之歧視，盼能改正……"。但這時候美國國務卿科德爾．赫爾（Cordell Hull）以時機尚未成熟; 所以暫時擱下不談。

當這問題正在美國朝野醞釀，宋美齡到美國治病。痊癒之後，她被邀請到美京，一九四三年二月二十八日到國會演講，得到熱烈歡迎。跟着，她環遊美國各地演講，爭取美國更積極支援中國作戰。

宋美齡是當時中國元首蔣介石的夫人; 所以在一般人心目中也是中國抗戰英勇精神的化身。無論西人或華人，莫不爭先恐後去歡迎她。宋美齡演講能操流利英語，這更使美國朝野人士有深刻的印象。一時掀起的中國熱，造成對中國、對華人的友善氣氛。這樣產生撤銷排華律的好時機。

長期飽受種族歧視的美國華人，對於取消排華法案的要求尤爲殷切。在一九四三年初，波士頓一位華裔運動衆議員約翰·勒辛斯基（Rep. John Lesinski）提議准許美國籍民的華妻入境。另一名下議員馬丁·甘乃迪（Rep. Martin J. Kennedy）隨又提出取消排華律的議案，紐約中華婦女會的會長王陳平康（Theodora Chan Wang）在翌日即寫信給羅斯福夫人要求她的支持。紐約中華公所隨又通過決議，寫信給國會各議員要求他們撤銷排華律。但這些只是宋美齡遊美前後在國會提出九宗撤銷排華議案之一。

一九四三年五月二十五日，十一名美國知名人士在紐約正式成立"撤銷排華律公民委員會"（以下簡稱公民委員會）。該會的工作目的如下:（1）撤銷排華移民法案;（2）給予華人移民攤額;（3）准許華人申請入籍為美國公民。

公民委員會的成員並不多，全美國大約有二百五十人，分散在四十個州。利用他們廣泛的社會、政治、經濟關係，游說政客及社會人士，動員支持者，爭取中間分子，孤立一小撮反對派。他們經常在報紙、雜誌、電台、演講會主張撤銷排華律，向美國人民進行教育，並積極發動社會知名人士及民間團體投信給國會議員或到國會調查委員會作證供辭，支持撤銷排華案的議案。

在美國社會裏支持這運動的階層主要是：（1）與中國貿易有關的商人；（2）宗教組織如基督教會，男女青年會等；（3）人道理想主義組織如"紐約市戰後世界理事會（Post-war World Council of New York City），全國和平協商會（National Peace Conference），婦女國際和平自由聯盟（Women's International League for Peace and Freedom）；（4）個別人道主義者及開明人士；（5）親華人士；（6）美國華人。

當時反對撤銷案的社會陣容也不弱，他們包括：（1）工會；（2）退伍軍人團體；（3）西岸居民，以及（4）極右的極端國家主義、種族主義、排外主義，所謂"愛國"團體。但公民委員會運用爭取大多數，孤立一小撮的策略，卻能夠爭取到這前三個集團的支持，而抵銷了"愛國團體"的影響，孤立了他們。這委員會為了保證能夠達到撤銷排華案的目的，所以又不着重提出給予華人公平待遇，只強調撤銷排華案對美國作戰有利。同時在國會討論的提案也只給華人很低的移民攤額，排除了大量華人湧入美境的可能性。這樣削弱了反對派言論的影響，大大增加撤銷排華律的可能性。

一九四三年十月二日，羅斯福總統向國會發表特別咨文，要求通過法案，糾正對友邦的不公平待遇。十月二十一日眾議院通過議員華倫‧馬格納森（Rep. Warren G. Magnuson）所提出的撤銷排華律法案；十一月二十六日參議院也通過這提案。十二月十七日，羅斯福總統簽署後，結束了長達六十一年的排華時期。

馬格納森法案被通過，並非標誌美國是準備放棄排斥亞洲移民的政策。而主要因素是配合美國作戰策略需要：（1）鼓勵一個已經筋疲力盡的國民黨政府繼續跟日本作戰；及（2）抵銷日本針對白人殖民主義及種族主義的宣傳。這法案配給華人移民的一百零五名移民攤額，包括一切有華人血統的移民，籍民子女也算在內。所以這僅是一個象徵式的數字而已，限制華人入口的政策，實際沒有改變；不過這法案容許華人入美籍，卻比前進了一步。所以馬格納森法案雖然對華人的實惠有限，但它的實施，無疑是美國華人社會近代發展過程的一個分水嶺。

注釋:

① 見《公論晨報》，1931年9月23日；《世界日報》，1931年9月26、29、30日；《中西日報》，1931年9月28日。

② 見《世界日報》，1931年9月29日；《中西日報》，1931年10月5、28日；《世界日報》，10月11日。

③ 《第十九路軍總指揮部收入抗日慰勞金報告書》（上海：1932年）。

④ 見《先鋒報》，1934年2月1日。

⑤ 見《先鋒報》，1934年8月15日，10月7日；1935年1月19日。

⑥ 蔡廷鍇，《海外印象記》（香港：1935年），第28—32，80—87頁。

⑦ 見《先鋒報》，1935年6月22日，11月16日。

⑧ 《北美洲中國學生會》，見《留美學生月刊》，1935年12月（第1卷第1期），第31頁；《北美洲中國學生會抗日救國宣言》，見《留美學生月刊》1935年12月（第1卷第1期），第17頁；1936年1/2月（第1卷第2/3期），第21—22頁。《留美學生月刊》，1935年12月第15頁。

⑨ 《先鋒報》，1935年10月19日，11月2、23日，12月7日。

⑩ 光，〈一年來的美洲華僑抗日運動〉，見《先鋒報》1937年1月9日。

⑪ 見《先鋒報》，1935年12月21日；1936年1月4日，2月8日。

⑫ 見《芝加哥先驅與考察家報》1936年1月6日；左學禮，"一件小小

的'大事'——寫在芝城抗日示威大遊行之後",見《留美學生月刊》1935年4月(第1卷第5期),第32—33頁。

⑬　見《世界日報》,1936年4月12、19、20日。

⑭　見《世界日報》,1937年8月14日。

⑮　見《世界日報》,1937年8月18日。

⑯　見《先鋒報》,1937年8月26日。

⑰　見《先鋒報》,1937年8月26日。

⑱　見《先鋒報》,1937年8月26,11月4日。

⑲　據陳汝舟,《美國華僑與抗戰建國》及陳匡民,《美洲華僑通鑒》,美國大陸華人在八年抗戰期間,華僑共捐出5600多萬元,這數字的準確性有深一步探討的必要。舊金山、紐約及芝加哥救國會公佈的數字,這三個組織共募得1000萬多美元,這兩個地區佔美國大陸華人約42%,如此推算,美國大陸華人捐出款項應該大約是2400萬美元。

　　據舊金山救國會主席鄺炳舜1941年春在重慶的報告(見鄺炳舜,《美洲華僑概況及抗戰以來愛國運動報告書》),由37年七‧七開始抗戰到1940年底,美國華人共捐出1000萬元,如推算到1945年中,八年抗戰期間共捐出約2300多萬元,與上算的2400多萬美元相近,與5600萬卻相差一倍。在美國雖然有其他組織通過其他渠道捐款支援中國抗戰,但這些組織的規模及普及程度,遠不及各埠的救國會,斷不能在八年間另籌得2000多萬美元的巨額,所以總捐款額應是2500萬元左右。不過,無論是2500萬或是5600萬美元,美國華人支援中國抗戰確是盡了力量。

⑳　關燦輝、季鴻生、吳景平,《宋慶齡與抗日救亡運動》(福州:福建人民出版社,1986年),第171—285頁;《先鋒報》,1938年4月28日。

㉑　在1933年春,蔡融勳、佐治林全、劉惠略三人成立華人播音局,由《自由新報》主辦,4月30日播放美國華人首創的粵語廣播節目。這年10月,播音局改名華語播音社。同年,彭愛賢也組織檀華播音新聞社,在5月1日開始播送節目。後者在1935年停辦。

㉒　景南,《救國總會與我》,見《太平洋週報》1975年2月20日。

㉓　見《先鋒報》,1938年4月28日。

㉔　見《合作報告》第1期(1937年11月22日),第4頁。

㉕　見《先鋒報》，1937年10月7日。

㉖　見《世界日報》，1937年11月8日。

㉗　見《先鋒報》，1937年12月2日。

㉘　見《世界日報》，1937年10月11、17日。

㉙　見《世界日報》，1937年10月28日。

㉚　見《先鋒報》，1937年11月18日。

㉛　見《先鋒報》，1937年12月9、16日。

㉜　彭飛，《對三藩市糾察運廢鐵赴日之意義及經過與批評》，見《合作》，第4期（1939年1月），第7—10頁。

㉝　李永翹，《張善子畫虎》，見《時代報》1986年5月7至15日；《美洲華僑日報》，1941年7月23日；張林嵐，《鴿兮歸來——憶張書旃》，見《時代報》，1980年4月9日。

㉞　《王瑩》，見《傳記文學·民國人物小傳》第42卷第5期（1983年5月），第144—146頁。

㉟　見《美洲華僑日報》，1941年7月18日，8月1日，9月22日。

㊱　叱咤社會員胡景儔口述，1974年8月10日；陶行知與中國學生聯合會代表陸璀女士在1937年8月4日抵舊金山作抗日宣傳（見《世界日報》1937年8月4日）；《華裔軍人紀念冊》（舊金山：叱咤社，1947年）。

㊲　見《中西日報》，1938年9月11日；《世界日報》1938年9月25日。

㊳　見《國民報》，1939年7月10日。

㊴　嚴帚昌，《本社週年來工作報告》，見《蘆烽週年紀念特刊》（1941年），第8—13頁。

㊵　堅夫，《三藩市華僑青年的動向》，見《華僑青年》第3期（1940年），第12—14頁；堅夫，《年餘來的會務概述》，見三藩市中國新文字研究會編，《語文研究》（舊金山：1942年），第9—10頁。

新文字是根據中國共產黨員瞿秋白和吳玉章等於1929年在蘇聯所草擬的"中國拉丁化字母"方案。兩年後，蘇聯華僑在"徹底消滅文盲，普及初等教育"號召之下，將"中國拉丁化字母"略爲修改之後，在海參威召開"中國新文字第一次代表大會"，正式通過爲"拉丁化中國字"。到1933—1934年，上海的語文工作者將"拉丁化新文字"介紹到中國，到

1934—1937年間，在中國各地掀起了新文字運動。1935年底，在上海成立新文字研究會。這運動一開始就與救亡運動相結合。到1936年，新文字已經介紹到火奴魯魯。1936年底，新文字會創立人之一陶行知又抵達美東宣傳抗日。

㊶ 景南，《金門憶語》，見《太平洋週報》1975年6月19、26日，7月3、10日。

㊷ 黃文山，《培養留美青年的革命的新生命》，見《國民日報》，1940年9月8日; Woodrow Chan （陳中海）“The San Min Chu I Youth Association, Its Objects and Activities”, 見《華人新聞》1941年2月15日。

㊸ 見《美洲華僑日報》1941年9月22日。

㊹ 見《檀香山華僑國語文學校演劇籌助工會特刊》（火奴魯魯: 1940年）。

㊺ 溫泉，《華僑文藝十年》，見《突圍》（紐約: 華僑文化社，1949年）。

㊻ 見《民氣日報》，1928年7月19日。

㊼ 見《中西日報》，1929年11月13日。

㊽ 見《世界日報》，1931年10月2、16日。

㊾ 見《先鋒報》，1933年1月15日。

㊿ 劉錦濤，《抗日空戰華僑勇士陳瑞鈿》，見《時代報》1985年9月4、5日。

(51) 見《世界日報》，1933年6月30日、7月28日。

(52) 見《世界日報》，1931年11月4日。

(53) 見《世界日報》，1932年3月31日。

(54) 見《檀香山華僑年報》（火奴魯魯，檀山華僑編印社，1935年），封面。

(55) 《李霞卿——從影星到飛行家》，《李霞卿研究》，見關中人，《中國婦女航空鈎沉》（思平: 廣東省中山圖書館，1988年），第120—128，218—254頁。

(56) 見《先鋒報》，1937年6月26日、11月4日; 1938年1月13日;《救國時報》，1939年3月23日，6月22日。

(57) 據Albert N. Wold, *The Contributions* of the American Chinese

to the United states （1848—1958）（未刊稿）。

　　引用美國政府發表的統計數字，由1940年9月到1946年10月入伍的
華人如下：

　　　　陸軍　　14377人
　　　　海軍　　 1621人
　　　　　　　　15998人

另外檀香山又有2060人入伍，所以總數是18058人。

　　據美國軍事歷史中心歷史事務部主任William F. Strobridge在1980年7
月28日提供的資料，在第二次大戰期間，到1945年12月31日爲止，共有
13311名華人被應徵入陸軍，但他缺乏海軍的資料，他估計在海陸軍服役的
華人應該是兩萬人左右。

　　⑱　見《中報》，1985年2月19日。

舊金山南僑學校師生歡迎抗日名將蔡廷鍇的盛
況（圖片來源：麥禮謙收藏）

抗戰期間美國華人反對美國售廢鐵給日本的示
威活動（圖片來源：麥禮謙收藏）

一九四五年紐約華人報販為日本投降而歡呼
（圖片來源：加洲大學美亞裔研究系圖書館收
藏）

第九章
戰後至六十年代政治領域的變化

一、美國與中國的政治因素

(一)中國內戰：華人社會的反應

到第二次世界大戰，中國元首蔣介石曾參加盟國的巨頭會議，中國列爲世界"五强"之一。美國華人參加勝利進行的行列，也有自豪感，認爲從此華人可以吐氣揚眉，中國也不會再被譏笑爲"東亞病夫"。戰火剛寢息，年青人急不及待回鄉省親或找尋配偶，老一輩則安排在美國的事務，準備履行因戰事而耽誤了多年的回中國退休的計劃，更有些人則擬回中國投資或貢獻專長，參加建設一個繁榮富强的祖國；因此，當時由美國各地東航的華人川流不息。但當他們踏入中國國土後，不僅看到了他們所預料的瘡痍滿目，而且還目擊貪污橫行的專制統治，政治不上軌道；加上內戰和惡性的通貨膨脹，經濟紊亂，人民生活陷入水深火熱之中。很多歸國華人的美夢很快也幻滅了，有關中國實情的消息很快也越洋傳到美國華人社會。

當戰事還在進行中，美國華人與家鄉的音訊隔絕；所以一般華人對國內情況並不清楚。那時候雖有時也或有所聞，但控制華人社會輿論的國民黨人卻能夠藉口影響抗戰而阻止發表不利於國民政府的消息。和平之後，國民黨沒有箝制輿論的力量了，但他們在夏威夷及北美洲華人人口最多的幾個城市都設有喉舌報刊，計火奴魯魯有《中華新報》，舊金山有《少年中國晨報》及《國民日報》，芝加哥有《三民晨報》，紐約有《民氣日報》及《美洲日報》（一九四四年購買《紐約商報》改辦）。此外，其他一些有影響力的日報如舊金山的《金山時報》及《中西日報》也由國民黨的同路人把持筆政。這樣傾向國民黨方面的報館佔了華文報紙的大多數。

這時候，反對國民黨的保守黨派已經衰落，他們的報紙也一一關門。在戰後，美東只有洪門開辦的《紐約公報》，一九四七年改爲《五洲公報》，約一九四八年已因經費不支停刊。憲政黨喉舌則有檀香山的《新中國報》和舊金山憲政黨的《世界日報》。後者得李大明主持及檀香山富商陳滾的支持，提倡國共雙方以外的第三勢力，辦得相當出色。在一九四九年，這報紙還加英文版，試圖更加推廣其影響力。

這時候，受過西方民主自由主義影響的中產階級知識分子，在華人社會也構成一股政治力量。一九四六年，胡景南（Gilbert Woo）、胡景濤（Norbert Woo）、區寵賜（Yuk Ow）、黃培正（James Wong）及何振雄（John Hall）合股辦《太平洋週報》。這是一份美籍華人以自由主義立場出現的開明報刊，對中國政局，採取實事求是的態度，中間的立場，輿論也相當中肯。但由於它對國民黨政權的貪污獨裁統治有微詞，所以被指控爲親共，而國民黨分子也到處號召廣告戶對它進行抵制。①不過《太平洋週報》終於克服這經濟難關，發展成爲華埠一份擁有不少讀者，具有相當影響力的週報。但由於華人社會裏自由主義勢力較弱，且又缺乏強有力的政治組織作爲後盾，再加上主事人的一些主觀因素，所以《太平洋週報》長期只停留在週刊階段，不能夠進一步發展成爲一份有較大影響力的日報。

但華人社會裏最積極反對國民黨政權的還是左派人士。他們配合中國共產黨的策略，向華人宣傳。這時期，美國華人左派活動主要集中在紐約和舊金山兩個中心。在紐約華埠有"華僑衣館聯合會"和華人左派唯一喉舌報《美洲華僑日報》。在青年方面則有華僑青年團（簡稱"華青"，由華僑青年救國團戰後改組而成立）。在舊金山則有加省華工合作會和加省華僑民主青年團（簡稱"民青"，由加省青年救國團一九四六年改組而成立）。其他地區雖然沒有同類組織，但卻有不少同情者。這些左派經常與美共的外圍群衆團體，如"遠東民主政策委員會"（Committee for A Democratic Far Eastern Policy），合作進行宣傳活動。此外，也跟留學界裏的進步分子聯繫。所以左派人數和經費來源雖然遠不及國民黨，但其聲勢也不能被忽視。他們經常發表言論，開演講會，向美國華人及主流社會各界人士宣傳，抨擊國民政府貪污獨裁，並反對美國政府支援蔣介石政權進行內戰。

戰後不久，在華人社會又出現另一個反國民黨的組織。一九四六年，蔣介石政權迫馮玉祥出國到美國"考察水利"。一九四七年五月，國民黨政府在中國鎮壓參加"反飢餓、反內戰、反迫害"示威遊行的學生；馮玉祥就在舊金山的《世界日報》發表《告全國僑胞書》，痛斥蔣介石及國民政府。這年秋，馮玉祥到了紐約，便與各界進步人士商談並於同年十一月九日，在紐約成立"旅美中國和平民主聯盟"（簡稱"民聯"）。馮玉祥被選爲主席。成立大會宣言宣稱：

> ……我們旅居在美國，爭取美國人民對中國和平民主力量之更進一步的認識與同情。爭取美國政府對中國內戰獨裁力量之停止支持，便是我們的中心任務之一。抗戰勝利以後，美國官方對華聲明，屢次宣傳贊成中國之和平與民主。而事實上，美國對南京政府的援助已超過四十三億美元，其結果只是增加少數官僚貪污中飽的機會，延長中國殘酷的血腥的內戰，對於美國這種錯誤的政策，我們要盡可能地設法加以制止。……

"民聯"很快就擁有二百餘盟員，在紐約設立總部，並先後在舊金山、美京華盛頓、明尼蘇達州設立分部。這組織的成員有留學生，有華人社會的知識分子及商人，內部組織比較鬆散，但在馮玉祥主持下，"民聯"向中西人士的宣傳有一定的影響力。"民聯"主要人物馮玉祥曾在街頭演講會發表言論，又出席國會作證，反對美國繼續援蔣。他在一九四八年七月底離開美國回中國之後，"民聯"繼續維持一個時期，直到中華人民共和國成立之後。

　　一九四八年，梁小麥（又名梁錫田Leong Thick Hing）在舊金山創辦綠源書店（Oasis Book Store）專銷售中國新文學作品及進步書刊。不久發展為全美國最完備的進步華文書店。郵售的書刊遍美國各地。這書店也成為舊金山進步勢力另一個據點。這時候，國民黨在中國大陸的統治已經快近末日，國軍處處潰敗，人民離心，新的政府指日可待，美西華人社會為了準備迎接這一新的形勢，舊金山的進步人士，主要是"民聯"的成員，大約一九四九年初發起籌辦《僑眾日報》，但國民黨探知這些行動，就在報章上肆意攻擊，恐嚇擬入股的華人，所以招股的工作進展緩慢。當工作還在進行中，蔡荇洲等人已先走了一步。在同年五月四日開始出版《金門僑報》週刊，這是三十年代以來，舊金山第一份左派華文報刊。

　　到這階段，美國華人社會裏支持中國革命的活動有顯著的發展。有些人樂觀地認為新中國成立之後，美國華人社會就像"北伐"以後一樣的發展，很快會轉向新政權。但當時的情況卻與二十年代不同，美國政府的反共立場已經有很明顯的表現，跟以蘇聯為首的社會主義國家集團的冷戰已經開始，在國內正醞釀着白色恐怖，向左派及開明人士開刀。這情況對國民黨來說，是正中下懷，容許這個外國政黨有機會在華人社區支配輿論，排除異已。

　　回顧南京政府在一九二七年成立之後，很快就通過僑務委員會加強對海外華人社會的社團、學校的管理。在黨務方面，國民黨又積極招募華人社會上層分子入黨。由三十年代到第二次世界大戰結束，新人不斷入黨，而且當上總支部、支部及分部的領導班子。②所以到戰後，駐美國民黨各階層的領導人，很多是邑界、姓界或堂界有實力的上層人物。至此，駐美國國民黨與華人社會上層保守派的利益已趨一致，這階層也已經成為國民黨在美國華人社會裏的實力基礎。因此國民黨政權雖然在中國面臨崩潰，但駐美國民黨的地盤還相當牢固，而且不會輕易放棄。

一九四九年十月一日，中華人民共和國成立。舊金山的加省華工合作會，也就趁着他們的十二週年紀念大會，於十月九日在同源會禮堂隆重慶祝新政權的誕生。但當晚卻被國民黨僱用的暴徒搗亂會場，並毆傷觀眾。

到翌夜雙十巡遊，又有人發派反共傳單：

肅清本埠漢奸

我愛國僑胞應愛護中華民國，全體起來肅清出賣祖國的漢奸共產黨匪徒：

謝僑遠、梁發葉、李柏宏、蔡荇洲、陳鐵民、王玨、李一中、余仁山、唐明照、李仲棠、王福時、林堅夫、李春暉、馬賜汝、朱汝聰

大中華民國護國團印

大中華民國護國團團員是誰，沒有人能知道清楚。而黑名單裏的人物主要是指：（1）為《僑眾日報》招股的"民聯"成員；（2）《金門僑報》的主要人物；（3）華工合作會和民主青年團的領導人物。另外，余仁山是反對蔣介石政府的《紐約新報》負責人；唐明照是紐約《美洲華僑日報》的負責人。

同源會禮堂十月九日晚暴行未發生的前數小時，紐約的衣聯會、華僑青年團及《華僑日報》聯合在衣聯會會址前懸起"慶祝中華人民共和國成立"的大標語並懸掛着中美兩國國旗。在十號晚上，留學生及華人社區等十八個團體又在萬國大廈舉行慶祝晚會，但由於紐約警察局動員了大批警員，所以是晚沒有發生流血

事件。

　　國民黨在舊金山的暴行，使恐怖氣氛頓然籠罩舊金山華埠。國民黨乘勝追擊，連自由主義的《太平洋週報》也成爲他們打擊對象。但當時有些華人社團的領導人物如葉樂、溫富等，卻不同意這種破壞華埠社會安寧的行動，因此挺身而出，主持正義。黑名單中以及《太平洋週報》的一些人物，由於接受了"英端"及"萃勝"兩堂的保護，因此他們能夠在華埠繼續活動。

　　到年底，親國民黨的報館《中西日報》出售，左右兩方又進行一場暗鬥。這時候，《少年中國晨報》及《國民日報》正擬合力投標買下，保持這報館的親蔣立場，但《僑衆日報》的招股主要人物卻通過周森（Sam Wah You）和周銳（Joe Yuey）等社區人士以約八萬美元購得產權。跟着，就委任謝僑遠爲經理，馬季良爲總編輯，舊金山華埠增加了一份同情新中國的報紙。③舊金山另一些進步人士，在同一期間也開辦"世界戲院"（World Theater），放映中國、香港的電影片。開幕時放映的是崑崙公司的《一江春水向東流》，將進步的華語電影作品介紹給華埠觀衆。

　　這時候，在美東、美西的華人社區，都有活躍的左派組織。留學生又與他們配合，成立有"留美科學工作者協會"、"新中國研究會"、"新文化協會"等組織，在留學界宣傳新中國的政策，並鼓勵留學生學成回中國服務。這時候，進步力量雖然還是遠遜於在美國華人社會根深蒂固的國民黨，但這勢力看來正方興未艾，前途發展樂觀。可是不及幾個月，這情況發生了基本的變化。

(二)美中對立: 華人左派被摧殘

　　中華人民共和國成立後，宣佈"一邊倒"的外交政策，支持以蘇聯爲首的社會主義陣營，與美國爲首的資本主義國家對立。在當時反共氣焰正在上升的美國社會裏，華人陷於很微妙的處境，不久這局勢更加惡化。一九五〇年六月，朝鮮戰爭爆發，美國以聯合國名義出兵支撐南韓政權，同時又下令第七艦隊封鎖台灣海峽，阻止中華人民共和國進攻台灣，統一中國。數月後，美軍在麥克阿瑟將軍率領下在朝鮮展開反攻。在仁川登陸後，北朝鮮軍隊潰敗，美軍乘勝越過三八線，深入朝鮮北部，迫近中朝邊境。這時候，中國感覺受到威脅，便掀起抗美援朝運動，中國"人民志願軍"渡過鴨綠江進入朝鮮民主主義共和國國境。由十一月開始，中國與北朝鮮軍隊合力擊敗美軍，迫使美軍退回三八線附近重建防線，後來在這地區經過兩年的拉鋸式陣地戰，到一九五三年雙方才達成協議，在板門店簽署停戰協定。中國軍隊參戰之後，美國政府隨即凍結中國在美國的資產，並下令阻止科技學者及留學生離境回中國，其中一名就是火箭專家錢學森。同時美國又宣佈向中國禁運，斷絕了一百五十多年的中美貿易，僑滙也是被禁之列。

中美兩國對立，種族主義者排華故態復萌。有些華人商店被暴徒搗亂，個別華人也被騷擾恐嚇。不少人憂慮美國華人將會被列為"敵國僑民"，凍結資產，重演第二次世界大戰美國日裔被關入集中營的悲劇，惴惴不安。一些商人為了要給社會一個好形象，就採取步驟表示效忠美國。

當時的反共氣氛，直接助長了國民黨在華人社會裏的聲勢。這時候，駐美國國民黨總支部執行委員黃仁俊（Doon Wong）、劉伯驥（Pei Chi Liu）及周錦潮（Albert Chow）決定籌組反共總會，主要目的是支持已經由大陸逃亡到台灣的國民黨政權。一九五一年初，在舊金山的中華總會館通過成立美洲第一個反共總會，會議通過章程並選出以黃仁俊為主席，李揚聖及鄺墇為副主席等領導成員。④跟著，各地也紛紛成立反共分會，在當時人人自危，人心惶恐情況下，也沒有人提出異議。起初，反共總會氣燄囂張，趁時機壓制華人社會反對國民黨的輿論。在舊金山，甚至反共但也反蔣的《世界日報》也受恐嚇，曾一度向警察局求保護，並僱聘人員日夜守衛報館。⑤

中美軍隊在朝鮮前線對壘，在後方，美國政府加緊監視開明及進步人士，注意他們是否有顛覆危害美國的舉動。一些華人也和政府調查部門有密切的合作關係，向他們告密，提供華人社會情況。進步的報刊很快就遭受中美關係惡化的影響。《金門僑報》本來是由《太平洋週報》承印，但中國軍隊進入朝鮮之後，《太平洋週報》負責人就停止接印，這週報也就在一九五〇年底停刊。跟着，《中西日報》在不利政治環境及經濟困難重重衝擊下，也在一九五一年初停刊了。

到這時期，美國的政治氣氛愈來愈不利於左派及開明力量。《美洲華僑日報》是最有影響力的報館；因此，自然成爲反共勢力打擊的主要目標。中國軍隊進入朝鮮之後，國民黨就慫慂紐約中華公所通過議案，抵制《美洲華僑日報》。隨後，國民黨分子四處奔走嚇唬《美洲華僑日報》的廣告戶，迫他們停止刊登廣告。親國民黨的報館又拒絕發報給經售《美洲華僑日報》的報販，同時又遣派惡少流氓搗亂出售《美洲華僑日報》的報攤。

跟着，美國政府一九五二年四月二十八日，控告《美洲華僑日報》社社長梅參天（Eugene Moy）、報館前總理黃文耀（Albert Wong，原名余直民）刊登南洋商業銀行、香港中國銀行及台山人民銀行辦理海外僑滙的廣告，隨後又控告《美洲華僑日報》董事及衣聯會會員陳佑潤（Chin You Gon）、譚育民（Tom Sung）與陳康明（Chin Hong Ming）通過香港南洋商業銀行及華僑服務銀行滙款回中國。起訴書共有五十三條罪狀，罪名是違犯了"與敵通商法"。這是第一次世界大戰期間，在一九一七年由美國國會通過的法案，數十年來從沒有執行過。

這訟案在當時恐共症彌漫美國社會情況下進行。一九五四年六月，法官判梅、陳、譚等四人有罪，余直民無罪，又判《美洲華僑日報》罰款二萬五千美元。梅參天原判監兩年，後來經過上訴才減爲一年，譚育民在上訴期間去世，其他兩人的減刑爲半年。一九五五年底入獄。由這期間到六十年代中，美國移民局又不斷騷擾威脅報社職員和中堅分子，拘逮或迫使他們自動離境。

聯邦調查員及移民局又不斷騷擾威脅讀者及廣告戶，使《美洲華僑日報》的營業一落千丈，訂戶曾一度降到四百餘。到一九六三年，報社改爲每週出版兩次。⑥

《美洲華僑日報》遭受的打擊，不過是美國進步力量當時許多被迫害案件的一宗。由五十年代初到六十年代中，聯邦調查局及美國其他部門，加緊注意開明及左派人士的行動，暗中監視，並調查盤問。反共政客如參議員約瑟夫·麥卡錫（Sen. Joseph McCarthy）及眾議員理查德·尼克松（Rep. Richard Nixon）又專向開明及左派人士開刀，指控他們是親共分子或共產黨員，這樣爲自己製造在官場上升的政治資本。

反共政客經常以調查共產黨活動爲籍口，召開所謂"意見聽取會"（hearings），傳召在社會上活躍的知名、開明或左派人士作證。這"意見聽取會"實際上是一種不按法律程序的非正規審查法庭，證人出庭就被委員會質問關於曾參加過的親共團體或活動，或被要求供出所參加組織裏共產黨員的名字。不少人在委員會的威迫利誘下就這樣株連了朋友同事；不合作的證人則遭委員會肆意凌辱責罵，並斥責他們不效忠於美國。往往證人經過聽取會審問後，在社會上的聲譽被破壞，謀生機會被威脅，事業被摧毀。由於華人人口少，所以被傳召的證人遠不及美國其他各族裔那麼多，但眾議院的"非美活動委員會"（House Un-American Activities Committee）在一九五三年於舊金山開意見聽取會，曾傳召工人運動積極分子馬球（Dan Mar）；一九五六年在舊金山又傳召世界戲院經理蔡滄溟（Lawrence Lowe）；一九五七年在紐約傳召《美洲華僑日報》總編輯李顧鴻（James Lee）。

這時期的反共歇斯底里及迫害案件不斷發生，在社會上製造恐怖氣氛，對美國民主運動起殺雞儆猴作用。一些人被逆境嚇唬了變節，告發同事，出賣友人。更多人消極了，避免參加政治活動。這時期，左派力量被嚴重摧殘，民主運動走向低潮，華人左派團體也遭遇同樣的厄運。

五十年代初，紐約的衣聯會不肯支持反共總會，被國民黨控制下的中華公所排斥。跟着，衣聯會的積極分子經常受到美國聯邦調查員騷擾盤問，一些會員受威脅而與衣聯會疏遠，會務隨着迅速萎縮。衣聯會的兄弟團體、紐約華僑青年團到五十年代也在這政治逆流壓力下停止活動。同樣，在舊金山，華工合作會的會員下降到剩下二十名左右，到一九五三年也不得不關門。⑦只有華僑民主青年團（“民青”）及綠源書店還能夠勉強維持到五十年代末。

在這麥卡錫主義橫行的年代，“民青”很難在華埠展開活動，只能集中精力團結內部及結交少許青年朋友，活動的政治色彩也減輕了。這時期，華埠的話劇運動已經趨向沉寂，但“民青”還能夠定期演出話劇，同時又介紹中國的新文化；例如冼星海名作《黃河大合唱》及中國民歌、秧歌劇《兄妹開荒》、中國民族舞蹈等。在語文方面，“民青”出版的綜合性油印月刊在一九五五年成爲美國第一份採用中國簡體字的華文期刊，到一九五八年，又成立一個較早採用漢語拼音授課的普通話學習班。此外，“民青”鼓勵會員在研究科學技術知識的同時也重視社會科學的學習，這就幫助青年在學習上走上正軌。但這組織的成員卻經常被聯邦調查員騷擾盤問，有些入伍的會員被軍方認爲是不效忠分子而被歧視。當美國政府開始加緊調查華人冒籍案件，移民局當然不會錯過這機會打擊“民青”。一名會員受“西歧村案件”株連，被威脅與政府合作。後來到六十年代，移民局控告四名“民青”成員冒籍。其他成員的籍民身份也多因故被撤消。當移民案件在五十年代後期正在開始，“民青”領導人鑒於當時的惡劣環境，不得不在一九五九年宣佈解散。至於綠源書店，在政府不斷騷擾情勢下，先"民青"兩年也不得不關門。至此華人左派組織全部瓦解了。

(三)親國民黨勢力支配華人社會

當華人進步力量遭受迫害摧殘的同一時期，國民黨卻忙於鞏固及擴張在華人社會的勢力及影響。美國與中國在國際上的對立，及美國的反共政策在美國國內製造了有利於國民黨的氣氛。另方面，中國國內實行的政策，如廣東的土改，在過程中出現一些過左的行動，嚴重打擊和侵犯了部份華人的利益，使他們不滿。到五十年代中期以後，中國共產黨不斷掀起政治運動，行動偏激，這就影響更多海外華人對中國的政局採取觀望懷疑態度。這些客觀條件就給予國民黨可乘的機會。

國民黨在中國大陸的統治冰消瓦解，潰敗的殘餘及國民政府在一九四九年底撤退到台灣。隨着，朝鮮戰爭爆發，美國下令第七艦隊進入台灣海峽阻止中共進攻台灣，這給予國民黨政權喘息的機會，着手收拾殘局。由一九五〇至一九五三年，國民黨在台灣進行"改造"。

一九五二年，台灣僑務委員會在台北召開僑務會議，包括全球各地區的代表。跟着在一九五三年，國民黨第七屆三中全會通過《加強海外工作方案》，確定"當前海外工作的中心任務，在團結與組織僑胞力量，支援反共抗俄戰鬥，並在海外各地參加反共鬥爭，展開國民外交，促進國際反侵略陣線的團結與勝利。"這大會並指定日本、香港、菲律賓、越南、泰國及美國為海外工作的中心地區。在這些海外地區，黨的任務是協助僑務與推進外交政策。在這期間，很多國民黨員及親國民黨分子已經逃亡到香港及海外各國，加強各地的反共勢力，很多成為當地支持台灣路線的主要骨幹。這些人的教育水平一般比海外華人高，組織工作的經驗也較豐富，他們很容易就滲入僑團，負擔重要職位，又把持華人社會的華文學校及輿論機關。

台灣的國民黨中央在這期間加強與駐美總支部的聯繫，保證美國國民黨能夠密切配合台灣的外交政策。一些在美國的黨員如美西的黃仁俊，鄺瑤普；美東的陳兆瓊、梅友卓、李覺之及檀香山的何文炯等都先後被選爲國民黨中央評議員，駐美國總支部的黃仁俊在六十年代中又曾被選爲國民黨中央委員。台灣政府的僑務委員會也加強海外的活動，委任黨員或親國民黨知名人士爲僑務委員或僑務委員會顧問，作爲台灣政府在美國華人社會裏的耳目。黃仁俊又被任命爲“國策顧問”，是海外華人僅有的一位。⑧

由五十年代開始，僑務委員會每年遴派人員到世界各地區的華人社會視察，指導當地親國民黨分子配合台灣政策，並推動華人公開支持台灣。一九五七年，僑委會的委員長鄭彥棻也曾到美國訪問。在華人社會反共總會及國民黨控制下的僑團也經常按照這些方針歡迎台灣來美的政要及訪問團，舉辦各種紀念集會及示威巡遊，並在報紙上宣揚，增加聲勢。由五十年代末開始，親國民黨僑領又積極運動美國政客並向美國社會宣傳，極力反對聯合國恢復中華人民共和國席位代替台灣。一九六四年還以全僑名義在權威的《紐約時報》發表廣告。

在五十年代，美國當局嚴厲執行對中國大陸的禁運。在文化領域，報紙和書刊在被禁入口之列。甚至香港一些與中國有關係的報館及出版社的刊物，到美國口岸也被沒收。兩國之間的文化交流、文藝表演示範活動當然也是斷絕了。在這情況下，台灣輸出的文化，在美國華人社會發展無阻。台灣差不多成爲唯一可以滿足華人社會對中國文化活動需求的源泉。在五十年代初，國民黨正在台灣整頓內部及鞏固統治，所以在海外作文化宣傳的能力有限。但經過台灣當局數年厲行鐵腕戒嚴法令，鎮壓異己，到五十年代末六十年代初，國民黨的統治地位已經穩定下來，在海外舉辦的文化活動日趨頻繁，提供宣傳書刊、新聞稿、照片、影片、唱片等給華人社區。僑務委員會對一些"忠貞"的報館則給予經濟獎助及支持，如贈送鉛字給《民氣日報》、《美洲日報》、《少年中國晨報》及《國民日報》；補助火奴魯魯的《中華新報》，又介紹編輯人才給這些報館。對海外的報刊則溝通關係，提供資料，並鼓勵到台灣訪問，寫宣傳文章報導。

一九五七年，台灣的何應欽率領中華民國青年訪問團百多人到美國訪問並表演文藝節目，打破華人社區文化領域的沉寂。同年，李華廣（Frank Lee）等人與國民黨黨報《少年報》合作，組織"華埠之音"廣播節目。再過一年，與李華廣有密切關係的一些人士發起組織"中流劇藝社"（Chung Lau Drama Club），首屆社長是陳漢基（Elliot Chan）。這劇社的其他核心人物有莫鏗（Byron Mok）、李枝榮、周堅乃（Kenneth Joe）、方國源（Stephen Fong）等。在六十年代後期，"中流"又協助成立"中藝舞蹈團"。"華埠之音"、中流及中藝都是華埠親台灣人士把持的文化組織。中流劇藝社曾經獲得台灣僑務委員會暨教育部於一九六九年所頒發的獎狀。不過，中流藝劇社這種組織只有在華人人口眾多而集中的地區才能夠有條件發展。一般在美國華人社會裏，話劇、舞蹈等文化活動都是由華文學校或各種聯誼會舉辦的。

這期間，也有台灣文化界人士訪問美國，被安排向各地華人進行指導示範活動，例如在一九五八年話劇作家李曼瑰在美國組織海外劇藝推行委員會；一九六〇年有舞蹈家劉玉芝介紹中國民間舞蹈給華文學校學生；一九六五年僑務委員會又派高椓到美國加拿大教授民族舞蹈；⑨音樂家何名忠由一九六〇至一九六二年也在美國輔導國樂研究並組織國樂社。其他還有美術家、書法家、京劇團等來美訪問。此外，僑務委員會在五十年代中開始編訂課本及補充教材給海外的華文學校，最早完成是供給南洋地區的教科書。到一九六〇年，應用於美洲華文學校的課本也完成；到一九六一年，開始免費提供給美國的華文學校。到一九六六年，僑務委員會又協調青年反共救國團舉辦為期六週的海外青年暑期研習團，招收美加地區不諳中國語文的華裔到台灣學習語文及中華文化，並參觀台灣的文化、經濟、政治建設。

這些行動，正好配合台灣外交政策的目的，阻止了中國大陸在華人社會中伸張勢力。在這期間，甚至港澳一些與中國友好人士所辦的文化活動，也是反共親台灣分子排斥打擊的對象。最突出的一個例子是澳門何賢集團出資拍攝的粵語影片《李後主》。由於何賢是著名親中共的"愛國人士"，所以當這片運到美國上映，舊金山的反共總會就提出抗議並發動觀眾抵制該片及其錄音唱片。

台灣在華人社會的支持者就這樣把握美國的禁運政策及反共歇斯底里所提供的有利條件，有效地排斥來自中國大陸的文藝作品，使美國華人與中國文化的新發展隔絕了二十多年。

在經濟領域，美國當局對中國來的貨品也嚴加取締，重罰違例的華裔。所以到五十年代中，中國大陸的貨品基本上已經在市面上絕跡，被其他來源的貨品所代替。中國草藥也是在被禁之列，由於很多品種都是中國大陸的特產，很多缺貨的藥材店關門，草藥醫生陷入"巧婦難為無米之炊"的困境，不少要轉行；所以華人也不得不改變傳統的醫療保健的習慣，轉向更多用西醫了。

禁運給予台灣難得的機會奪取中國貨的市場。在美國經濟援助支持下，台灣集中力量發展各種輕工業，將產品輸出到世界市場。到六十年代，美國已經成為台灣外銷市場的第二位，貨品以夾板、紡織品、糖、加工食品為主。向美國華商銷售的貨品主要是加工食品及工藝品。在華人社區，台灣加工食品及工藝品代替了部份傳統中國大陸貨。但台灣在美國銷量最高的加工食品卻不是傳統中國貨而是新興的貨品罐裝洋菇。到六十年代，洋菇成為美國華人餐館爭購的價廉物美需用品。一九六四年至一九六五年間，在美國銷售的洋菇已經達到七十萬箱，其中華商佔銷菇比率達百分之二十三。所以在一九六五年，台灣的僑務委員會及外滙貿易審議委員會就決定由台灣的洋菇聯合出口公司配額發給美國華商客戶。這樣這貨品也可以用來拉攏華商或獎賞"忠貞"於台灣政府的人士，成爲台灣爭取華商支持的有效武器。手工藝品也是另一種高銷量外銷產品，不過產值遠不及罐頭洋菇。

這樣，在五、六十年代的親國民黨和親台灣分子，能夠掌握着美國社會的有利環境，擴張勢力，在華人社會裏，在政治、文化、經濟各方面都佔了上風。

二、處理歷史遺下的問題：冒籍移民案件

一般美國華人最關心而對他們有最切身影響的情況卻不是美國的反共政策，而是美國的移民政策。

在戰後，很多美國華人都急於申請配偶及子女到海外團聚，希望合家能享天倫之樂。同時這時候僑鄉一些子弟，尤是那些有些海外關係的家庭，也有要求出洋尋找出路。但馬格納森法案雖然表面上撤銷了排華移民法例，實際上美國對華人入境的限制並不比戰前放寬。第二次世界大戰前在三十年代，最多華人是以籍民兒女（主要是籍民兒子）身份入美國。當時這種移民不受移民攤額的限制，每年平均也有千多人。但馬格納森法案實施後，一些入境的籍民兒女卻包括在每年一百零五名的華人攤額裏，再加上法律上的一些限制性條文，使戰後入美國的籍民兒女大減，由一九四五年至一九五二年，每年平均不及一百名。

在這同一時期，美國卻稍爲放寬了華人婦女入口的限制。美國國會在戰後一九四五年底立法容許美國軍人的外籍配偶及未成年子女免攤額入境。當時華人的妻室卻還要包括在馬格納森法案

所規定的一百零五名華人攤額裏。後來經過同源會等華人民權團體力爭，國會在一九四六年才通過議案，准許美籍公民的華籍妻子可以免攤額入境。跟着，許多華裔在役軍人及退伍軍人紛紛回中國，以軍人妻資格入美境的華人婦女人數驟增，所以由一九四五年到一九五〇年末，共有六千多婦女入境，佔華人移民的九成。這些婦女大部份到美國大陸，所以這裏的華人婦女比男性人口的增長快得多，男女比例由一九四〇年的二點八五到一九五〇年已經下降一倍到一點九。在土生佔多數而移民較少的檀香山，男女的比例變動卻不大，只由一九四〇年的一點二八稍降到一九五〇年的一點一一。

移民由僑鄉來美，一般是託香港各金山莊辦理手續。這些商業機構的主要業務，本來是辦進出口貨往返美洲與中國之間。在第二次世界大戰前，每間金山莊也是代海外同鄉轉寄家信及僑匯的通訊地址。很多金山莊還有住宿設備，提供返鄉或出國的同鄉旅居，又代同鄉訂購船票及辦理來美手續。在排華移民法例實施期間，僑鄉很多人都有要求找門路到美國謀生。金山莊順着這需求，也成爲代理假身份證件（即假紙）的經紀角色。到戰後，要求到美國的人增加，辦理移民案件也隨着成爲金山莊的重要業務。這時候辦理的大部份是籍民妻子及籍民子女的案件。

在四十年代後期到五十年代初，遠東政治局勢動盪，僑鄉很多人都急於來美國，所以這幾年向美國領事館提出的申請案，紛至沓來。一般都是由金山莊代爲辦理。這時候美國領事館認爲一切華人申請人的證件都屬可疑，因此，對華人案件的處理與其他各國移民不同。領事館要求華人申請人塡誓書，然後進一步還要提供人證物證來證明申請人與家屬的關係。經過領事館的詳細審核問話之後，才簽發證件讓僑眷首途來美。但這些新客抵達美國，還要拘留在移民所等候審問口供，與戰前的待遇沒有很大的差別。在四十年代末，有個別婦女受不了這些精神上的折磨，對親人會

354

面絕望，就曾在拘留所裏自尋短見。(這些事件使美國社會輿論紛紛譴責移民局處理不當，要求修改這不合理的法律程序；所以到一九五二年新移民法案實施之後，轉由出口港的美領事館負責調查及判決華人申請人的入境資格。這時候，主要入口港舊金山歷史最長久的移民局拘留所，也在一九五四年宣佈停辦。⑩)

駐廣州及香港的美國領事館是處理最多華人移民案件的兩個點。一九四九年中華人民共和國成立後中美絕交，美國領事館撤離廣州，這領事館的積案轉交駐香港領事館辦理。這時候案件堆積如山，長期擱置，遲遲沒有判決，使很多僑眷，耽誤時日，行期渺茫。這情況就促成更多弊端的滋長。在香港辦理移民手續的金山莊在這期間就乘機運動領事館的職員。有些金山莊居然招募到領事館在香港僱聘的傳譯來輔導申請來美的僑眷學習口供。同時為了保證迅速順利領得簽證，金山莊又向一些領事館職員行賄買通關節。這情況早在香港已經成為公開的秘密。後來，國務院派員調查，終於在一九五○年揭發副領事約翰‧韋恩‧威廉斯 (John Wayne Williams) 及其他一些職員的瀆職行為，結果給予革職查辦。⑪

駐香港美領事館被國務院整頓後，對華人案件的調查採用更嚴厲的措施，在一九五一年，開始要求申請人及父親驗血，又要求申請人接受X光和臨牀檢驗，證實真實年齡是否與所報年齡相符合。到一九五二年美國修改移民法，規定美籍華人妻室子女可以免攤額入境，但同年，國務院在香港領事館設調查組，負責調查華人移民案件。據說這組織在高峯時期曾有二百多個工作人員。它在香港延攬合作人士，搜集僑鄉村名，姓氏、人口，甚至個別村的房屋佈置，僑眷人名，人與人的親屬關係等有關資料。組員又四出查問找尋個別申請人的情報；有時這調查組還到僑眷在香港的住宅作突擊性的調查，索取有關文件。在美國本土，移民局密切配合港領事館的活動，也加緊調查冒籍華人移民，至華人社區街上或進入華人商店勒令華人交出證件檢驗，又在法院起訴冒籍華人。緊跟着香港領事館貪污事件揭發後，美國司法部門展開查究民間一些辦理移民案件的辦事處，在一九五三年，起訴舊金山僑領周家京（George Jue），控告他串同瞞騙美國政府。一九五四年，法院判他的罪名成立。[12]不過，美國當局雖然以越來越嚴峻的措施，希望杜絕華人瞞騙冒籍行為，但導致這些行為的基本因素卻仍然存在。遠東動盪局勢繼續推動華人要求移徙到海外，但美國的移民法例卻依舊對華人入境嚴加限制。華人在這方面碰壁，就轉向別方面找尋途徑。領事館拒絕簽發來美護照，申請人的律師就找法律上的漏洞向美國聯邦地方法院控告國務卿，要求國務院判申請者為美國籍民，並下令國務卿頒發護照。首宗案件在一九四七年發生，但大部份都是在一九五二年後才入稟。到一九五三年初，全國聯邦地方法院案檔已經有一千二百八十八宗，其中加州佔了七成。另一些律師又代被拒發護照的人到領事館辦認證書，"調"他到美國假釋入口，上聯邦法院再要求判決國籍問題。這種"調紙"案，在一九五二年有二百四十七宗。不過，一九五二年的移民法修改了有關的條文，跟着移民律師也減少採用這方法。

這樣，造成華人不斷與美國當局鬥法鬥智的局面，所謂道高一尺，魔高一丈，使美國移民司法機關疲於應付。最後美國當局決定運用雷霆萬鈞的壓力，強迫華人就範。一九五五年十二月九日，美國駐香港總領事埃弗里特·德魯姆賴特（Everett F. Drumright）向美國國務院呈秘密外交報告書第九百三十一號，題目是《關於華人在香港瞞騙的報告書》（*Report on the Problem of Fraud at Hong Kong*）。這報告書指控華人在香港設有組織系統，有計劃地幫助華人犯法冒籍入美國境。他指控香港最低限度有一百二十四家金山莊，都是承辦購買偽移民證件並且提供冒籍口供資料的機構。他繼續指出中國現在是共產黨統治的國家; 因此, 華人這種瞞騙行為會威脅到美國內部安全, 而在中共還未能夠充分地利用這冒籍系統之前, 就應該採取有效措施, 撲滅這些組織, 杜絕後患。

在這時期, 美國國務院又派二十名人員到香港作徹底調查。⑬不久, 美國司法部又加速步伐調查美國本土華人冒籍案件。一九五六年二月中, 正當春節期間, 紐約市聯邦檢察官保羅·威廉斯 (Paul Williams) 宣佈提請特大陪審團查究華人非法移民入美境。據威廉斯稱, 由一九五〇年元旦至一九五三年五月一日止, 華人企圖以籍民子女資格來美國的共有七千五百人, 但經過驗血手續後, 有百分之八十至百分之九十證明為冒籍。他揚言美國共有三個經營華人非法入境的機構, 兩個在東部, 一個在西岸, 每年經營總額達三百萬美元, 協助數千華人非法入境。他又說, 冒籍的華人購買假證件付價最少二千美元。入境後, 他們往往被迫替這些非法機構從事販賣毒藥及當娼妓等刑事犯罪案件⋯⋯。⑭到二月二十九日, 駐舊金山的司法部門及移民局通過大陪審團突然要求法院發出傳票給二十四個華人團體, 命令他們在二十四小時內向大陪審團交出這些團體的一切文件和記錄。隨着又傳訊華埠照相館六家, 要求將十五年內十二人以上的集體照片交出給陪審團檢查, 擬用混水摸魚的方式希望查出假冒姓名的華人。

消息公佈之後, 華埠人心惶惶, 領得傳票的二十四個僑團又聘請兩名西人律師上法庭, 要求撤消這些傳票。經過數次出庭, 聯邦地方法官奧利弗·卡特 (Judge Oliver Carter) 宣判這些傳票無效, 判詞指責政府濫用職權。它指出: (1) 政府所發的傳票不能夠廣泛無目的地傳給一切所有團體; (2) 所索取的人證物證一定要跟所調查的案件有關; (3) 所傳取的冊簿必要指明年份, 不能夠籠統地要求索取"自成立以來"的全部冊簿。這樣華人社區暫時渡過了一個難關。⑮

到這階段,美國華人冒籍的行爲已經成爲興論界的熱門新聞。美國報館爲了製造氣氛,不惜對實情加以渲染,刊印聳人聽聞的報導文章。投機政客及右翼分子亦利用這機會發表攻擊華人的謬論。到一九五六年春夏之交,美國司法部在各地加緊起訴華人移民案件。在紐約先後控告前移民局兼職傳譯員永安和店老闆伍永安(Eng Wing‑on 音譯)和紐約旅行服務社(China Overseas Travel Service)負責人劉成基(Sing Kee)串謀以假證件混華人入境。在舊金山則起訴商人酈槐森(Williain W. Fong)夫婦及西人律師串謀違犯移民法律,酈槐森也是舊金山溯源堂的當任副主席。⑯到九月,大陪審團調查假護照與移民瞞騙案件,又發傳票給辦理過很多移民案件的周錦潮(Albert K. Chow)。⑰周氏是民主黨的積極分子,也是國民黨駐美國總支部前任執行委員之一。很多華人都被調查籍民身份,甚至僑領也不倖免。這時期,美國中文報紙報導有關移民案件的消息,幾乎無日無之。據國務院一九五八年提供給衆議院撥款委員會的資料,由一九五六年七月一日到一九五七年十二月三十一日,十八個月期間,由於香港及美國本國的調查結果,就產生了九百零八宗民事案件在法院起訴。在一九五七年,又另有五十七宗有足夠資料可以起訴爲刑事案件。

這時候,華人社會裏風聲鶴唳,草木皆兵,亟欲找尋一個妥善的解決辦法。同樣美國當局亦了解美國立法不公,是迫成這種行爲的主因。華人冒籍行動已有幾十年的歷史,因此這現象非常普遍。一家被揭發,就往往牽涉到幾家,或十幾家。假如美國政府要徹底調查檢舉一切冒籍案件,在人力財力方面的消耗無從估計,而實際上當局亦不能將成千上萬的冒籍華人驅撥出境;因此政府只起訴了少數較嚴重的刑事案件。由一九五六年開始,美國政府已經宣佈冒認身份入境的華人可以自首而調整身份。

當初,移民局要求冒籍的華人在報紙登廣告找尋同"紙"關係的人，找到後共同辦理調整手續，但收效不大。後來，移民局又宣佈華人在一九五七年七月十五日前一切向美國官員的撒謊假誓行為，概不追究，並呼籲華人到移民局調整身份。這期間，最大一宗案件就是西歧村人坦白的事件。

西歧村是台山縣村落。在二十世紀上半葉，這村落約有二百五十多名許姓鄉人以冒籍身份移民到美國，大部份定居在舊金山一帶，是這村幾乎全部的壯丁。在五十年代移民局追查這些冒籍案件，有部份人坦白。移民局得了確鑿證據，許姓同鄉迫不得已決定全體到移民局自首求情，成為哄動一時的坦白案件。[18]不過一般華人素來害怕移民官員，很少自動坦白，因此，這時期坦白的人數仍然有限。

華人社會領導人物多次跟美國官員協商，探索一條雙方都能夠認為有效的方案。美國國務院和移民局吸收了幾年來處理案件的經驗，終於在一九五九年三月公佈"坦白方案"（Confession Program），容許冒籍的華人到移民局交出籍民證件，而"坦白"供出本人真的身份，提供真假親屬各種關係及陳述離境入境的次數和日期。資料交代清楚之後，移民局就可以按照入境當時有效的移民法律條例而分別辦理調整身份手續。

坦白者交出籍民證件之後，就取消居美權，由於坦白方案不是國會通過的法令，移民局沒有被法律所約束，要保證冒籍者在坦白之後一定能夠恢復居留權或籍民身份；因此採取坦白行動是含有冒險的因素，很多華人除非是形勢所迫亦都不大願意採取這一步驟。應否坦白的爭論就往往會令到兄弟反目或親戚失和。移民局調查員亦不惜施用壓力，威脅冒籍者提供更多資料，或迫他們在政治行動方面就範。不過，在整體來看問題，"坦白"方案的執行澄清了華人一些歷史遺留下來的問題，很多華人從此之後也無需在美國社會戰戰兢兢地過雙重身份的生活了。據移民局的統計，由一九五六年至一九六五年年底，一共有一萬三千八百九十五名華人到移民局"坦白"，揭發了二萬二千零八十三名冒籍的華人。⑲

移民局也抓着調查冒籍案件的良機，剷除華人社會裏的"異端分子"，大舉揭發冒籍或非法入境的左派人士，剝奪他們的居留權，遣送他們出境; 所以在五十年代中，一些進步人士如《美洲華僑日報》業務主任張滿理⑳及編輯如吳祖文（亦名鄭光、華山），爲報館撰稿的留學生謝和賡和王瑩等，衣聯會職員及《美洲華僑日報》股東陳科等就這樣被逼離開美國。另一些進步人士被司法部控告冒籍有意瞞騙美國政府。舉幾個例子是《中西日報》股東之一周森（Sam Wah You），㉑及世界戲院的李英（又名馮英），㉒及"民青"四名會員謝榮忠（又名謝啟基, Kai G. Dere），溫大川（又名陳積臣, Jackson Chan），黃運基（又名卓忠民，Maurice Chuck）及張毅士（又名趙榮光, Wign G. Joe）。㉓其中周森及黃運基罪名成立，被判入獄; 李英也判有罪而自動離境; 謝榮忠判徒刑五年被監視行爲。其他兩人幸得判無罪。

這時期凡有冒籍嫌疑的進步人士，都被移民局逐一調查追究，這些華人爲了應付這些官司勞神費財，疲於奔命。倖得一九五八年底，美京華盛頓聯邦巡迴法院下判決，由於美國與中華人民共和國沒有正常外交關係，美國當局不能驅逐華人回中國大陸，當時香港又不肯收納非香港居民。這樣，一般失了居美權的華人，包括進步人士，有一線希望，可以暫時居留美國，繼續爭取合法居留權。不過，移民局通常對這些人是下拘撥出境令，但暫時不執行; 所以這些驚弓之鳥有這要脅在心裏，自然在行動上加倍審愼，減少參加政治行動。這樣，華人社會的左派活動更沉寂了。

三、全美華人福利會

華人冒籍移民案件所掀起的危機，也造成條件促使美國華人聯合起來。當移民局尚未宣佈"坦白方案"，華人各界已經急於尋找門徑解除這問題的切身威脅。一九五七年初，紐約中華公所主席梁聲泰（Shing Tai Liang）（兼任國民黨黨報《美洲日報》的總編輯）到舊金山與美西僑領商洽，擬提出召開全美華僑代表大會。目的是討論反共，支援台灣，國民外交，響應台灣代表在聯合國的行動，華人福利及難民等問題。但在交換意見的過程，大家都感覺在當時華人社會情況下，只有集中討論移民及難民問題才能夠得到華人社會領袖的支持。決定一九五七年三月五日至七日，在美京華盛頓召開全美華僑代表大會（National Conference of Chinese Communities in America），並推舉舊金山中華會館總董李時鏡（Lee Shee Gang），紐約中華公所的梁聲泰，芝加哥中華會館主席梁錦源及華盛頓中華公所主席鄧悅民（Stephen Y. Teng）為籌備委員會的主任委員。由紐約中華公所主持籌備工作，開會的經費是由美東各中華公所共同負擔。

美國大陸各地區及夏威夷的華人都熱烈支持這第一次富有歷史社會意義的大會，計有十八個州包括三十五個地區，一百二十四名代表報名參加。其中大多數是美籍，不少是土生。在大會的三天，通過擬向美國政府提議有關移民難民的決議案十四條，並發表包括下列五要點的宣言："（1）團結全僑，共謀大眾福利……（2）奉法盡職，應享平等待遇……（3）砥礪道德，更應發揚光大……（4）效忠美國，成為良好公民……（5）贊同自由中國奮鬥精神……"。這次開會大部份代表沒有很大興趣觸及中國黨爭問題，所以當薩克拉門克國民黨員酈瑤普提出增入宣言第五點的時候，就遭到反對，後來經過幾個小時的辯論，才達成折衷方案，在這點的文字加上以下注解："……是為美國既定政策，是以吾人對於自由中國奮鬥精神，至表贊同……"等文字。

這代表大會又決議成立全美華人福利總會（National Chinese Welfare Council），但會期短促，議案繁多，所以對成立福利會一事，只決定了個要點，沒有機會討論章程。到十一月初，舊金山中華總會館在舊金山召開福利會十個地區僑團會議，通過章程草案，並決定在美京華盛頓辦理立案手續。組織章程的宗旨是"……團結全美華人意志，集中全美華人力量，解決全美華人困難，增進全美華人福利……"。福利會將全美國劃分爲美東、美西（到一九七二年第七屆大會，由美西區分出設美西南、美西兩區)）、美中、檀香山、新英格蘭（粵人稱紐英崙）、洛杉磯縣（粵人稱羅省）、美南、美北、落基山（粵人稱洛磯山，這區在一九五九年第二屆代表大會撤銷，併入美西區)、美京華盛頓等區。團體成員包括各地中華會館、中華公所或同等性質的華人團體；美國各地華人也有資格參加。福利會成立初期，正當美國當局要求找尋解決華人冒籍問題的方案，所以這組織也有機會提供意見。此外，福利會也游說政客，促他們支持一些有利於華人的移民法例。

不過，福利會草率成立，組織煥散，很容易被別有用心的分子利用爲政治宣傳或角逐名利的園地。在第一次代表大會一部份代表，尤是一些土生，主張這組織避免談政治，所以章程聲明，福利總會是"……一純粹福利及非牟利之機構；不參加任何政治、宗教之活動。……"但到一九五九年第二次代表大會，親國民黨分子控制會場，就通過提案"支持'自由中國'，援助西藏革命，以符合美國政策。"跟着的幾屆代表大會，都重申反共立場，表示支持台灣政府，推進台灣外交政策。每次代表會都邀請台灣的外交或僑務官員到會場演講。後來福利會也索性把不參加政治、宗教之活動的文字從章程中删掉。

福利會由美東人士發起，最積極的支持者是紐約的中華公所；所以這組織的出現也意味華人社會裏傳統集團內部的勢力關係發生變化。美東地區一向是美國的經濟、政治、文化中心。跟着美東華人人口的增加，經濟的發展，紐約中華公所的地位也提高，在東岸各中華公所居領導地位，與西岸以舊金山中華總會館為首的美西集團遙遙對峙。福利會就是這東西兩個勢力集團勾心鬥角較量而爭取美國華人領導地位的一個場所。

當華僑代表大會通過成立福利會之後，章程還未由大會討論通過，但紐約的梁聲泰卻起草會章，未及徵詢其他兩個常委的同意，自行逕向美京華盛頓立案。舊金山中華會館執着手續不妥這把柄，不肯接受這立案行動。在十一月初又召開福利會十地區僑團會議，會上再表決否認，然後另通過章程草案，再到美京正式立案。

到一九七二年，福利總會在休斯敦召開第七屆代表大會，舊金山寧陽會館一些人卻認為"福利會近年徒有虛名，全無建樹，且會務為美東某大社團所操縱，中華會館變了傀儡，留之無益，不如退出。"所以拒絕派代表。寧陽會館在舊金山中華會館既然佔商董名額差不多一半，中華會館也跟着採取同樣行動，而且並拒絕贊助福利會在舊金山的演戲籌款。不過，舊金山其他六間會館卻派代表赴會。到一九七五年第八屆在底特律舉行的代表大會，又輪到紐約中華公所託詞"時間急迫，無法推選代表"，沒有派人參加。另外一些地區也對福利會不重視。例如檀香山的福利支會一九六三年在火奴魯魯召開第四屆代表大會之後，跟着在第五、六、七屆代表大會都沒有出席。直到十二年後一九七五年才有代表在第八屆大會報到。

綜上所述，雖然福利會在創始時，不少華人寄託以很高的期望，但正如以上種種現象表示，福利會很快變為華人社會上層分子角逐名譽地位的場所。再加上活動滲入偏頗的中國政治色彩，使福利會不能夠充分發揮華人社會的力量以實現初衷。

四、華人由"落葉歸根"轉向"落地生根"

(一)新舊交替中的華人社會

美國民族是一個以移民或移民後裔構成的民族。各國移民初到美境，帶來家鄉的風俗習慣，會有要求保存故國的一些生活方式和語言，而且傳授給他們在美國生長的兒女。但在正常發展的形勢下，大多數移民逐漸適應美國環境，落地生根，到他們的第二代，已經同化美國社會成爲美國民族一部份（當然這也不排除同化了的第二、三代族裔仍然能夠保存先一代若干傳統風俗習慣的痕跡）。這是由歐洲來的移民所有的共同歷史經驗，但美國社會對待華人（及其他亞洲移民）的態度卻不同，在這素來以民主自豪的國家裏，華人卻長期得不到平等的待遇，他們受到白種人的歧視及排斥。甚至在這裏生長的美籍華人也不過是美國的次等公民。華人同化於美國社會，成爲美國社會平等成員的要求遭受很大的阻力，因此在第二次世界大戰前，不少華人認爲他們在美國不受歡迎，這地方只是暫時僑居的國家，儘管一些人擁有美國國籍，但很多仍然存有"身在胡邦心在漢"的心理，抱有很強"落葉歸根"的願望，但在第二次世界大戰後的二十多年，美國及中國社會的不同發展方向，以及美中關係的對立，卻促使美國華人改變心態。

在五、六十年代，美國政府與中華人民共和國交惡，很多華人也不得不停止僑滙，與中國的親友減少聯繫。加上中國在五十年代後期，極左政策漸佔上風，侵犯海外華人在家鄉的一些合法利益。這些衝擊，大大影響他們對社會主義中國的態度，加強他們在美國落地生根的心理。很多人也設法召家眷來美國團聚。在這同一時期，美國國內的一些明目張膽的種族歧視現象逐漸減少，華人就業的範圍增廣。部份華人，尤是商人及專業人員，有更好的發展機會，沾得戰後經濟繁榮的一些利益，能夠進入主流社會找到出路。經濟條件改善了的華人家庭也先後離開擁擠而設備簡陋陳舊的華埠樓房，遷移入華埠外市郊區較新較舒適的住宅區，這變化大大影響到華人與華埠的關係以及華人社會活動的形式。在華人社會有長久歷史、一向以移民為活動對象的邑界、姓界、堂界傳統社團蒙受最大的影響。這時候老一代逐漸減少，另方面華人家庭的增加以及華人移出華埠又降低了這些組織作為交誼場所的功用；而且當很多華人在美國主流社會建立新的關係，參加主流社會的社交活動，他們與傳統社團的關係疏遠了。土生一輩的地域宗族觀念較薄弱，華語又不流利，對中國禮節習俗也不諳熟，因此一般也很少參加這些社團活動。這些因素就形成傳統社團的活動與大部份成員的需要脫節，所以積極關心傳統社團的人數下降。當僑團老一輩領導人物一一告老退休或去世，這些團體就往往被一小撮人操縱了。

這期間，國民黨人見有機可乘，就把握時機，加緊控制主要僑團，確保親國民黨分子攬着大權，而利用社團的名義為台灣國民黨政權作政治宣傳。國民黨人及支持者又儘力排斥對中華人民共和國友善或沒有偏見的人士，阻止他們在社團裏擔任重要職位。這樣，美國各地的中華會館或中華公所及屬下主要僑團，就成為執行台灣海外政策的工具。在當時美國社會麥卡錫主義瘋狂反共氣氛影響下，也沒有很多人敢過問這方針對華人社區是否有利。

一些人數多、有長久歷史的社團，往往擁有可觀的產業。在戰後幾年，這些社團中道衰落，一些人就盤踞職位，以權謀私，利用社團的公產發展私人的利益，因此社團的領導權與財產的支配權，就經常成為內爭的焦點。例如在一九六八年，舊金山李氏敦宗總公所選舉職員，部份人就指控對方用不符合的程序得選；在一九七三年，合勝堂也有同性質的爭執，結果對簿公庭。㉔近年社團樓業糾紛的最大一宗案件是關係到龍岡親義公所。在60

年代，舊金山的總公所決定拆建"名義樓"，而且與建築師簽定了合約，但一些公所成員卻指控當事人處置不當，使公所喪失業權。在一九六九年，向法院投訴，阻止這項工事的進行。經歷多年的纏訟，這爭執到一九七九年才算解決。[25]其他如芝加哥的李氏公所在一九七二年；舊金山的花縣會館在一九七四年和開平同鄉會在一九八二年，也分別爆發有關產業權的糾紛。值得注意的是在戰前還普遍採用，由父老調處內部糾紛的傳統做法，已經沒有發生很大的作用了，這也是傳統團體權力式微的另一個跡象。

這期間，關心社團前途的一些人士，卻不斷摸索，怎樣能夠好好地利用社團的財產舉辦一些適應現代華人需要的活動，聯絡成員，這樣希望能夠保證社團長久生存下去。約六十年代，一些專業階層人士聯同新興商人（很多是第二代）構成的少壯派，得開明父老的支持，就這樣能夠推動一些社團向新的方向作試探式的發展。以下是幾個例子。

在一九六〇年，舊金山的順德縣行安堂成立青年團，組織康樂活動，鼓勵祖籍順德縣的青年一輩參加。一九六二年，李光濂向美京華盛頓的李氏宗親會倡議舉辦信用會（credit union），向李氏宗親提供貯款貸款業務。跟着，信用會也在其他大城市的李氏宗親會先後成立。到一九七二年，這個宗親會成立的金融系統已經設立在七個城市，擁有資產四百零八萬美元，股份總額三百八十萬美元，貸款總額二百三十六萬美元。[26]舊金山的溯源堂，則在一九七〇年組織青年訓練班，週末照顧嬰孩班及耆英會；洛杉磯的溯源堂也定期舉辦英文入籍班。[27]較富裕的社團也趨向定期撥獎金鼓勵同鄉或宗親的就學子弟，或捐款給慈善或文化教育機構。另一些團體則定期出刊物，希望各成員之間互通信息，加強聯絡。不過舉辦這種活動的社團還屬少數，而倡辦的活動也不一定搞得成功。大部份社團卻仍然未能夠超越舊框框。一般會館善堂主要的活動，還限於處理同鄉喪事、管理墳場，以及組織同鄉在清明及重陽節到墳場掃墓。很多同鄉會，宗親會及堂號的活動，也不外定期舉辦春宴菊酌，組織郊遊，或提供交誼娛樂場地罷了。

僑團的活躍與衰落程度與當地華人社區的發展情況也有密切關係，各地區有不同的表現。大戰前夕，在華人同化程度最深的檀香山，很多僑團已經陷入半停頓狀態。到戰後一九五九年，火奴魯魯市政府收購華埠僑團最集中的地段，夷平重建。跟着一些僑團也索性不恢復會址。繼續活動的社團也以交誼為重心。一些社團趨向運用英語英文，方便吸引土生參加。在美國大陸華人人口較少的城市也有同樣的現象。但華人人口多，尤其是移民多的幾個大都市卻還是最多、最活躍僑團所在的地方，他們舉辦的活動一般不會超出上文敘述的範圍。

上文提及的專業階層人士及新興商人構成的少壯集團，他們在大戰前夕已經初露鋒芒，漸形成華人社會一股力量。在華人發展稍遲的美國大陸，在三十年代中，也出現這勢力集團的雛型，開始在社會上活躍，特別在華人集中的舊金山。到戰後，美國大陸華人經濟情況改善，在美國社會地位提高，這集團的力量也隨着增長。如上述，他們在一些社團策劃活動，有一定的影響，使社團活動適應現代會員的需要。

這些新興少壯分子也要求篩去華人社會裏趕不上時代的一些社會現象，從而改變主流社會眼中的華人社會形象，提供適當安定環境，振興商業，繁榮華埠。這些目標跟二十世紀上半葉華埠商人的主張在本質上沒有什麼大的差別，但在戰後，美國社會的變化卻給予少壯分子與主流社會建立更多社交與事業上的關係，更有利於履行他們的主張。他們也就把握這些條件，聯絡主流社會的政要、商人、社團及信息媒介，為華埠觀光業製造條件，吸引更多遊客，使這行業發展成為華埠經濟的重要支柱之一。在這方面，他們能夠大膽突破傳統保守思想，採用中國一些民間節目及文化項目，爲商業服務。最突出的例子是環繞農曆新年（即春節）而舉辦的一些慶會，這種慶會在美國華人社會第二、三代華裔佔最高比例的檀香山最早出現。

先是，檀香山的經濟在戰後一個時期，沒有顯著的起色，華人商業蒙受淡風的打擊，所以在一九五〇年火奴魯魯的中華商會在農曆新年舉辦“水仙花節慶會”（Narcissus Festival），希望藉此吸引觀光客，推銷中國貨，繁榮華埠。這水仙花節慶會的節目包括中國文化表演、中國烹飪、書畫展覽、花車巡遊、跳舞會、選水仙花皇后，一般都與慶祝傳統農曆新年無關。但這慶會卻很成功，華商經濟也受益，所以商會決定每年繼續舉辦。這舊瓶新酒式的項目就這樣成爲美國華人社會的獨特產品。

不久，美國大陸舊金山人士也聞風而動。一九五二年冬，林康惠（Henry Lem，報人），雷滄海（Paul H. Louie，商人），周植榮（William Jack Chow，律師，祖籍中山縣），黄定國（H. K. Wong，祖籍台山縣）等，得到華埠一些商人的贊助，在一九五三年舉行首屆“農曆新年慶會”（Chinese New Year Festival），中西人士踴躍參加，收效出乎意料之外。跟着就決定每年舉辦一次。後來這慶會改由中華總商會主辦，而且擴大邀請美國其他華埠及西人團體參加，發展成爲全國聞名的盛大慶會，每年吸引數十萬觀光客到舊金山及華埠消費。㉓不久，洛杉磯的中華商會也步其後塵，舉辦農曆新年慶會。其他華埠一般因爲冬季嚴寒，或因爲華人人口太少，沒有舉辦這形式的慶會的條件，但他們往往在這期間會舉辦敘餐會，表演文藝節目，招待中西人士，聯絡政要名流，歡敘一堂。

華埠商人也試圖利用其他節目招徠生意。例如在一九五六年，舊金山中華商會曾舉辦中秋慶祝會。不過成績平平，以後也沒有繼續發展。但加州馬利斯維爾（粵人稱尾利允Marysville）的華人每年卻能夠成功地與西商會合作。在陰曆二月二慶祝“土地誕”

的時候，全市舉行"燒炮慶祝會"（Bomb Day），吸引各地來的幾萬名觀光客。

（二）加速參政的步伐

改良華埠環境，也是少壯分子活動重點之一。在華裔最活躍的舊金山，他們推動聯邦政府撥款在華埠興建廉租公寓大廈。這活動在大戰前夕已經開始，但到戰後一九四九年才得到批准，興建的"平園"平民居在一九五一年完成。[29]同年，華人向舊金山市政府爭取成立的青少年康樂設備"同樂園"也落成。這些措施在人口擠迫，設備陳舊簡陋的華埠是遠遠不能滿足社會的需要，但總算是改善了一些人的住行條件。在一九六二年，華埠的地底車場也開幕，幫助緩和華埠狹窄街道的車輛擁擠，缺乏停車位難題，為華埠的商業與觀光業的發展提供有利的條件。這也是少壯分子倡議項目之一。

少壯分子在華人社會之所以能有所作為，一方面是由於他們的人數與經濟力量已經增加，但更重要一點是他們與主流社會一些勢力集團所建立的密切關係。他們是華人社會各階層中最關心與最積極參加美國政治的一部份。

美國華人參政卻不是由這些少壯分子開始。在種族主義橫行的美國大陸，有色人種族裔受歧視，在社會上沒有平等地位，因此，一些少壯左派人士很早就已經積極參加美國激進政黨的活動，致力於改善有色人種族裔的地位與待遇。前文已經叙述過，在二十世紀年代中，有少數華人加入美國共產黨，在華人社區及主流社會活動。但美共在美國社會的政治勢力不大，所以華人共產黨人所起的作用也有限。

這時期，華人選民不多，主流的政黨如民主黨及共和黨在一個長時間也不重視爭取他們的選票。當華裔選民人數增加，一些人參加主流的政黨，希望攀龍附鳳，聯絡政要，這樣本身或華人社區可以霑得一點權益。在三十年代羅斯福"新政"期間，一些華裔已經擁護當時發表開明政綱的民主黨。在競選期間，他們就在華人社區奔走，爲候選人作助選宣傳。一九三八年，民主黨華人黨部在舊金山成立。一個主要人物是周錦潮（Albert K. Chow，土生，祖籍中山縣）。周氏廣交政要，具有相當影響力。他在一九四八年被選爲民主黨全國代表大會的候補代表。在四十年代末，他又任加州民主黨的中央委員職務。

可是這時期只有少數與政客有關係的人物才有機會積極參與民主黨的活動。當華裔專業人士及新興商人人數不斷增加，就發生要求更擴大民主黨積極分子範圍，增加民主黨的影響力。剛好在五十年代中，聯邦大陪審團在紐約及舊金山調查華人冒籍案件，構成華人社會空前的危機。華裔民主黨要人周錦潮也是被調查的對象，這時候舊金山一些民主黨員就在一九五八年成立"華裔民主黨協進會"（Chinese American Democratic Club），招收會員，擴大組織。這會與民主黨的開明派建立密切合作關係，維護並爭取華裔的合法權利。中堅人物有李泮霖（Lim P. Lee，原姓許，台山縣人），關助世（Joe Quan，開平縣人），胡竹基（Jackson Hu，土生，祖籍中山縣），鄧華鑾（George Ong，土生，祖籍開平縣），周植榮等人。開明派的《太平洋週報》，成爲這集團政治主張的支持者。紐約也有華裔參加民主黨。華人黨部（Chinatown Democratic Club）在一九四七年正式成立，領導人物有伍覺民、李鴻輝等。

代表美國保守派的共和黨，在一個長的時期卻不注重積極爭取少數族裔的選票。到競選時間，共和黨不外是通過同源會或其他美籍華人公民團體的一些保守領導人物向會員推薦候選人而已。但戰後的二十多年，華人選民人數增加，一些人的經濟地位也提高，政治思想趨向保守。同時日益增加的香港、台灣移民，尤是較富裕的人，政治立場也傾向共和黨，因此共和黨開始認識到華人可以成為捐助競選費的一個可靠的來源。

在戰後，舊金山華埠已經成立共和黨協會，但當時時機尚未成熟，會務不能發展，終於停頓。到六十年代後期，華埠才開始有正式的共和黨組織。紐約共和黨卻比舊金山快了一步，在一九六七年成立華埠分部（Republican Club of Chinatown），由伍佳彥、李惠弼、譚啟明等人主持。到一九七〇年，張文衛（Steve Jeong），許鴻鈞、余寶三、黃北壽、蕭慶田等才在舊金山恢復共和黨協會（Chinese American Republican Club）正式成立黨部。不久，內部意見不合，李松光（T. Kong Lee），黃錫倫（Dennis Wong），駱來添（L. Hem Locke）等人又另外組織"加省共和黨聯合會"（California Chinese American Republican Association）。紐約另外又有華埠自由黨部（Liberal Party Chinatown）。美國其他地區的華人選民卻人數太少，所以一般沒有另設華人黨部。

美籍華人為主流政黨奔走活動，這樣建立關係幫助他們逐漸突破種族隔離，進入政府機關贏得一官半職。在四十年代，這些一般是權力不大的職位，例如在四十年代末，何廷光醫生（Dr. James Hall，開平縣人），李華傑醫生（Dr. Chang Wah Lee，土生，祖籍中山縣）被委任舊金山市政府人際關係委員會（Commission For Human Relations）委員; 張祖光（Charles Jung）被委任市政府康樂委員會（Recreation Commission）委員。這些積極分子又爭取到舊金山華埠郵政分局及市其他稅務局十多名小職員職位。③⓪不過，到五十年代美國黑人要求在美國社會享有更多民主及平等待遇的民權運動正在開始醞釀，一些華人得到更好的上升機會。一九五六年陳文華（Warren Chan）被委任西雅圖市法院代理法官，是美國大陸任法官的第一名華人。③①加州州長布朗（Edmund Brown）也在一九五九年委任黃錦紹（Delbert F. Wong，土生，祖籍開平縣）為洛杉磯市法院法官，為美國大陸任這官職較早的一名華人。㉜當民權運動繼續高漲，到一九六六年，民主黨員李泮霖又得舊金山眾議員菲利普‧伯頓（Philip Burton）推薦，得任舊金山郵政局局長，是美國大陸任這職的第一名華人。㉝同年，劉百昌（Harry Low，原姓王，土生，祖籍花縣）也被推選為任舊金山市法院法官職的第一名華裔。㉞

在競選領域，加州卻被其他華人較少的地區領先。最早被選的華人政客是在華人人口不多的亞利桑那州。在一九四六年，斐尼克斯市的鄧悅寧（Wing F. Ong，開平縣人）律師被選民舉為州議會眾議員，連任兩屆; 在一九六六年，他又被選為州議會參議員，任職一屆。在美國西北部，陸榮昌（Wing Luke）在一九六一年也被選為西雅圖市參議員，為當地少數族裔參政活動起開路先鋒作用。㉟在加州最成功的是余江月桂（March Fong Eu，土生，祖籍花縣），她在一九五六年當選阿拉米達縣教育委員會委員，一九六六年又獲選加州眾議員職，後來在一九七四年，她受加州選民的擁戴，被推選為加州民政廳廳長，是到這時候為止美國大陸華人被選任最高的職位。㊱不過在這階段，美國大陸華人參政的成就卻還不及檀香山華人。檀香山華人參加主流政治的活動比美國大陸早得多，在第二次世界大戰前已經有了基礎，在前文已經敘述。戰後檀香山華人就在這基礎上繼續發展，積極參政，鞏固並擴大華人中產階級的利益，例如當夏威夷準州政府在一九五○年召開制憲會議，參加的代表名單就有五名華裔: 鄺友良（Hiram Fong，土生，祖籍斗門縣）、李桂賢（Herbert Lee，土生，祖籍中山縣）、黎英傑（John K. Lai）、毛澤（Chuck Mau），及甘瑞雲（Frank Y. Kam）。

毛澤是當地民主黨中心人物之一。當民主黨在五十年代初在準議會還是佔劣勢的少數黨期間，毛澤及其他族裔民主黨政客策劃競選戰略對付代表舊勢力的共和黨，在一九五四年大選獲全勝，民主黨在夏威夷準州參議院及眾議院首次佔大多數席位。[37]民主黨登台掌政之後，李桂賢在一九五五年被推選為參議院的多數黨領袖。在同一屆參議院議長職，是混血華人鍾望賢（William H. Heen）。在一九五九年，共和黨的鄺友良卻競選國會參議員獲選，是為美國華人被推選的最高職位。在縣級政府，譚福善（Eddie F. Tam）一九四二年進入政界，在五十年代到六十年代任毛伊縣參議員及縣長多次；同僚甘官強（K. K. Kam）也由一九四六至一九五八年歷任這縣司庫職。夏威夷各地區其他華人官員更不勝枚舉，在四、五十年代比較著名的有鄺榕廣（Leonard Fong）任火奴魯魯市、縣審計員；張寬（Willam Chung–Hoon）任火奴魯魯市、縣司庫；李金泰任準州司庫；劉秀璋（Daniel S. C. Liu）任火奴魯魯市警察局局長；李桂池醫生（Richard Lee）任火奴魯魯市衛生局局長；鍾桂香（Norman Chung）任火奴魯魯市、縣檢事；林‧赫爾曼（Herman Lum 音譯）任夏威夷聯邦檢察官。在司法界，毛澤在五十年代被委任火奴魯魯巡迴法院法官，是任這職位的第一名華裔，不過在他以前已經有幾位混血華人亦曾任這職位。夏威夷準州在一九五九年升為正式州級之後，第一名被委任聯邦地方法院法官的是一名混血華人Nils C. Tavares。

有幾個因素容許檀香山華人在政壇上有這種成功的表現：當地華人資產階級和中產階級在第二次世界大戰前早已經達到成熟的階段。這些階級的成員有要求鞏固、維護並促進本階級的利益。華人長期在檀香山與當地各種族人民生活在一起，利益也趨向一致。這樣，在有色人種佔大多數的檀島，華人政客能夠在政壇上活動，爭取各種族選民的支持，從中培植自己的政治勢力。

(三)中華文化影響走向低潮

在美國生長的華裔一般對於接受美國文化的程度比老一輩移民深得多。在大戰前，他們已經是華人社會裏與美國主流社會中產階級意識形態最接近的一部份人，不斷朝向同化於美國社會的方向發展，但華裔對這發展卻有一定代價，最明顯的是他們疏遠或放棄了中國的文化傳統。而在發展過程中，華裔也往往被中西不同文化的概念衝突所困擾，他們與老一輩之間發生代溝，在思想行動上也陷入矛盾。一九三七年舊金山華裔劉裔昌（Pardee Lowe）的自傳式作品《父親與裔昌》（*Father and Glorious Descendant*）㊳以及一九四五年黃玉雪（Jade Snow Wong）同類型體裁的《第五個女兒》（*Fifth Chinese Daughter*）㊴就很明顯地描述華裔青年這種心態。

到戰後，美中關係轉變，美國華人與中國的發展情況隔絕。這樣減少了中國文化對美國華人社會的影響。在同一時期，華人在美國的地位提高，更推動華人趨向同化美國主流社會。在戰後生長的年青一代受這些影響最深，尤其是在居住華人社區以外家庭的兒女。華人青少年一方面受美國英文學校教育及教會活動的陶冶，另方面又深受美國電影、播音、電視、書報刊物訊息媒介的影響，所以美國主流社會的生活方式及思想作風成為主導，中國文化傳統及倫理觀念貶到次要地位。年青一代比先一代有較好機會得到教育，有專業知識，而戰後美國社會的轉變也容許有能力的華裔闖出華埠，進入主流社會找到出路。在這情況下，華文不再是一般華裔在美國社會生存必需具備的知識。雖然很多家長還希望年青一代對中國文化、對華文有一點認識，但大部份青少年卻看不見學習中國文化及華文對他們的切身利益有何關係，所以很難對這種學習發揮積極性。在五、六十年代，一般青少年的華文水平不斷下降，華文學校教育程度也隨着降低。

美國華文教育最發達的地方是舊金山，在第二次世界大戰前，這裏的學校一般每週授課十八至十九小時，約等於中國學校授課時間的半數。第二次世界大戰期間，華人壯丁從軍或進國防工業，師資短缺，因此授課時間又更縮減了一半，每週十小時。大戰結束後，學校繼續採用這個課業時間制度。可是，只是華人集中的地區才能夠這樣辦學。華人分散居住，大部份學生就沒有辦法在平日到學校上課了，一些父母也就索性不遣送子弟上學。另一些家長卻要求校方在星期六或星期日設週末班，授課兩三個小時。由於在華埠以外及郊區居住的華人日益增加，週末上課形式漸佔優勢。這種種因素，使美國華文學校水平與中國或港澳學校同班級的差距增加。這種差距在戰前已經存在，但當時的學校還可以勉強採用中國同級的教科書，但戰後在美國長大的學生卻沒法克服這差距了，所以在一九六一年，台灣的僑務委員會就編纂程度較淺的課本免費供給美洲華文學校。同時很多學校爲了引起並保持對華文學校的興趣，也設法在課程裏多加文化活動（例如歌咏、舞蹈），所以辦學的重點已經由語文爲主漸轉向文化與語文並重了。

在華人同化於美國社會程度較深的檀香山，華文教育的衰落比美國大陸更甚。在戰前這裏很多華裔已經習慣日常運用英語，而對華語日益生疏。但一些華裔青年能夠到華文學校上課，卻可以稍爲拖延這趨勢發展的速度。到第二次世界大戰，夏威夷準州政府卻勒令外語學校停辦，華裔青年沒有機會上學校學習華語，對華語就更隔膜。到四十年代後期，華文學校復辦，但規模已經不如戰前，當時檀香山華人人口雖然比三十年代增加了一倍多，但在當地最大規模的明倫學校肄業的學生，卻只達到這校在三十年代高峯時期的三、四成，⑩其他學校也有同樣的現象。

在戰後的二十多年，華文報業也走向下坡。當老一代讀者淘汰，下一代卻不能夠補上，所以銷路日益減少，業務的發展日益困難。有少數報館要求衝出這條死胡同，就開闢英文版，希望爭取華裔土生讀者。但他們發覺這市場並不容易開拓，經濟效益極爲有限。例如《少年報》在一九六二年增印英文版，經過兩年，虧損了三萬五千美元，動搖了這報的根基，維持得最久的是《世界日報》(*The Chinese World*)；英文刊由一九四九年創刊，一直出版到一九六九年才停刊。

其他一些報館卻很少有創新振作的措施。所以由一九四六年至一九七〇年，雖有幾間在這期間創刊而壽命不長的報館，但更多有了多年歷史的報館陷入困境，一一倒閉或被迫改組，其中國民黨黨報又加上有中國局勢的影響，失去讀者的支持，所以被打擊尤甚，紛紛停刊。由一九四六至一九七〇年，在檀香山和美國大陸停刊的日報共有九家，改組的有三家。這情況直到七十年代才有轉機。

無論在美國大陸或在檀香山，在許多移民家庭，普通話或華語方言是家長的母語。兒女在少年時期還可以運用華語與父母溝通，但一般到中學階段，青年功課太忙，就漸失卻以流利華語表達意思的能力了。由華裔土生為家長的家庭更甚，因為這些家庭從幼年開始，英語就已經是家庭習慣用的會話媒介了。戰後在美國生長的一代，在一些華人集中的地區，還有青年人能夠運用華語會話，但有能力閱讀報刊的人已經佔少數，可以執筆寫文章的，更是鳳毛麟角了。父母要跟兒女談話，往往也不得不多用英語，如這個家庭的家長是不懂英語的移民，那就兩代之間各有不同的生活方式及社交圈子，甚至兩代之間形成對立狀態而發生衝突了。

華裔進入主流社會另一個影響就是他們與其他族裔通婚的增加。在美國，華人是總人口的極少數。在很多地區，華人與其他族裔接觸比接觸華裔的機會高得多。華裔同化，消除了種族之間很多隔閡，因此華裔有機會與其他族裔結友，有些人也從友誼發展到愛情而終結秦晉之好。這現象一般在美國生長的一代最為普遍。

在土生比例很高的檀香山社會，華人與其他族裔的婚事，在大戰前夕佔華人婚事的三、四成，戰後到六十年代，與其他族裔結合的檀香山華裔，已經超過半數；到七十年代，還超過六成。

在美國大陸，華人移民較多，而種族偏見在社會上仍然普遍，而且在這階段華人同化程度也不及檀香山。但與其他族裔通婚的現象，在美國大陸華裔也日趨普遍。在七十年代，加州二十五歲以下的華裔男青年結婚就有百分之三十選擇其他族裔爲對象，女青年與其他族裔通婚的比例較低，但也有百分之二十七，不過在移民比例比較高的紐約，與其他族裔結合的華裔青年卻只不過一成左右。

二十世紀由四十年代到六十年代中，是華人社會大轉變的時期，這期間華人人口素質普遍提高，經濟社會地位改善，一些中產階級華人有機會參加主流社會的活動與工作。美國和中國的局勢與美、中關係的變化也深深影響美國華人的心態。移民由以往"落葉歸根"的念頭改變到在美國"落地生根"；華裔也加速與美國社會同化的步伐。這樣，美國華僑逐漸轉變爲美國華人了。

注釋:

① 《太平洋週報》股東胡景僑口述，1974年8月10日。

② 由三十年代到四十年代，駐美國國民黨每屆全國代表大會都增加執監委員人數

屆別	年份	執行委員	監察委員
7	1935	9	5
8	1941	11	5
9	1944	15	7
10	1946	19	9
11	1948	19	9
12	1950	(延期)	
13	1953	18	8

這一方面表示黨務的擴大，另方面是容納更多華人社會裏有實力的領導人物。

③ 謝僑遠口述，1989年3月9日；

　　馬季戾亦即三十年代上海電影界的唐納。戰後曾在上海及香港《文滙報》任總編輯。他在1948年離開《文滙報》赴美國從事報界工作。後來到法國巴黎定居。見徐鑄成，《唐納絕口不談江青舊事》，見《美洲華僑日報》，1988年9月20日。

④ 菲律賓在1950年12月成立反共抗俄後援會，是最早的一個。舊金山的反共總會是美洲最早成立的組織。在同年稍遲，紐約及芝加哥的反共會也成立，1952年又在洛杉磯成立，到1963年底，美國一些華人在各市先後成立共十七個反共會（見《華僑志總志》，第474頁）。

⑤ 《世界日報》社長及總編輯李大明曾發表社論警告反共總會要提防被國民黨政權利用爲門面組織。反共總會因此要求李大明到會解釋。兩個月後，李大明又在5月22日及6月15日寫公函給舊金山警察局長要求派警察保護。

⑥ 國新社稿，《蔣美匪幫迫害紐約華僑日報始末》，1952年8月1日。

⑦ 華工合作會會員方家常（1971年7月31日）及余達明（1987年9月20日）等的口述。

⑧ 《黃仁俊先生八秩開一壽慶紀念冊》（台北，1967年），第5頁。

⑨ 葉莉莉，《中華藝術——民族舞蹈: 僑委會聘專家到美加僑社敎授民族舞蹈》，見《僑務月報》第154期（1985年6月16日），第14—15頁。

⑩ 見《世界日報》英文版，1954年9月29日。

⑪ 見《世界日報》英文版，1951年3月29日。

⑫ 見《世界日報》英文版，1953年6月25日；1954年2月16日。

⑬ 見《世界日報》，1956年3月3日。

⑭ 見《世界日報》英文版，1956年2月15、16日。

⑮ 見《太平洋週報》，1956年3月2、9、16、23日。

⑯ 見《世界日報》英文版，1956年4月13日；5月4、5日。

⑰ 見《世界日報》，1956年9月21日；《太平洋週報》，1956年9月21、28日。

⑱ 見《世界日報》，1957年12月31日；《太平洋週報》，1958年1月17日。

⑲ 美國司法部新聞稿，"A History of Chinese Immigration"，1972

年12月31日。

⑳　《旅美歸僑，前〈美洲華僑日報〉業務主任張滿理先生訪問記》，見《華僑史論文集，第二集》(廣州: 暨南大學華僑研究所，1981年)，第322—332頁。

㉑　見《世界日報》英文版，1953年6月20日。

㉒　見《太平洋週報》，1957年1月25日，2月1日。

㉓　見《太平洋週報》，1961年1月5日，5月25日，9月21日。

㉔　見《東西報中文版》，1968年12月11、18日；《太平洋週報》，1970年6月11日；《太平洋週報》，1973年4月26日。

㉕　見《金山時報》，1969年10月25日廣告；《太平洋週報》，1970年11月12日；《少年中國晨報》，1974年7月23日；《正言報》，1969年2月1日。

㉖　見《李氏月報》，1972年10月；《金山時報》，1972年9月28日。

㉗　見《金山時報》，1970年7月17日；《中報》，1984年8月24日。

㉘　余進源，《回憶初辦華埠農曆新年慶會之起源》，見《金山時報》1975年1月18日。

㉙　見《華美週報》，1951年10月19、26日。

㉚　見《華美週報》，1948年12月3日；1949年11月25日。

㉛　見《太平洋週報》，1956年8月17日。

㉜　見《美華週報》，1959年3月3日。

㉝　"Lim P. Lee － San Francisco's Retired Postmaster"，見《華埠雜誌》，1987年10月3、18日，11月3、18日。

㉞　"Harry Low － Judge of the Superior Court"，見《華埠雜誌》，1975年2月3日。

㉟　Doug Chin "The Intellectual Politics of Wing Luke"，見《國際考察家報》，1976年10月。

㊱　見《中山報》，1978年10月20日。

㊲　Roger Bell *Last Among Equals: Hawaiian Statehood and American Polities* (火奴魯魯: 夏威夷大學出版社，1984年)，第141—142頁。

㊳　劉裔昌 (祖籍中山縣) 的父親是中國出生的移民，是舊金山華埠一家衣服店的老闆。劉裔昌是美國土生，先後在斯坦福大學及哈佛大學商

業管理研究院得到學位。《父親與奮昌》是美國華裔以英文寫作第一本自傳式作品，作者在這書中以輕鬆的文筆叙述他的童年，家庭狀況，學業以及職業。

㊴　黃玉雪（祖籍中山縣）的父親是中國出生的移民，在舊金山華埠開一家縫紉工人服裝的工廠，他也是一個基督敎的牧師。黃玉雪是土生，在米爾斯女子大學（Mills College）畢業後，在舊金山製作工藝陶瓷器出售，《第五個女兒》是以自傳體裁叙述一個華裔女子的家庭生活，學業與她所選擇的事業。

㊵　在第二次世界大戰以前，明倫學校最高學生人數是1936年的1348名，最低是1911年的254名。到戰後，由1948年至1966年，學生人數最高紀錄是1959年的531名，最低是1949年的267名。

一九四九年十月舊金山加省華工合作會舉行慶
祝中華人民共和國成立的大會（圖片來源：余
達明收藏）

五十年代初舊金山青年團體民青舉行的歌詠表
演（圖片來源：麥禮謙收藏）

六十年代末舊金山州立大學的少數族裔學生爲
爭取設立亞裔研究課程而進行長期的罷課示威
活動（圖片來源：加州大學美亞裔研究系圖書
館收藏）

六十年代末華裔青年示威要求改善華埠環境
（圖片來源：黃康寧拍攝）

第十章
第二次世界大戰後到六十年代末：
社會與經濟領域的變化

一、社會的改變

(一)排華措施漸撤銷

由第二次世界大戰結束到六十年代後期，美國華人人口不斷上升，人口的素質也有很大的變化。戰後很多華人的經濟情況比戰前改善了，一些人節衣縮食能夠有點積蓄，還可以投資開設小生意。這時期在美國生長的一代也已經形成為華人社會裏一個頗有影響力的社會集團。他們的教育水平普遍比前輩高，也比前輩容易適應美國主流社會。另外，中國政局在四十年代末年的大變化，促使大量國民黨官僚、工商學界人士離開中國到美國及世界其他各地逃難。在美國也約有五千名學者及留學生及家人也決定留下，這些人大部份出身中國社會的上層，很多不是粵籍，開始了華人社會向多元化方面發展。跟着的幾十年，上述情況正好配合美國社會經濟戰後的發展，構成華人繼續改善地位，進入美國主流社會的一些有利條件。

第二次世界大戰後，國際及美國國內局勢發生很大變化，在國際上，很多地區的土人，尤是在亞洲，曾經歷過戰火的鍛煉，鬥爭經驗豐富了，民族獨立自主的要求滋長，在民族主義號召下，各地先後掀起反殖民主義的怒火。在美國國內，社會恢復和平狀態，但很多非白種族裔既然在沙場上冒着槍林彈雨爲國家賣命，他們復員後也不再願意接受戰前那種次等種族的社會秩序，所以不斷要求享有更多民主權利和均等待遇。在當時，美國與蘇聯展開爭取世界霸權的情勢下，美國當權者也不得不採取具體步驟，企圖和緩國內的社會矛盾，而在國際上爭取正面的形象。約在五十年代前後，美國國家政策放棄對殖民主義者的直接支持，在國內也開始肯定各族裔的平等地位。在這期間，國內出現一系列對非白種族裔稍爲有利的措施。例如，在一九四八年加州最高法院宣判加州禁止白種與非白種通婚的法令違背憲法。一九五二年，國會修訂移民歸化法，繼華人之後，容許其他亞裔加入美籍；同年加州選民也投票通過，撤銷州憲法第十九章的排華條文。

在這期間，一些華人的經濟條件改善，他們不再滿足華埠的擁擠陳舊簡陋的居住環境，要求購置華埠外較寬敞，設備符合規格的住宅。他們這種行動卻往往觸犯了一些產業所訂的"限制性協定條款"，因此引起糾紛。這些事件很多是發生在排華排亞氣氛最濃厚的加州。例如在舊金山就曾發生過以下兩宗典型的案件：

一九四四年，土生華婦曾·梅布爾（Mabel Tseng 音譯）在華埠外購買一座樓宇，地契是附有"限制性的協定條款"。不久，新業主擬遷入居住，不料鄰居的白人業主卻反對，曾婦不服，要上法院一判曲直，但她終於在一九四五年敗訴，要從自己的產業搬出！①

到一九五二年，舊金山郊區又發生另一宗案件，引起國際的注視。新移民盛樹珩曾是國民黨軍隊裏的情報員，到美國後在飛機公司任機械工。一九五二年，他在南舊金山（South San Francisco）地區擬購置住宅。不意當地白人鄰居卻認爲黃種人入居會貶低這地區的地產價值，羣起鼓噪，抗議盛家遷入。盛氏對美國社會民主精神有高度信心；所以提議交給這地區的業主們投票表決。結果在二百一十六投票者當中，支持盛氏的人不過二十八個，反對者竟佔一百七十五人。盛氏在失望之餘不得不放棄計劃。令人啼笑皆非的是地方政府當時剛宣佈了舉行"友誼週"（Brotherhood Week）。②此外，一些公共場所，如高級酒店、俱樂部、游泳池等，也仍然不歡迎黃種人的光顧。不過，這些現象正是社會變化過渡時期難免出現的現象。在這時期，儘管種族主義思想仍然普遍在社會上流行，但國家政策已經是提出各族裔平等。高等法院的判決往往能夠反映這一精神並主持正義，而輿論界的一些權威性刊物也採取肯定態度來對待少數族裔一些爭取權益的行動。在這形勢下，偏激的排華行動才逐漸斂跡，在美國社會更多華人與白人和睦工作及毗鄰相處；公共設備也一一撤消排斥華人的規例。

(二)華人人口的變化

這期間，移民及當地自然生長，使華人人口不斷增加，到戰後一九五〇年人口比戰前一九四〇年增加了百分之四十一，到一九六〇年已經是超過戰前人口的兩倍，到一九七〇年達到戰前的四倍多，但由於各地的條件不同，所以各地區的發展率也不平衡。

檀香山向來是華人人口較多的地區，但這彈丸之地，較少機會發展。因此，到這裏定居的華人移民不多，大部份都選擇美國大陸為目的地。由於這原因，檀香山的華人人口增長主要靠當地自然生育，比美國大陸緩慢得多，所以這人口在全國華人人口的比例也逐年下降。相反地，很多移民趨向則到美中、美東及美南定居，所以這就成為華人人口增長得最快的地區。到一九七〇年，人口已經差不多趕上美西各州華人人口的總數。不過，華人有最長久歷史的加州，仍然是美國最多華人的一個州。這期間，華人也繼續在大戰前的趨勢，流向大都市。在一九五〇年，居住在美國大陸及夏威夷城鎮的華人佔百分之九十點八；到一九七〇年升到百分之九十六點八，是美國一個高度集中於城市的族團（在一九七〇年全美國人口只有百分之七十三點五在城市居住）。美國社會上歧視華人的舉動減少，愈來愈多華人也分散在城市各地區與其他各族裔雜處。"唐人街"或"華埠"由一個以華人聚居為主的地區變成為華人進行社交及商業活動為主的場所；在華人人數少的城鎮裏，"唐人街"先後淘汰或衰落。據第二次世界大戰前夕的調查，全美國當時在二十八個市鎮可以找到"唐人街"，但到戰後五十年代中，這數目已經下降到十六個。這形勢一直持續到六十年代後期，移民開始激增，"唐人街"的頹勢才見有轉機。

二、走向腦力勞動行業

(一)科技與專業工作人員

由四十年代中到六十年代末的四分之一世紀，一部份美國華人朝着美國中產階級方面發展，進入一些腦力勞動或較少體力勞動的行業。這包括：（1）專業及科技人員，（2）商店金融機構的經理或管理人員，（3）店員、售貨員、經紀、商店及金融機構的職員，政府機關的職員。據美國聯邦人口統計數字，在一九四〇年戰前任這些職業的華人只佔就業華人約三分之一，但到一九七〇年，這比例已經超過就業華人的半數。其中醫生、教師、工程師、科學家等專業人員的增加率尤為顯著。

檀香山社會對華人發展的阻力比美國大陸來的小，所以在戰前不少華人已經進入專業和科技行業。到五十年代，他們約佔當地就業華人的百分之十，超過當時美國大陸華人的百分之七數字。但檀香山不是工業高度發達的地區，吸收專業、科技人才的能力有限；所以檀香山華人在這些職業的發展速率比美國大陸緩慢，被大陸華人後來追上。

在戰時及戰後期間，美國大陸的工業有很大幅度的發展，大量吸收科技人才。由一九四〇年到一九六〇年的二十年間，全國的專業、科技人員每隔十年約增加五成，但在同一期間進入這一職業的華人人數卻增加得更快，由一九四〇年到一九五〇年增加兩倍強; 由一九五〇年到一九七〇年又再增加三倍半，超過檀香山華人在這些職業的百分比。到一九七〇年，在美國大陸在專業及科技職業的華人已經達到百分之二十六，超過檀香山當時的百分之二十點五，也超過美國全國的百分之十五的數字。

從五十年代開始，由台灣及香港到美國留學的學人又不斷增加。由一九六〇年到一九六九年，單從台灣地區來的就有一萬七千四百二十三人，其中約八成是科技研究生，這些學生佔百分之九十五以上完成了學業後也就留下在美國③（主要在美國大陸）。美國在一九六五年通過新移民法例，剛好提供機會給這些留學生調整身份，領得居美權。香港來美國的留學生大致上與台灣留學生人數相等，他們的表現也相同。

這時期美國經濟蓬勃發展，這些專業人才適逢機會，發揮所長，加強了美國的專業科技隊伍，不少人有優異的表現。在科學方面楊振寧及李政道在一九五七年獲得諾貝爾獎金; 在醫學方面，李卓皓在一九四七年獲得西巴內分泌研究獎（Ciba Award in Endocrinology），一九五五年獲得美國人文科學學院榮譽獎，一九六二年獲得艾伯特、拉斯克醫學研究獎（Albert Lasker Medical Research Award），和全美學術優秀人才學會金牌獎（American Academy Golden Plate Award）。在工程界，林同琰（T. Y. Lin）在一九五五年所著的《預應力混凝土》一書，奠定他成為這種工程設計的權威地位，一九六七年他被選為國家工程學院院員，一九八六年獲得美國總統頒贈國家科學獎章。④在建築設計方面，有著名建築師貝聿銘（I. M.Pei），由四十年代末開始，他在美國及外國設計博物館、學院、商業中心、摩天大廈、公寓等，其中不少被世人稱譽的傑作，在五、六十年代，屢次被表揚頒獎，一九七八年，他得到美國建築師協會紐約分會的最高獎章，一九八六年自由女神像落成的百週年慶典，他又是接受總統頒贈"自由獎章"十二人中的一名。⑤

選擇社會科學、人文學科及法律爲終身事業的華人卻不多，這大概是由於這些專業與美國社會精神面貌及意識形態有密切關係，人事關係及種族偏見對個人事業的發展起較大的作用。在一九六〇年在這些領域的華人只佔華人專業人員的百分之一點六（在美國全民中，這類人才卻佔專業人員的百分之三點六）。不過，若干人如語言學家趙元任和李方桂，歷史學家蕭公權，教育學家陳錫恩，人類學家施愷光，經濟學家李卓敏，法律學家吳經熊，心理學家蔡樂生等也都能夠成爲學術界尊重的學者。從事文化藝術活動謀生的華人更少。這時期，最老資格的一名是在第二世界大戰以前在電影業已經成名的攝影師黃宗霑。在戰後，他的卓越藝術終於獲得電影界的公認表揚。他在一九五五年及一九六二年的作品先後在好萊塢獲得最佳電影攝影的奧斯卡（Oscar）金像獎。在演員方面關南施（Nancy Kwan）及盧燕（Lisu Lu）也曾在六十年代擔任影片女主角，名噪一時。不過，由於限制於飾演遠東人角色，所以在美國電影界不能夠盡舒本領與白種人主角並駕齊驅。配角卻比較多機會上銀幕，一些人如鄺炳雄（Benson Fong），吳漢章（James Hong），郭柳如鴛，都是常見的黃面孔。在美術界有曾景文（Dong Kingman），曾氏在舊金山附近的奧克蘭市長大，四十年代束移紐約，屢次得到獎狀，被譽爲世界最著名水彩畫家之一。在一九五四年他受美國國務院的邀請，到環球各國作畫展，講學，旅行，履行文化交流任務。此外，音樂界有中國移民來美國的中低音歌手斯義桂（Yi-Kwei Sze），在五十年代起，經常被邀請到音樂會及歌劇院演唱。一九五〇年末，檀香山又有土人華人混血種何唐（Don Ho 音譯），是演唱檀香山土人格調流行歌曲的名手。在音樂創作方面，李帝強（Dai-

Keong Lee 音譯）在三十年代末初露鋒芒，一九四二年他的作品曾在美國學院（American Academy）主辦的羅馬獎（Prix de Rome）比賽獲得表揚，在一九五三年，他爲歌劇《八月月亮的茶樓》（Tea House of August Moon）所譜的音樂，在紐約百老滙演出大受歡迎，一九五九年，他又爲慶祝夏威夷正式加入美國爲第五十州而完成《玻利尼西亞組曲》。另一位名音樂作家是上海出生，一九四七年來美國求學的周文中（Chou Wen-Chung），他從一九四九年開始創作，音樂自成一格，引用西方現代音樂的複雜技巧來表達中國文化的神韻。在文學方面，林語堂由一九三五年至一九六六年大部份時間居留美國，在抗日戰爭前後，他的書成爲中國作家在美國擁有最多讀者的作品。他的英文作品多達三十四種，如《吾國與吾民》（My Country and My People，一九三五年出版），《生活的藝術》（The Importance of Living，一九三七年出版），《瞬息京華》（Moments in Peking，一九四〇年出版）等書，在美國銷路很廣，對美國知識界有關中國及中國文化的形象頗有影響。另外一名職業作家是一九四三年初來美國留學的黎錦揚（C. Y. Lee），在一九五七年出版以紐約華人社會爲背景的小說《花鼓歌》，後來這小說就改編爲成功的歌劇及電影。這兩名作者對中國文化與華人社會的分析及刻劃投中主流社會中產階級的好奇心，所以作品很受美國讀者歡迎。

專業工作在美國社會享有較高的聲譽及地位，待遇也較好。可是，除了少數有名氣的人物，一般華人在職位上所領得的報酬卻與他們的教育水平不一定相稱，他們的收入及職位往往比有同等教育水平的白種人低。例如在一九六九年，華人已經經歷了第二次大戰後二十多年發展之後，在美國社會的地位也已經有了顯著的改善，但在這年只有百分之三十八點三大學畢業的男性華人每年有一萬美元或以上的收入，而有同等資格的白種人卻有百分之五十九點六已經達到這水平。不過，華人卻比黑人的百分之三

十五點三稍高。這數字顯示白種人上司往往安排華人在較低級的
職位工作，給他們較少的報酬。種族偏見也使上級不大願意委任
華人管理監督白種人同事，或接納他們進入決策階層。所以在五
十至六十年代典型的華人專業工作者，一般都是在職位埋頭苦幹，
有領導能力的人也只有極少數能夠衝出這些藩籬。能夠升到主任
級或其他有決策權的職位的專業人士主要是在科技領域，與他們
專業上的成就有關。例如在一九五〇年，李卓皓成爲柏克萊加州
大學荷爾蒙實驗室主任，一九五五年孫觀漢（Kuan–Han Sun）
博士任威斯汀豪斯電氣公司輻射核子實驗室主任。這兩人都是他
們所屬研究範圍的權威人士。在教育方面升級到有決策權職位的
華人很少。在一九五六年，譚金美（即李玫瑰，Rose Hum Lee）
被晉升芝加哥羅斯福大學社會學系的主任，是任這職位的第一位
華裔婦女；⑥在一九五九年，劉安曾（Liu Ang–Tsung）又在底
特律理工學院（Detroit Institute of Technology）成爲第一名任
學院輔導主任職位的華人。在公立學校，華裔也同樣碰到阻力，
到一九五七年，有了二十多年教師經驗的何綾蘇（Elizabeth Hall）
才被擢升爲舊金山第一名任小學校長的華裔。⑦

(二)文員與公務員

從事腦力勞動者的中、下層的情況，在這期間也有很大的變
化。很多華人成爲經紀、售貨員或辦公室工作人員（clerical
worker，即部記員、打字員、秘書、檔案文員等職位），即所謂
"白領"職業。在種族偏見較輕的檀香山，在第二次世界大戰前
夕，在這領域就業的華人已經佔就業華人總數的三成弱，超過當
地任何族團的比例。但在美國大陸，情形又不同了。據一九四〇
年的人口普查統計數字，"白領"工作者僅佔就業華人的一成一。
不過，到大戰時期，不少華人有機會進入西人公司及政府機構工
作。這趨勢在戰後繼續發展，所以到一九七〇年擔任這些職業的

華人佔就業華人總數的二成強，但仍然遜於檀香山。

　　大戰前，華人經紀、售貨員及辦公室工作者，大部份是華人商店及華人機構的職員，而且男性比女性多。大戰及戰後，美國經濟發展，主流社會的工商業及政府機構僱聘的辦公室職員日益增加，很多華人也被僱聘，尤是中、下級的女職員。所以，辦公室華人女職員遠超過男職員，一九七○年，在大陸是兩倍，在檀香山更高，是二點四比一。同年，辦公室女職員連同女售貨員、女經紀有二萬三千九百一十六人，佔就業華人婦女的百分之三十五點六。這些職業要求較高的英文水平，所以一般是美國土生華人或受過英文教育的華人。

　　華人向腦力勞動職業進軍的成功，正好跟他們進入技藝行業（Crafts）受阻成為鮮明的對照。技藝行業一般由行業工會控制。這些工會領導歷來對有色族裔採取排斥政策，在美國大陸，這些工會都屬“美國勞工聯合會”（American Federation of Labor簡稱“勞聯”）。在十九世紀，“勞聯”的領導是排華的積極支持者。在第二次世界大戰，“勞聯”的領導也極力反對撤銷排華移民法案。到戰後，主導思想仍然是要提防有色族裔威脅到白種工人的生計；所以千方百計阻撓有色族裔進入這些報酬較高的技藝工作。

　　一九四○年，在高度工業化的美國大陸，技工佔就業人口總數的百分之十二，但社會上長期排華的情緒，卻令到華人不得其門而入，所以在這些行業就業的華人僅佔就業華人總數的百分之一點二。在第二次世界大戰，華人有機會進入這些行業，所以技工的百分比稍有增加。但到一九五○年也只佔就業華人總數的百分之三點五，二十年後到一九七○年，也不過百分之五點四。例如在一九七○年，全舊金山二十個主要工藝工會有三萬九千八百九十二名會員，亞裔（包括華裔、日裔、韓裔、菲律賓裔）會員僅有三百六十五名，約等於百分之一，而當時亞裔人口已經佔舊金山人口約一成。在東岸的紐約，人數及百分比更低，在十七萬五千九百三十四名建築行業工會會員中，只有二百二十九名亞裔而已，約等於百分之零點一！

只有在檀香山，華人技工才有比較公平的就業機會。在一九六〇年，男性技工已經達到二成，約與白種工人相等，但比當地全民的百分之二十三點六稍低。

由此可見，在美國社會裏的種族偏見，對華人職業的選擇以及在業的待遇，是具有重大的影響。所以由五十年代至七十年代，華人腦力勞動工作者及技藝工人有一個共同的趨向，這就是很多都是爭取在地方、州或聯邦政府機關裏就業。這主要因為政府機關錄取很多中、下級職員，一般不靠人事關係，而需要考試決定是否合格而取錄。這樣在某些程度上減輕了種族偏見因素對個人去取的影響，而且個人也能夠發揮所長，在職位上有一定的安全感。當華人在私營企業就業的機會增加，而進入政府機關工作的華人就有下降的跡象，但在七十年代初，在政府機關任職的華人仍然大約有三萬四千五百名，佔全美國就業華人的兩成，如除去外籍華人，這比例就成為約四分之一了。這些職員大部份是科技專業人員，辦公室工作人員，郵局職員及技藝工人。例如在一九七一年，舊金山市政府各機關僱聘六百九十三名華人，其中科技專業人員佔六成，辦公室工作人員佔二成，技工及操作工人（例如電車、汽車司機）佔一成。同年，紐約市政府華人職工有八百一十七名，科技、專業人員的比例比舊金山更高，佔了四分之三。

三、經濟領域的變動

(一)三大支柱的興替

在美國大陸，華人企業在第二次世界大戰前是以小生意為主。第二次世界大戰後，這情況基本上沒有改變。華人的營業集中在洗衣業、飲食業及雜貨銷售業，洗衣業仍然居在首位。在一九四九年美國大陸有華人洗衣館一萬零二百三十二家。在五十年代，這行業繼續爲華人經濟的支柱，到一九五九年全美國靠洗衣業謀生的華人估計還有三萬多人，約佔就業華人的三成。當時洗衣館以美東及美中最多，僅紐約一帶就有二千三百多家，幾乎佔全國華人洗衣館的四分之一。加州及美西南部也有數百家。美南華人洗衣館不多，但在亞拉巴馬州莫比爾市陳業參及新奧爾良市陳氏設的幾間洗衣館卻在當地頗具規模。

華人洗衣館一般是通過長的工作時間辛勤勞動，對顧客提供服務，取價便宜，這樣很不容易才搏得三餐，在美國社會維持競爭地位。但華人洗衣館往往效益低微，很難積蓄大量資金，改進設備，擴張營業規模；所以與西人洗衣業的新式大規模機械化工廠競爭，日益見拙。加上華人子弟得到高等教育或專業知識，也多不願承襲父兄騾馬式的洗衣生涯。戰後自動洗衣機及脫水機在家庭裏普遍使用，以化學纖維製造不需熨燙的衣着也漸漸在社會上流行。這兩個因素也嚴重打擊華人洗衣業；所以到六十年代末，華人洗衣業已趨式微。在一九六九年，紐約的華人洗衣館已經由一九六〇年的二千六百四十六家減到一千三百多家，而華人洗衣業也不過佔全市洗衣營業額的一成。其他地區也有同樣的衰退現象。

在四十年代後期，華人在飲食行業的經營僅次於洗衣行業。在一九四九年，美國大陸共有四千三百零四家，多全部或部份供應中國菜。隨後的十年，這行業繼續擴展。據美國全國飲食業的調查統計，一九四八年，在美國社會經常食用遠東式飲食的顧客不過百分之七左右，但到五十年代末，這比例已經激增到約百分之二十，華人餐館也增加到四千五百個單位。華人餐館散佈全國各大小城市，但美東美中及太平洋沿岸各州比較多，華人餐館最多的城市是紐約，在一九五九年佔了七百五十多家。五十至六十年代，美國社會繁榮，中級階級消費能力增加，再加上東亞不穩定的政局，促使華人中、上層社會人士由香港、台灣移居美國，這些因素起作用推動中國菜館業的發展。一些粵菜館趨向模倣香港風格，提高質量。此外，非粵籍人口增加，各地京、川、湘、滬等地方菜館也相繼出現。這時期又出現一些以中西中上階層為主要營業對象的中菜館，這些企業一般投資額較高，服務週到，裝修往往是金碧輝煌的民族形式，菜色點心製作也較精緻。如舊金山的"冠園"、"皇宮"、"四海"、"皇后"、"金亭"就是較早營業的幾個例子。這種風氣不久也由舊金山傳到其他華人較集中的大都市。另一些餐館，卻招徠一般市民的光顧，設熟食外賣部門，減輕舖面的負擔，或提供自助式中餐，方便顧客節省用膳時間。在一些華人人口眾多的大都市，華人又在商店設檔口出售各種熟食，便利消費者購買佐膳，省得入廚動手。

這樣，戰後華人飲食業不斷發展，呈現欣欣向榮現象，所以到六十年代末，估計美國大陸華人餐館差不多增加到一萬家了。

在第二次世界大戰後，雜貨行業也仍然是華人經濟三大支柱之一。一九四九年，在美國大陸華人經營的雜貨店共二千零四十七家。這些商店可以根據服務對象分為兩大類，第一類型是以華人顧客為主要對象，零售或批發中國雜貨、食品、藥材等商品。較大規模的營業部門又包括進口業務。這些商店的零售部門，在華人人口眾多的地區才具備有營業的條件，所以主要設在華埠地區。中國食品、藥材、雜貨商店在美國華人社會成立初年已經是華埠經濟重要部份，所以是一個具有悠久歷史的行業。到戰後五十年代韓戰時期，美國禁止中國大陸貨品入境，這行業面臨嚴重威脅。禁運期間，一些商店為了生存不得不另找貨源。所以，不久港台貨品充斥市場，代替了中國大陸貨。這情況到七十年代美中關係改善之後，才開始有轉機。

第二類型是零沽雜貨店，服務對象是美國主流社會，分佈地區很廣，數目遠超過第一類型。如前文叙述，這些雜貨店在加州及美國南部市鎮最多，很多是家庭式的小型營業。在戰時和戰後，有些華人生意興隆，積累資本，能夠突破小型生意的限制，順着美國零沽行業的發展，開設較大規模的食品市場（Market）和超級市場（Supermarket）。這發展在加州中央大谷市鎮及美國西南部亞利桑那尤爲顯著，而且有些是相當大規模。例如在一九四七年周森（Sam Wah You）等人的月明公司（Centro Mart）在斯托克頓的超級市場開始營業，堪稱當時全國最大最完備設備之一。⑧在北加州，這些企業多爲四邑人所創設；加州中部河谷則多是花縣人，西南部亞利桑那州卻多是開平縣人。一些企業家還能夠創設連鎖超級市場系統。鄺國舜（Walter Fong）是其中之佼佼者。鄺氏於一九四七年在薩克拉門托設第一家"農民市場"（Farmer's Market），以後這公司繼續在加州各市鎮開設支店，在七十年代中，每年營業額估計在半億美元以上。他在一九七七年將這企業出售時，擁有雜貨店三十五間。⑨這些大規模企業，有可觀的營業額，在一些城市，可以跟西人經營的連鎖超級市場系統比試高低。如在七十年代中，"農民糧食公司"在薩克拉門托有十七家支店，銷售貨量佔當地西人雜貨店總銷售量的百分之九點一。不過最高貿易額仍然是白人資本的連鎖雜貨店。⑩

　　當華人在雜貨行業繼續擴展時，很早就有要求團結起來集中力量謀求共同利益的願望。一九四八年薩克拉門托雜貨同業組織當地雜貨店及超級市場，成立"金山二埠華商糧食同業聯合會"（Sacramento Chinese Food Dealers Association），其宗旨是"……發展及維護同業利益……"，但不及兩年，會務停頓，到五十年代，華人在這行業繼續擴展，這同業會也在一九五三年重振旗鼓，收了六十多家雜貨店及超級市場爲會員。⑪一九五四年，舊金山出版《華人孖結貨倉行月刊》（*Chinese Grocers Magazine*）派給美西、美南和檀香山華人雜貨同業，專供給營業上所需注意的事項，提高同行的業務水平。同年斯托克頓的周森，薩克拉門托市的鄺錫和（Kwong S. Wah）及里士滿市（Richmond）的李兆榮（S. W. Lee）又發起組織"加省美國食品聯營商店"，向政府立案，會員包括北加州很多市鎮的華人超級市場及雜貨店。其宗旨是"爲會員服務，聯合各會員作有利性之購買與推銷。"⑫這樣集合華人雜貨同業的經濟力量，加強購買力，可以跟批發商討價還價，鞏固華人超級市場的競爭地位，與西人連鎖式超級市場抗衡。在六十年代末，舊金山社會治安惡劣，又促使當地華人雜貨店組織起來。當時華人雜貨店屢次被劫並發生過人命案; 所以在一九六九年，華人雜貨店組織"金門雜貨同業商會"（Golden Gate Neighborhood Grocers Association）向警察局施壓力，要求加強保護維持治安。⑬

如上所述，由四十年代到七十年代，華人在西人雜貨行業一直不斷發展營業。華人經營的雜貨店，可以說是數十年來華人商業中最進步的部門，裝潢陳設，足與西人經營的商店相媲美，顧客也是美國主流社會人士。不過華人雜貨店的規模雖然增加，商店的總數目卻沒有顯著的增長。在六十年代末，全美國華人經營的雜貨店約兩千多家，與一九四九年的數字沒有很大的差別。

在六、七十年代，華人經營的雜貨店面臨兩方面的挑戰，一方面是資本雄厚西人連鎖式超級市場競爭的威脅，大大影響華人雜貨店，尤其是家庭式雜貨店的營業。另方面，非白種族裔資本抬頭，華人在這些族裔集中的地區開辦的企業正首當其衝，往往被排擠，有時還成爲這些族裔偏激分子攻擊的對象。這現象在美國東南部及洛杉磯的黑人區比較多見。另外一些大都市如舊金山，華人營業卻受惡劣社會治安的影響，經常被惡劣匪徒騷擾魚肉，而且有喪生之虞，因此，明哲保身的華人都要求退出這行業。例如舊金山在六十年代有華人雜貨店約六百家，到七十年代初已削減到四百家左右，過了五年又再減了一半，只剩二百多家。這些商店多售給阿拉伯族裔，⑭如上所述，華人雜貨店行業發展到七十年代，已經開始出現從高峯走向下坡的趨向。

鮮肉也是西岸華人在戰前就已經開始營業的部門，在戰時繼續發展，在五十年代有三十多家，主要業務是批發，零售次之，最大的肉店每年營業額會超過100萬美元。在四十年代末，土生鄧九（William Ding，祖籍花縣）又在波特蘭主持"布蘭德牛欄公司"（Brander Meat Co.），是當時美國大陸唯一華資屠場。早年移民來美國的鄧照榮也在圖森附任"聯合牛欄公司"的總理。

美國大陸華人的三大經濟支柱，也同樣在檀香山存在，但由於這裏華人經濟發展的步伐比大陸快一步，所以到第二次世界大戰前夕，洗衣業已經式微。

中國菜在檀香山經過長期的發展，已經普及社會各階層各族裔，其普及程度遠遠超過美國大陸地區。這些菜館在當地稱爲雜碎館（chop suey house）。由一九三〇年到一九五〇年，檀香山的雜碎館數目已經增加了超過一倍，到戰後檀香山經濟繁榮，觀光業迅速發展，所以華人餐館也繼續呈現欣欣向榮的景象，除了雜碎館形式外，也有新的嘗試，爲了迎合顧客節省用膳時間的要求，在六十年代有自動快餐式中國菜出現，這就開美國中國菜館這種營業形式的先河。隨着香港及非粵籍移民的增加，香港式粵菜及其他地方菜譜也漸漸流行，不過這風氣轉變的速度卻不及美國大陸中國移民較集中的幾個城市。

檀香山華人雜貨行業如大陸一樣也在戰後向超級市場經營方式發展。當地最大的是劉根（Lau Kun）等人在一九四八年集資創設的活蘭超級市場（Foodland Supermarket）。八年後這企業已經在瓦湖島有七間支店。到一九八六年，活蘭是檀香山最大的連鎖式超級市場系統，在各地的支店共有二十八間，單在火奴魯魯市區，這公司就設有十七家市場，佔當地超級市場營業額的百分之十六點三，居第一位。⑮其他華人如陳寬（Chun Hoon）、陳滾（C. Q. Yee Hop）家族經營的雜貨店也在當地頗具規模。

(二)商業、航運、工業

此外，禮物工藝品商店（亦稱古玩店）也是重要行業。第二次世界大戰結束後，一些華埠發展成為遊客觀光的地區，依附觀光業的各行業如飲食業及推銷禮物工藝品業也隨着發展。飲食業的變化在前文已有叙述，後者在幾個華人眾多集中的都市也有大幅度的擴展。舉華人最集中的舊金山為例，大戰後一九四六年，華人商店才有四、五十家，但到七十年代已經增加到超過百多家。其他華埠的禮物古玩行業也是呈現同樣的趨勢，不過不及舊金山那麼多。

禮物工藝品商店一般以遊客為服務對象，向他們推銷一些廉價的有中華民族色彩的紀念品或工藝品。這些大部份都是家庭式的小生意，不過也有少數人能夠在同一城市開設多間商店，例如七十年代中，華裔雷協維（Sinclair Louie）在舊金山就開設七間禮物店，其中六間是在華埠。[⑯]另一些商店，則向美國社會中上層人士推銷水平較高的各種工藝品。在戰後興起大規模的商店，有舊金山黃文友（Richard Wong）、梁發葉（Francis Leong）及林佘美秀（Rose Lum）等在一九四七年創設的"國光貿易公司"（Royal Cathay），專門批發及零售中國及其他遠東各國的工藝品。到八十年代中，這公司在全美國有十大展售中心，每年淨利高達一百五十萬美元。[⑰]另一個是由台灣大學畢業生陳濟明經營的"豪華行"，這企業六十年代在芝加哥創辦，專向各地古玩禮物店供應由台灣進口的手工藝品。由於這行業貨品是來源自中國及遠東各國，所以很容易受國際形勢變化的影響。在五十年代，美國對中國實施禁運政策，中國大陸的工藝品差不多全部被日本、香港或台灣貨品所代替。這情況一直維持到七十年代才有改變。

不過，上述的幾類經營方式所得的營業額，卻沒有一個比得上中興公司，這間在戰前已經推銷廉價服裝及布料的企業，到六十年代初已經在美西五個州及檀香山設有支店五十四間，在戰前二十年代中興公司又擁有國家皮鞋公司（National Shoe Co.）的控股權。在六十年代，這公司在美國西岸開設Reeves皮鞋店三十二間。中興公司創辦人周崧在一九六一年逝世之後，營業稍有收縮，但到七十年代中，這公司仍有支店四十間，在一九七三年營業額達一千二百萬美元，銷售量居全國家用服裝店第十四位。⑱

戰後美國的國際貿易發展，一些華人企業家也投資入海上運輸行業。較知名的一位是由中國移民來美國的魏重慶（C. C. Wei），魏氏在一九四二年進入美國航運界，戰後晉升為聯合油輪公司（United Tanker Corp.）的副總裁，負責十四艘油輪及散貨船的建造及營運。一九五二年，他與西人合股共同創立復康輪船公司（Falcon Carriers, Inc），總部設在休士頓。這公司被描述為"專門在別人認為只有困難而毫無希望的地方賺錢"，在七十年代中，這公司有船隻十艘，八十年代中增加到十七艘。⑲另外一間航運公司是紐約的海上企業公司（Sea King Corp.）。這公司在一九五九年成立，陳玉書（James Y. S. Chen）為總理。到七十年代初，這公司擁有七艘貨船，航行美國西岸、日本、台灣、香港之間。

華人在美國工業領域的活動，遠不及他們在商業領域成功。其中跟飲食業有關的食品加工業最多，例如發芽菜、製豆腐、醬油、麵、粉、餅食、糖果等食品，在華人社會已經有了很長久的歷史。這些產品主要售給華人顧客，多數集中在華人眾多的城市，一般屬於小型企業。在戰前這些工業以舊金山為最多。戰後，當其他城市人口不斷增加，這些行業也隨着在這些地區發展。

隨着時代發展，很多工場添置自動機器設備，採取科學管理辦法，擴大生產，提高產品質量。由於戰後的幾十年，很多華人移居郊區，同時美國社會人士愈來愈多對中國烹飪發生興趣，所以一些食品加工工業也乘這機會打出華人社區以外，陳列在一些超級市場及雜貨店推銷。不過在主流社會，華人產品還要跟其他產商較量，例如華人產的豆腐、醬油就經常要跟日本裔產商爭踞市場的一隅。有些企業家樹雄心更能擴大產品推銷的地區。四十年代末，李聖綱等投資五十萬美元，在芝加哥創辦大中華食品公司（The Great China Food Corp.），產品有罐裝雜碎，炒麵，芽菜等十七種，分銷美東、美中、美南等地區。同市又有民新公司（Min Sun Trading Co.），專門進口中國貨，也包裝中國食品以"中國少女"牌在市場上銷售，投資也有五十萬美元。這兩家較大規模的華人企業，僱用約二百多員工，但他們的生產量在當地食品加工業所佔的比重很微。[20]

服裝工業是華人社區裏僱用多名婦女的行業，這行業在舊金山華人社會已經有約一百二十年的歷史。戰後不久這行業有很大的變化，獨立服裝廠完全淘汰了，留下來的是承包工廠。由於戰後很多婦女繼續由中國到華埠地區定居，構成勞動隊伍，所以承包廠在原有服裝製造工業基礎上繼續生存發展。舊金山地區的服裝廠在一九五一年有五十九家，到六十年代末已經超過一百五十家，僱聘約三千五百名婦女。[21]

在全美國服裝行業中心的紐約，華人服裝製造行業卻比較遲才開始發展。在五十年代，這裏華人辦的服裝工廠僅有五、六間，但六十年代後，紐約的中國移民人口增加率比舊金山高，造成紐約華人承包服裝製造工業迅速發展的有利條件；所以到七十年代初，紐約華人設的服裝製造廠已經與舊金山相等。

洛杉磯也是華人服裝製造廠較多的地區，不過其發展卻比紐約遲。在七十年代，洛杉磯地區華資服裝製造廠還不過是五十家左右。[22]

服裝行業的勞動力主要靠婦女。在一九七○年，在七萬名就業的華人婦女中，約有一萬人是在製造服裝行業裏工作。在幾個華人人口較多的城市，這種女工更佔當地就業華人婦女的三成至四成多，而且大部份是移民。由此也可知，這行業對華人家庭收入起着重要作用。

在這期間，也有華人企業家投資重工業設廠生產，但這些雛型企業很多在大公司壟斷的美國市場裏顯示出資本短缺，競爭力弱，終於倒閉。例如一九四五年戰事結束，“中國飛機廠”的軍事生產告一段落。胡聲求（S. C. Hu）與恭碩士、伍榮衛等在美東新澤西州林登市創辦中國發動機廠（China Motor Industries）試造三輪輕便汽車及承造冷氣機械。但這公司在市場上節節失利，四年後負債二百萬美元，所以不得不加籌資金改組“中國發動機廠聯合公司”（United Motor Industries）承購舊公司全部財產，將廠房轉租給另一間公司進行生產，將收入租金償還債務。㉓

不過，也有少數成功的企業，“王氏實驗室”（Wang Laboratories）是其中之一。在這領域能夠生存而發展的有戰前已經成立的“華昌公司”。這企業所產的鎢正是美國鋼鐵工業生產耐高溫合金鋼必需的金屬，所以營業蒸蒸日上。在一九五三年，這公司設全世界最大規模的煉鎢廠，又先後設提煉錮、鈒、鋯、鉭、鉿等高溫金屬一貫作業的設備及煉錫設備。在七十年代，這公司鎢的生產量佔全球的百分之三十，也是全世界鈒及鉿的最大生產者。在一九七八年，“華昌公司”在美國擁有提煉廠五間，員工六千多人，每年營業額超過一億五千萬美元。㉔

(三)農業漁業走向式微

華人在農業領域的活動也比商業領域少得多，在第二次世界大戰後，繼續二十世紀上半葉收縮的趨勢，所以到五、六十年代，華人農工在很多地方已經差不多絕跡。在自耕農及農場主方面，很多子弟也不願意繼承父兄的事業，再加上農產品市價長期追不上地價及生產成本的上升，所以很多華人相繼退出農業的領域。

華人的農園主要集中於東西兩岸地區。但在戰後的幾十年，從事農業的華人人口不斷下降。在薩克拉門托河三角洲地帶，剩下幾個規模較大的華資農場。較大的一個屬於林彬（Lum Bunn Fong），耕植甜菜、玉米、梨果等農作物。另一名大農場主是李采華（Lincoln Chan），到七十年代擁有耕地二千五百英畝，有加州"梨王"的稱號。[25]

在鄰近的休松地區也只有少數人從事農業，其中一個較大規模的營業是余珍果園及果乾場（George Sen Yee's Farm and Dryyard），在七十年代末是北加州唯一華資果乾場。[26]北加州在六十年代還有幾個地區耕種華人瓜菜，在馬里斯維爾（Marysville，粵人稱美利允）附近出產大量冬瓜；薩克拉門托一帶則產毛瓜、蘿葡、大白菜（粵人稱紹菜）及苦瓜。到近年，有些華農的子弟也從事與農業有關的事業，例如耕種水稻的陳忠的兒子陳哈里（Harry Jones 音譯）在七十年代末八十年代初是加州水稻農基金會的董事。這是一個研究並介紹改良水稻品種的一個機構。[27]

薩克拉門托三角洲西南是舊金山港灣區。在二十世紀初年，這地區的郊區還有不少華人菜農供應當地的市鎮，但當市區不斷發展，地價及租金上漲，很多圃農不得不改行，華人則紛紛轉向栽種在市場有較高經濟價值的鮮花，所以到戰後，這地區已經很少華人菜農。不過在六十年代，舊金山東灣南部紐瓦克市（Newark，粵人稱紐特）附近仍有三、四戶圃農，供應白菜、菜心、芥菜、黃瓜、蕃茄等農產品。但市區繼續擴展，寸金尺土，不出幾年，在這些地區耕種瓜菜也成為不經濟的營業了。

在舊金山港灣區的華人種花業卻有很大幅度的發展。在五、六十年代，美國經濟繁榮，社會人士都追求生活上一些點綴，鮮花的市場也隨着擴大。這時候港灣區的華人花圃農也把握時機在原有基礎上擴充營業，花圃由戰前的一、二十家增加到七十年代末的百多家。到六十年代，大部份花農也已經購置耕地，所以大部份花圃的品種由翠菊（粵人稱江南菊）改栽種經濟價值較高的菊花（主要有兩個品種，粵人稱大菊及蟹爪菊）。這些花圃同業，在一九五〇年組織有"灣區菊花會"（Bay Area Chrysanthemum Growers Association）。

在戰後舊金山半島市區不斷由北向南的擴展，華人花圃也被擠迫不斷南遷。戰後初年，很多花圃已經由半島北部集中到中部，到六、七十年代，又移到半島南部聖荷西郊區和東灣南部了。

花圃一般是家庭式的經營。平均有田地一、二英畝，僱用兩三名農工。在戰後的幾十年，較大規模的華人花圃屬於趙倫（Ah Sam），他去世之後，首位被陳國男（Gordon Chan）所代替。陳氏由加州州立工藝學院園藝科畢業，他以現代科技知識作為發展事業的基礎。

由六十年代到七十年代初，是華人種花業的黃金時代，入七十年代，由於天然煤氣、石油價格高漲，大大加重了花圃農的生產成本，㉘在這同時，拉丁美洲，以色列等國家出產的鮮花開始源源運入美國，這些鮮花成本比美國低，從而奪取了本地鮮花的市場。因此華人種花業的前途便已蓋上了一個陰影。

薩克拉門托河三角洲東南的聖華金河谷也是加州的重要農業區。這肥沃的土地在二十世紀吸引不少華人在這裏務農，較大規模的有招福公司，由趙仲雅主持。戰後在一九四七年這公司部份股東另組織大興公司，購地六百二十五英畝，趙仲雅也購地七百四十六英畝，聯合耕種，這是當地華人經營最大的農場。弗雷斯諾一帶在四十年代末還有華人農戶，但由於後繼無人，大多數先後停辦。不過到六、七十年代，這地區還有圃農耕植毛瓜、蘿蔔、大白菜、菜心、菜豆（粵人稱豆角）及其他瓜菜供應華人市場。再向西南的貝克斯菲爾德（粵人稱北架菲）一帶，氣候溫和，也是農產中心，由五十年代開始，先後有伍錦（Charles N. Kim，又稱差李錦）及"火鷄才"（Toy's Tops Orange Ranch）出產甜橙，是每年春節華人爭購過節的佳果。

這地區也有一些農戶創新，如五十年代末，梁錫田在北部的莫德斯托（Modesto）設漁耕農場，是較早從事養殖魚業的華人之一。他由約六十年代開始，挖塘引水，飼養鰍、鯰、鯛、盲鱔等魚類應市。他又經營瓜菜及其他農產品。[29]

由聖華金河谷西渡海岸山嶺，在舊金山港灣以南百多公里的近太平洋海岸的河谷地區，華人曾與當地農業有密切關係，但到戰後，這關係已經很微弱了。以前在這地區很普遍的華人果乾廠，到戰後已經差不多絕跡，只有林奧托（Otto Lam 音譯）一九四五年在索克爾（Soquel）創辦的聖克魯斯果乾公司（Santa Cruz Fruit Co. 意譯）能夠維持業務。這公司在一九八二年轉售之後，就結束了華人與這地區果乾製造業的七十八年直接關係。

華人耕農也不多。薩利納斯（Salinas，粵人稱市連打）一帶最大的華人農戶是由土生陳吉森（Sam Chinn）父子經營的陳氏農場（Chinn Farms）。這農場由陳森在一九四一年購田地六十英畝創辦，多年來集中耕種胡蘿蔔、甜菜、大茴香、西蘭、洋芫荽、朝鮮薊及其他特種蔬菜。他出產的胡蘿蔔大量售給西人公司加工製嬰兒食品，以高質量著稱。陳氏在五十年代曾發明拔採、清洗及包裝胡蘿蔔的機器，不過沒有人能成功複製，所以沒法廣泛流傳。陳森不只從事農業生產，而且在當地全國自然資源保護區協會（National Association of Conservation Districts）的工作中也十分活躍。

加州南部的洛杉磯是華人農產批發營業最發達的地區。到戰後華人在這行業仍然很活躍，所以一九五〇年的洛杉磯商業指南就列有三十六家華人農產批發商。但隨着年代的前進，市場情況不斷變化，而華人卻墨守成規，停留在小規模經營方式上，不能夠適應環境改變而擴大業務再生產，而且子弟也往往不願意承接父兄所創辦的事業，所以華人農產批發公司所佔的比例日漸減小，到一九八〇年代，在七十六個批發商號中，只有十二個商號屬華人所營業。

洛杉磯市區的迅速發展也迫使華人農戶另找廉價田地，很多遷移到加州東南角的因皮里爾谷（Imperial Valley, 亦稱帝國谷）。在二十世紀前半葉，這裏還是待開墾的鹽鹵荒地，地價便宜，在一九四〇年，趙峻堯和呂登組織趙呂公司，購地二千多英畝，從事開墾，不久呂登退股，這公司改組爲大豐公司，由趙峻堯侄趙樹生、趙樹嵩主持，這公司改造土壤，洗去鹽鹵，先種植水稻，然後才成功地耕種棉花和小麥。大豐公司後來在一九五八年將土地出售，趙樹嵩組織公司另外購地，並租批前屬大豐公司的耕地，成爲這地區大農場主之一。

呂登是加州大規模農產批發商之一，在四十年代，置有田地約三千英畝。六十年代中，這公司的耕地分別置在因皮里爾谷北的科切拉谷（Coachella Valley），洛杉磯以西的奧克斯納德及聖華金河谷的弗雷斯諾。在墨西哥又投資一千二百英畝。到這時候，呂登的兒子已經任農業生產的主持人，耕種冬瓜、絲瓜、苦瓜、菜豆、毛瓜、蘿蔔、白菜應市。這公司在幾個地區置有耕地，可以按照當地雨水氣候，輪換耕種，所以一年到頭都有農產品供應市場。在六十年代中，這公司大約提供美國華人瓜菜的三成多。[30]

由因皮里爾谷東過加州邊界，是美國西南的亞里桑那州。那裏華人人口不多，務農的華人也有限。[31]在七十年代，這州的大規模華人農戶有四、五家都集中在圖森一帶，主要種植棉花。其中最老資格是曾炳楊（John Kai）的眞佳農場。曾氏在一九三九年開始經營，到七十年代，種植棉田八千英畝，有"棉花大王"的稱號。

由亞利桑那再東行，經新墨西哥州入得克薩斯州境，華人農戶稀少，在得州北部弗農鎮（Vernon），在四十年代末有許記綠豆園（Huie Bean Yuen），到七十年代中，該園還繼續出產綠豆及其他豆類供應市場。

美國西北區從事農業的華人也不多，但戰後在奧勒岡、華盛頓、愛達荷、蒙天那各州都還有少許華人農戶，[32]在華盛頓州溫哥華又有顏廣禮（Kong Loy）經營乳牛園並批發農產品，[33]可是這些經營過了幾年也都一一停業了。

美國東部的大都市，華人人口眾多，所以一些華人很早就在紐約市郊區辦農場供應市場。到戰後市區擴張，農戶逐漸被擠迫由長島等近郊地區遷移到紐約市東南的新澤西州及美國東南佛羅里達半島的東北部。[34]到七十年代，這趨勢更明顯，而且在佛羅里達半島的華人農戶還逐漸擴展農場到半島的中部。一些農產公司又在幾個地區置有耕地。例如劉南農產公司（董事長劉郁南）除了在新澤西和佛羅里達建立蔬菜生產基地，還在南美洲租賃土地。在八十年代末，這公司平均每日向華人市場提供十五萬磅新鮮蔬菜。[35]

美東有些農場主是由中國來的知識分子。一個集中點是新澤西州的萊克伍德（Lakewood）一帶。在一九五〇年，當國民黨大陸政權崩潰之後，前黨中央組織部長陳立夫經歐洲逃難到這裏設養雞場，生產雞蛋。跟着，其他高等難民也在附近設養雞場，共有十五家。但到五十年代中以後，雞蛋市價升降不定，雞場主陷入困境，紛紛退出。到一九六〇年，只剩下三家繼續掙扎。[36]

總而言之，華人農業在美國經濟所佔的比例很低，雖然在個別地區一些較大規模的華人農戶還能夠處在舉足輕重的地位，可是出產瓜菜的華人農戶，在華人社會卻佔最重要地位，它是維持華人飲食習慣以及成為華人飲食行業的支柱。這情況在十九世紀如此，到二十世紀八十年代也是如此。在二十世紀六十年代，華人移民人數激增，市場擴大，華人農產業也順應市場的需要而發展，瓜菜的品種越來越豐富。

一些新移民將農業與現代科學技術知識相結合，開闢了新的方向。在七十年代，由台灣來的移民米明琳博士（原籍上海）在舊金山港灣區設立農場，栽植香菇及木耳，供應四個州的市場需要。八十年代初，台灣移民黃森峯等又在西雅圖附近建設這裏第一家出產冬菇、花菇和香信的華資農場。同一期間另一名張姓台灣移民也在費城附近培植針菇。產品大部份在當地超級市場銷售，其餘則通過空運遠銷佛羅里達和加拿大。㊲

八十年代中，在威斯康星州的沃索（Wausau）又出現許氏人參農場（Hsu Ginseng Farms），自產自銷西洋參（粵人稱爲花旗參）。㊳

漁業也是美國華人具有悠久歷史的經濟領域，但由大戰結束後到七十年代末，華人在這行業的活動一直走向下坡。在大量捕蝦，加上舊金山港灣海水長期被污染的情況下，蝦羣不斷減少，捕蝦業日見式微，因此在大戰前華人已經相繼退出這一行業。到一九四五年和平來臨的時候，港灣的“蝦寮”由一九四〇年所剩的十二個減到四個。到一九六〇年，只遺下在馬林縣（Marin）中國營（China Camp）一個。主持中國營的關家不久也放棄捕蝦業，轉而在這裏設一間小咖啡室及小賣部，向到中國營釣魚的市民及其他觀光客提供服務，這樣才勉强糊口。到一九七八年，加州政府公園娛樂局承擔這塊地的產權後，這一地方被改爲州立公園，成爲遊客觀光及憑弔先人事迹的好去處。

蒙特雷也曾經是華人漁民活躍的地區，但在二十世紀上半葉，華人在當地捕魚業已經不再扮演重要的角色。蒙市的華埠也在大戰前夕淘汰了。但在戰後還有胡廣記（Monterey Salt Fish Co.）製造大地鹹魚應市，很受美國華人歡迎。到一九五〇年代，林瑪格麗特（Margaret Lam）承繼這一傳統，在蒙市郊區錫賽德

（Seaside）設立工場，繼續出產大批鹹魚供給市場。後來在一九七六年林氏退休歇業，從此結束了多年來蒙市華人與海產的密切關係。

路易斯安那州密西西比河出海地區是華人魚蝦業發達另一個地區，這些華人企業是以新奧爾良爲基地。在一九四六年，這市還有廣信漁業公司（Gulf Food Products Co.）及裕興隆漁業公司（Yee Hing Long Co.），在大戰期間，每年產值達數百萬美元。但到七十年代初只剩下廣信一家。㊴

（四）金融業開始活躍

華人經濟情況改善，買賣地產樓業，對工商業的投資也漸趨活躍，但在四十年代末，美國大陸卻只有一家華資的金融機構可以提供華人所需的儲蓄及信用貸款等業務，這就是舊金山的加省廣東銀行。美國社會主流也只有幾家銀行，在華埠附近設支行及僱聘華人職員招徠華人顧客，其他銀行都一般認爲華人人口太少，不屑費本錢拉攏。例如在當時人口最多的舊金山，金融界到五十年代才開始發覺華人社區是一個待開發的“金礦”，設法積極爭取慳儉勤勞的華人爲儲蓄戶，並向他們提供各種投資貸款業務。三藩市聯邦儲蓄貸款會（San Francisco Savings and Loan Association）就這樣在蔡增基（J. K. Choy）建議推動下，於一九五七年在華埠設支行。這行動立即得到華埠居民熱烈反應，踴躍光顧。三藩市聯儲貸會開創了先例，其他銀行及儲貸會才在華埠設支行或支會。

這期間，一些華人已經有意投資設金融機構，分享經營華人市場所得的溢利，但當時華人的資金有限，因此投資者一般都要跟西人合資。戰後第一家華資的金融機構卻不是在華人人口最多的舊金山，而是在美國西岸北部的西雅圖出現，在一九五二年，陳光民（Robert Chinn）等集資在這裏的華人社區創辦聯合儲蓄貸款會（United Savings and Loan Association）。新的華資銀行卻要等待到六十年代才成立。在一九六一年舊金山中華總商會副會長、華商雷滄海（Paul H. Louie）發動華人西人投資者創辦"金山通商銀行"（Bank of Trade of San Francisco），[40]才是繼美國大陸廣東銀行之後第一家華資銀行。一年後，程達民等又在洛杉磯創辦"國泰銀行"（Cathay Bank）。美東紐約卻要等待到一九六七年才有華資銀行出現。當時美國對中國大陸實行禁運，僑匯業務大受影響，所以在紐約華埠的中國銀行支行被迫要另謀發展，以圖生存，因此，中國銀行就改組爲中美銀行（Chinese American Bank），在當地註冊，提供信用貸款業務。這銀行第一任董事長是余鄂賓（Robert O. P. Yu），總經理是岳尚忠（Raymond S. D. Yoh）。

四、檀香山：新興資產階級的擴展活動

檀香山華人在經濟領域的活動中，經歷不少辛酸，但在這多種族的羣島，華人創設的各種企業卻適應檀香山社會的需要，所以在二十世紀上半期，華人工商業就這樣能夠在"五大公司"（Big Five）支配下的檀香山社會，在縫隙裏生存，不斷發展，成爲當地經濟的重要組成部份。到一九四一年，日本空襲珍珠港，美國太平洋艦隊的主力覆滅，檀香山頓然成爲戰事的前線，面臨日本進攻的威脅。這時候人心驚惶，很多白種人紛紛挈攜家屬到大陸逃難，將住宅地產拋出市場廉價銷售。一些投資者，其中包括不少華人便乘機收購地產。後來檀島局勢穩定，地價回升，投資者從中獲利，部份人更成爲巨富。

到戰後，檀香山社會發生基本的變化。由於現代交通訊息的迅速發展，這地區已經不再是太平洋中遠離美國西岸的孤島。這時期，美國大陸企業窺伺時機，衝破當地舊勢力五大公司的經濟

封鎖，源源輸入資本。⑪大陸西岸的碼頭工人工會也在四十年代在這羣島組織碼頭及農場工人。和平之後，檀香山的經濟漸轉向旅遊業及國防設備兩方面發展，打破了一向在經濟上單倚重蔗糖業及鳳梨生產的情況。這些發展削弱了五大公司權力的基礎，容許新興勢力衝破他們對檀香山政治、經濟領域的控制，展開新的局面。

這時期，華人資產階級經過戰前慘淡經營，及戰時戰後買賣地產，有部份人已經覺得羽毛豐滿，積蓄相當資本，躍躍欲試，分享當地更多的經濟果實及政治權力。一些新興的實業鉅頭還大膽朝向五大公司支配的經濟、政治領域冒進。戰後最著名最早興起的華人實業家是何清（Chinn Ho）。何氏在三十年代已經開始投資地產，到第二次世界大戰，更乘機收購房屋，轉手脫售，續有所獲。到一九四四年，他又成立“急必圖投資公司”（Capital Investment Co.）從事投資地產、保險等事業。一九四七年，這公司以一百二十五萬美元購得瓦湖島懷厄奈糖業公司（Waianae Sugar Co.）的九千英畝土地，是亞裔在檀島有史以來最大一宗地產交易。到一九五〇年，這公司資產額已經達二百萬美元。到一九五九年，何清在觀光重點威基地區投資興建伊里凱（Ilikai），是火奴魯魯首次將一流賓館與高級公寓組合建築。一九六二年，他又領導一個財團購買火奴魯魯的《明星公報》（Star-Bulletin），並擔任這企業的董事長職務。⑫另一個例子是林關焯（Q. C. Lum）。林氏在大戰前夕進入建築業，在戰後數十年不斷發展業務，成為檀香山最大住宅承造商之一，到六十年代初，在柯湖島已建築了七千多座房子。

另一些華人與其他亞裔合作投資，進攻五大公司的企業系統，但舊經濟勢力集團資本雄厚，而且根深蒂固，有政治勢力，所以這些鬥爭的過程很復雜，而且經常會發生挫折。例如在一九四六年，湯慶華（Ruddy F. Tong）組織亞裔財團合股創辦“橫渡太平洋航空公司”（Trans Pacific Air Lines），擬跟已經經營多年的“夏威夷航空公司”分庭抗禮。但他們卻意料不到申請航空准照的手續那麼冗長，在舊公司千方百計阻撓情況下，這案拖了多年，消耗了巨額費用。到一九五四年，這公司被批准開始航運，但到這階段，公司的一百萬元資金卻已經差不多用罄，公司已經處在破產的邊緣。到一九五八年，華人企業家程慶和（Hung Wo Ching）投入新資金，這公司改組爲“亞霞羅航空公司”，重振旗鼓，才與夏威夷航空公司展開商戰，成功地打破了舊公司壟斷空運的局面。

華人企業家的活動，也刺激金融界的業務不斷發展，形成華人金融界與企業界密切的合作關係。在當時銀行有老牌的“共和銀行”及“中美銀行”。到五十年代末，華裔、日裔及其他族裔又合資成立“夏威夷銀行”（Hawaii National Bank），一九六〇年開始營業，新銀行的第一任總裁是陸關忠（Kan Jung Luke）。這銀行與檀香山的新興民主黨政要有密切的關係，[43]正如“共和銀行”及“中美銀行”與戰前的華人企業家有共同利益，“夏威夷國家銀行”可以說是代表了一部份新興華人企業家的利益。

實業機構也受華人企業界的活動而更趨活躍。在戰後，檀香山有華人控制戰前成立的“漢拿魯爐信託公司”的實權。到五十年代初，準州政府下判決“漢拿魯爐信託公司”不能兼營工業貸款，因此下令該公司放棄這業務。這公司的一名經理陳文安就與準州衆議員鄺友良（Hiram Fong）等十一人集資二十萬美元，在一九五二年創辦“銀業有限公司”（Finance Factors）。提供工業貸款，後來又發展爲五間公司，分別從事投資、貸款、買賣地產、保險等業務。[44]

檀香山華人企業家力量不斷增長，向舊的經濟集團的壟斷局面發出明顯的挑戰訊號。舊勢力因此也採取步驟，吸收這新興力量的個別分子進入內圍，分享權柄，企圖緩和矛盾。在一九五四年實業家何清被委任爲馬克・Ａ・魯賓遜遺產信託（Mark. A. Robinson Trust）保管人之一；同年他又被選爲火奴魯魯證券交易所亞裔會長。一九六一年他進入五大公司之一、西奧・Ｈ・戴維斯公司（Theo. H. Davies & Co.）的董事會，是這公司的第一名亞裔董事。[45]同樣，企業家程慶和在一九六二年進入五大公司的亞力山大與波爾達文公司（Alexander & Baldwin）的董事會；他也是舊勢力集團創辦的金融機構夏威夷銀行（Bank of Hawaii）的董事。在一九六八年，他被委任爲夏威夷畢曉普（粤人稱卑涉）遺產（Bishop Estate）保管人之一。[46]程慶和之兄慶威以買賣土地致富，他則被最高學府夏威夷大學邀請入大學的學監局（Board of Regents）。這樣，在五、六十年代，舊勢力屬下的各機構紛紛吸收華人及其他亞裔財團的權威人物進入決策圈子，稍爲和緩華人財團與舊經濟集團的矛盾，推動華人與白種人資產階級的利益漸趨一致。

這樣，華人資產階級在戰後發展，在檀香山經濟佔重要地位。到六十年代，檀香山華人人口大約是當地總人口的百分之六，但當老闆及經理的華人男性卻高達就業華人的兩成，超過任何族裔的就業百分比。據一九七二年美國聯邦政府商業部的調查，檀香山華人企業的平均歲收入，比其他各州華人企業超出一倍，顯示檀香山華人工商業的業務規模比美國大陸大得多。

檀香山華人資產階級雖然有這麼大的發展，但畢竟因地方小，其發展幅度有限。所以在戰後檀香山資本不得不向外輸出，五大公司這樣做，華人資產階級也這樣做，以下是幾個例子：

由五十年代起，何清先後（1）在加州舊金山以北馬林縣（Marin County）投資購地二千二百英畝發展孔雀峽（Peacock Gap）豪華住宅區，（2）在香港投資興建皇后酒店（Empress Hotel），（3）購買西雅圖棒球隊的部份股權。中華人民共和國採取開放政策之後，在八十年代，他領導的財團投資興建北京的長城賓館，擁有百分之四十九的股權。⑰同樣，到六十年代初，林關焯已經在舊金山及洛杉磯先後購買公寓及酒店。在六十年代末，以程慶和為首的檀香山財團又與舊金山投資者合資在舊金山興建華人第一間多層公寓大廈。⑱

注釋:

① 見《舊金山新聞》，1946年6月28日。

② 見《舊金山新聞》，1948年5月4日。

③ 由1945至1954年，在美國得博士學位的中國留學生佔了75.8%是攻讀工程或自然科學。

　　1960至1968年，到美國的留學生每年平均為1554人，學成回台灣、流球的學生每年平均69人。見Charles H. C. Kao（高希均），*Brain Drain A Case Study of China*《中華民國人才外流與內流的研究》（台北: 美亞出版社，1971年），第10、21、31頁。

④ 見《中報》，1986年3月20日。

⑤ 《工程界新聞與記錄》（*Engineering News Record*），1978年12月14日；《中報》，1986年3月4日。

⑥ 見《芝加哥每日新聞》，1964年3月26日。

⑦ 何綾蘇口述，1975年5月14日。

⑧ 見《華美週報》，1949年1月28日。

⑨ 《鄺國舜——二埠的糧食大王》，見《少年中國晨報》，1944年3月18日；《少年中國晨報》，1977年2月1日。

⑩ *Grocery Distribution Guide*（馬薩諸塞州，韋爾斯利: Metro Market Studies，1976年）。

⑪ 《金山二埠華商糧食同業聯合會1948、1949、1953、1954、1955年徵信錄》（1956年）；《金山二埠華商糧食同業聯合會章程》（1953年）；《金山二埠華商糧食同業聯合會章程及實施細則》（1954年）。

⑫ 周森、鄺錫和、李兆榮，《為組織加省美國食品聯營商店有限公司總章撮要》。

⑬ 見《中美時報》，1969年9月；《太平洋週報》1971年12月2日；《金

山時報》1972年2月2日。

⑭　Ken Wong（黃炳仕），"Terror Stalks the Mom－Pop Grocery Store" 見《舊金山考察家報》1978年4月16日；Byron Huey，未發表論文 "Chinese Grocers and the Golden Gate Neighborhood Grocers Association"（舊金山州立大學，1973年）。

⑮　*Grocery Distribution Analysis and Guide*（馬薩諸塞州韋斯頓: Metro Market Studies 1986年），第61頁。

⑯　章文，《雷協維》，見《少年中國晨報》，1977年1月31日。

⑰　蕭牧，《訪國光貿易公司老闆黃文友先生》，見《時代報》1983年1月22、25、27日；黃文友口述，1983年9月22日；《中報》，1984年8月20日，9月3日。

⑱　見《舊金山紀事報》，1961年4月14日；*1977 Sheldon's Retail Directory of the U. S. and Canada and Phelon's Resident Buyers and Merchandise Brokers*（紐約: Phelon, Sheldon and Mersar, Inc. 1977年）；*30000 Leading U. S. Corporations*（紐約: News Front，1973年）。

⑲　穗夫，《悼念美籍華人航運鉅子魏重慶》，見《美洲華僑日報》，1987年2月24日；《美洲華僑日報》，1987年4月26日；*International Shipping and Shipbuilding Directory,* 1976（倫敦: Benn Brothers, Ltd, 1976年）。

⑳　見《中美會報》（芝加哥: 芝城中美協會），第6卷第1期（1956年2月）第1頁（廣告）。

㉑　舊金山城市計劃局主任詹姆斯・R・麥卡錫（James R. McCarthy）向城市計劃委員會主席小羅傑・D・拉帕姆（Roger D. Lapham, Jr.）有關華埠服裝廠的報告書（1958年10月23日）；《三藩市華埠調查委員會報告》（舊金山: 三藩市華埠調查委員會，1969年）第66頁。

㉒　Peggy Li, Buck Wong, Fong Kwan, *Garment Industry in Los Angeles Chinatown 1973—1974*（洛杉磯: 加州大學亞裔研究中心，1974年），第13頁。

㉓　《中國發動機廠聯合公司狀況簡略》（紐約: 1955年）。

㉔　《十年來華僑經濟》，（台北: 僑務委員會第3處，1981年），第202—203頁。

㉕　見《時代報》，1984年5月3日。

㉖　休松農場主余珍和兒子余·克里斯（Chris Yee 音譯）口述，1977年2月19日。

㉗　陳哈里提供資料，1980年。

㉘　花圃農莫福賢口述，1969年5月3日；花圃農莫松年口述，1969年11月2日；1970年4月26日及5月17日；花圃農陳國男口述，1970年6月6日及1981年10月17日；花圃農趙文英口述，1970年6月6日。

㉙　見《中報》，1985年8月22日，9月5、12日。

㉚　見《少年中國晨報》英文版，1965年1月11日。

㉛　陳汝舟，《美國華僑年鑒》，第419頁列有曾彩牛園（Don Toy Cattle Ranch）；《亞省華僑指南》（斐尼克斯: 華僑指南服務社，1950年）第12頁，又有同衍園牛奶農場（H. Y. Ong Dairy Farm）。

㉜　據《美國華僑年鑒》，奧勒岡州達爾斯（The Dalles）有黃光潤菜園（Charles Wong Hong），波特蘭有利生菜園（Lee Sang Farm），新盛菜園（Shing Sing Farm）；華盛頓州溫哥華有同盛園（Hong Sing Farm）；愛達荷州博伊西（粵人稱貝市）有得利園（Ark Lee Yuen），廣利園（Kwang Lee Yuen），聚和園（Louie Gee Garden），民生園（Man Shing Yuen）及新盛園（Sun Sing Yuen）；伊格爾（Eagle）有雷廣菜園（Louie Quon Garden）；蒙天那州海倫娜有合和園（Hop Wo Ranch）及叙利園（Tsue Lee Ranch）（參考第522—523頁，559頁，605頁，634頁。）

㉝　見《砵崙華僑商業指南》，(舊金山: 中華商業社,1949年)第9、40頁。

㉞　據《美國華僑年鑒》，新澤西州的克蘭伯里（Cranbury）有永興園（Wing Hing Farm）；佛羅里達州的帕拉特卡（Palatka）有恆生園（Hong Sang Yuan）；費南迪納（Fernandina）有天生園（Hin Shung Yuen）；黑斯廷斯（Hastings）有南興園（Nam Hing Yuen）；傑克遜維爾（Jacksonville）附近最多，有同歡園（Hong Fong Yuen），廣昌園（Kwong Chong Yuen），均生園（Quon Sen Yuen），三才園（Sam Toy Yuen），及永利園（Wing Lee Yuen）（參考第518、562頁）上列名單似未臻全面，因為劉伯驥的《美國華僑史續編》有廣榮園，但沒有說明活動的時期。

㉟　麥子，《美國華人農業在式微中重現生機》，見《美洲華僑日報》，

1988年9月27日。

㊱　田滄海，《國民黨過氣大老陳立夫想趕新潮》，見《中報》，1988年9月6日。

㊲　見《美洲華僑日報》，1988年9月13日。

㊳　見《世界週刊》，1986年6月22日廣告。

㊴　廣信漁業公司陳開《Chin D. Hoy音譯》給麥禮謙函，1971年5月4日，6月11日。

㊵　見《舊金山考察家報》，1961年4月15日。

㊶　五大公司是C. 布魯爾公司（C. Brewer & Co., Ltd），卡斯爾與庫克（Castle & Cook Ltd），美利堅代理商（American Factors, Ltd），亞歷山大與鮑德溫（Alexander & Baldwin, Ltd），Theo. H. 戴維斯（Theo. H. Davies & Co. Ltd）。這些公司與當時在夏威夷經濟佔最重要地位的蔗糖業有密切關係，在戰前支配夏威夷的政治及壟斷經濟。他們一致排斥島外資本，千方百計阻撓外來企業在夏威夷立足。到30年代初，美國大陸的克雷斯（Kress）公司通過掩飾手法才能夠在火奴魯魯市區購置地段；1941年，西爾斯‧羅巴克（Sears Roebuck）公司也要託當地合作的地產經紀當買者出面，才能夠購得地皮。其他進入檀香山的大陸資本有享利‧J‧凱撒（Henry J. Kaiser）企業，郎氏（Long）藥房，伍爾沃思（Woolworth）零售店及華資的中興百貨公司。

㊷　見《火奴魯魯明星公報》，1987年5月13日。

㊸　毛澤是夏威夷當代民主黨創始人之一。程延焯在60年代曾是民主黨競選費的主要籌措人；《檀香山中華總商會50週年紀念》第104、121頁。

㊹　Ray Maneki "Senator Fong Tells Rags to Riches Story"，見《華埠雜誌》1976年6月18日（轉載《火奴魯魯明星公報》文章。

㊺　見《舊金山紀事報》，1987年5月14日。

㊻　畢曉普遺產是夏威夷最大的私有土地地主，在1980年擁有土地341,546英畝，分佈在夏威夷五個島，佔這州私有土地的16.2%。

㊼　"Chinn, Ho－Horatio Alger,"見《華埠雜誌》，1969年11月18日；《舊金山紀事報》，1987年5月14日。

㊽　見《東西報》，1972年2月2日；《舊金山紀事報》，1973年7月2日。

第十一章
七十年代及以後的變化：
文化與經濟

一、新移民政策與各民族平等待遇

第二次世界大戰之後，在美國境內掀起非白種少數族裔要求更多民主及均等機會的民權運動。這運動的主力是社會上最受歧視，在經濟上最受壓迫的美國黑人。運動的領導是代表新興黑人中產階級的人物，如馬丁‧路德‧金牧師等。由五十年代後期開始，黑人在美國一些城市組織示威、杯葛行動；又向法院起訴，要求撤銷黑白種族隔離的各種法律措施。他們得到很多有正義感白種人的支持，不久其他種族人民也開始響應。到六十年代，這運動已經蔓延到美國全境。在一些大城市，貧苦的黑人羣眾，抑壓不住心裏的怒火，還爆發大規模的暴動。

這種情況驚動了美國的統治階層，使他們不能不正視問題而讓步，開始委任一些少數族裔中上階層人物當上一官半職。

民權運動如火如荼的發展，也迫使美國當局採取措施來緩和國內日益尖銳化的種族矛盾；所以在一九六四年美國國會通過民權法案，正式申明美國國內各族裔，不分膚色，在美國社會應該享有均等權益，而美國聯邦政府有權採取法律上行動保證他們能夠享受這些權益。

剛好這時期美國國會正醞釀修訂移民法律，一些開明派議員就推動將民權法案各種族平等的精神，也包括在新移民法案裏。這時候美國經濟正欣欣向榮，美國工商界需要網羅專業人才並吸引更多資本。這些要求正與開明派的主張不謀而合; 所以在一九六五年，美國國會通過的新移民法案就撤消對亞洲移民的限制，中國及其他亞洲太平洋國家每年的攤額可以高達二萬名，華人移民與歐洲美洲各國移民享有相等的待遇。不過香港爲英國的殖民地，卻只有二百名攤額，到一九七六年才由國會修改爲每年六百名。

新移民法案的基本精神是: （1）促使家庭團聚; （2）吸收有利於美國社會經濟的專業人才及資金。它容許美國籍民的外籍至親，即父母、配偶和未成年的子女可以作非攤額身份的移民來美。其他身份移民亦可以按照優先次序分配入這國家的攤額申請入境。①

美國實行新移民政策以後的二十多年，正當遠東各地區的華人不斷被政治局勢衝擊的時期: （1）六十年代後期到七十年代初，在中國發生 “文化大革命”。許多僑眷及知識份子蒙受迫害。（2）在一九六七年香港極左派響應文化大革命，在當地掀起暴動。（3）一九七一年，聯合國恢復中華人民共和國在安全理事會的席位，台灣退出; 一九七九年，美國又與中華人民共和國恢復互設使領館，並與台灣斷絕外交關係。（4）八十年代，中國與英國及葡萄牙政府先後簽了協定，在一九九七及一九九九年將殖民地香港及澳門歸還中國版圖。（5）再加上在越南烽火連天，經濟動盪，七十年代中戰事結束後又迫害華人。（6）在六、七十年代，菲律賓、印尼以及馬來西亞狹隘民族主義抬頭，統治集團倒行逆施，歧視華人，甚至放縱種族主義者煽動種族仇恨。（7）世界其他一些地區如緬甸、南韓、日本、古巴以及非洲各國的政治形勢也趨向不利於華人發展事業。這些種種因素就促使華人要求找尋較安定的生活環境。所以美國放寬對亞洲移民的限制，世界各地一些華人也乘機移徙到這較安定的國土，每年申請移民入境的人數都超過指定的攤額，有不少人還要等待多年才獲得批准來美。在這二十多年，來自中國（包括大陸及香港）以及政局動盪的菲律賓、南韓、中南半島及印度移民（其中部份是華人）的總數超過同期間來自歐洲移民的數字，改變了一九六五年前以歐洲移民佔多數的情況。

一九六五年新移民法案未生效的前夕，據美國移民歸化局公佈的統計數字，由中國及香港來美的移民只有四千七百六十九名。但一年後，一九六六年，這數字已經驟增約二點七倍，其後每年的移民與日俱增，到一九七九年，已經達二萬八千三百九十一名，移民總數排第三位，僅列菲律賓及南韓之後。

這期間，美國與中華人民共和國還未建立正常的外交關係，而且中國正在經歷文化大革命的十年浩劫，很少人能夠以移民身份離境；所以來美國的華人絕大多數是中國出生經由香港或台灣到美國，也有部份是台灣土生。很多香港及台灣的留學生及觀光客、遊客也藉這機會調整身份，領得在美國的居留證件。這期間，非粵籍人口迅速增加，尤是台灣人。

新移民到美國，人地生疏，很多又不懂英語，所以有要求與其他華人聚居、互相扶助。長期已經存在的華埠很自然就成為新移民趨集的地區；因此在六十年代前一度走向蕭條的一些華人地區，也在這期間開始復甦。在華埠附近定居的主要是粵籍的中下階層，但也有非粵籍的小商人及工人的家庭等。知識分子及專業人員或較富裕的中上階層卻多在郊區市鎮，開始形成一些新型的華人社區。洛杉磯郊區蒙特雷帕克（Monterey Park，美國華人譯為蒙特利公園）及紐約的弗拉興（Flushing，美國華人譯為法拉盛）就是兩個典型的例子。在這些地區，台灣籍及其他非粵籍華人佔很高的百分比，最流行的不是粵語而是普通話。

一九七九年，美國與中華人民共和國恢復正常外交關係，中國也同時實行開放政策，因此，出境的移民增加，僑鄉很多僑眷也在這期間有機會到美國與家人團聚。這一發展便減少了台灣移民能夠領得美國入境證的機會，但到一九八一年底，美國國會的親台灣議員在國會議案附加條款，容許台灣每年也有移民攤額二萬名，②所以到一九八二年，由中國大陸、台灣及香港來美國的移民又再升到四萬一千九百五十五人。

　　七十年代末，八十年代初，國際局勢的一些新變化，更促使華人社會向多元化方面發展。先是中南半島從五十年代中開始，連年戰亂，但到六十年代末，來美國的移民還不多。可是到七十年代，西貢的南越政權已經達到崩潰的邊緣。從南越來美國的移民也隨着增加到每年三、四千人，到一九七五年春，北越及越南南方民族解放陣線的軍隊攻克西貢；南越政權冰消瓦解。一九七六年，全越南統一。毗鄰的柬埔寨及老撾也在一九七五年先後驅逐舊政權，成立新政府，政權的更替，促使大批難民由印支三國逃亡海外。當時美國收容了約十五萬。

　　越南統一之後，與中國的關係惡化，影響到當地華人。一九七七年底，越南政府開始大規模迫害華人，大批被驅逐到中國去。另一些華人（也有少數越南人）則在越南官員默許下，購置船隻，放洋逃亡。這些設備簡陋陳舊的船隻在南海漂流多日，不少遇着大海風浪覆沒或被海盜劫掠殺害船上難民，倖存者在東南亞各鄰國登陸，暫時收容入難民營。一九七九年，越南又派大軍進攻柬埔寨，造成十多萬難民逃入泰國。經過這幾年的混亂，到一九八〇年秋，差不多已經有一百萬中南半島難民分佈在世界各地。後來在世界輿論指責壓力下，越南設“有秩序離境計劃”(Orderly Departure Plan，簡稱O. D. P.)，難民逃亡潮才暫時寢息。

　　美國是世界上收容最多印支難民的國家，由一九七五年開始，到一九八六年秋，就一共有八十多萬難民進入美境。由越南來的佔六成多，柬埔寨及老撾的難民各佔二成弱，其中有華人血統的人所佔比例，卻缺乏可靠的統計數字，但一般都同意，在一九七九年前來美的越南難民以越南人佔多數；一九七九年以後的“船民”是以華人較多。照較保守的估計，華人約佔印支三國難民總數的三四成。但這數字就已經超過美國一九六〇年的華人人口總數了；所以他們的來臨對華人社會有很大的影響。

中南半島的華人難民屬於幾個不同的華語方言集團，但以粵語及潮語集團佔最多。這些難民的政治經歷以及他們在美國所面臨要解決的共同問題，推動他們自成另一個社會體系，設有社團報刊等機構，但他們的社會文化背景接近珠江三角洲的移民，而且很多難民也懂粵語，所以很容易適應華埠的環境，在這裏居住，設商店，進行社交活動。他們的來臨，刺激舊金山、紐約、洛杉磯等城市的華埠發展成為更熙熙攘攘人頭擠擁的鬧市區，成為更複雜的多元化的社區，在街上店肆，經常可以聽見各種不同華語方言及普通話。在一些沒有華埠的城市，印支難民也聚居設店，逐漸形成另一個新的華人社區，加州的聖荷西及聖地亞哥就是兩個例子。

每年移民及難民湧入美境，加上當地出生人口，所以由六十年代到八十年代，美國華人人口每十年差不多增長八九成，到一九八〇年有八十多萬。加州始終保持首位，美國的華人約有四成在這州居住。在一九六〇年，夏威夷州華人人口還排第二位，但較少移民和難民到這羣島定居，因此人口增長率不及美國大陸，所以到一九八〇年，被紐約取而代之，夏威夷州退居全美華人人口的第三位，佔全美華人的百分比也由一九六〇年的百分之十六不斷下降到一九八〇年約百分之七。

由六十年代開始，擬到紐約市定居的移民逐漸超過到舊金山的移民。由一九六二年到一九七二年十年間到紐約市的華人共四千八百三十九人，但到舊金山的不過是這數字約三分之一，只有一千六百九十六人。移民因素使紐約市華人人口迅速增加，發展成爲一個堪稱與舊金山相媲美的美國華人文化、政治、經濟中心。到一九七○年，紐約市華人人口已經超過一九六○年居第二位的火奴魯魯。到一九八○年，又超過舊金山市，但紐約大都會區的十三餘萬華人卻稍遜於舊金山大都會區的十四餘萬華人人口。

到八十年代，印支難民及台灣移民，開始大量湧入美國。這時候，紐約仍然是最多中國大陸及香港移民的目的地。但南加州的洛杉磯縣及奧蘭治縣（Orange County，美國華人多譯爲橙縣）卻成爲最多台灣移民及印支難民移民選擇置身的地區。種種跡象顯示，在一九八○年以後，南加州地區華人人口增長率比紐約及舊金山更高，看看追上紐約市及舊金山港灣區，與這兩個城市的華埠鼎足而立，成爲美國三個最大的華人社區。

這麼多移民及難民進入華人社會，使華人人口成爲一個以外國出生的華人佔多數的社會。在一九六○年，在美國出生的華裔還佔人口約六成，但到一九七○年，外國出生的華人已經差不多趕上本地出生華裔的人數。不過外國出生華人的分佈卻不均勻。夏威夷在一九七○年只有百分之十三點三華人是在外國出生（這包括在外國出生的美籍華人及外籍華人），在美國大陸紐約卻是另一個極端，外國出生華人高達百分之六十六點六。到一九八○年，外國出生的華人比例更高，在全國華人人口中達百分之六十三點三，紐約州繼續是最高的比例，佔百分之七十四點八。加州華人中則有百分之六十三點七是外國出生的。甚至移民較少的檀香山，當地居民中外國出生華人的百分比也由一九七○年到一九八○年增長了一倍多，達到百分之二十三點六。

這樣，美國華人由一個以粵籍移民及後裔爲主的社會，逐漸轉變成爲一個以來自中國各省及世界各地區的華人華裔移民難民構成的多元社會，進入一個新的發展階段。

不過，到八十年代，美國經濟走向下坡，招募外國專業人才的需要沒有以前那麼迫切，非法居留美國的人也已經成爲一個急待解決的社會問題，所以在一九八六年經過幾年爭論之後，國會修改了移民法。新的法律沒有變動中國與台灣的移民攤額，香港的攤額卻由六百名增加到五千名。新移民法規定政府有權起訴和懲罰僱聘沒有合法居留權外籍人的僱主。用意是杜絕非法移民在美國的謀生途徑，使他們不容易非法居留。到八十年代末，美國國會還醞釀着通過有更多限制條文的移民法案。

二、中華文化活動的復興

(一)形形色色的社團組織

六十年代以後，華人社會的大變化正好在社會生活面貌的改變反映出來。正如一世紀前粵籍華商華工一樣，新的移民難民初到異邦定居，言語不通，人地生疏，這些因素就推動他們組織團體，以滿足聯誼的需求，而且個人有問題發生的時候，也可以互相扶持。於是來自中國各省的移民分別組織有東北同鄉會、華北同鄉會、齊魯會館（或山東同鄉會）、安徽同鄉會、江西同鄉會、蘇浙同鄉會、四川同鄉會、湖南同鄉會等社團; 來自台灣的移民，有台灣同鄉會、台灣同鄉聯誼會等; 來自中南半島的移民難民，又有潮州同鄉會、廣東同鄉會、欽廉同鄉會等。由於這些團體都用以中國的祖籍地區或姓氏爲組織基礎，所以往往有相同名稱及相同性能，但兩個同名團體的基本成員卻分別來自不同的地區。例如來自福州一帶的移民，早已經在紐約及舊金山成立福建同鄉會，但來自東南亞的閩南人也在洛杉磯成立同名的組織，在舊金山又成立福建會館（初時的名稱是閩僑會館）; 舊僑在紐約組織有海南同鄉會，但洛杉磯的海南同鄉會卻是由越棉寮華人發起組織的。客屬移民原來有人和會館及崇正會兩個僑團，但近年來自台灣及中南半島的移民難民，又分別各自成立客屬聯誼會; 舊金山的美國郭汾陽堂，郭氏宗親總會，看名稱像是中國大陸移民的宗親組織，但它卻是以中南半島華人為基礎的組織。此外，又有越南華裔聯誼會、越棉寮華裔協會、古巴華僑聯誼會、菲律賓華僑聯誼會、緬甸華僑聯誼會、星馬華人聯誼會之類的團體。工商界則有台灣商會，東南亞工商會等。在宗教方面，善男信女則成立有多家佛教會及道教會；粵籍移民以前設置一些廟宇的香火也恢復旺盛。來自東南亞的華人多了，又在各地自設佛寺及天后廟。知識界則組織校友會，專業團體；愛好文學的人又組織文學社，詩社等。這樣，在七、八十年代華人團體的數目有了空前的增加。文化領域的活動也有蓬勃的發展，如太極拳、氣功、武術、舞獅、舞龍、民間舞蹈、民族樂器演奏、舞蹈、粵語國語流行歌曲，各類活動都大受歡迎，在華人集中的城市出現各類康樂團體，又有正宗師傅的傳授，演習的水平一般都提高了。

(二)報業、文學、華文教育

六十年代中期以後，大量華人進入美國定居，扭轉了華文報紙在第二次世界大戰結束後二十多年的頹勢。前此，在華人社會裏華文報的讀者不斷下降，構成華文報業的危機。但到七十年代，這種情況有了基本的變化，華文讀者的增加，掀起一股辦報風。這現象在紐約尤為顯著。

在七十年代，紐約華人人口趕上舊金山，新辦的日報在該市也相繼創刊：例如在一九七二年，戲院老闆梁楨創辦《紐約日報》（The China Post），以社區報紙姿態出現。香港《星島日報》的胡仙收回美東版的控制權，因此前美東版的蘇國坤也就另起爐灶辦起《北美日報》（The Peimei News），該報採取中間偏左的立場，支持中華人民共和國。同年，香港《華僑日報》辦美洲版失敗，改稱為《華聲日報》（China Voice Daily）繼續出版。到一九八〇年，廣播界的劉恕創辦《華語快報》（Sino Daily

Express)，這報紙的報導頗爲着重社區，在第一版名稱標題之下列出以下的口號："扎根自由土地，參與民主政治，維護華人人權"，這樣在八十年代初，紐約華文報館達到最高峯，連同已經存在的報館，一共有十家，在北美洲首屈一指，也是中國國境外較多華文報館城市之一。

西岸的舊金山向來是美國華人的政治，經濟、文化中心、華文報業在該市有悠久的歷史，但在七十年代，這地區華人人口的增加率沒有紐約那麼高，所以當地只出現兩家新的日報: 一九七一年有翁紹裘及黃運基主持，以左派立場出現的《華聲日報》(Chinese Voice Daily，本來是一九六九年創辦的週報)。在一九八三年，又有黃運基主持，立場中間偏左的《時代報》(San Francisco Journal，本來是一九七二年創辦的週報)。

在這階段，各地華人社區已經趨向加強互相聯繫合作的行動，在五十年代召開的全美華僑代表大會就是這精神的一個較早的具體表現，在這情況下便產生成立全國性華文報紙的要求。在第二次世界大戰之後，交通訊息系統設備都比戰前跨進了一大步，當時一些熱衷中國政治的人士，就希望能夠把握這些條件將報紙向全國各地推銷，擴大政治宣傳的影響。一九五七年，舊金山《世界日報》(The Chinese World) 總理兼總編輯，民主憲政黨領導人物李大明擬發展處在國民黨與共產黨之間的"第三勢力"，創辦《世界日報》紐約版，在美東發行。到一九六三年，紐約國民黨分子陳兆瓊與舊金山的黃仁俊等又集資擴大紐約《中國時報》(China Times，一九六二年成立)，在一九六四年設紐約，芝加哥，舊金山版。但這些報館都發現耗費雖巨，卻收不到預期的業務發展目的。因此，前者在一九五九年停版，後者不及一年也取消舊金山版，只存紐約，芝加哥兩版，勉強維持。到一九七三年，《紐約日報》與美西的雷法圖 (Park Louie)，李泮霖等人合資在舊金山創辦《金門日報》(Golden Gate Daily News)；③到一九七六年，《紐約日報》又在舊金山創設兄弟報《美西日報》（China Post）。④但這兩家報館都僅曇花一現也就消逝了。到一九七八年，美中關係開始改善，擁護中華人民共和國的《美洲華僑日報》又派記者長駐舊金山採訪新聞發稿回紐約，出版後每天空運到舊金山發行，但八年後，銷路卻沒有很大的起色，所以到一九八六年也決定鳴金收兵，取消了航空版。⑤

在美國能夠成功地首創全國性發行系統的還是香港的星系報業公司。這個以胡仙爲首，資本雄厚的報業集團在一九六一年與舊金山代理商"昌記棧"（Chong Kee Jan）合作，每天空運報紙到美洲推銷，成立了灘頭陣地。到一九六四年，時機成熟，《星島》在舊金山正式成立辦事處，跟着也在紐約成立機構，刊印發行美西、美東版（這報館後來發展到加拿大、歐洲、澳洲、是最早成立世界性系統的華文報館），⑥每天報紙的內容，基本上是香港《星島日報》的翻版，只留下一些空白給各地的辦事處加入本地消息或廣告，所以出版成本比本地報紙低得多。

六十年代中，正當美國當局修改移民法例，跟着的幾年，華人移民的人數激增，《星島日報》對香港，中國較詳細的報導正好適合新移民的要求，加上這報紙的新聞報導水平及寫作技巧勝過本地報紙，內容也較豐富，所以《星島日報》大受歡迎，業務蒸蒸日上。這情況鼓勵港台其他一些報館也試向北美洲進軍，開闢新市場，分享杯羹。比較成功的是香港的《明報》、《成報》及《新報》，由舊金山華商張孟錚在一九七五年開始承印兼在美洲發行。除廣告外，這些報紙的內容都是香港報紙的翻版。

在一九七六年，台灣《聯合報》系統老闆，國民黨中央常務委員王惕吾由台灣輸出資金到美國，先後在舊金山及紐約創辦《世界日報》（World Journal），初期投資六十萬美元。⑦其後又在洛杉磯，加拿大的多倫多設本地版，構成美加的發行網。國民黨另一個中央常務委員余紀忠領導下的《中國時報》系統也在一九七七年在美國出版《時報週刊》，到一九八二年這週刊改爲每天出版的《美洲中國時報》，以比《世界日報》稍爲開明的立場出現。曾在台灣辦國際電訊職業學校以及營商致富的陳韜及李亞頻移民到美國後，也在一九八一年在南加州創辦《國際日報》（*International Daily News*）。這報紙的報導較着重台灣及台灣人的消息，在美、加各華人社區銷售。《台灣日報》被台灣國防部強迫出售，前老闆傅朝樞就挾着這筆款離台灣到香港投資地產，並於一九八〇年在香港創辦《中報》，以“中立”姿態出現。跟着，《中報》於一九八二年初在紐約出版，在美洲發行。後來又另外分別出版舊金山、洛杉磯和休士頓版。

這些報館在華人集中的幾個城市設辦事處，在有些城市又派長駐記者以及設立編輯部，採訪並編寫社區新聞。無論在辦報規模及水平來看，這些報紙都凌駕本地報紙之上，而且是經常感到資金不足的當地華文報館所望塵莫及的。因此，這些大企業出現就帶給當地報館很大的經濟壓力。所以台灣《聯合報》集團宣佈在紐約及舊金山創辦《世界日報》之後，剛在舊金山創刊不及兩個月的《美西日報》（《紐約日報》的美西版）也就急打退堂鼓。⑧跟着，紐約的國民黨黨報《美洲日報》（*Chinese Journal*）在一九七六年停刊; 紐約僑資在一九六三年創辦的《中國時報》（*China Times*，與台灣資本的《中國時報》不同。）又在一九七九年售給《星島日報》。

到八十年代，《國際日報》、《中國時報》（ *China Times*; 台灣資本創辦。）、和《中報》等在全北美洲發行的大報出現後，更掀起一場爭奪廣告戶和讀者的劇烈商業爭奪戰。這些大報每日的頁數，篇幅大增，例如《世界日報》由每天出版的十六頁增加到二十四或二十八頁，甚至四十或七十二頁。《國際日報》、《中國時報》、《世界日報》和《星島日報》又先後增加週刊，週末隨報贈送。在技術方面，這些報紙改用彩色印刷標題和圖片，用電腦排版，和用傳眞機及人造衛星傳達訊息、稿片與版面。這種種都有利於消費者，但卻加重了辦報的成本，對資金本來有限的僑資報館更加重了壓力，所以到八十年代中期以後，各地僑資報館就相繼倒閉或易手。

在紐約，《紐約日報》在一九八六年關門；在一九八七年，《華語快報》和《北美日報》也先後加入停業的行列。左派的《美洲華僑日報》得到中國各機構，通過各種渠道的經濟支持，所以一時還能夠繼續出版。但到一九八九年中，該報同情北京學生運動，抨擊中國政府使用軍隊武裝鎮壓。因此就失去了中國各機構的經濟支持，不久後《美洲華僑日報》也就不得不宣佈停刊。

在舊金山，《時代報》在一九八三年改日報之後，業務卻沒有很大的發展，所以到一九八六年底就決定停辦。在七十年代曾一度是華埠銷路最高的華文報紙的《金山時報》，進入八十年代卻只見銷路日益縮減，成本不斷增加，所以到一九八八年中也因為虧本過巨不得不轉讓別主了。

這同業之間消耗性的競爭也影響到全國發行的大報本身。在一九八四年，正與《世界日報》爭市場不分上下的《中國時報》突然停印美洲版。據說這是由於台灣《中央日報》董事長和《聯合報》董事長王惕吾在台灣國民黨中央常務委員會聯同批評攻擊《中國時報》在北美立場不當的結果。《國際日報》則經過幾年的努力，仍然沒法展開美東和加拿大的業務，主要訂戶和廣告戶局限於南加州和休士頓。至於《中報》，這報館在一九八七年宣佈香港版停刊，跟着也關閉了剛創辦的休士頓版。到一九八九年，這報支持中國當局鎮壓北京學生運動而引起華人社會一些人士抨擊以及停登廣告，導致本來在財務上已經發生問題的報館有更嚴重的虧損，所以就不得不宣佈"暫時"停刊了。至此，資本雄厚的《世界日報》和《星島日報》報系可以說已經明顯地執着美國華文報業的牛耳了。

這時期，唯有週刊、雙週刊或月刊所需人力不多，不需要巨額投資，而且能夠以特色報導吸引讀者，在日報支配市場的隙縫裏生存。在七十年代，舊金山的週報數量冠全美國各華埠，先後有十多家，在七十年代中極盛期間，報攤每週代推銷九家至十家週報。不過隨着美國通貨膨脹，物價上升，很多週報的營業發展跟不上，所以到七十年代末很多已經被淘汰而由新起所代替。

華人人口較少而沒有報刊的一些城市，也在七十年代開始出版以報導社區消息為重心的週刊、雙週刊、或月刊。在人口迅速增加的休士頓還進一步出現當地第一家日報《美南新聞》。中南半島華人社會人士也自辦報紙，內容重點是報導越棉寮華人關心的一些消息，最早成立的是洛杉磯的《越華報》（一九八〇年創刊）這些報刊都是週刊或半週刊，而且一般都是免費贈閱。

美國大陸報業的活躍發展的趨勢卻沒有影響到華人人口排列第三位的夏威夷州。在一九七五年，馬鎮基曾創辦《夏威夷檀山日報》（*Honolulu Chinese Press*），但在這不懂中文的土生佔多數的地區，這新報館是很難立足的，因此，一個月後就不得不停辦了。到一九七八年，夏威夷歷史最長久的《新中國日報》（*New China Daily*）也跟着關門大吉。只剩下國民黨辦的《新民國報》（*United Chinese Press*），這報紙每天出版四頁，但廣告佔了篇幅的七成多，所以這裏的讀者要閱更詳細的華文新聞報導，就不得不訂購由美國大陸進口的華文報刊了。

六十年代及以後的移民教育水平比老一輩移民高。其中部份人有較高的寫作能力，經常在當地或香港、台灣的報刊發表小品、小說、政論、學術性文章等。

這期間的移民作家主要是台灣留學生，所以他們的創作也概稱為 "留學生文學"。這文學的內容反映這些高級知識分子在美國適應新環境所碰到的問題而產生的各種心態。最具代表性的作者是於梨華（Helen Yu）。她在六十年代開始寫作，以一年一本的速度出版多本中篇小說。《又見棕櫚、又見棕櫚》是她最著名的小說，在一九六七年出版。留學生文學作家人數甚多，遠超過美國華人歷史上任何時期的作家。到八十年代有點名氣的其他幾名是白先勇、張系國、莊因、劉紹銘、聶華苓、叢甦、喻麗清、陳若曦等。

中南半島難民湧入美國，知識分子也很快在新居留地生根，開始創作"新土文學"。在八十年代初一些文友就在洛杉磯的《越棉寮報》和《越華報》先後出版《南北雁》文藝專刊。後來又在洛杉磯創辦《我們》雙月刊。這流派在八十年代後期還在摸索中。

新移民和難民對精神食糧的需求也刺激銷售書刊行業迅速擴展。較大規模的一家書店是屬於《世界日報》系統的世界書局，在很多城市都有支店，重點是推銷台灣出版的書刊。至於中國大陸出版的刊物，由六十年代到七十年代初，美國向中華人民共和國實施禁運，只有極少數書商能夠合法進口中國大陸的書刊。其中營業額較高的一間是西人亨利・諾伊斯（Henry Noyes）在一九六〇年創辦的中國書刊社（China Books and Periodicals）。六十年代末，美中關係醞釀解凍，華人才開始進口中國大陸刊物。其中較早的有芝加哥的樂聲圖書公司（一九六八年創辦）和舊金山的新華書店（一九七〇年創辦）。跟着紐約有東方文化事業公司（一九七六年創辦）和舊金山的東風書店（一九七九年創辦）。洛杉磯在七十年代中也有新僑國貨圖書公司，（後來部份人分出另設利民國貨圖書公司）。這些較大規模的書店，重點是推銷中國大陸出版的書刊。其他銷售較多香港、台灣、中國大陸出版通俗讀物的書店，更比比皆是，在八十年代中期單南加州大大小小就有四十家左右。此外，在華人人口眾多的大都市，公立圖書館應讀者的要求，也多撥款項設有中文圖書部門。

華人家庭增加，適合入學年齡的青少年也增加。這一代的父母，如前一代的長輩一樣，都關心兒女數典忘祖，希望他們能夠懂一點華文，了解一點中國文化，保留一些中國傳統，因此，一般要求子弟在英文學校下課後或在週末到華文學校學習，學生多了，也促使華文教育呈現中興狀態。

在六十年代，全美國的華文學校只不過幾十間，一九七九年達一百二十七間，一九八五年更飛躍到三百零四間。增加最快的是華埠以外的學校，到八十年代已經佔了多數。華文學校分爲幾個不同的類型，在美國有最長久歷史的粤籍人的學校是以粤語爲主要授課語言，這類型包括在各華埠所設的華文學校。在華埠以外的學校多採用普通話授課，不過粤籍人較集中的地區也有兼用粤語。八十年代，中南半島華人難民增加，他們又在各地爲子弟另設華文教育，這些學校一般採用普通話授課，很多是取名"中山學校"。

(三)廣播、電視

七十年代以後，華語廣播業也有大幅度的發展，以迎合華人社會的要求。當第二次世界大戰結束後，無線電及電視都成爲美國社會普遍採用進行宣傳及教育的媒介。

在五、六十年代，美國華人社會人口少，增加率較緩慢，資金人才又不足，所以華語廣播事業都是小規模，而且限於技術較簡單，所需投資額較低的無線電廣播。

在五十年代舊金山是華人廣播事業最發達的地區，有戰前一九三九年唐憲才創辦"金星"（Golden Star）電台，每晚播送粤語時事及音樂節目。這廣播一直到一九七八年才停辦，是美國華人社會歷史最久的無線電廣播節目。一九五七年舊金山的《金山時報》曾設立每週一次的廣播節目，但到一九五九年就停辦。一九五七年李華廣（Frank Lee）也與《少年中國晨報》合作成立"華埠之聲"（Voice of Chinatown），一九六〇年底還將播送範圍擴展到南加州。"華埠之聲"到一九七四年才停辦。三年後，紐約的"華語廣播"到舊金山設分台。在一九七七年開始，每天廣播放十多小時，是用專機才能夠收聽的華語廣播節目。

在美東，雷庭堅（Louis Chu）及西人萊爾・斯圖爾特（Lyle Stuart）合作，一九五一年在華人集中的紐約首創華英語廣播節目，但不久停播了。幾年後，江滌氛在一九六四年投資辦"中華廣播電視公司"（Chung Hwa Broadcasting Co.）商業電台，每天用有線播音電台播放十多小時。跟着劉恕（亦名劉亞瑟）在一九七六年成立"華語廣播"商業電台，在無線電台播出只用專機才能夠收聽的節目。到一九八六年，又有僑聲電台，是紐約唯一用普通話和台語廣播的電台。

一九五五年余進源（Dan Yee）在洛杉磯首創"華鐘"，每週播送廣播節目，但結果入不敷出，同年停業。跟着舊金山"華埠之聲"在南加州開始播音之後，他又捲土重來，在一九六三，一九六七等年與香港的文毓明合作，再辦"鐘聲廣播"，但業務仍然沒有起色，所以後來就索性洗手不幹了。八十年代，洛杉磯華人聽眾多了，李明威又創辦《中華之聲》，每週六天播放節目。

其他的城市的商業廣播發展較遲，但到一九八六年休士頓也有"華夏之聲"華語電台開始營業。

到八十年代，現代科學技術的發展又促使一個美國加拿大華語廣播網出現。前文已述紐約"華語廣播"在七十年代已經有這種設想，在一九七七年到舊金山設分台，後來舊金山和紐約卻各走各路。跟着紐約又再組織美加華語廣播電台（Global Communication Enterprises），以紐約為總台，利用人造衛星二十四小時內不停轉播節目到美加華人據點。洛杉磯及舊金山的分台先後在一九八七年及一九八八年開播。這電台的目標是希望在美加十六個大城市設立分台，採取聯播的作業方式"服務新移民，聊慰思鄉情"。⑨

在七十年代至八十年代，各地區還有廣播時間較短非商業性的華語節目。例如舊金山有《漢聲》及伯克利有《中國青年之聲》，西雅圖有《華人之聲》，波特蘭有《華韻廣播》，波士頓有《中華之聲》，科羅拉多州博爾德市有《台灣之音》等。這些廣播一般由志願人員製作節目，人事經常更換，很難有長久固定的班底。但這些節目卻能夠提供一些商業電台忽視或覺得敏感而不能觸及的社會服務訊息及諮詢。

到六、七十年代之交，美國華人人口迅速增加，港台的電視廣播業也已經奠定基礎，這樣市場和節目都有了着落，一些熱衷廣播事業的人士也就投資辦電視廣播節目，較早實現的是台灣移民較多的洛杉磯。在一九七二年來自台灣的馬福全夫婦在這裏創辦"中華海外傳播公司"，每週播放台灣的綜合藝術節目及連續劇，這公司也製作十五分鐘的時事訪問節目。但馬氏夫婦卻沒法拉到足夠的廣告來支持，所以勉強支撐了年餘就因虧損累累而關門大吉了。此後，直到八十年代，這地區的華語電視一直呈不穩定狀態，此起彼落。

在一九七四年，陳澧與台灣中華電視合作辦"華語廣播"，在洛杉磯及舊金山開播。一年後，舊金山停播，但陳澧與洛杉磯的電視台卻達到一個作業協議，所以節目能夠持續到一九八二年才結束播送。在這節目未停播之前，台灣移民梁興國也在一九七九年開辦"七海電視"，每週播放四天，但不久也失敗了。

一九八三年，以蔡明裕為首的"世界關係企業"屬下設"世華電視"（Chinese World Television）。這電視台一開始就闖出一點名堂，大膽自己製作有相當水平的節目，而且很快在紐約，舊金山及芝加哥也設台播送節目。但一年後，業務沒有很大的發展，不得不撤銷了芝加哥及舊金山的節目。為了減省經費，洛杉磯總台也縮小編製節目的規模。一九八四年，洛杉磯出現每週播放中國大陸節目一次的"敦煌電視"，老闆是盧誼遜。一年後人事變動，改為"斯揚傳播公司"（C. Yung's Investments），由楊宗灝負責。

　　繼“世華電視”大資本集團辦的華語電視是香港無線電視台，在一九八五年創辦香港翡翠台（Hong Kong Television Broadcasts〔USA〕），這電台以有線方式每天播出節目十個半小時，是洛杉磯地區播放時間最長的華語電視台。

　　慘淡經營的還有鄭佩佩主持的“美國亞洲電視”（Asia Television），在一九八六年開播，香港亞洲電視曾一度加入合作，但不久發覺錢只有出沒有進，所以連忙退出，留下鄭佩佩獨自掙扎。⑩

　　美國的另一個電視廣播中心是紐約，這裏播放華語電視的歷史差不多與洛杉磯一樣長久。當“中華海外傳播公司”在洛杉磯開始營業，曾在台視工作的劉恕也在紐約開始播送華語電視節目，初時是租用無線電視台的時間，每週一次，後來轉用有線電視台，“華語電視”（Sinocast TV）一直維持到一九八二年才停播。

　　一九七三年，羅中郎創辦“海外電視公司”（Overseas Broadcasting System）也在有線電視播送節目，每週一次，但後來業務發展，每天播放。⑪一九八四年開播的“蘋果電視”（ATV），也是用有線電台，這電台的資本是來自香港商界，製作人員大多數也是曾在香港電視台工作過，這電台的總經理是蔣天龍，特別顧問是港商霍英東的兒子霍震寰。在一九八五年開始營業的“華語電視廣播公司”（CSTV）卻是紐約唯一全天候廣播的華語電視台，用微波頻道播送節目。一九八六年又出現“世界電視”（World TV），是《世界日報》的姊妹企業，開播時每週播出七天，由於這是用無線電視台播放的華語節目，所以收視地區很廣。⑫紐約還有在一九八〇年用有線頻道開播中國大陸製作節目的“宏聲電視”（Hong Sheng Broadcasting）。由一九八五年開始，這電視台又在全國衛星電視網以華英語播送節目。⑬

　　此外，紐約有“美華影視文化協會”（Asian Cinevision）

附屬的"中文電視台"，這是一個由社區活動分子組織的非牟利的組織，宗旨是藉影視傳播爲媒介，服務在美華裔及亞裔，並向社區提供正當文娛節目。這電視台異軍突起，在一九七六年開始在有線電視台播放節目，是紐約唯一節目內容與當地社區有直接關係的中文電視台。這電視台經常組織電視訓練班培訓電視節目製作人材，也跟其他商業電視台合作製作一些與社區有關的節目。⑭

舊金山港灣區是美國華語電視廣播的另一個重要中心。這地區的電視廣播業起步比洛杉磯及紐約稍遲，但業務的發展比起這兩個城市卻毫無遜色。在一九七四年一月二十七日，舊金山州立大學教授陳立鷗（亦名陳曉六）等創辦的"美亞電視傳播公司"（Amasia TV Productions），在電視台播送這地區有史以來的第一個華語電視節目，"亞美"繼續每週播送節目一次，大受觀衆歡迎。很快其他電視廣播公司也出現在灣區，播送華語節目及爭取廣告戶。一九七五年，台灣移民吳豐塑，吳豐義（亦名吳育庭）等組織的"海華傳播公司"（Overseas Chinese Communications,亦稱OCTV）在有線電視台開始每週播送節目一次。⑮翌年，台灣"中國電視公司"董事黃英及他的兒子黃雅各成立"中華電視公司"（Chinese TV Production Co.），也在有線電台播放，這公司後來是這地區第一家引進粵語電視連續劇及新加坡電視劇的電視公司，在一九八七年起，這公司又在洛杉磯展開業務，每週播放華語節目一次。⑯

在"中華電視"開播的同年，"天祥電視"（United California Communications）也參加有線電台播放節目的行列，這公司的董事長是曾在留學生之間活動的黃偉成，總經理是前台灣電影明星張揚。

一九七七年，紐約"華語廣播"的劉恕到舊金山設分台，聘請"天祥電視"節目主持人陳俊雄（Philip Chan）爲"華語"

的副總裁及金山分台台長，"華語"與"天祥"也成立合作關係。到一九七九年，"華語"開始在有線電視台播放節目，代替了"天祥"，到一九八一年，舊金山"華語"與紐約分手，選出黃偉成為董事長，陳俊雄升為總經理及台長。後者是舊金山合勝堂的領導人物，在華人社會有實力基礎，所以具備有發展業務的有利條件。

一九八〇年，"台灣電視"、"中國電視"及"中華電視"各投資一百萬台幣在台北及美國成立"國際視聽傳播公司"（International Audiovisual Communication, Inc.），"統一價格，統一服務"，把節目供應美國正在發展的市場。到一九八一年，這公司屬下的"聯合華語電視"（United Chinese TV）在舊金山，洛杉磯及紐約每週播放節目一次，"聯合華語"後來又發展到夏威夷，美京華盛頓，芝加哥及休士頓等城市播放節目。"國際視聽傳播公司"是各華語電視台節目主要來源之一，所以對華語電視台的發展方向能夠起支配作用。[17]

到一九八二年，商人張濟民創辦"華聲電台"（Hua Sheng TV），每週一次播放中國大陸製作的節目。[18]

此外，在一九八六年舊金山港灣區有太平洋電視公司開始營業，這公司擁有的六十六號頻道是舊金山港灣唯一華資公司經營的電視頻道。不過這公司自成立以來就被人指控它違背美國法律，台灣電視公司所佔的投資額是超過美國法定的限制。[19]同年，舊金山華文電視的先驅人物陳立鷗也投資入三十八號台，成為這頻道的董事長。[20]

舊金山港灣地區華人集中，具備發展電視業的方便條件。在八十年代，這裏有三家公司能夠每天播送節目，所以從經營規模來看，舊金山的電視應該可說是美國首屈一指。在一九八九年初西商的二十六號台經過一番調查，插入這市場首創每晚上播送半小時粵語電視新聞，由於廣播員和製作人員有頗高的業務水平，

436

所以很快爭取不少觀衆。市場上的競爭更升一級。

　　商業華語電視廣播是一個新興的行業，到八十年代中歷時不多年，而且還在發展變化中，但到八十年代中爲止，商業華語電視行業碰着一個共同難題：這就是市場狹窄，成本高。爲了節省製作節目所消耗的人力財力，這些電台大部份時間是用來轉播由香港、台灣或中國大陸製作的現成錄像帶。結果電視台的節目往往與當地現實社會脫節。這些電視台在一個有限容量的市場競取廣告戶，收費額會受了限制，因此電視台要儘量壓低成本，才保證不會虧本。在這情況下，各電視台也無可奈何，不得不繼續採取這事半功倍的辦法，轉播這些舶來錄像帶了。但當華人人口不斷上升，這行業有繼續發展的趨勢。

　　跟着華語電視行業的發展，向私人出售或出租錄像帶的行業也應運而起，這些商業機構擁有來自香港、台灣及中國大陸的節目錄像帶，品種琳瑯滿目。這些錄像帶一般是用粵語或普通話配音，但供應越華裔市場的錄像帶卻有些時候是配了越南語。

　　這樣，到八十年代，華人雖然在一方面進入美國主流社會，與美國社會同化，但在華人集中的地區，中國文化的各種活動卻欣欣向榮，比六十年代更多更精彩。一些地區儼然可以說是一個"小香港"或"小台北"。無疑地，產生這些現象的基本原因，就是這期間大量湧入美國定居的新移民，而在短期內這些現象還會持續下去，來滿足這部份居民生活上的要求。但在這過程中，這些現象也豐富了美國多元社會的文化生活。

三、經濟領域的變化與擴展

(一)三大支柱變爲二大支柱

　　戰後的二十多年，美國華人的社會地位提高了，經濟力量也加強了。六十年代後，大量移民及難民不斷入境定居，遠東政局又推動香港、台灣及東南亞的華人資金流向美洲。這幾個因素刺激美國華人在經濟領域的活動更加活躍，一些行業衰落了，一些發生變化，另有一些是新興起的。

到七十年代，戰前的華人經濟三大支柱之一的洗衣業已經式微，在華人經濟所佔的比重下降到次要地位，但飲食業的發展還是蒸蒸日上。一來華人多了，飲食業的顧客自然也隨着增加，尤是華人中產階級人數增加，更促進飲食業的旺盛，向更精更多樣化方向發展；二來華人飲食業向美國主流社會積極經營，擴大營業對象。七十年代初，美國總統尼克遜訪問中國大陸之後，在美國掀起的"中國熱"，華人菜館行業更是受惠不淺，欣賞中國菜的西人日益增加。所以到八十年代，中國菜在美國最受歡迎的十四種民族菜式中名列第五位。[21]

飲食業所需資金較低，易於週轉，而且家人也能夠參加作業；所以不諳英語，沒有專業訓練的新移民及難民往往就選擇這行業作為起點。華人經營的飲食店一向沒有精密的統計數字，但在八十年代中大約有一萬一千至一萬二千家，分佈在美國全國各州，這半數集中在經濟較發達，華人較多的加州、紐約州、伊利諾州、德克薩斯州、佛羅里達州、麻薩諸塞州和新澤西州。

這行業是朝着幾方面發展：

一、**擴大菜色的供應**　跟着流行已久的粵菜，京、滬、湘、川等菜色也開闢市場。到七十年代中期以後，台灣、閩南、東江、潮州等地方菜色又相繼出現。此外，還有經營西菜、越南菜、韓國菜、日本菜，甚至越式中菜，古巴式中菜，中式西菜等各式各樣食店。

二、**擴大營業規模**　一些老闆為了適應社會的需要或適應觀光業的發展，每每不惜投資累萬，餐館內外裝飾華麗，營業規模也擴充，例如紐約裝潢最豪華的"銀宮"可以置九十席，容納千多顧客。當地其他可容數百人的餐館還有五、六家，都是高級的宴會場所。其他城市也有同樣的現象。

另一些餐館則向連鎖式集團化經營發展，例如舊金山的月華中菜館經營約二十年的時間，到一九八七年在舊金山灣區擴充到九家支店，聖地牙哥又另設支店。薩托拉門托市的鄧世發，在一九三五年開始經營西菜館，初時經營慘淡，但到八十年代他在該市及聖地牙哥先後開設五家餐廳。

三、發展快餐經營方式　承攬酒席宴會，主要是大中型中菜館的營業範圍。很多小型家庭式的餐館卻採用自助餐、快餐方式營業，這樣減輕人力負荷，迅速供應顧客;快餐也方便顧客可以攜帶出外用餐。在這領域也有連鎖式經營的趨向，將中式食品標準化及企業化而大量生產。例如一九八二年在明尼阿波利斯市創辦的"南京快餐店"（Nankin Express），到一九八五年已經在中西部設有十二家支店;㉒程正昌在一九八四年左右開設的"熊貓快車"（Panda Express）中式快餐店，到一九八七年也有南加州及夏威夷擁有八間支店。㉓連鎖式中式快餐的生產規範化，適宜大企業的經營方式，所以也吸引一些西人投資者躍躍欲試。㉔西人大企業企圖進入這個一向是華人獨佔的中餐行業，因此很可能成為華資企業的勁敵。

四、點心製作企業化　點心製作向來是勞動密集型的工作，華人餐館業蓬勃發展，也提供將點心的製作企業化的條件，由本地或香港、台灣專製作點心的工場進行生產，冷凍後的產品如鍋貼、小籠包、葱油餅等就供應給各地餐館。也有試驗用機器製作點心，這樣希望大量生產抑低成本，使中式點心更普及，從而擴大了市場供應，獲得更多的利潤。

從七十年代末開始香港、台灣的一些集團也向北美的華人飲食業投資，例如香港的"香滿樓"、"海景集團"、"新港"都先後在舊金山灣區設餐館及茶座，香港及台灣資本也在聖荷西及洛杉磯設"楓林小館"。這些餐館的食譜、服務、裝潢都屬一流。主要營業對象是社會的中上階層。

另一些集團卻向快餐方面進軍，如八十年代香港最大規模的快餐集團"大家樂"在一九八七年在美國舊金山設第一家分店供應港式快餐。㉕更早先施集團在一九八五年在舊金山港區南郊丘珀蒂諾（Cupertino）設中式快餐"大班"（Tai－Pan）餐館，食品製造過程全面機械化。㉖但最成功的還是香港的李曾超羣經營的"超羣"麵包西餅店（Maria's Bakery），在二十年間，到台灣及北美洲共開了七十二家分店。㉗

雜貨行業仍然是華人經濟的重要支柱，西人雜貨的發展主要是營業規模擴大，數目的增加卻不多，七十年代以來華人人口的激增卻刺激中國雜貨食品貿易批發及零沽業更進一步的發展，例如陳霖（Lin Chen，福州人）在五十年代創辦的森美進口公司（Summit Import Corporation），到八十年代已經成為跨國性的大企業，進口中國食品雜貨，每年營業額超過二十億美元，子公司全國金門雜貨店每年的營業額也在三百萬美元以上。㉘

這期間也開始見來自台灣移民及東南亞華人開始向華人雜貨零沽業投資，一個大規模的是台灣新僑吳金生（Chin－Sen Wu，原籍東北）等集合香港、台灣資金創辦的"頂好超級市場"（Diho Market），吳氏一九七六年在洛杉磯華埠開辦第一間小型商店，到一九八四年，已經先後在南北加州，休士頓及芝加哥開辦八間大型的超級市場了。

東南亞商人在這行業的發展卻比之台灣移民有過之無不及。這些人在原居地已經積累有豐富的經商經驗，到了美國定居，他們也帶來創業雄心，所以當來自越南、柬埔寨、老撾的難民逐漸形成聚居的地區，各種商店就應運而生，供應居民生活所需的物品及服務。其中越南華人投資的生意，佔極高的比例，而最普遍的就是大大小小的雜貨店和超級市場。這行生意中興起最早，發展到規模最大的是越南難民吳坤漢（Ngo Kson Son或Harry

Wu，原籍海南文昌縣）兄弟成立的吳氏貿易公司，吳家原來是越南蜆港商人，一九七五年全家二十八口到南加州，一九七六年在洛杉磯華埠成立第一間愛華超級市場（Ai Hoa Supermarket），一九七八年又到東南亞移民羣居的奧蘭治縣創辦和平超級市場（Hoa Binh Supermarket），是當地第一家華人經營的超級市場。到一九八四年，吳氏家族已經在南加州創立了十家連鎖超級市場，並擁有食品加工工廠，又在各地區採購貨物直接進口。㉙

在北加州營業較大規模的有陳毓强（Kent Tran）的美華貿易公司（May Wah Trading Co.），這公司用着"不一樣就是不一樣"的廣告口號，幾年內在舊金山從一間店舖發展到另設三個分店，一九八六年又在遠離舊金山二千五百多公里的休士頓與當地越華人士組成"德州美華貿易公司"。㉚

中南半島華人經營的雜貨店及超級市場，在美國東南亞移民難民聚居的地區比比皆是。這些商店的僱員多通曉越南語、普通話、粵語及其他中國方言，店裏貨品齊全，價廉物美，招呼週到，有農產品，也有港、台、中國大陸和東南亞各國的各種食品雜貨，所以營業範圍超出東南亞移民圈子，能夠在華埠與粵籍人開辦的農產品雜貨店爭上下。這些超級商場的興起，使華人雜貨行業產生新的氣象。

(二)成衣業的危機

縫紉成衣業是華人社會一個有悠久歷史的行業，這行業的勞力主要靠婦女，尤是不諳英語，缺乏專業知識的婦女。在一九七〇年有七萬名就業華人婦女，其中有一大部份是在這行業工作。七十年代之後，華人移民和難民川流不息大量入境。這廉價勞工的存在，鼓勵更多華人投資設廠，所以到八十年代中，全美國的華資成衣廠估計已經達到二千家左右，僱用約三萬名工人，其中絕大部份是婦女。

這期間，紐約及舊金山仍然是華人成衣業的兩個重要中心。在七十年代末，印支難民開始湧入南加州，華資經營的成衣服裝廠也由七十年代的五十家到八十年代初增加到二百四十多家，[31]急起直追舊金山和紐約。其他移民較多的城市如波士頓、西雅圖、芝加哥等也有同樣現象出現，不過規模比三大中心較小罷了。

七十年代末，來自開發中地區如香港、南韓、台灣、中國大陸等的成衣源源進口，在美國市場廉價銷售，給予美國成衣業造成很大的壓力。控制成衣業的猶太大廠商也就利用華人承造廠商之間的競爭，將發給華人廠商的價格壓得更低，這時期華人社區廠房租金昂貴，其他開支也不斷上升，所以使華人成衣業陷入困境。紐約華資成衣業在最盛時期，曾擁有工廠六百家，但到八十年代中已有百多家關閉，剩下四百多家，其中十家尚能獲利，約半數勉強維持，其餘則瀕臨停業邊緣。

在八十年代，韓國裔在紐約，舊金山及南加州又大量投入成衣業，在這三個地區設的工廠趕上華人工廠的數目，而且設備比華人工廠先進。這些廠由韓國進口布料，自行設計款式銷售，韓國政府又資助韓國裔成立銷售系統，與猶太廠商競爭。這因素使依賴於猶太大廠商來料加工的華人廠商處在更加不利的地位。

這時期，美國成衣業為了挽回劣勢，積極向國會政客施壓力（華人工友也積極參加），要求通過法律限制外國廉價成衣的進口額，外國成衣商也因此考慮到美國設廠生產，在一九八六年香港廠商“維多利製衣公司”與美國一家名列前五位的大成衣商合作，在紐約投資一百萬美元，設“利時製衣廠”出產高級女裝成衣，聘用員工三百人。這是外國成衣廠在美國首設的工廠。[32]這可能是更多來自香港、台灣、南韓，甚至中國大陸資金越洋到美國設廠的預兆。

(三)向先進科技領域進軍

第二次世界大戰之後，由於很多華裔勤奮就學，加上大量香港、台灣留學生在美國完成學業後留下在這裏，所以華人高級知識分子人數激增，其中受過科學技術教育的人佔很高的比例。到六十年代末至七十年代，很多這些科技人員已經在美國工商機構及政府部門服務，貢獻所長，但有一小部份人卻在美國社會裏創辦了一批華資的先進工業。以下是幾個例子：

一九七○年，陶・詹姆士（James Dao音譯）及姚・納爾遜（Nelson Yew音譯）在北加州海沃德市（Hayward）創辦ETEC公司專生產電子顯微鏡。到一九七七年，這公司的營業額已超過五百萬美元。七十年代，朱道淳（T. E. Chu）是設在森尼韋爾市（Sunnyvale）芬尼根公司（Finnegan Corporation）的總裁及總經理。這公司專門供應工業及實驗室所用的分光儀（Spectrometers）。一九七七年，華人企業家在紐約成立全美國第一家由華人所經營的電話工程公司"大東"（Ti－Tone Communications），專門銷售、安裝、維修各類型電話系統及電話傳眞機。一九八四年，丁鶯又在舊金山灣區成立中美電話公司（Thrifty Telephone Exchange）提供長途電話服務，希望分享美國電話電報公司（American Telephone and Telegraph，簡稱ATT）市場一小角。在光學領域，有前台灣留美學生魏弘毅（Albert Wey）在亞利桑那州坦佩市（Tempe）一九八三年創辦的"纖維光學公司"（Advanced Fiberoptics Corp.），在兩年內營業額由零增加到三百至五百萬美元之間。魏氏在一九八五年當選全美少數族裔傑出企業家之一，到白宮接受美國總統的表揚。

跟著電腦（即計算機）工業在七十、八十年代的大幅度擴展，很多華人也投資自設大大小小的公司，其中最大的是王安（An Wang，江蘇省昆山縣人）創辦的企業。王氏是一九四五年由上海來美國的留學生, 在哈佛大學畢業, 在那裏的研究所工作。這期間他發明了電腦設計的基本組件磁心記憶程式 (Magnetic Memory Core), 得了專利權。一九五一年, 他集資創辦 "王氏實驗室有限公司" (Wang Laboratories, Inc.)。一九六四年, 這公司發明小型桌上計算器 (Calculator), 大受歡迎。到一九七二年, 營業額躍升到四千萬美元。七十年代, "王安實驗室" 又把握潮流開始生產文字處理機 (Word Processor) 及其他小型電腦 (Mini－Computer), 供應美國工商業的需要, 業務飛躍發展。一九七七到一九八四年間, 營業額由一億美元升至二十億美元, 躋入大企業行列, 一九八四年在全美五百間大企業排名第二百二十七位。八十年代中期以後, 由於對市場的估計錯誤, "王氏實驗室" 的發展慢了下來, 財務逐漸陷入困境, 但這公司仍然是美國華人規模最大的企業。王安本人財產在一九八八年列全美國一百名富豪中的第四十八位, 是這名單裏的唯一華人。

其他在電腦工業成功的也不乏人, 不過營業規模不及 "王氏實驗室"。一九八九年在北加州矽谷就有兩百家。規模較大的有森尼韋爾 (Sunnyvale) 的李信麟 (David Sen－Lin Lee, 台灣移民, 原籍山東省)。他曾是負責設計雛菊型印表機 (daisy wheel printer) 的工程師, 在一九七三年創立奎茂 (Qume Corporation), 是第一個成功生產這型印表機的公司。在一九八二年, 曾由香港前往的留學生袁志坤 (Tom Yuen)、黃朝虹及一名巴基斯坦留美同學合夥在南加州歐文市 (Irvine) 創辦AST研究公司, 專出產增加微型電腦功能及能量的電路版。到一九八三年, 這些產品約佔市場的百分之十五至百分之二十, 是南加州成長最快的公司之一, 在一九八五年被 "加州工商" 雜誌列爲全州第三百一十六名大廠商。[33]在美東, 有王嘉廉 (Charles Wang) 等在一九七六年成立的 "國際電腦公司" (Computer Associates International), 供銷電腦軟體, 到一九八五年會計年度營業額

已經達一億二千九百萬美元，是全球最大的獨立軟體公司之一。㉞

　　電子電腦企業裏的華人以來自台灣及香港的移民及留學生佔很高比例，他們與出生的地區仍然保持親朋人事及經濟關係。為了加強產品在市場上的競爭地位，爭取優勢，不少企業就利用這些有利條件，與遠東地區，尤是台灣，合資採用美國先進技術，配合遠東較廉價的勞動力，設廠進行生產。例如矽谷華資的"瓦提"（Valtel），在台灣設"華智公司"、"資料技術"（Data Technology Corp., 簡稱DTC）、"德泰電子公司"。香港移民許立威（Steve Hui）在北加州弗里蒙特市（Fremont）創設的"艾佛瑞克斯"（Everex, 1983年創立）也在香港、台灣設有製造承包廠，就是幾個例子。這行業也是華人引進遠東資本（主要是台灣）的重要渠道，台灣最大的電腦公司宏碁（MSC Group），在一九七七年就通過前台灣留學生張國華及居乃壽夫婦在矽谷聖荷西設立美國宏碁公司（Multitech），宏碁又擁有宏大投資公司向矽谷華資公司投入多筆資金。"全勝國際公司"（Highwin International, Inc.）也於八十年代在洛杉磯設立美國分公司，供應個人電腦系統上所需的介面卡（Interface Cards）及增加電腦功能的電源機。

　　華資電子電腦企業在七十年代開始興起，八十年代趨向成熟。這時期也開始成立同業團體，促進共同利益。在矽谷的華人企業家，一九八〇年組織"亞美裔製造協會"（Asian American Manufacturers Association, 簡稱AAMA），會員以華人為大多數。一九八〇年成立的"矽谷亞美裔商業聯盟"（Asian Business League－Silicon Valley），也是由舊金山同名組織分支而成立的，大部份會員也是華人。美東也在一九八六年底醞釀成立"華人電腦商會"，"團結同業，增強華人電腦在美國市場的競爭力"。在一九八九年矽谷和台灣科技人士又成立"玉山科技協會"

協助台灣資金在美國作高科技投資，並促進當地華人科技相關廠商溝通商情。㉟

　　華人在科技領域的增長，也反映在各地紛紛成立華人科技人員組織進行聯誼及交流活動，這些組織成員並不一定限於電子電腦工業。㊱

　　在重工業，華人企業最大規模的是"華昌公司"，在前文已經叙述。另一家是唐仲英（Cyrus Tang，上海人）創立的"唐氏企業公司"（Tang Industries）。唐氏在一九六四年創辦"國家器材公司"（National Materials Corporation），跟着陸續收購破產或經濟有困難的公司，成爲一個擁有十六家附屬公司的企業。唐氏企業的總公司設在芝加哥郊區的埃爾克格羅夫村（Elk Grove Village），在一九八二年，這公司曾驚動美國工業界以四點六五億美元售價買下設在底特律名列美國鋼鐵公司中第十二位的麥克勞斯公司（Mclouth Steel）。唐氏企業的產品包括鋼、金屬加工及電子組配件等。這公司產的矽鋼佔美國中部地區的百分之七十。這公司與台灣也有密切關係，一九八五年在高雄投資興建大型矽鋼片衝壓加工廠，定名"全國鋼業公司"。產品是供應美國唐氏關係企業所需，或經由其經營管道供應台灣市場。

　　不過美國華人人口少，而且多年來又受美國社會歧視排斥，在工業方面長期不能夠正常地成長。所以當代華資工業在整個美國國民經濟領域並不佔很大比重。在美國華人投資的企業之中，如"王安實驗室"、"華昌公司"、"唐氏企業公司"那麼大規模的屬極少數，其他較大規模的主要是港、台的投資。除了上述電子電腦工業之外，大規模的港、台華資企業有"美國大同公司"（Tatung Company of America），製造家用電器及電子電腦產品。這是第一家在美國設廠生產而用自己的廠牌推銷產品的台灣企業。在一九八七年營業額超過一億美元。

　　一九七六年，香港華人黃創保轟動國際同業，接管美國製造手錶的"寶路華公司"(Bulova)。同年，台灣的"東元公司"又在美國德克薩斯州創立"美國德高公司"生產各種馬達。名列美國以外全球五百家大企業內的台灣塑膠公司(Formosa Plastic Corporation)，則在一九八〇年初設台塑美國公司(Formosa, USA)在美國建廠買廠，到一九八〇年中，在美國境內擁有十二家工廠，分別隸屬於在美國設立的三家分公司。㊲

八十年代中，中國大陸資本也開始向美國工業進軍。例如在一九八八年中信(集團)興業公司獨資買下位於德拉瓦州克萊蒙特市的美資鳳凰鋼鐵公司，改名中興鋼鐵公司(Citi Steel)，注入資金三千五百萬美元。㊳是中國大陸在美國投資較大規模的一宗。

(四)地產業欣欣向榮

六十年代末以後，房地產業是美國華人社會裏增長率很快的一個行業。據美國房地產經紀人社團的估計，由一九七〇年到一九八〇年，華人在美國購置的實業，每年平均超過二億美元，進入八十年代，這種投資不但增加，而且規模也擴大。

如前文所提及，檀香山很多華人早在第二次世界大戰及五、六十年代已經購置實業以及積極參加地產開發活動。在七、八十年代，他們在地產業繼續扮演重要角色，本文不再贅述，從而集中敘述美國大陸的發展。這發展是基於幾個因素：美國大陸華人自第二次世界大戰以來經濟地位日趨改善，很多人購置住宅，落地生根，有多餘資金的也向地產投資。舊金山的方玉明(Peter Chew)，黃襟海(Sam Wong)及陳啟康(Stanley K. H. Chan)就是六十年代成為當地幾名富有的實業家。在六、七十年代遠東各地華人對當地政治局勢的發展缺乏信心，將部份資金轉移到北美洲或世界其他較穩定的地區。北美洲的實業價格相對地便宜，而且每年穩定上升，所以這些資金其中的大部份也投入地產。這些遊資以香港佔最多，在六十年代末已經開始流入北美洲，到八十年代更加激增。由於香港商人多不肯將其財務公開，所以很難捉摸到這些投資的準確數目。據《今日美國報》的估計，由一九八〇年到一九八七年，香港商人在美國公開投入實業的總值超過九億九千二百萬美元，但這肯定只是香港遊資在美國地產交易的一部份。[39]台灣對資金外流有限制，但很多人也能夠透過各種不同渠道將資金外移。據美方的統計，在八十年代，台灣資金每年在美國投資房地產的金額約在五億美元左右。[40]另一個國外華人資金的來源是東南亞各國。

在顧客競購實業的情況下，供求的規律起了作用，加上一九三三年國際石油價格大幅度上漲的影響，全球物價升高，這些因素就刺激美國一些地區地產價格扶搖直上。水漲船高，房屋舖位的租值隨之加倍上升，直接影響居民生活費用的負擔以及經營工商業的成本。但買賣實業的顧客增加，地產及地產開發卻成爲吃香的行業。

舊金山灣區華人多，移民多，也是香港、台灣、東南亞華人樂於投資的地區，所以成爲美國最熱門、最昂貴的房地產市場之一。這裏的地產業較早開始旺盛，在六十年代末，這地區的華人經紀及地產公司已經有七十多家。到七十年代中，更倍增到超過一百六十家。著名的一名經紀是李兆祥（Pius Lee，廣東省斗門縣人），李氏在一九六八年創辦"加省實業公司"。在七十年代中，這公司開始積極招徠香港財團來舊金山投資，營業飛躍發展。李氏也成爲實業鉅子，在八十年代中，擁有總值約二千一百萬美元地產的全部或部份股權。[41]

由於美國華人過去的艱辛經歷，華人社會人士的資金有限，所以大規模的實業投資一般是由遠東引進資本與本地人合資，或由港、台、東南亞富豪委託代理人在美國投資及管理。這些地產不限於華埠地區，也包括市內各區域的公寓大廈及商業區的寫字大樓，凡是有利可圖的物業，都是投資的對象，他們在舊金山的活動可以說是典型。

在一九七二年，香港酒店珠寶業巨商楊志雲以一百二十萬美元購入舊金山商業區最旺一角的一間高八層的大廈。一九七八年，香港一娛樂地產置業財團，通過李兆祥斥資買下舊金山最大的私營戲院沃菲爾德（Warfield）。八十年代初，香港的李嘉誠投資成為舊金山一個新發展商業區的一間大寫字樓業主之一。[42]建築與貸款業大亨郭德勝也在舊金山下埠擁有價值超過一億美元的一些辦公大樓。[43]一九八三年下埠商業區最大百貨店毗鄰有三十二萬多平方公尺面積的貨棧以一千一百萬美元將產權轉售給香港投資者。一九八四年，香港的大生地產公司在金融區購地，並投資興建一座高二十四層的大樓，工程費達四千萬美元，是華人在舊金山投資興建最高的大廈。[44]其他大大小小的例更不勝枚舉，但從以上的幾個例子可見這些投資活動的梗概了。

南加州洛杉磯一帶，比舊金山較慢起步，但由七十年代開始，這裏成為美國華人人口增長率最高的地區之一。新移民定居，要求購置住宅，因此新建樓房不愁沒有銷路；人口多了，又產生發展商業供應居民生活所需物資的要求。這些因素推動這地區的地產開發行業呈上欣欣向榮的現象。早在七十年代初，商人李澄澤、李文芳、鄭其鐺等已經組織"美西企業公司"（Summit Western Corp.）在洛杉磯華埠投資二百萬美元興建"文華商業中心"，面積佔地二英畝，一九七二年開始營業，是美國華人在當地華埠首先創設的商業中心。[45]到七十年代中，香港、台灣移民開始大量湧入南加州，刺激地產開發業更加蓬勃地發展，中上層的新移民很多選擇在洛杉磯附近郊區較寧靜、治安較好的小城市購置房屋公寓，開發商就迎合這些要求大量開發地段，其中發展得最快，變化最大的是蒙特利公園（Monterey Park）。在短短的幾年內，這市由一個以白人中產階級居民為主的地區劇變成為美國境內亞洲人（主要是華人）人口比例最高的小城市（在一九八七年亞裔估計佔這市人口的四成）；由一個寧靜的城郊住宅區變成爲一個以華資商店及商業中心佔重要地位，有濃厚中國色彩的商業區。對這城市的變化最有影響力的地產商是謝叔綱（Frederic S. Hsieh，祖籍浙江鎮海，出生廣西桂林）。謝氏以留學生身份來美，後來定居，在一九七四年成爲第一名在蒙特利公園領得地產經紀牌照的華人，隨即成立"文華實業置地公司"（Mandarin Realty Co.）。在這公司鼓吹宣傳之下，大量新移民，尤是台灣移民，到這市定居，掀起房地產業一片熱潮，新建築物幢幢冒出，華人商店相繼開業。在七十年代，這市的商業用地每平方英呎只值五美元，五年後升了三倍，到八十年代中更漲到一平方英呎四十五美元。[46]不數年，"小台北"的稱號不脛而傳，謝氏也成爲當地實力雄厚的地產大亨，曾被權威的《洛杉磯時報》稱譽爲"改變南加州形象的華裔企業家"。

南加州氣候溫和，四季如春，經濟發達，所以七十年代末，八十年代初，印支難民移民也湧入這地區定居。將洛杉磯華埠南部本來是較冷清的一角頓時改變成爲熙熙攘攘的商業區。在七十年代初，華埠一帶地價還是約十美元一平方英尺，但到一九八〇年後，價格已經漲到八十五美元一平方英尺了。[47]

在這些因素的刺激下，洛杉磯縣的地產業更呈現興旺，洛杉磯一帶華人地產經紀及地產開發公司由一九七六年的五十多家，到八十年代中增加到幾乎二百五十家。

更令人注目的是洛杉磯縣毗鄰的橙縣（即奧蘭治縣）的變化。這裏也是衆多越南、高棉、寮國難民移民集中的地區。在七十年代末，八十年代初，越南難民趙汝發（Frank Jao）創辦的"信用地產投資公司"（Bridgecreek Realty Investment Corp.），在白種人中下階層居住的小市威斯敏斯特（Westminster）的一條大道開發爲越裔華人商業區，這條博薩大道（Bolsa Ave.）約一公里長一段的兩邊，在六、七年間興建十個商業中心，主要是給華人及越南人經營商店及設立各種機構。這個"小西貢"很快就成為越、棉、寮移民難民購買物品，進行社交的場所，改變了社區的面目。這裏的地價也由每平方米二十三美元，在七年內高漲到八十二美元。趙汝發因為實施這些計劃，在一九八六年領得"華美協會"的"亞太裔成就獎"。⑱

六十年代中以來，美東的紐約也是大量港台移民選擇定居的地區，這裏的華埠越過原有的邊界，擴展入意大利裔的社區。此外，港、台遊資，也購買華埠以外的一些實業。例如在一九七〇年，香港船王董浩雲的"東方海外集團有限公司"（Orient Overseas〔Holdings〕Ltd.），在華埠毗鄰的著名金融區華爾街購置物業。⑲在一九八三年，港商又以八百萬美元購買華爾街附近一幢大廈。但曼哈頓島金融區及中城區寸金尺土，美國本地財團資本雄厚，港、台資金不容易染指。所以，港台投資對象多轉向競購華埠附近一帶的舊樓宇。這壓力使實業價格狂漲，與曼哈頓中城區黃金地帶並駕齊驅；租金的高昂，也有過之無不及。

到七十年代末，港台資本開始也大量輸入紐約市皇后區的弗拉興（即法拉盛，Flushing），地產行業更旺盛發展。在七十年代中，紐約華人地產公司只有二十家左右，法拉盛只有一家，但到一九八七年，這數字已經達到一百五十家，僅法拉盛就有五十多家，從業人員四百多。其中最活躍的一名是被《紐約時報》在一九八七年稱為紐約"最活躍的亞裔建築業巨子"黃仲連（Thomas Huang），黃氏在一九七八年率先在法拉盛投資發展地產，興建一系列商場、住宅，很快成為千萬富翁，在一九八六年，他在這地區興建實業的投資額達到六千三百萬美元。⑳到八十年代，皇后區的布魯克林（Brooklyn）發展另一個華人聚居的地區。這裏的地產也開始上升。

地產投資活動卻不只限於華人集中的幾個都市，很多開發公

司通過華人地產商，又吸引華人投資佛羅里達州。較大規模的有
"中國置業公司"，自一九七九年以來，在佛州東海岸斥資九億
美元開發四萬多英畝土地，得到州政府及美國商務部的嘉獎。在
一九八六年，"宜安置業公司"（Urban Living, Inc.）又在奧蘭
度附近策劃興建"中國城"，包括商業用地，豪華旅館及觀光名
勝。⑤這些資金很多是來自台灣。

在一九八三年，休士頓華資的"大地地產公司"（Great
Land Real Estate）與東南亞、香港商號集資倡建位置在休士頓
郊區的新華埠"唐城"，宣稱是美國第一個有計劃開發的"中國
城"。⑥

遠東華商也看中農村土地價格低廉，可以在未來漲價時出售
獲利，因此也是投注資本目標之一。據美國農產部透露，在一九
八二年外國投資者共購一千三百萬英畝農地，其中佔百分之七十
五的買主是來自香港及加拿大。香港的投資多在緬因州、喬治亞
州、德克薩斯州及加州。例如泰國富商張卓如（Supasit
Mahagana，祖籍廣東省潮安縣）的"四海公司"，於七十年代
中在北加州的希爾茲堡（Healdsburg）買下葡萄園及醺酒廠。⑥
另一宗受輿論注意的是香港富商吳多泰（Ng Tor Tai，原籍海
南省文昌縣）在薩克拉門托三角洲的投資。一九七七年，吳氏以
七十萬美元購買這地區四百五十英畝土地，其中包括著名華人村
鎮洛克（粵人稱樂居）。

無論是本地或外來資金，不少人在七、八十年代投資地產獲
得巨利，但也有些投資者對於美國市場或當地政治氣氛有錯誤的
估計，或財團內部發生問題，而導致事業一敗塗地的。一九七七
年，馬來亞華商周旭東（Y. T. Chou）在奧克蘭華埠倡建"美
國之香港"（Hong Kong/USA）商業中心，建築費用估計是超
過一億美元。但到一九八〇年，這堂堂皇皇的開發計劃開始崩潰，
周氏被控告詐騙銀行巨款，被迫退出這計劃。跟着香港以陳松青

（George Tan）爲首的佳寧投資有限公司（Carrian Investments）承擔這計劃，改爲"泛太中心"，一九八二年完成了一座六層高的大廈。第二階段，擬建築一座高六十八或七十八層的摩天大廈，預算建築費三億元，但香港佳寧財務集團卻發生財政危機，工程停頓。在一九八三年中將"泛太中心"大廈轉售給"達通公司（利比里亞）"與"龍基公司"，後台老闆是馬來西亞巨商葉林新。[54] 休士頓郊區的"唐城"計劃在一九八二年大吹大擂宣佈動土之後，剛好國際石油價格下降，德克薩斯州的經濟走向下坡，所以建築工程到一九八四年秋才開始。到一九八六年完成一部份商店，但出租情況卻不如當初想像的好，顧客寥寥可數，所以發生債務問題。到一九八七年初就被放貸的拉馬爾儲蓄貸款會（Lamar Savings & Loan）查封收回。[55]

地產開發活動振興當地工商業，所以往往得到地方政府的贊許，但建築新樓房及商店，也影響到另一些人的生活環境，或者與地方一些人士的要求大相逕庭。在很多地方，開發商疏通地方政客關係，可以順利從事開發活動。但在另一些地方，當地社區人士吸收了七十年代以來美國社會運動的經驗，卻能夠組織起來捍衛並爭取本身利益。在這些場合，開發商也就必須搞好關係，向社區提供一些恩惠，才能夠順利進行開發活動了。

例如在六十年代，開發商在舊金山華埠興建"假日旅館"，就答應在這建築物讓出一層用爲"中華文化中心"。同樣，"加州廣東銀行"建築一座辦公大樓也得在大廈設一座"太平洋地區歷史文物館"。但如果雙方立場距離太遠，達不到諒解，那就只得對簿公庭或較量政治力量了。如上述張卓如的"四海公司"在一九七三年買下舊金山華埠邊沿的"國際旅館"，擬迫住客遷出，拆毀旅館，建築大廈。但住客卻組織起來反抗，經過長期訴訟，"四海公司"終於在一九七七年用警察才強迫住客搬出。這旅館拆毀之後，興建計劃仍爲社區爭論的問題，所以到八十年代末這裏仍然是瓦礫之場。

　　吳多泰購買加州洛克鎮一帶的土地之後，宣佈擬籌建中國式
的商業娛樂中心。他的計劃卻惹起關心保存華人歷史遺跡的社會
人士的反對，運動州和縣政府部門阻止實施這計劃。加州政府也
劃撥一百二十萬美元準備購買洛克鎮所在的十英畝土地，並準備
修復保存洛克的樓房設備，但吳氏卻拒絕出售。跟着薩克拉門托
縣參議會在一九七九年通過議案保存洛克鎮的文化歷史性特色，
大大限制這地區的商業性質活動，阻止吳氏進行他的開發計劃。
到八十年代中，雙方還處在僵持狀態。

　　在第二次世界大戰之後的幾十年，美國工商業大幅度發展，
消費量不斷增加。在這過程，工商業廢物污染環境，生活素質下
降。到七十年代，美國社會開始重視這問題的嚴重性，提出措施
阻止這趨向的延續。在一些地區，市民也組織起來保護環境，維
持生活素質。反對濫於開發地產就是這種心態表現的一個形式。

　　在華人開發活動的地區，原有居民往往大部份是白種人；所
以在這些地區，開發商與原有居民的矛盾也滲入種族摩擦的因素。
八十年代中的蒙特利公園就是這些矛盾有較尖銳表現的一個城
市。七、八十年代，華人在這市大幅度開發地產，工商業也急遽
發展，華人大有喧賓奪主的趨勢，原有居民的不滿這就造成這市
唯一華人市參議員陳李琬若在一九八六年競選蟬聯失利因素之
一。⑳原有居民提出的一些措施，例如限制建築計劃，抗議華人
商店只有中文而不懸掛出英文招牌，支持"獨尊英語運動"等等，
也都是反映這種不滿情緒的表現。

　　同樣，在舊金山市西部的中等住宅區，自五十年代以來，是
很多亞裔（其中華裔佔多數）家庭定居的區域。到七十年代，在
亞裔最多的里治滿區（Richmond District），約佔居民的五分之
一。七十年代以後，入居的華人移民大增，到一九八八年，亞裔
人口估計已經佔當地人口的三分之一。跟着人口的增加，房屋建

築及商業活動更趨活躍，社區面貌也不斷改變。一些原有居民感覺這些活動失去控制，影響到寧靜的生活環境，所以在八十年代中組織起來要求市政府下令限制開設新餐館以及限制改建重建房屋住宅。這些主張沒有指明，但不少人都認為對象是以華人為主。

在紐約的皇后行政區（法拉盛區所在的行政區）一名市議員也在一九八七年向市政府呼籲停止皇后區都市擴大改建計劃。一般人都認為這論調是代表皇后區以維持寧靜居住環境為目的的保守者心態。如果這主張實現，就會對法拉盛正在蓬勃發展的華人地產開發事業起很大的障礙。

（五）新興的旅館行業

旅館也是華人投資地產的一個重要對象，其中最普遍的是投資額較低的中小型旅館及汽車旅館。在八十年代，很多大都市如西雅圖、舊金山、菲尼克斯、休士頓等都有這些華人營業為旅客服務。但最多的地區是南加州，僅洛杉磯縣在一九七八年就有一百五十多家，而且大部份是由台灣人所經營，很多屬於家庭式的生意。

在七十年代初年，台灣人在南加州經營汽車旅館不過二十多家，但一九七三年發生國際性的石油危機，許多台灣人被美國公司解僱，轉而投入旅館業。這些人開闢了道路，做成一種風氣，其他台灣人也紛紛步其後塵。所以到八十年代中，台灣人在南加州經營的旅館已經達到約五百間。㊿在一九八七年約佔這地區汽車旅館的百分之四十，其中規模有大有小，有合作投資企業的，有聯鎖營業的，也有營造新旅館的。

較早經營汽車旅館的台灣人是留美學生蔡金裕（King Y. Chai，台灣南投人），在一九七〇年開始營業。但營業規模較大的一個卻是陳哲夫（Jeff Chen，台灣台南人），在一九七三年開始購進汽車旅館經營。他的營業不斷發展，到八十年代中，他獨資經營的大新旅館系列（Master Hotel Systems, Inc.），能夠在蒙特利公園運用電腦遙控管理這系統在美國中部五個州擁有的六間旅館。南加州另一名王桂榮（Kenjohn Wang, 台灣台北人）與蔡金裕在一九七四年倡組"南加州台灣旅館業同業公會"（Taiwan Innkeeper Association of Southern California）。王氏在美國台灣人社會也很活躍，在一九八二年捐獻一百萬美元成立"台美基金會"（Taiwanese American Foundation），"來表揚、鼓勵認同台灣為故鄉的傑出人才"。

進入八十年代，向較高檔的旅館酒店的投資也不斷增加，從以下幾個例子可見一斑。一九八二年香港邱德根的"遠東機構"財團先後在紐約及西雅圖購下"華威酒店"（warwick Hotel）。一九八四年香港的柏年酒店國際集團（Park Lane Hotels International）在舊金山下埠投資的"拉瑪達復興大酒店"（Ramada Renaissance Hotel）開始營業，其房間數目，名列舊金山酒店的第三位。一九八六年，這集團又在舊金山灣東岸的奧克蘭承購"凱悅酒店"（Hyatt Regency Hotel）。這集團在夏威夷州的考愛（粵人稱道威）縣也擁有"椰林"渡假旅館（Coco Palms Resort）。此外，舊金山還有朱勵民與香港"派厄尼爾"（Pioneer音譯）公司合資的五星級"富豪酒店"（Meridien Hotel）及香港"文華集團"在"加州中心"頂十一層所設的豪華式"東方文華酒店"（Mandarin Oriental Hotel）。在"小台北"蒙特利公園有東南亞、台灣與當地合資的"林肯酒店"（Lincoln Plaza Hotel），是這市最大酒店。在一九八四年洛杉磯奧運會前開幕。在洛杉磯市有"洛杉磯中央希爾頓飯店"（Los Angeles Midtown Hilton Hotel），自稱為全美第一座完全由華人一手斥資、規劃、設計、建築、經營的國際化觀光飯店，在一九八六年開始營業。在休士頓附近的維多利亞市也有華資的"第一投資公司"（FCBI）興建的"喜來登酒店"（Sheraton Hotel）。

地產業的活躍情況又吸引台灣一些企業到美國經營房地產開發，建築公寓、住宅、商業大樓等。一九八六年台灣具有規模及高樓建築經驗的"僑福公司"在洛杉磯開展建築業務。在紐約，有台灣"長榮海運公司"的關係企業"長榮國際公司"，在一九八六年建築商業大樓。一九八七年又有台灣的"太平洋建設公司"在加州設立分公司；"立明國際投資公司"與"美國國際銀行"合作在洛杉磯地區興建別墅。

到八十年代中，東南亞和中國大陸資金也開始較大量投入地產。新加坡的一個集團曾打算在阿特蘭大市建造辦公大樓，結果因市民拒絕讓出土地而胎死腹中，然而該集團仍然在這地區建造了工業小鎮。[58]在一九八八年，中國大陸在香港設的五邑股份有限公司與舊金山港灣區華商余文生合資以二百萬美元購下舊金山的"參議員旅館"後改名"新美麗華酒店"。這是中國大陸機構首次在美國投資進入商業地產。一九八九年初，中國民航又斥資二百六十萬美元購買舊金山的遊客汽車旅館（Travel Lodge），後改名"航空旅遊飯店"（Air Travel Hotel）。這一設備是用來安置中國民航機組人員，同時也為中國出訪人員提供方便。不過在八十年代末，東南亞和中國大陸投入美國地產的資金還遠不及香港和台灣投資額。

(六)與華人經濟活動唇齒相依的金融業

華人勤勞儉樸，有儲蓄存款的習性。七十年代之後，華人人口增加，就業人數增加，可以儲蓄的存款也隨之上升。與此同時，美國華人中上階層經濟能力加強，很多向地產、向工商業投資，港、台資金也湧入美國找尋用途，所以在華人集中的幾個地區，金融業務蒸蒸日上。在移民入境率很高的美國大陸，華資金融機構也紛紛應運而生，希冀能分享杯羹。由七十年代初到中期，新設的華資銀行及儲蓄貸款會多在美國華人歷史最長久的舊金山；

七十年代末到八十年代中，金融活動重心轉移到華人人口正迅速發展的洛杉磯一帶；八十年代中期以後，大部份新創辦的華資金融機構卻在紐約華埠及法拉盛區。從來不顯得是一個重要華人金融中心的休士頓，也在八十年代起步，先後出現三家華資銀行，反映了這裏的華人社會在七十年代末以來的巨大發展。

在八十年代，美國銀行業一片不景氣，倒風不止，但華埠銀行業卻能夠一枝獨秀，欣欣向榮。在八十年代初，紐約華埠只有三家銀行，到一九八七年已經達到三十二家（包括銀業公司及儲蓄所），成爲紐約市華爾街以外銀行最密集的地區，其中華資機構佔了約三分之一。⑲據"美華銀行公會"（Chinese American Bankers Association，一九八七年成立）會長莊華敏（Harold Chuang）稱，加州五百家銀行之中，也有三十五家是華資的，大部份集中在舊金山及洛杉磯地區。⑳

大部份華資銀行屬於中小型的企業，主要服務對象是華人社區有關的業務。他們與美國財雄勢大的銀行爭取華人存款，只能夠分享小部份。據一名銀行家的估計，紐約銀行在一九八四年吸收的華人存款約有三十億美元，其中華資銀行只得四至五億美元之間而已，不過這仍然是一個可觀而不可忽視的數字。舊金山及洛杉磯也有類似的現象。華資金融機構同樣也受資本額的限制，一般缺乏能力借貸巨款給大企業，業務限於中小型工商業貸款、房屋貸款等項目。但他們卻比較了解華人的需要及經營方式，在服務方面又靈活以及能夠提供方便，這是美國大銀行難以比得上的，所以對支持華人事業是能夠發揮重要的作用。一些有膽識的銀行家還能夠把握這一市場的具體有利條件，來發展業務。例如舊金山的"建東銀行"（Bank of the Orient），一九七一年由菲律賓"建東銀行"家族吳振聲（Ernest Go）創辦，就在十多年內發展成爲舊金山灣區最大的華資銀行之一，一九八七年是加州名列第四的華資銀行。這銀行在八十年代中有三間分行在舊金山及奧克蘭，及一間分行在關島；在一九八七年又在中國厦門設分行，是第一家能夠在中國提供全面服務的美國銀行。[61]在洛杉磯"遠東國家銀行"〔Far East National Bank，黃仲元（Henry Y. Hwang）等集資創辦〕也由一九八二至一九八六年連續五年業績名列亞裔銀行的第一位。[62]同市最老資格的"國泰銀行"經過二十五年的穩健經營，又在八十年代能夠躋身洛杉磯地區二十個大銀行之列。[63]

但也有少數機構卻急於獲取眼前利益採取捷徑或冒太大風險，結果主事人落得身敗名裂，企業陷入困境。紐約號稱"全美最大由少數族裔經營的銀行"的"金洋銀行"〔Golden Pacific National Bank，一九七七年由莊光雄（Joseph Chuang）等集資成立〕則因為發放房地產發展商的貸款倒賬，出現虧損，在一九八五年被美國聯邦存款保險公司以"從事不正常銀行業務"及"負債多於資產"為由，下令宣佈破產關閉，後來由上海香港滙豐銀行接辦。在西岸，號稱"全美最大的華資金融機構"的"聯合儲蓄銀行"〔United Savings Bank；一九七四年由譚炳城（Ben Hom）等集資成立，總行在舊金山，一九八六年有二十六家分行在加州各地〕，也因為放債經營地產虧損過巨，在同年被聯邦儲蓄貸款保險公司接管，轉售給"恆亞企業"（Hibernia Bancshares Corp.，印尼華商林紹良控制下第一太平集團子公司之一）。[64]同年，奧克蘭的"金門儲蓄銀行"（Gateway Savings Bank，一九八〇年由簡國坤等集資成立，一九八六年有三家分行）則因為貸巨款給營造公司沒法收回本息，造成巨大虧損，被聯邦保險公司接管，而且上法庭要求銀行的高級職員及董事賠償四千萬美元。[65]這些醜聞雖然只關係少數機構，但在眾目睽睽的美國社會裏，對華人銀行業的形象及信譽起頗大的負面作用。

上述是以美國華人資本為主的金融機構，但亦有部份是由香港、台灣或東南亞財團掌握大部份股權的企業。在七十年代末之前，舊金山灣區的"美國加州銀行"（America California Bank，馬來西亞華人周旭東與西人合資，一九七二年開業）及舊金山"美國亞洲銀行"（American Asian Bank，香港董浩雲集團與東南亞財團合資，一九七四年開業）就是其中的兩家。

七十年代末以後，遠東華人財團在金融領域的投資更趨活躍，有部份注入創設新機構，但更巨額的資金卻用來收購一些已經在營業中的銀行，尤其是財務上發生了困難的銀行，作為在美國發展的基礎，以下是在這領域幾宗較顯著的行動。

一、在一九七九年，香港"友聯銀行"董事長溫仁才（Oen Yin Choy）通過蒙特利公園的儲兆鈞購得墨裔人士籌設的"泛美國家銀行"（Pan American National Bank）的控股權，將英文名改為Trans National Bank。跟着這銀行在一九八三年收購宣佈破產的"新港港灣國家銀行"（Newport Harbour National Bank）及"聖瑪利諾銀行"（San Marino Bank）。在一九八四年又在舊金山收購"英國銀行"的分行。

二、一九八○年，東南亞的"亞洲世界國際集團"買下舊金山灣區的"美國加洲銀行"。

三、一九八一年，香港東南亞財團購得"紅木銀行"（Redwood Bank）的控股權。

四、一九八二年，日本華僑蔡明裕為首的世界華裔集團買下"洛杉磯國家銀行"（Los Angeles National Bank），改名"世界華商銀行"，在洛杉磯，舊金山及紐約先後設立七家分行。

五、一九八二年，由名列世界十大富豪之一，印尼的林紹良（Liem Sioe Liong）家族控制的香港第一太平洋集團買下在舊金山有一百二十多年經營歷史、擁有三十五家分行的"愛爾蘭銀行"（Hibernia Bank），改名"恆亞銀行"，成為第一太平洋集團子公司"恆亞企業"（Hibernia Bancshares Corp.）的一個機構，準備在美西發展，跟着，"恆亞企業"在一九八六年買下舊金山破產的"聯合儲蓄銀行"(United Savings Bank) 全部資產及"富國銀行"(Wells Fargo Bank) 加州七家分行。

六、一九八五年，以印尼富商李文正爲首的"力寶集團"(Lippo Group) 買下舊金山的"金山通商銀行"，改名"金山銀行"。這機構本着聯號關係，建立美國、香港及印尼資金流通的渠道。這銀行本來只有舊金山一間總行，但接管後，力寶集團就積極增資向東南亞來的移民、難民擴展業務，準備成立美西有八至九間分行的連鎖銀行系統。⑥⑥

七、一九八六年，印尼華商買下蒙特利公園的"滙通銀行"(United National Bank，一九八三年張正宗等集資創辦)。

八、一九八六年，印尼華商買下蒙特利公園的"安利銀行"(Omni Bank，一九八〇年謝叔綱等創辦)。

不過由於政治或法律因素的影響，一些遠東投資者卻千方百計隱蔽他們在美國金融機構所扮演的角色，使外人對這些機構內部的財務關係及權力支配情況撲朔迷離。最顯著的一個例子就是美國大陸歷史最悠久的"加州廣東銀行"(Bank of Canton of California)。這銀行在一九八六年在加州四百五十六家銀行之中排第二十三名，也是舊金山最大、在加州名列第二的華資銀行。前國民政府要員宋子文曾擁有這銀行的控股權。他在六十年代去世之後，股份就轉售給宋氏家族的親近，與台灣政府也繼續保持密切的關係。台灣中央銀行外滙局局長賈新葆剛退休就走馬上任，在一九八五年出任這銀行的董事長; 中央銀行前業務局副局長何柏枬也成爲廣東銀行的駐台代表。⑥⑦這銀行也是台灣政府外滙存底的美國華資銀行之一〔其他兩家是洛杉磯的"萬國通商銀行"(General Bank of Commerce; 吳澧培與台灣財團在一九八〇年創辦) 及紐約的"中美銀行"(Chinese American Bank，由中國銀行改組，台灣的中國商業銀行控有部份股權)〕。⑥⑧廣東銀行雖然堅持辯稱是一家單純美國華資的銀行，但社會上的議論卻仍然不斷揣測台灣政府與這家銀行的關係。

　　港、台遊資流入美國以及遠東與美國貿易關係的不斷發展，
也吸引亞洲各地區的銀行到美國設辦事處或分行，其中對美國華
人社會有最大影響的是英資佔控股地位，但也有不少華人股東的
"上海香港滙豐銀行"（Hong Kong Shanghai Banking Corp.），
這家銀行不但在美國設分行多家，而且也積極在美國收購銀行。
這資本雄厚的香港金融機構早已經在舊金山設灘頭。七十年代中，
轉移陣地到美國金融中心的紐約設立美國總行。一九七九年，這
家銀行收購在美國銀行業排名第十三位"海陸銀行"（Marine
Midland Bank）的控股權，一躍成爲全美國最大的外資銀行，
跟着在一九八五及一九八六年，滙豐又先後買下"金洋銀行"及
"國際合衆銀行"，在八十年代末，這家銀行在紐約已經設有九
家分行。此外，"滙豐銀行"還持有香港第二大銀行"恒生銀行"
的控股權。"恒生"也在美國設有分行。

　　不少港、台、中國大陸和東南亞的一些華資銀行也先後在美
國設分行。此外，遠東一些投資機構，也伺機在美國設分公司吸
收一部份港、台遊資。

　　當香港一九九七年回歸中國的期限迫近，以及台灣在八十年
代中又取消了對外滙的很多限制，外流的港、台資金勢必增加，
加上美國與遠東的貿易關係繼續加强，華人金融機構的業務也肯
定會繼續發展的。

　　不少華人也在金融界買賣證券的領域活動，其中享有盛名的
是蔡至勇（Gerald Tsai，上海人），蔡氏在一九五二年進入美東
證券市場工作，到一九六五年成立經紀公司，從事投資諮詢和經
營互惠基金（Mutual Funds）業務，在一九六六年建立"曼哈
頓互惠基金"（Manhattan Fund），在短期內吸進三十二億五千
萬元資金，被譽爲點物成金的人物。但到一九六八年，他的互惠
基金價值暴跌，蔡氏聲譽一落千丈，他也出售了這基金會的管理

公司。到一九七八年他才東山再起，收購了"聯合麥迪遜公司"（Associated Madison）。兩年後這公司的營業由每年的一百萬美元翻了五倍。一九八二年他將這公司轉售給"美國罐頭公司"出任這公司的總裁，將這家生產企業改變成為以金融服務為主的企業。蔡氏在一九八七年升任董事長，是首位執掌美國大企業的華人。他將公司改名"普美利加公司"（Primerica Corp.），在一九八八年將這公司以十七億美元出售給"商業信貸集團"（Commercial Credit），蔡氏成為這新公司的總監兼經理委員會主席。⑥⑨

在證券買賣領域中較突出人物還有陳守廉（祖籍福州），是全美華人經營證券規模最大的"第一東方證券公司"的董事長。⑦⑩其他證券公司大大小小的職員和經紀等更是不勝枚舉。

從上文可見，美國華人的經濟活動，在六十年代中到八十年代末，發生了很大的變化，個別華資企業及機構在工商業或金融業擁有一定的實力。不過從美國經濟全面來看，華資大企業及金融機構所佔的比重仍然很低，沒有能力左右美國經濟，但無可否認，華人資產階級卻終於在美國大陸確立了地位，一部份在主流社會能夠大顯神通。美國華人擁有大量資金，其中一些人又能夠聯繫遠東財團，得到他們的合作與支持。這些因素，對美國華人資產階級未來的發展規模與方向，將會產生重大的影響。

注釋:

① 　1965年移民法規定的七類優先如下：

第一: 美籍公民滿廿一歲的未婚子女（不超過攤額20%）。

第二: 有永久居留權外籍人（慣稱"有綠卡的移民"的配偶或未婚子女（不超過攤額20%）。

第三: 有特殊科技或藝術技能的人員（不超過攤額10%）。

第四: 美籍公民的已婚子女（不超過攤額10%）。

第五: 美籍公民的兄弟姐妹（不超過攤額24％）。

第六: 美國所短缺的普通技術或非技術人員（不超過攤額10％）。

第七: 難民（不超過攤額6％）。

② 見《東西報》，1982年1月6日。

③ 見《金山時報》，1973年4月6日。

④ 見《金山時報》，1975年12月13日廣告。

⑤ 見《時代報》，1978年1月4日;《美洲華僑日報》停止發行航空版通知書》，1986年3月20日。

⑥ 見《〈星島日報〉金禧報慶特刊; 香港報業50年》，（香港，星島日報，1988年）第56—61頁。

⑦ 見《舊金山考察家報》，1976年3月9日。

⑧ 見《舊金山週報》，1976年2月25日。

⑨ 見《中報》，1987年12月29日; 1988年5月14日;《星島日報》，1988年3月31日。

⑩ 見《中報》，1987年3月2日。

⑪ 見《少年中國晨報》，1973年1月22日;《世界週刊》，1985年3月10日。

⑫ 見《時報週刊》，1986年1月28日。

⑬ 見《中南報》，1986年3月14日。

⑭ 見《美洲華僑日報》，1977年9月2日; 1982年3月2日; 1983年12月3日; 1984年6月30日。

⑮ 見《世界週刊》，1988年5月1日。

⑯ 見《世界週刊》，1988年4月24日。

⑰ 見《世界週刊》，1988年4月17日。

⑱ 見《美洲華僑日報》，1981年12月2日。

⑲ 見《世界週刊》，1988年4月10日; 1989年2月5日;《時代報》，1984年2月8日。陳立鷗為了爭六十六號頻道，曾向聯邦法院起訴。其中一點是指控亞太電視公司（太平洋電視公司當時的名稱）的幕後投資者有外國政治背景，但他敗訴。跟着潘氏集團也向聯邦通訊委員會指控"太視"受台灣電視公司控制。

⑳　見《時報週刊》，1989年2月2日。

㉑　見《亞洲人週報》，1988年9月9日。

㉒　見《華埠雜誌》，1985年6月3日。

㉓　見《中報》，1987年4月20日。

㉔　見《世界週刊》，1984年10月6日。

㉕　見《少年中國晨報》，1987年3月6日。

㉖　見《時代報》，1985年7月15日。

㉗　見《美洲華僑日報》，1985年8月8日。

㉘　潔若，《美籍華人陳霖的成功之道:事在人爲》，見《福建僑鄉報》
1984年6月24日。

㉙　見《越華報》，1984年5月11日。

㉚　見《中南報》，1986年6月13日。

㉛　黃元生，《縱橫談:華人車衣》，見《立報》，1982年8月6日。

㉜　見《中報》，1986年6月21日，8月5日。

㉝　見《時代報》，1983年10月13日。

㉞　見《世界日報》，1986年4月30日。

㉟　見《世界日報》，1989年9月25日。

㊱　美國最老資格華人科技工程組織是"中國工程師學會"（Chinese
Institute of Engineers），在1917年由一批中國留美學生成立。後來這組織
形式由美國帶回中國，中國漸漸成爲這組織的總部，美國反而成爲分會，
設在紐約（見《時報週刊》，1981年2月8日）。到第二次世界大戰，美西華
裔工程師人數增加。建築師趙樹才（Lawrence Jue）等1943年也在舊金山
成立舊金山分會。1949年，中華人民共和國成立之後，紐約分會會務癱瘓，
舊金山分會脫離自立，改名"美洲華僑工程學會"（Chinese American In-
stitute of Engineers），到1978年又按照招收會員的實際情況改名爲"美洲
華僑工程科技學會"（Chinese American Institute of Engineers and
Scientists）。這團體成員是以土生華裔或在美國已經多年工作的華人科技人
員爲骨幹。

　　紐約分會也在1953年將"中國工程師學會"改爲"紐約中國工程
師學會"（Chinese Institute of Engineers－New York），隨着各地華人工

程師與日俱增，所以在1977年又改名"美洲中國工程師學會"。70年代矽谷工業興起，在1978年成立舊金山（實際上是舊金山半島南部的矽谷）分會，這團體的成員大部份是台灣及香港移民（見《時報週刊》，1981年2月8日。）

此外，還有"南加州中華科學家工程師協會"（1962年成立，見《金山時報》，1982年3月20日），"南加州中華電腦學會"，"聖地牙哥中華科工聯誼會"，"台灣科工會"（The Taiwan Engineering and Sciences Society of America，1981年成立，見《世界日報》，1988年7月16日）。"美南國建協進會"（在休士頓，Association of American Chinese Professionals 見《合衆國亞洲新聞報》（USAsia News）1986年2月28日）。"美華生物科學學會"（1985年成立，在休士頓，華盛頓，舊金山，芝加哥，北卡羅來納，紐約三州各設分會，見《國際日報》，1987年3月31日）等。在1988年又有華裔光電學會也在醞釀成立（見《世界日報》，1988年4月29日）。

㊲ Keith Sharon, "Business Profiles: Tatung, Formosa Plastic Corporation"，《米雜誌》（Rice Magazine）（1988年10月），第44—46頁。

㊳ 見《美洲華僑日報》，1989年2月24日。

㊴ 見《今日美利堅合衆國報》（USA Today），1987年10月14日。

㊵ 《熱炒房地產，華人總動員》，見《時報週刊》（1987年4月25日），第6—11頁。

㊶ 見《焦點雜誌》（Focus Magazine）（1986年12月），第82—83，147—148頁。

㊷ Frank Viviano, Alton Chinn, "The Hong Kong Connection"，見《舊金山雜誌》（San Francisco Magazine）（1982年2月），第54—60頁。

㊸ 見《美亞報》，1987年10月17日。

㊹ 見《時代報》，1984年10月6日。

㊺ 見《時代報》，1972年10月21日。

㊻ 見《熱炒房地產，華人總動員》，見《時報週刊》（1987年4月25日），第6—11頁。

㊼ 見《洛杉磯時報》，1980年4月13日。

㊽ 見《世界日報》，1986年8月25日；《合衆國亞洲新聞報》（USAsia News）1987年5月8日。

㊾　見《金山時報》，1970年10月5日。

㊿　柳佐，《法拉盛地產業方興未艾》，見《美洲華僑日報》，1987年3月14、16日。

51　見《中報》，1986年6月24日；《美洲華僑日報》，1987年2月24日；《華人蠶食美利堅》，見《時報週刊》（1989年3月18日），第118—131頁。

52　見《美洲華僑日報》，1983年3月5、7日；《國際日報》，1987年3月2日。

53　見《舊金山灣衛報》，1977年5月19—27日。

54　見《時代報》，1982年12月23日；1983年3月29日，9月9日，10月11日，11月9日。

55　見《國際日報》，1987年3月2日。

56　《華人參政亮起紅燈》，見《時報週刊》，（1980年4月20日），第32—34頁。

57　見《世界日報》，1984年5月23日；顧東林《王桂榮談南加州台灣旅館公會》，見《中報》，1986年7月26日。

58　見《美洲華僑日報》，1985年11月30日。

59　穗夫，《華埠銀行業縱橫談之一》見《美洲華僑日報》，1987年2月19日。

60　見《亞洲人週報》，1987年11月13日。

61　見《舊金山紀事報》，1987年7月15日。

62　見《中報》，1987年6月15日。

63　見《中報》，1987年4月11日。

64　見《時代報》，1986年3月31日。

65　見《時代報》，1986年4月18日；《舊金山紀事報》，1987年5月7日。

66　見《少年中國晨報》，1987年7月3日。

67　Peter Fuhrman, "The Bank of What?", 見《福布斯雜誌》（*Forbes*），1987年4月6日；《世界日報》，1988年3月21日。

68　見《國際日報》，1988年3月21日。

69　見《商業週刊》（*Business Week*），1986年8月18日；《美洲華僑日報》，1988年1月7日；《中報》，1988年8月31日，9月7日。

70　見中新社《中國新聞》稿，1988年10月10日。

一九七一年加州大學學生爲保衛釣魚台群島而
進行示威（圖片來源：麥禮謙收藏）

一九七九年舊金山華人爲慶祝美中關係正常化
而舉行巡遊（圖片來源：麥禮謙拍攝）

第十二章
新舊交替過程中的華人社會

一、華裔中產階級的興起

在第二次世界大戰前，美國華人遭受社會歧視，所以爲了捍衛並促進本身生存的權益，他們不得不團結起來。這團結行動往往是以種族認同感作維繫。"大家都係唐人"就是一句當時常聽見的口頭禪。但在這階段，什麼才是"美國華人"的概念還是很籠統模糊。戰後華人中產階級人數增加，經濟力量也增長。到五十年代末、六十年代初，由於民權運動的影響，美國華人的種族自覺性有更明確的表現，漸趨向認識美國華人是美國民族構成的一部份，從而加強了美國華人的社區觀念，對華人社區的發展更爲關心。這種思想在美國生長的一代尤爲濃厚，表達這種意識的一些社會組織也開始出現。這種意識較早在華人人口最多最集中的舊金山有了具體的表現。

一九六三年，土生陳參盛（Thomas W. Chinn）等，創辦"華人僑美歷史學會"（Chinese Historical Society of America）；其宗旨是研究並發揚美國華人的史迹，及搜集並保存有關美國華人的歷史文物及資料。這學會在一九六六年首創美國第一間陳列美國華人歷史文物圖片的展覽館。這會也是研究美國華人歷史的第一個民間學術機構。

同年，蔡增基等又發動成立另一個綜合性的社會服務組織。先是三藩市聯邦儲蓄貸款會在舊金山華埠設分會，分會經理是蔡增基（J. K. Choy）。爲了吸引更多華人光顧這儲貸會，蔡氏在一九六〇年中在儲貸會附設"華埠社會服務處"（Chinatown Community House）提供免費服務，有圖書室，諮詢服務，華埠社會消息壁報，集會室，學術講座等。①通過這些活動，他聯絡到一些關心華人社區社會問題的人士。到一九六三年春，他與周銳（Joe Yuey）等，發起成立"三藩市華埠服務總會"（Greater Chinatown Community Service Organization）。②其宗旨是贊助及參加地方上的政治、經濟、文化、社會、教育、慈幼、養老等福利事業。這年美國國會正考慮修改移民法，服務會也就協同華裔民主黨協進會遣派李泮霖到美京運動政客。③

同年，舊金山市參議局擬將華埠邊沿舊警察局所在的地段出售給開發商，但在蔡增基、周銳等人推動之下，華埠服務總會提出異議，要求在這地址設一個中華文化貿易中心。一九六五年，市參議局接納這計劃，中華文化貿易中心的支持者也在這年底成立"舊金山中華文化基金會"（Chinese Culture Foundation of San Francisco）來實現這構思。文化基金會的宗旨是發揚中華文化和美國華裔文化。經過八年的努力，終於一九七三年開辦"中華文化中心"，提供一個華人社區可以用於展覽、表演、演講、講課、開會等活動的場所。

種族認同感及社區觀念也導致一些人士致力於改善華埠的生活條件。在這領域，社會福利服務機構是起一定的肯定作用。這些機構素來辦事是各自爲政，但到五十年代，舊金山華埠一些社會服務機構有初步的合作，當時發揮集體力量，共同爭取在華埠設托兒所。到一九六一年，社會服務機構的合作行動更進一步發展，正式成立"華埠北岸區理事會"（Chinatown North Beach District Council）。而各社會服務機構的代表可以經常聯繫，磋商問題，交換訊息，這樣可以協調合作而設立華人社區所需要的社會服務方案。這理事會及屬下社會機構的社會工作者後來很多都成爲六十年代中新興社會機構勢力集團的積極分子。

到六十年代中期，美國非白種少數族裔爭取權益的社會運動開始波及一些大都市的華埠。這時期，由黑人領導的民權運動，在全國正如火如荼一般的發展。美國國會爲了緩和國內的種族矛盾，在一九六四年通過保障民權法案。同一期間，爲了平息黑人貧民窟裏羣衆的不安情緒，約翰遜總統又提出反貧困計劃"向貧困進軍"（War on Poverty），聲言在國內要消滅貧困現象，從而建設"偉大的社會"（The Great Society），隨而政府在各地區成立經濟輔導局（Office of Economic Opportunity），輔導社區積極分子設立各種福利計劃方案。可是當局雖然在幾年內撥出浩大的經費實行濟貧福利各種方案，但沒法撲滅貧困。到共和黨尼克遜當選總統，他就伺機削減經費並撤消執行這計劃所設的一些機構。不過在這反貧困計劃實施期間，是能夠暫時緩和了當時一些尖銳化的社會矛盾。而且也提供機會給少數族裔一些中產階級人物作走上政治舞台的階梯。

大都市華人聚居的地方，人口稠密，樓房設備簡陋陳舊，很多居民收入低，長期在貧困邊緣掙扎，所以也是反貧困運動對象之一。在這期間，在華人社會已經長期蟄伏的社會問題，也日趨嚴重。最早令社會人士注意的是華人青年幫派及犯罪行爲的增加。六十年代初，舊金山報紙已經報導華人青年聚衆及與黑人青年打鬥的事件。跟着在一九六四年，警察又破獲一個專破門入屋盜竊的組織，成員都是華裔青年。

另一個社會問題，是耆老問題，這是起源於美國以往的排華政策。據一九六〇年的美國聯邦政府人口調查，六十五歲或以上的華人共有一萬二千四百一十五名，其中約有三分之二在舊金山居住。這些老人以男性佔七八成。很多在年輕時期單身來到美國謀生，由於種種原因，他們沒有機會在美國成立家庭，所以老來就孤單獨居。他們很多都在陋室或下等旅店居住，靠着少許積蓄或養老金苟延殘喘。在美國社會的物價、房租、醫療不斷升高的情形下，他們經常要在社會的貧窮線下掙扎。

一九六五年新移民法案通過後，大量華人移民源源入境，他們在住房、保健醫療、就業、英文學習等方面很快地出現問題，而且迅速嚴重化。這各種社會問題的解決辦法，遠超出華人社區傳統同鄉宗親組織的能力範圍; 因此華人社會正好成爲實施反貧困計劃的重點。在聯邦政府協助下，舊金山華埠在一九六五年成立"華埠北岸區經濟輔導會"（Chinatown－North Beach Economic Opportunity Council)，不久，經濟輔導會就按照社區的需要設"英語中心"（English Language Center, 一九六六年成立)，"家庭計劃指導所"（Planned Parenthood, 一九六六年成立)，"安老自助處"（Self Help for the Elderly, 一九六六年成立)，"街坊法律援助會"（Neighborhood Legal Assistance, 一九六六年成立)。在一九六六年輔導會又設"夏令青年活動訓練團"（Summer Youth Program)，並幫助社會上已經存在的機構如青年會、教會等設立新的服務方案。隨着的幾年，在經輔會開闢先河的推動下，其他服務項目也如雨後春笋，五花八門，紛紛出現，例如一九六八年成立提供保健治療項目的"東北衛生服務處"（Northeast Medical Services, 簡稱NEMS, 一九八七年改名"東北醫療服務中心"。④) 及輔導新移民的"新僑服務中心"（Chinese Newcomers Service Center)。一九七〇年成立輔導青年的"華埠青年中心"（Youth Services and Coordinating Center)，一九七一年成立服務耆老的"安樂居"（On Lok Senior Health Services) 以及輔導小本生意的"亞裔輔鄰社"（Asian, Inc.)。到一九七七年，華埠五個致力於改善華埠面貌及環境（如房屋，交通，公園設備等）的志願組織又聯合成立"華埠改進協助社"（Chinatown Neighborhood lmprovement Center）。

這些華人中產階級改善社會的活動，在一九六七年，促使劉池光（Gordon Lew），創辦《東西報》中英文旬刊（East-West, 一九六八年改為週刊）。它是反映新興中產階級立場的報刊，經常報導美國華人社會的發展，尤是爭取華人權益的動態。

美東紐約市的華埠也存在不少社會問題。據一九六三年紐約社會服務處在華埠調查後發表的報告書，很多問題都與舊金山相同。

到一九六五年，紐約華人成立"華埠策劃協會"（簡稱華策會, Chinatown Planning Council），這是一個多元式的社會服務機構。在這會屬下，設有"華埠青年輔導中心"（一九七一年成立），服務老人的"人瑞中心"（Project Open Door, 一九七二年成立）。此外又主辦有英文班，職業培訓班，文化康樂活動，託兒服務，房屋管理，法律諮詢，翻譯等服務。到八十年代，這團體屬下已經有二十多個服務方案，僱用三百多職員，每年經費超過三百萬美元，是美國華人社會最龐大的社會服務機構。

跟着紐約另一些華人又在一九七〇年組織"華埠青年協會"（Chinatown Youth Council），後來改為"華埠推進委員會"（Chinatown Development Council），屬下也設有英文班及技術培訓班，另外又介紹職業，向小商人提供諮詢及貸款，為華埠居民設消費合作社（Food Co-op）。

到一九七一年這裏又出現第三個主要的社會機構"華埠諮詢委員會"（Chinatown Advisory Council），下屬有"華埠基金會"（Chinatown Foundation）設立"華埠英語中心"（Chinatown English Language Center），"華埠人力中心"（Chinatown Manpower Project），又與醫院合作在華埠設診所。

在紐約毗鄰馬薩諸塞州的波士頓市，黃玉鶯（Caroline

Chang）等專業人員及華埠人士則在一九六四年成立"美華福利會"（Chinese American Civic Association）。初時，這組織活動的重點是社交。但到一九六七年，在反貧困運動影響下，這組織將活動重點轉向社會服務。⑤在一九六九年，"華美福利會"與紐英崙中華公所合作推動市政府的人權司（Office of Human Rights）設華埠專案小組，探討解決華埠社會問題的策略。跟着一九七〇年市政府在華埠成立小市政府（Little City Hall），作為溝通華埠與市政府之間的橋樑。"華美福利會"的黃玉鶯成為這機構的第一名主任。到一九七一年，這團體又在波士頓華埠召開"華埠的展望"討論大會，參加者來自美國西岸，紐約及加拿大。其後工作發展得更快，"華美福利會"先後設有成人教育、職業培訓、青年輔導、耆老頤養保健與醫療等服務方案。在一九七二年，這機構又主辦中英雙語的《舢舨月刊》（The Sampan，八十年代改雙週刊），是波士頓華人唯一的社區報刊。到一九七六年，波士頓華埠的活躍景象又鼓舞當地華人進一步成立"華人經濟發展協會"（Chinese Economic Development Council），爭取聯邦政府撥款改善華埠經濟。

其他地區的華人社會，也按照當地具體情況，成立社會服務機構，在華人人口較少或居處分散（如洛杉磯）的城市，這些機構卻往往以亞裔組織形式出現。

上述的組織及機構，與美國主流社會有較密切的關係。他們構成在傳統僑社系統以外存在的新興社會集團。這些組織的經費，尤其是社會服務機構的經費，大部份是靠主流社會關係而來，所以財政不受華埠傳統勢力的全部支配。這些集團在六十年代後期開始在華人社區不斷擴張勢力，客觀上是對舊勢力在華人社會的領導權提出挑戰。

新興集團專業人才多，教育水平高，財政也堪稱充裕，但大多數成員的生活方式和思想作風卻接近美國主流白人社會，與那些重鄉情宗親關係的華人移民有很大的隔閡; 因此新興集團在華埠社會的根底很淺, 權勢基礎薄弱。不過恰好這時期在黑人民權運動的影響下, 一些華裔的種族自覺感提高, "種族認同"思想推動一些青年及中產階級知識分子抱有為華人社區服務, 改進華人社區的主觀願望, 紛紛進入華人社會服務機構裏活動, 為華埠居民翻譯, 協助老年人, 解決青年問題, 為選民登記等等, 這些負有使命感的初生犢在社會出現, 與舊勢力的衝突就在所不免。

新舊社會勢力集團矛盾最尖銳的地區是舊金山。在這裏, 華埠的社會服務機構已經有多年的歷史, 有社會基礎。反貧困運動開始, 社會服務方案更如雨後春笋般出現。這些機構的一些少壯積極分子有土生, 也有香港移民, 很多受過高等教育, 而且深受美國民主自由主義思想的濡染。一部份人熱衷於改善華人社區的貧困, 並衝破華埠與主流社會之間的隔離, 帶動華人參加美國主流社會。但這時候, 以中華會館為首的僑團卻故步自封, 對正在迅速惡化的社會問題熟視無睹, 只懂得粉飾太平, 否認問題的存在。在這情況下, 新舊勢力很快就對立起來。導火線是日益惡化的社會問題, 尤其是青年犯罪問題。

六十年代中, 舊金山華人社區的青年犯罪問題漸趨嚴重, 從一九六四至一九六七年, 被舊金山警察拘捕的十七歲及以下的華人作案嫌疑犯由八十五名倍增到一百八十六名, 這些數字雖然比其他族裔青年的犯罪率低得多 (在同一期間, 白種人青年嫌疑犯由二千三百七十九名增加到四千一百六十八名; 黑種人則由一千八百九十一名增加到二千七百三十六名), 但這趨勢也足以動搖了社會上認為華人是一個安分守己族裔的形象。

一九六八年初, 一羣約三百多大學失業港澳青年移民組成"華青"幫而推出關心社會積極分子胡其裕 (George Woo) 為發言人。向華人社會求助, 呼籲僑團捐助款項設立會所及舉行康樂活動, 免得這些青年流浪街頭, 滋事生非。⑥但以中華會館為首的僑團卻拒絕這要求。不久，"華青"分裂爲幾個幫派，由舊金山發展到南加州，美東甚至越境到加拿大的華埠，他們的活動由偷、竊、盜升級到搶劫，勒索及謀殺案件。

一九六八年秋，關心華埠的社會活動積極分子以舊金山州立大學的"校際華生活動委員會"（Inter – Collegiate Chinese for Social Action）的名義，發動約三百多社會工作者，專業人員及學生在華埠舉行破天荒的示威巡行，抗議華埠領導集團及市政府對華埠社會問題漠不關心，這是少壯知識界首次公開向華人社會抱殘守缺者的挑戰。他們聯同華人社區積極分子，又成立"華人改進協會"（Concerned Chinese for Action and Change），由劉貴明律師和黃美生代表這新組織，要求華埠領導階層爲耆老、青年、貧苦大衆設一些福利康樂措施。

但代表傳統勢力的中華會館卻在九月一日發表《告僑胞書》，指責"……少數另具野心，別懷作用之西人爛崽及華人歹徒，假借華青問題，對本總會館肆意詆譭，迭在中西報章誣衊中傷，甚至毀壞總會館之前各前門玻璃及石級，以作搗亂之示威……惟查近來美國各地示威暴動，造成社會不安，此類西人分子，挾其慣技，滲入華埠，與數名不肖華人合流，欲利用此少數華人青年爲工具，作其政治之本錢。利誘敎唆，恐嚇破壞，使造成華埠之恐怖狀態，以達其政治目的，……〔彼等〕攻擊本總會館及華埠，謂彼等是眞正代表華人，欺騙西人，欲向經輔會染指。本總會館基礎深厚，有絕大多數僑衆支持，此三數不肖華人之巧立名目，挑撥煽動，惡意宣傳，自無損本會館之毫末。然此種騷擾如長此下去，本總會館不能坐視，因此特敬告各僑團各商戶及僑胞，要提高警惕，以歷來治安最良好之華埠，今已逐漸遭受此等敗類之威脅。大家如不願意華埠淪於恐怖狀態，杜漸防微，宜準備應付與制裁。……"⑦這樣，舊勢力向新興社會集團的活動分子攤牌。跟着雙方的對立更嚴重化，有兩次較大的交鋒是學童車載及經輔會董事會改選等兩個問題。

當初，黑人家長在一九五三年得美國最高法院判決，學校不能執行種族隔離政策。跟着到一九七一年，又進一步判決地方教育系統可以車載學童到教育區裏各學校，使每校各族裔學童人數的比例較接近整個教育區裏各族裔學童人數的比例。在美國很多地區，這種措施只關係到黑白學童，但在舊金山，這卻牽涉到黑裔、西班牙語裔及華裔三個人數較多的族裔。在一九七一年，他們在學童總數的比例分別爲百分之三十二點二，百分之十四點六及百分之十點五。

舊金山華裔積極分子基於他們的開明自由主義立場，都支持教育局提出的車載學童計劃。但當時很多華人家長都不了解車載的目的。他們不放心兒女被車載到離華埠相當遠的小學，所以一般對這些措施不滿。華埠的一些保守派人物就把握着這些羣衆心理，煽動華人家長的種族偏見，將問題情緒化，終於展開大規模的反抗行動。所以到一九七一年秋季開學，很多家長實行抵制公立學校，學校的華裔學生人數減了三分之一。其餘的學童有很多進入華埠北岸區反對派所創辦的"自由學校"(Freedom Schools)。（這自由學校系統是由幾個反車載集團聯合組成的，不過這些學校師資及經費短缺，到一九七二年大部份已經停辦，很多家長也不得不將兒女送回公立學校，這風潮才告寢息。）

在華人反對車載事件的過程，思想作風接近美國主流社會的開明派積極分子，發覺他們與華人家長有很深的思想隔閡，在整個事件的過程，對羣衆嚴重地缺乏說服力，這也顯示他們的勢力在華人社區沒有很牢固的基礎。

在當時，積極分子也在經輔會活躍，不久他們所代表的開明革新勢力與僑團所代表的保守勢力在董事會對立。在開會時經常針鋒相對，又在報章互相攻擊指摘，以致會務癱瘓。到一九六九年，保守勢力開始攻勢，務求完全支配董事會。在四月，中華總會館召開"全僑大會"，通過決議向市經輔總會要求改組董事會。結果總會同意董事會應有過半數的直選"貧民"代表。到一九七一年董事會改選，雙方推出競選人名單，積極分子得少數開明團體及社會服務機構的贊助，但華埠畢竟還是傳統勢力的地盤，他們得華埠幾家報紙的支持，又能夠以同鄉宗親關係動員及影響選民，因此保守派推出的名單獲得全勝，掌握了經輔會大權。[⑧]這是車載問題以後積極分子又一次挫敗。此後，社會服務機構——與保守勢力妥協，這趨向在七十年代政府削減福利撥款後更爲明顯。至於少壯積極分子，他們則暫時避免與舊勢力作正面的衝突，集中精力，爭取美國華人的權益，培植政治力量。

在美東的紐約，新舊勢力的較量卻沒有採用舊金山的形式。在這美東華人最多的大都市，最大的社會服務機構是"華埠策劃協會"，這組織與主流社會的政治勢力建立關係，龐大的經費來自聯邦、州及市政府，不需要向僑團舊勢力俯首聽命。由於這組織不斷在華埠擴展勢力及影響，所以領導傳統勢力的中華公所要應付這來頭不小的對手也就不得不拉攏另一些社會工作者與社會人士成立"華埠基金會"與"華策會"分庭抗禮。在七十年代初，這兩個機構就曾爲了爭取政府的撥款而發生爭執，雙方都出盡法寶，動員主流社會有關的政客支持己方，結果還是打個平手。雙方還是在華埠各走各路。

在一些地區，新舊集團卻可以去異存同而共同合作爲華人社區爭取權益，例如波士頓的"美華福利會"在七十年代前後已經開始積極與紐英崙中華公所建立密切的合作關係，不過波士頓華人人口少，有識之士也深知這樣團結才能夠有力量而且有效地爭取得到華人的權益。

二、向主流社會邁進

(一)美亞裔運動

六十年代到七十年代末是美國社會種族關係發生重大變化的一個時代，而青年人在這發展過程是扮演了先鋒的角色。這時期，在第二次世界大戰及以後幾年出生的青年已經達到中學或大學年齡。他們在學校汲取老師教導的民主思想，對一個民主平等的社會有很高的期望，他們一般不滿現實社會的種族偏見及其他不合理現象，所以當黑人掀起爭取民權的旗幟，很多有理想的青年也響應這號召。

在民權運動發展的過程，黑人的種族自覺思想不斷滋長。一些青年積極分子不耐煩黑人權益這樣遲緩漸進的情況，提出更激進的政治主張，在一九六六年，首次提出"黑種人權力"（Black Power）的口號。意思即黑人必須把持權柄才能夠掃除一切壓迫，黑人要自己掌握命運才能夠達到解放。這"黑人民族主義"（Black Nationalism）的提出，得到很多貧苦黑人的共鳴。

到一九六七年，黑人民族主義進一步發展，在美西奧克蘭市出現"黑豹黨"（Black Panther Party），主張組織武裝，抗拒白人的壓迫和剝削。這組織的成員具有強烈的種族意識和濃厚的扶弱濟貧的作風。他們可能受當時中國正在發展的文化大革命極左思想的影響，所以也有明顯的平均主義和歧視知識分子的傾向。黑豹黨的政綱很快就得到學生運動裏一些激進分子的同情和支持，也幫助啟發美西一些亞裔學生的種族自覺意識。

這時候，美國已經介入越南內戰。戰事不斷升級，而美國人民的反戰情緒，也跟着高漲。美國"新左派"不久就指責美國在這場戰爭中扮演帝國主義角色。有些亞裔進一步將資本主義國家向未發展國家的侵略行爲聯繫到美國境內有色人種，尤是亞裔，受剝削和歧視的情況。這樣起一定作用，促進亞裔學生種族自覺意識的滋長。

一九六八年，反越戰分子和黑豹黨合作組織"和平自由黨"（Peace and Freedom Party）參加美國地方競選活動。一些亞裔也參加這政治活動，他們有要求提出有利於本族裔集團的政治綱領。

這時期，各個亞洲族裔集團人數有限，政治影響力因此不大。但各亞裔集團在美國多年來卻有被種族主義政策壓迫及排斥的共同遭遇，因此政治目標有許多共通點。同時這些亞裔積極分子都是受美國敎育薰陶的青年，受美國文化有較深的影響，他們一般對祖籍民族的語言文化已經陌生。他們的共同語言是英語，共同文化是美國文化，所以就形成亞裔有着互相合作、聯合團結的客觀條件，從而構成一般白人政客不可忽視的政治力量。柏克萊日裔積極分子市岡雄二（Yuji Ichioka）及華裔朱玉燕（Emma Gee）就是根據這一原則發起成立一個支持"和平民主黨"（Peace and Freedom Party）的亞裔活動小組（Asian Caucus）。在這基礎上，柏克萊加州大學的學生在五月成立第一個美亞裔政治組織"美亞裔政治聯盟"（Asian American Political Alliance）。其宗旨是反對美國白人種族主義，反對美國政府的帝國主義政策，支持美亞裔自決（self-determination）的權利，支持被壓迫民族的解放鬥爭和第三世界民族的自主權，建立一個平等、合理、人道的美國社會。不久這組織得到加州其他學校的亞裔學生響應，在舊金山州立大學成立第二個分盟。

到一九六八年年底，南加州的亞裔組織已經聞風而起，到一九六九年美西亞裔學生的活動又推動美東哥倫比亞大學的激進亞裔成立"美亞裔政治聯盟"。

一九六八年舊金山州立大學的"美亞裔政治聯盟"與較早已經成立的"校際華生社會活動委員會"（Intercollegiate Chinese for Social Action）聯同墨裔、黑裔、菲律賓裔學生組織"第三世界解放陣線"（Third World Liberation Front）向學校當局要求成立"少數族裔研究學院"（School of Ethnic Studies），並特別關照有色族裔學生入學。當校方拒絕這些要求，"解放陣線"就發動罷課，全校活動癱瘓。後來州政府委任早川（S. I. Hayakawa）為校長，施用鐵腕政策，學潮到一九六九年春才告平息，是美國有史以來持續最久的學生罷課運動，也是第一次有多名亞裔學生積極參加的運動。過後，舊金山州立大學成立美國第一所"少數族裔研究學院"，包括美亞裔研究系（Asian American Studies），分為華裔、日裔、菲律賓三個部門，首次向學生講授亞裔（包括華裔）在美國的歷史經驗，亞裔在美國的社會結構，亞裔文學等課程。

一九六九年初，柏克萊加州大學學生步舊金山州立大學的後塵，也示威罷課，迫校方成立少數族裔研究課程。這時其他一些學校當局見風使舵，也設立同類課程，平息激進學生的衝勁。美亞裔研究的主要活動中心是美西太平洋沿岸各州及夏威夷州。在美東，紐約市立大學是唯一設有較多亞裔研究課程的學府。

美亞裔研究對素來被學術界忽視的美國亞裔的歷史、社會、文化作有系統的探索。這些課程提高亞裔學生的種族自覺意識，從中促進亞裔社會文化活動及政治力量的發展。對非亞裔學生，這些項目也能夠溝通他們對亞裔歷史社會的了解。

亞裔的"種族認同"（ethnic identity）意識是促進美亞裔運動及成立美亞裔研究的一股推動力。華裔生於斯、長於斯，受西方文化的薰陶，對於祖籍國的文化反而有很大的隔膜。但往往他們無論西化程度怎樣深，總會有不少白人仍然當他們是一種次等的美國人。他們往往思想混亂，發生疑惑："我是什麼人?是中國人呢?是美國人呢?還是美國華裔呢?"所以在這期間，種族認同成為亞裔青年一輩關心的一個課題。這時候，黑人是種族自覺運動的先進，所以不少亞裔受其影響，模倣黑人積極分子的舉動措詞，不久又提出"黃種權力"（Yellow Power），這種種現象都是亞裔青年種族自覺意識萌芽的一些具體表現。當美亞裔運動進一步發展，一部份人也跟着更積極參加政治活動，在華人社區裏十分活躍。

(二)保衛釣魚台運動

當美國土生受美亞裔運動所鼓舞，中國留學生則受國際局勢的發展影響。在六十年代，美國大陸大約有二萬名由台灣或香港來的留學生，他們一向對政治活動都是採取冷漠超然的態度，但這期間，美國社會的不安情緒，大學裏學潮的起伏，美亞裔運動的興起，都逐漸影響一些留學生的思想，所以到七十年代初，有些積極分子對於參加社會活動，躍躍欲試，他們只是等待適當機會的來臨。

剛在這時候，台灣與琉球之間釣魚台列嶼（日本稱為尖閣列島）的主權，成為中、日兩國的爭端。一九七〇年，日本政府宣稱這是日本的領土。跟着在這年九月，琉球政府派炮艇到釣魚台附近驅逐中國漁船，又宣稱擬在島上設氣象站。日本與琉球政府這些行動就導致在華人留學界爆發戰後規模最大的政治活動。

正當釣魚台事件發生之後，美國普林斯頓大學（Princeton University）及威斯康辛大學中國學生在年底發起"保衛釣魚台運動"。很快得到美國各地留學生和學者的熱烈響應，在各地舉行示威，又向國民政府打電報，發公開信，要求採取行動來保衛中國領土。一九七一年四月，台灣政府對釣魚台嶼主權所採取的軟弱態度，導致保釣運動裏的一些激進分子開始公開抨擊國民政府和運動裏支持國民黨的分子。從此保釣運動便公開分裂成為左右兩派。⑨

六月十七日，美國和日本簽約，同意當時在美國統治下的琉球，包括釣魚台，在一九七二年歸還日本。這局面的變化促使“釣運”積極分子召開集會檢討過去策劃將來。在六月到十月間，各地區的“保釣行動委員會”都召開“國是會議”。九月初又在密歇根州安阿伯召開“國是大會”，通過以下決議：

一、反對任何“兩個中國”及“一中一台”的國際陰謀。

二、一切外國勢力，必須從中國領土（包括釣魚台）及領海上撤出。

三、台灣省是中國領土的一部份。所謂台灣問題，是中國的內政問題，應由中國人民（包括台灣人民）自行解決。

四、反對出賣中國領土主權的任何集團。

五、承認中華人民共和國為唯一合法的代表中國人民的政府。至此，保釣運動的政治立場已經明朗化，整個運動進入新階段。⑩

保釣運動為期很短，但對於留學界政治動向卻起很大的影響，擺脫了國民黨多年來對留學界言論上的抨制。由於宣傳的需要，各地保釣刊物如雨後春筍，其他文藝活動如歌詠、話劇等也很豐富，例如柏克萊的保釣委員會組織劇社，曾改編演出曹禺名劇《日出》，藉此影射台灣社會的腐敗。⑪稍遲，保釣分子又設“中國青年之聲”（Chinese Youth Voice）普通話廣播節目向聽眾介紹中國的大陸和台灣的情況。這都是運動以前在留學界不可思議的舉動。

參加保釣運動的人多是高級知識分子，主要是三十多歲以下的香港或台灣來美的學生。在保釣運動以後的幾年，有少數積極分子進聯合國工作，另一些人則與美亞裔積極分子合作，進入華人社區參加社會上各種政治文化活動，大部份人卻以校園作為主要活動範圍。不過他們完成學業後，忙於置家謀生、養育兒女等問題漸佔第一位，因而搞社會活動的時間也就減少了。然而保釣運動確打破了留學界不過問政治的沉悶局面。參加這運動的積極分子對於社會和政治的認識也因此而提高了。它爲以後美中關係改善的新局面提供了一些有利因素。

(三)左派的復活

華人社區的社會問題，正好給予有理想的華裔青年介入積極謀求改變社會秩序的機會。這些青年的思想動向分爲激進及自由主義兩大派別。前者鼓吹社會革命，以示威、罷工等鬥爭方式企圖達到目的；後者卻主張循法定途徑，在社會裏爭取應有的權益。兩者的積極分子都是社會中上層家庭出身的知識青年，其中有土生華裔，也有留學生。

有組織的亞裔青年激進活動，是由"紅衛兵黨"肇始。先是，當舊金山青年幫派滋事生非及犯罪問題日趨嚴重時。一些比較有遠見的幫派成員卻開始認識到這是一條沒有前途的道路，因此要求設法自拔。一九六七年中，一羣以土生華裔爲核心的幫派青年成立非牟利組織"清流社"（英文名稱是 Leway，即 Legitimate Way〔合法途徑〕兩字的縮寫）。他們集資設了一間桌球室（pool hall），計劃經營這設備，將收入舉辦一些青少年所需的康樂活動。但"清流社"終不見容於警察局，常被警察騷擾，發生衝突，計劃終成泡影。當"黑豹黨"成立，部份"清流社"社員也受影響，啟發了他們政治積極性及種族自覺性。一些領導人如高華康（Alex Hing）進一步參加了舊金山州立大學學生爭取設立少數族裔學院的鬥爭。這期間，這些青年從中國的"文化大革命"取得樣板，接受馬列主義及毛澤東思想，又根據"黑豹黨"的政治綱領爲藍本，修訂了綱領十一條，在一九六九年二月成立"紅衛兵黨"（Red Guards Party）。宗旨是爭取美國亞裔社會享有自決的權力，口號是"敢於鬥爭，敢於勝利"（Dare to struggle, Dare to Win）。

"紅衛兵黨"出現的時候，地產投資集團正鼓吹重建華埠，改善華埠的環境，但這些計劃往往卻踐踏勞苦大眾的利益，拆毀他們住的廉價住所及消遣場地，所以被關心社會的人士所反對。"紅衛兵黨"也參加了反重建鬥爭的一些行動。此外，他們又在華埠舉辦兒童早餐和提供免費午餐給貧苦市民來吸引羣眾。⑫

但"紅衛兵黨"的成員是流浪街頭的失學青年，一般有濃厚輕視知識分子的傾向，因此很難與知識界合作。同時"紅衛兵黨"承襲了"黑豹黨"的兇悍作風語言，跟華人社區習慣的舉止言行有很大的距離; 所以，"紅衛兵黨"雖然主觀地設立為羣眾服務的各種項目，反對不合理的社會現象，但他們卻得不到羣眾的響應和支持。這就嚴重地限制了這個小組織的影響。所以左派運動進一步的發展，還是要等待大學青年積極分子進入華人社區。

在美國社會運動及美亞裔運動鼓舞之下，貧困的華埠很自然成為有理想的亞裔知識青年試圖採取行動改革社會的場所。六十年代末，這些亞裔知識青年在各地的華埠先後展開活動，成員包括各族亞裔，但以華裔日裔為主。這些青年活動在美亞裔運動發源地舊金山出現得最早，發展得最快。在這裏，"保衛國際旅館"一時成為青年積極分子的中心活動，對於華裔青年左派運動的發展起號召作用。⑬

參加這活動的學生包括多名柏克萊加州大學"美亞裔政治聯盟"（AAPA）的成員。他們通過這次體驗得到結論: 要到社區參加活動，才可以促進社會改革。一九六九年秋，加州大學設立美亞裔研究課程（Asian American Studies Program），不久就在華埠設立"美亞裔研究校外辦事處"（Asian American Studies Field Office）。在年底借"國際旅館"土庫"菲律賓人聯合會"的禮堂（UFA Hall）作為活動中心，提供一個羣眾敘談的場所。參加這中心活動的人，卻不限於菲律賓人，而且後來華人還佔多數。所以在一九七〇年春這機構的名稱改為"亞洲人民聯合中心"（Asian Community Center, 簡稱"亞聯"或"ACC"），負責"亞聯"活動的核心分子是加州大學"美亞裔政治聯盟"的成員。

"亞聯"定期放映含有社會意義的電影，後來主要還是中華人民共和國製作的電影。這在當時反共氣氛仍然瀰漫華埠的情況下，是個大膽的行動。此外，這些青年又主辦兒童夏令活動和文娛活動，以及義務分派政府提供的補助食物給低入息的家庭。一部份成員於一九七〇年初，在附近開設"大眾書店"(Everybody's Bookstore)，專售文具，中英文進步刊物和唱片，衝破了國民黨人對有關中國大陸訊息的封鎖。"亞聯"的宣傳比"紅衛兵黨"低調，較容易得到羣眾的接受，所以活動也迅速發展。爲了要對這些活動和其他社會活動作統一的政治指導，"亞聯"的中堅分子聯合以移民和留學生爲主要成員的"工學社"部份成員，加上個別保釣運動分子和華人社區積極分子，在一九七一年初成立"爲民社"(Wei Min She)。宗旨是團結華人，爭取種族上和經濟上的平等。這年秋，"爲民社"創辦中英文刊物《爲民報》(*Wei Min*)作爲喉舌。⑭

在六十年代末期，美東紐約的激進青年也開始更趨活躍。當時哥倫比亞大學的"美亞裔行動會"及"美亞裔政治聯盟"的一些成員認爲應該介入華人社區進行政治活動，於是就由這些組織分裂出來，在一九六九年成立"義和拳"(I Wor Kuen)。初時美國社會激進組織如"民主社會學生會"(Students for a Democratic Society)及"測候員"(Weathermen)的一些亞裔成員也有參加。這新組織的一名領導人物是台灣留學生周一華(Carmen Chow)。"義和拳"的宗旨是爭取亞洲人民和亞裔的自決權利(self-determination)，支持全世界被壓迫民族的解放，爭取男女平等，終止種族主義，在美國建立社會主義社會。這組織的出現表示美亞裔運動一部份已經有較明確的政綱。

在初期，"義和拳"的主要對象是青年幫派的成員，但經過一年的經驗，他們斷定不能以這些政治立場極不穩定的流氓分子為基礎來發展政治運動。於是"義和拳"就轉移目標，集中力量組織工人，提高他們的政治覺悟。

這年十一月，這新組織初試啼聲，發動四、五十名青年在紐約聯邦調查局辦公樓前示威，抗議局長胡佛（J. Edgar Hoover）在國會發表供詞誣衊美國華人有可能支持中共，不盡忠於美國，因而威脅美國內部安全。一九七〇年初，"義和拳"創辦中英文刊物《團結報》（*Getting Together*）。在四月，這組織發動數十名青年在紐約華埠觀光的公共汽車前示威，抗議這些公司利用華埠盈利，但又不捐出款項幫助解決華人社區的社會問題。⑮

此外，"義和拳"也定期放映中國電影，並提供一些社會服務項目，例如免費醫療，徵兵法律諮詢等。在一九七一年又設立一個小型的免費小學新華學校。⑯

但"義和拳"的一些行動卻使他們與華埠一些靠觀光業營利的人形成對立局面。右派分子也不斷向"義和拳"進行騷擾，例如放火企圖焚燒"義和拳"會址及砸破會址的玻璃窗。

一九七〇年初，"義和拳"一些領導人到美西研究發展的可能性。一九七一年夏，在舊金山成立"義和拳"美西部，同時兼併了"紅衛兵黨"。不久，"義和拳"也關了美東的會址。不過"義和拳"雖然沒法撼動紐約華埠根深蒂固的舊勢力，但這組織卻能夠帶動美東一帶的激進亞裔青年組織，例如波士頓亞裔聯盟（Asian Alliance，一九七〇年成立，成員主要是華裔）就是其中之一。

一九七二年冬，美國總統尼克松訪問中國，美中關係開始解凍，"義和拳"把握這時機號召華人社區進步人士成立"華人進步會"（Chinese Progressive Association，簡稱"CPA"）。其宗旨是組織華人爭取應有的權利和促進美中友好關係。由於客觀條件有利，而且活動較大眾化，所以這組織發展得較快; 活動有電影組，國語班，太極拳班，音樂組，歌唱組，婦女問題研究組，毛澤東思想學習班，青年學習班等。

"義和拳"分子也在一九七七年在波士頓及紐約先後又成立"華人前進會"（Chinatown People's Progressive Association）和"華埠人民進步會"（Progressive Chinatown People's Association，後來改英文名稱為 Chinese Progressive Assn.）；洛杉磯又成立"華埠進步會"（Chinatown Progressive Assn.）。⑰這些都是舊金山"華人進步會"的兄弟團體。此外，波士頓的"亞裔資料中心"（Asian American Resource Workshop，一九七九年成立）也是"義和拳"的外圍團體。"義和拳"也深深影響七十年代在各大學成立的"亞裔學生聯盟"（Asian Students Union）。

當"義和拳"正在放棄紐約會址的期間，一些保衛釣魚台及美亞裔分子於一九七二年二月在紐約華埠成立"食物合作社"（Food Co－op）幫助華人社區貧苦居民。這組織較激進的一翼有進一步的要求，加強政治教育，動員華人工人階級採取政治活動，以及促進美中兩國關係正常化。他們成立"亞洲學習小組"（Asian Study Group），一九七三年改為"工人觀點組織"（Worker's Viewpoint Organization, 簡稱WVO），成員包括"食物合作社"的大部份成員，重要領導人物是董其昌（Jerry Tung）。⑱這組織自認為共產主義組織。其宗旨是參加和領導工人運動以及培養先進分子，促進美國革命。

但"工人觀點組織"如"義和拳"一樣，發覺他們的革命高調得不到華埠居民的響應。因此，有需要成立一個羣衆性的組織，恰好在一九七四年初，紐約華埠建築孔子大廈，"工人觀點組織"成員就組織"亞洲人平等就業會"（Asian Americans for Equal Employment, 簡稱"平等會"，AAFEE），宗旨是"團結工人大衆和少數民族，爭取民主權利，反對所有壓迫"。

"平等會"多次向白人承造商交涉，要求僱聘華工，但對方卻採取拖延推辭。於是"平等會"由一九七四年五月中開始，發動千多工人，少數族裔，青年學生到建築工地示威遊行，先後被警察逮捕五十多人。但這事件卻得到華人社區的普遍支持，代表保守勢力的中華公所也表態贊助。所以經過兩個月的抗議示威活動，承造商終於屈服妥協，答應僱用二十四名華工，這是一個歷史性的突破。⑲"平等會"旗開得勝後，在一九七五年又爲着抗議警察無理毆打華人姚揚勳聯同社區人士先後在五月中舉行示威，參加後一次示威的人士有空前的二萬多人，包括華人及其他少數族裔。⑳到一九七六年十二月，"平等會"發展到美國西岸，在舊金山成立"華埠民權協會"（Chinatown Democratic Rights Organization）。

　　在一九七七年七月，"平等會"，"華埠民權協會"以及洛杉磯的"改善教育委員會"（Organization for Improved Education，這些組織是爲反對洛杉磯車載學童計劃而在一九七七年成立），奧克蘭的"亞裔社區行動會"（Asian Americans for Mass Action），芝加哥的"華埠中心"（Chinatown Center，即"新青年中心"）以及費城的"黃籽會"（Yellow Seeds）等民權團體派代表開會，同意成立全國性的"亞洲人平等會"（Asian Americans for Equality，簡稱"AAFE"），這新組織在一九七七年十月創辦中英文刊物《平等報》（Equality）作爲喉舌。㉑

　　"義和拳"，"爲民社"，"工人觀點組織"深受美國新左派運動的影響，也接受了中國文化大革命的極左思想，他們都自認爲是馬列主義以及毛澤東思想正統的政治組織，認爲他們的活動是屬於美國革命的範疇。但他們互相間的政治歧見卻往往很嚴重，所以宗派意見很深，他們自立門戶，互相攻訐，輒稱對方爲反動分子；甚至對異己動武。他們與親蘇聯的美國共產黨，也是處在對立地位。這些左派團體縱然有時會爲了搞一些活動而暫時會合作，但這些結合都不能夠持久。這情況也是導致左派在華人社會裏不能集中力量，發揮更大影響力的一個因素。

這些組織經常和華人社區以外的激進團體聯繫，和美國社會裏各社區的進步力量合作。這加强了華人對其他社區族裔政治主張的了解。在另方面，也在一定程度幫助增加華埠華人進步活動的聲勢。

到七十年代後期，當美國政治情況日趨保守，社會運動走向低潮，美國的左派組織感覺有進一步團結組黨，擴大影響範圍的需要。

一九七五年，"革命聯盟"（Revolutionary Union）改組為"美國革命共產黨"（Revolutionary Communist Party，簡稱"RCP"）招募了"為民社"的成員，隨着"為民社"解散。跟着在一九七八年"義和拳"和"八・二九運動（馬列）"（August 29th Movement〔M－L〕）合併，成立"革命鬥爭聯盟（馬列）"（League of Revolutionary Struggle 〔M－L〕）。約在一九七九年，"工人觀點組織"也改組為"工人共產黨"（Workers Communist Party）。這些政黨的活動範圍，也漸漸轉移到美國主流社會。不過這些組織的羣衆性外圍組織如各地的"華人進步會"，紐約的"平等會"和舊金山的"大衆書店"等卻繼續在華人社區活動。

七十年代中，中國時局的變化對這些團體在華人社區的地位發生很大的影響。中國在一九七六年打倒"四人幫"之後，政策上開始開放。"美國革命共產黨"、"工人觀點組織"先後指控中國的領導人背叛馬列主義及毛澤東思想，走向修正主義。不過他們支持四人幫的論調，在華人社區裏很難找到共鳴者。

這些青年一般都是懷着崇高的理想，要求改善勞動人民的生活，改革社會。他們抱有初生之犢不畏虎的精神，向存在的舊社會勢力挑戰。激進青年組織的成員並不多，但他們一般有高度的工作熱情和紀律，作風大膽强悍，所以一時能在華人社區立足，與傳統舊勢力集團針鋒相對。他們的力量雖然不足以推倒舊勢力，但他們的行動，卻幫助打破了華埠的沉悶政治局面，而對華埠的進步和開明力量，起一種鼓舞作用。

這些積極分子也熱衷於改善工人的待遇，所以伺機介入與華工有關的勞資糾紛，與工人一同商榷對策並參加糾察線。他們在七十年代中，在舊金山曾多次插手華人社會的工潮，但這時候，他們還處在探索之中，由於缺乏經驗，因此往往行動上沒有得到很大的收效，而在華埠也發動不起有廣泛羣衆基礎的職工運動。

七十年代後期，左派青年活動的重點逐漸轉移到美國主流社會的職工運動，在工會裏團結亞裔及其他少數族裔職工，爭取工人的利益。

這期間，紐約市的左派組織如“華人進步會”及“平等會”的成員也在當地職工運動裏活躍。到七十年代末，他們的努力開始有些成果出現。在一九七八年，紐約中城（Midtown）“湘園”餐館的職工領先參加工會，隨後的三個月，又先後有六家華人餐館的職工成爲工會會員。㉒這時期，一些工人卻感覺工會對保障工人的利益漠不關心，極爲不滿，因此成立“華人職工聯誼會”（Chinese Staff and Workers Association），其領導人林崧（Wing Shong Lam）是由“平等會”退出的成員。不久，“華人職工會”在職工運動中扮演重要角色。一九八〇年，紐約華埠最大的餐館“銀宮”發生勞資糾紛，在“華人職工會”協助策劃下，這餐館的職工進行罷工糾察獲得勝利，後來這些職工投票要求成立一個獨立工會。㉓紐約華人餐館職工參加工會的表現，可以說在左派青年協助下有了突破性的發展，不過這職工運動仍然面對不少阻力，前面還是荆棘載途。

到八十年代，華人社區的華人左派羣衆組織，例如“華人進步會”和它的兄弟團體，以及“平等會”等，也繼續從事爭取亞裔權利的各種活動。例如他們參加伸雪陳果仁冤案運動，爲這案發動社區人士抗議以及籌捐訴訟款項。㉔他們在八十年代也開始積極參加美國的選舉活動，例如舊金山"華人進步會"的鄧式美（Mabel Teng）及紐約"平等會"的陳倩雯，都成爲當地民主黨的活躍分子。這樣發展便一改這些組織以往對資本主義選舉制度一貫採取的否定態度，可以說是進入了一個新的階段，較靈活地運用各種社會鬥爭形式，來爭取達到政治目標。

　　以上是美國亞裔（以華裔爲主的一部份）左派在七十年代所形成的三個派系。他們主要活動地區是紐約和舊金山，由於這兩個大都市華人人口衆多而集中，而且社會問題嚴重，所以這些組織在這兩個地方發展得比較快，而活動內容也比較多方面。不過這時候其他各地青年組織也比比皆是，但一般規模及影響都比上述組織小得多。

（四）爭取均等機會

　　另一些青年積極分子卻聯同中產階級知識分子及專業人員，爭取華人在美國社會應享有的均等機會及權益。這些人認爲華人的社會地位要有所提高就必須爭取進入主流社會公私機構的高級職員及決策階層，並積極參加美國社會主流政黨的政治活動。這些主張符合新興中產階級的利益，所以得到支持，因此能夠在各華人集中的地區崛起，構成社區裏一股新興的政治力量。

　　這些活動在舊金山較早出現。在一九六九年，舊金山華埠正興建假日旅館，承造商及工會都不願意僱用華人工人。這種種族偏見就促使王靈智（Ling－Chi Wang），黃少薇（Germaine Wong），李天拔（Buddy Choy），甄郭麗蓮（Lillian Sing）及梁雪儀（Alice Barkley）等策劃組織"華人就業協進會"（Chinese for Affirmative Action，一九八一年後改中文名爲"華人權益促進會"），其宗旨是"爲美國華人爭取均等待遇。重心是促進華人在建築、服務、公務、傳播及金融行業的就業機會"。"華人就業協進會"與華人社區的社會服務機構及舊金山的民權團體經常保持密切的聯繫，發展成爲在社會上有影響力的華裔民權組織。

這團體對於推動雙語教育尤起重要作用。先是，在六十年代末，舊金山公立學校招收了很多來自華人移民家庭的學童，他們往往因不懂英語而在學業上遭遇很大的困難。華人家長雖然多次向教育局呼籲要求設立以雙語授課的特別英語班來幫助學童，但卻得不到教育局的理睬。

後來，在一九七○年，"法律援助會"（Neighborhood Legal Assistance）爲劉建民（Kinney Kinmon Lau）及十三名學童（代表三千名在英語方面需要幫助的華人學童）上法院控告舊金山教育局局長，指責教育局不肯設立以雙語授課的特別英語班，以致這些學童享不到應得質量好的教育。原告並要求法院下令舊金山教育局設立雙語課程。這場官司一直上訴到聯邦最高法院。一九七二年一月二十一日，最高法院判舊金山教育局理曲: 公立學校只用英語授課是剝奪了不懂英語學童在教育方面應享的均等機會; 教育局是有責任爲不懂英語學童設立特別雙語課程來提高他們的英語水平。

判詞發表以後，"華人就業協進會"起關鍵的作用，發動華人社區以及聯繫其他說外語（主要是說西班牙語族裔）的少數族裔社區組織向教育局不斷施壓力，務使雙語教育落實。同樣在一九七五年聯邦政府頒佈《雙重語文選舉法》之後，"華人就業協進會"又聯合拉丁美洲裔團體向舊金山市政府官員交涉，促使他們執行法律條文。這會又努力推動一些公共機構，如警察局、消防局僱聘雙語華人職員。這些行動對於幫助華人適應美國社會制度以及進入美國主流社會起了肯定的輔助作用。

"華人就業協進會"也經常不懈地進行反對種族歧視，爭取均等機會，和推廣華人就業範圍等各方面的工作。

這期間，積極分子也有意要求打入對民意有重大影響的傳播媒界（即廣播和電視）。一九七〇年，"華人就業協進會"之下組織有"華人廣播協會"（Chinese Media Committee）。其宗旨：（1）協助華裔進入傳播媒介行業就業；（2）製作華人社區所需要的廣播和電視節目；（3）糾正傳播媒介所播送的一些含有種族主義色彩的華人形象（Racist Stereotypes）。跟着的幾年，"華人廣播協會"聯同其他有色族裔及白人民權團體不斷向傳播媒界施加壓力，要求僱用少數族裔專業人員。

　　"華人權益促進會"的活動正是當代新興華人中產階級知識分子專業階層在美國社會爭取均等機會的一些典型表現。其他地區的華人中產階級分子也朝着這方向走，爭取權益，衝破職業上存在的禁區，進入主流社會。

　　當各地中產階級力量不斷增加，他們進一步產生要求成立一些超地域，超華人社會的組織，以擴大聲勢及其影響力。一九七三年，王恭立（Kung Lee Wang）等發動成立全國性組織"美華協會"（Organization of Chinese Americans，簡稱"OCA"，最初的中文名稱是"美華聯盟"，一九七六年後才改"美華協會"），這團體在美京設總部及辦事處，從事游說國會議員等活動。各地又有分會（在一九八三年，有分會三十個，會員有三千四百多人，主要分佈在美東和美中）。這會的主要宗旨是：（1）尊重美國憲法，發揚民主政治；（2）鼓勵華人積極參加美國社會活動；（3）爭取少數民族均等機會；（4）掃除歧視性法律和習例；（5）發揚華人的優良傳統及其形象。㉕例如一九八三年，這會響應伸雪底特律市陳果仁（Vincent Chin）命案的活動起過重要的推動作用。不過這協會成員的政治傾向不一致，所以對中國政治嚴守中立，迴避涉及，免得這問題導致這組織發生內部糾紛。

　　"美華協會"的成員包括在美國長大的華人，台灣移民及香港移民。他們一般都是在城市郊區或大學附近居住的中產階級高級知識分子，他們跟華埠居民在文化水平及經濟收入有較大的距

494

離。所以這組織的基礎和服務對象,主要還是高級知識分子階層。

這些中產階級所成立的組織對追求權益的目標是一致的,所以,與各民權、社會服務、文化活動組織都有較密切的合作關係。它們互相呼應與支持,爲了增加政治聲勢。由七十年代開始華裔在爭取權益鬥爭過程中,也有着與其他亞裔及太平洋羣島族裔成立合作關係的趨向。例如一九七二年,在舊金山發起有"全國美亞太裔聯盟""(National Coalition of Americans of Pacific－Asian Ancestry,簡稱 Pacific－Asian Coalition),這是第一個全國性的美亞太裔組織,全國有九個地區分盟,致力於當地亞太裔所關心的各種問題。這組織在一九七六年大選時期曾積極參加民主黨的競選活動。這是亞太裔團體積極參加政治活動的先河。當時紐約市的"華策會"、"華埠工作室"(Basement Workshop,是從事文化教育的一個華裔組織,一九七一年成立),以及"免費健康診所"(Free Health Clinic,後改名"華埠健康診所"Chinatown Health Clinic,一九七二年成立),就是這組織美東分盟的成員。

到七十年代後期,美國政治環境趨向保守,這情況更加促使華裔與其他亞裔或亞太裔在政治上加强合作關係,爭取更多的權益。一九八一年,加州華人成立"美亞太裔權益促進會"(Asian Pacific American Advocates of California),分全加州爲五個地區。一九八七年,在州的首府薩克拉門托設辦事處,疏通或推動與美亞太裔有關的議案或法規。這組織得到加州超過四百個亞太裔組織的贊助。

另外,底特律陳果仁命案發生後,當法官在一九八三年宣判兇手只罰款三千八百美元及監視行爲三年之後,當地一羣亞裔出於義憤,組織"美國公民伸張正義聯合會"(American Citizens for Justice,簡稱"ACT"),推舉余乾海(Kin Yee)及莊阮明(Marisa Chuang)爲正副會長。這組織推動伸雪陳果仁命案的活動，得到各地亞裔的熱烈響應，製造輿論，迫使美國司法部不得不重審這案件。這組織也有意成為全國性民權組織，重點是採取各種行動提防社會上一些針對亞裔的暴力行為。㉖

在六十年代末至八十年代，促進各社會集團權益的亞裔或亞太裔民權或專業團體更是不勝枚舉。

美國少數族裔爭取均等機會的努力，創造了條件使少數族裔中產階級分子能夠乘當時美國經濟的發展，改善本身的社會和經濟地位。在六、七十年代，一些公職機構開始任用個別的少數族裔負責較重要的職務，甚至授予一定的決策權力。很多以前是屬於禁區的職業也一一開放。舉傳播媒介為例，在七十年代以前，這差不多是清一色白種人的世界。在七十年代初，周堅強（Christopher Chow）及周淑英（Suzanne Joe）才闖進這個白種專業人員的堡壘，分別成為舊金山男女性第一名電視新聞廣播員。㉗

在美東，宋毓華（Connie Chung）在一九七一年投身電視界成為哥倫比亞廣播公司駐華盛頓地區新聞採訪員。以後她的事業青雲直上，一九七六年在洛杉磯主持電視新聞節目，一九八二年到紐約主持"晨曦報曉"新聞。不過到八十年代中，在傳播媒介能夠被聘為高薪廣播員的華人仍然不多。

在報界，一些大城市的報館增加了有關少數族裔的報導，也聘用更多少數族裔的記者及其他工作人員，有極少數擢升進入有決策權的職位。如在美東李鏗（Lincoln Millstein），在一九八六年被擢升為《波士頓環球報》的商業版總編輯；同年，朱華強（William Wong）也成為《奧克蘭論壇報》的助理主編。吳惠連（William F. Woo）也被聘為《聖路易郵報》的主編，是華人在美國大陸報界最高的職位。但最高職位是沈儀文（Catherine Shen），在一九八六年任《火奴魯魯明星公報》（*Honolulu Star-Bulletin*）的發行人（Publisher）。

在西方藝術領域，華人也出現突出的人材。在古典音樂，巴黎出生的美籍華裔馬友友（Yo Yo Ma）由七十年代中開始嶄露頭角，到七十年代末已經成為國際樂壇的著名大提琴演奏家。台灣出生而在美國曾是小留學生的林昭亮（Cho－Liang Lin）也在八十年代中成為音樂界公認的小提琴演奏高手。在樂團指揮方面，八十年代中印尼出生的華裔林望傑（Jahya Ling）被委任為克利夫蘭交響樂團的副指揮；紐約出生香港長大的甄健豪則被委任芝加哥交響樂團的副指揮。

在建築方面，八十年代初，華裔女青年林瓔（Maya Lin）設計的越戰陣方將士紀念碑建在華盛頓，獲得高度的評價，成為華盛頓最多瞻仰者的一座紀念碑。到八十年代末，她又受蒙哥馬利的南方窮人法律中心的委託，設計石碑紀念在人權運動中犧牲的人們。在舞台設計方面，上海出生的美籍華人李名覺（Ming Cho Lee）是箇中的翹楚。他在一九五四年到紐約進入這行業。由六十年代初到八十年代中，在事業上是一帆風順的，曾設計有二百多件作品。在一九八三年，他的百老滙劇作品"KZ"得到最佳戲劇舞台設計東尼獎。

在其他形形式式的專業，如飛行、假牙塑製、展覽設計、電腦控制、模特兒、學生輔導、醫院看護、商業美術、簿記會計等等都有同樣的現象，增加了不少少數族裔工作人員。這樣，華裔中產階級人數不斷增加，就業範圍不斷擴大，逐步融入美國主流社會，成為享有平等地位的一員。

（五）參加主流政治活動

參加主流社會政治活動，也是少數族裔中產階級爭取均等機會及權益的重要一環。當時美國兩大政黨之一民主黨，表面上較重視爭取工人及少數族裔的支持，提出要改善社會中下層羣眾的生活，及保證少數族裔在美國社會能夠享受應有權益的競選綱領。

這些主張正與大部份華人選民的切身要求相吻合，因此這時期在華埠最活躍的是民主黨的華裔支持者。在六十年代末至七十年代末，民主黨在全國佔優勢。這也有利於華人社區的民主黨分子促進華人權益以及幫助增長亞裔中產階級的政治勢力。在當時很多新興的華裔少壯積極分子很快也加入這陣營，他們的衝勁及熱忱一時將華人政治活動更向前推進一步。到七十年代末進入八十年代，美國政治氣氛轉向保守，共和黨執政，這時期，部分華人中產階級比較活躍出現支持共和黨。不過在舊金山，紐約及洛杉磯等大都市的華人社會，以中下層低收入的選民佔多數，所以民主黨仍然有相當吸引力。

舊金山曾經是排亞運動的中心，多年來有色族裔一般是被擯斥於主流政治活動之外，但到六、七十年代美國社會運動卻創造了條件，改變了社會的態度，使當權的政客也不得不讓步，起用一些少數族裔社會領導人物。七十年代初，舊金山市長委任民主黨嚴泮欣（George Y. Chinn）為教育局第一名華人委員。㉓跟着在一九七二年，余河（John Yehall Chin）競選舊金山社區大學董事職位也得勝。同一時期，華裔民主黨協進會也努力培植各方面的政治關係，逐漸形成一股舊金山政客不能漠視的力量。一九七六年，一個較開明的市長上台，若干華裔民主黨員，就在這時期被委任市政府一些有較大權力，起決策性作用的職位。例如林淑琪（Betty Lim Guimares）任市長特別助理；劉貴明任計劃委員（City Planning Commissioner）；郭麗蓮（Lillian Sing）任市公務委員（Civil Service Commissioner），後來又被任命為舊金山市法庭法官(是任這職位的第一名華裔婦女)。在同一期間，譚松健（Benjamin Tom）也獲選為市教育局委員，鄧孟詩（Julie Tang）及黃作述（Alan Wong）被選入社區大學董事局。一九七三年，嚴泮欣被委任市參議補缺，是舊金山任這職位的第一名華人。由於政績平平，後來參加競選連任失敗而退出了政壇。跟着，在一九七七年，劉貴明成爲第一名被選民推選的華裔市參議，可是他才一任又落選了。到一九八六年，市長委任謝國翔（Thomas Hsieh）補缺，一九八八年競選連任，舊金山才有第三名華裔任市參議要職。㉙由此可見，舊金山選民對於推選華人任此要職，仍存在有保留態度。

美國的社會運動也創造了機會給予紐約華裔中產階級更積極參加主流政治，被委任公職的人數有顯著的增加。例如在一九七一年，陳兆琪出任紐約市人權委員會委員；一九七三年，李卓生出任司法警長，是任這職位的第一名華人；一九七四年，方鳴女士出任市政府職業副局長，是任這職位的第一名華裔婦女；一九八三年，伍元天出任市刑事法官，也是出任這官職的第一名華人；一九八四年，莫虎（Hugh Mok）被任命市警察局副總局長。㉚在這期間，紐約市華裔在政壇上角逐競選的活動也日趨活躍，由七十年代中到八十年代，黃珍珍，伍寶玲，朱寶玲等先後當選學區委員，但到八十年代，紐約華裔競選人的政治號召力仍然不足以幫助他們當選較高的職位。在一九八五年劉毛淑卿角逐紐約市選區市議員席位，她雖然得到多數華裔選民的支持，但卻爭取不到佔大多數的其他族裔的選票而結果落選。㉛

美國大陸華人人口排到第三位的是洛杉磯。在七十年代初，美國社會運動也帶動這裏的華裔積極參加主流的政治活動，但由於這市的華人並不集中在一個地區，政治影響力有一定的限制，但當他們的人數及經濟力量不斷滋長，就造成條件容許一些華人在洛杉磯政壇上初露鋒芒。一些華裔步黃錦紹法官的後塵進入當地司法界，例如任市法院法官的有曹秉常（Jack Bing Tso），葉成（James Sing Yip，音譯），及劉成威（Ronald Lew）等。任高級法院法官的有呂根浩（Elwood Gon Ho Lui）。劉成威在一九八四年升級任高級法院法官，在一九八七年又被里根總統推薦爲聯邦地區法院法官，是美國大陸唯一任這職位的華裔；另一名更早任聯邦地區法院法官的華裔是夏威夷州的鄺和勝（Harold Fong）。[32]到七十年代末，也有華裔角逐競選地方政府較高的職位，從一九七八年開始，黃錦波（Daniel K. Wong）多次當選洛杉磯郊區塞里托斯（Cerritos）的市參議員，一九八四年任這市市長。在鄰近的蒙特利公園，陳李琬若（Lily Chen）在一九八一年當選為市參議員，到一九八三年成為市長，是美國任這一官職的第一名華裔婦女，名噪一時。在洛杉磯市，胡紹基（Michael Woo）在一九八五年獲選為洛杉磯市第一名華裔市參議員。[33]

　　華裔選民在美國各地都屬於少數，選票在大選裏一般不能夠起決定性的作用，因此華人要有把握當選，就必須爭取選區裏其他族裔及政治集團的支持。在這情況下，華裔候選人除了爭取華人選民外，必須要與選區裏的一些勢力集團交換條件，在一些政治問題達成共識，然後才得到這些集團的支持而參加競選。這種聯盟式的政治行動，是各地區華人政客必須採取的策略。這種策略在華人較少較分散的地區有較顯著的成功表現，這可能是因為在這些地區，華人社區問題不會是競選政綱的一個構成部份。因此華人候選人不會被認為只單方面代表華人社會的利益，而是代表各族裔選民的利益，因此比較容易得到當地各族裔選民的選票。例如當舊金山華裔還在積極爭取第一名華裔當選入市參議會時，伍潤洸（Raymond Eng）及李盈（Ying Lee Kelley）先後在六十年代末已經在附近的奧克蘭及柏克利當選市參議員。[34]同樣，在七十年代，在當時華人人口不及一萬的西雅圖地區，周馬雙金（Ruby Chow），伍兆濂（Liem Eng Tuai），伍述殷（John Eng），王敬勵（Art Wang），駱家輝（Gary Locke）等華裔也能夠先後在七十至八十年代當選市、縣、及州眾議員。[35]在鄰近的俄勒岡州，葉鄧稚鳳（Mae Yih）從一九七六年開始六屆蟬聯州參議員及眾議員席位。[36]在美國西南部圖森市的鄧澄波（Soleng Tom）自一九六四年開始，任這市教育局委員十多年，在一九八七年，圖森市政府將一間新設小學，以他的名字命名。㊲在華人更少、種族偏見還很深的美南地區，也有一些成功的華人政客，如在新奧爾良附近郊區，朱家祥（Harry Lee）在一九七九年被選民推舉爲縣行政司法長官（sheripp），㊳後還兩次蟬聯這職位。在七十年代，亞肯色州和密西西比州的三個鄉鎮也先後選舉出當地華人爲鎮長（mayor）。㊴

在七十至八十年代，任州政府官職的華裔也有顯著的增加，尤是在華人人口較多的加州和紐約州。但由選民推舉的華人官員卻很少。最成功的是加州的江月桂（March Fong Eu）在一九七四年，競選加州州務卿職位得勝，隨着連任三次。在美東吳仙標（S. B. Woo）一九八三年，也在華人人口不及二千的特拉華州當選副州長，成爲美國大陸任最高官職的華人，但他在一九八八年競選國會參議員卻落選。㊵

這期間，有少數華人被推薦任聯邦政府較高的官職，如一九七七年，鄧心平（Thomas Tang）任聯邦第九巡迴法院法官，是華裔在美國大陸司法系統最高的職位。在行政系統裏，在一九六九年，吳元黎已經被委任國防部助理部長，但因故沒有就職。㊶到八十年代，聯邦官員增加。如一九八二年，胡少偉（Theodore W. Woo）被委任商業部副部長；一九八六年，趙小蘭（Elaine Chao）出任交通部航運署副署長，在一九八九年又被提名交通部副部長。㊷但國會參、衆議院被選民推選的席位，卻自夏威夷的鄺友良退休後直到八十年代中，再沒有華裔當選國會參議員或衆議員。但當華裔政客在地方級和州級選舉運動成功得選之後，一些人也準備厲兵秣馬，向國會進軍了。

這些政治行動，正是美國華人進入主流，與主流社會利益日趨一致的一些表現。可是華人人口少而分散，很多籍民英語不通，或不習慣美國式民主而沒有很大興趣參加投票。因此在華人集中的地區，一些華裔政治組織就應運而起，致力於教育選民，幫助他們登記，並鼓勵他們積極投票選舉，藉此將華人選民組織成爲地方上一股政治勢力，從而增加華裔候選人當選的機會。更進一步又出現另一些組織積極參加競選活動。早在一九七四年一月，舊金山華裔已經成立"華裔政治協會"，支持華裔或對華人友善的候選人。⑬參加者很多是土生華裔。直到八十年代，美國華人參政行動更趨積極，其中包括很多戰後才來美國留學的知識分子和專業人員。在一九八三年，洛杉磯華人選民成立"華人參政促進會"（Chinese American Political Action Committee），其宗旨是團結華人力量，共同努力提高華人的政治地位，跟着其他地區促進參政團體也紛紛出現。到一九八七年，華裔吳仙標，陳香梅等人聯合發表"華裔公民一九八八年，大選宣言"，要求總統候選人承諾在當選之後任命合格的華裔公民爲聯邦政府裏司法及行政部門的適當公職，跟着發起籌組"全美華裔臨時聯絡會"（Interim Coordinating Committee for Chinese Americans），聯絡各地區不同黨派不同行業的華裔公民，加強在美華人的政治影響力。隨着三月在洛杉磯開會正式成立"華裔政治委員會"，決議要求總統候選人承諾任命華人出任（1）聯邦平等就業委員會；（2）人權委員會；及（3）國家科學院。⑭

這些活動顯示美國華人中產階級羽毛已經豐滿，對於爭享本身權益具有更高的信心。華人在戰後幾十年的經濟發展，也成爲這些政客籌募競選經費的重要財源之一。如江月桂、陳李琬若在加州政壇上角逐，就不惜長途跋涉到美東僑團募款，吳仙標在特拉華州競選，也週遊美國呼籲華人捐助。他的三十三萬美元競選費，其中來自華人的佔三分之二，只加州就捐了約八萬元。⑮

走政界的華人，一般與美國同化程度較深，生活方式跟工人羣衆也有很大的距離，但在華人聚居的地區，他們卻還是需要爭取華人社會的支持，所以一般會提出要求促進華人利益，提高華人社會地位作爲號召，製造政治資本，不過具體的表現，往往是將重點放在爭取和促進本階級的利益，提高本階級成員的社會地位，如爭取華人出任擁有決策權的職位，扶助小企業發展等措施。在爭取本身利益的過程，這些熱衷於政活動的華裔形成不同的集團，分別攀附主流社會的一些勢力集團，希望這樣可以培植本身集團的力量。這些政治集團因此往往在華人社會裏也形成對立的派系，無論在民主黨或共和黨都有這一現象。

　　如上所述，可見七十年代以來華人在政治上日趨活躍。這些活動是華裔中產階級社會政治力量增加的具體表現。而這新局面的形成，在促進華人進入主流社會，成為美國社會平等一成員的過程中，是有它一定的進步意義的。

(六)華裔文化的發展

　　華裔中產階級朝向主流社會經濟、政治領域的攻勢，也反映在文化領域的蓬勃發展。這些以英文英語表達的作品，往往取材於華人社會或中國文化。在文學方面，七十年代時期，以趙健秀（Frank Chin）為首的一流派對亞裔作家是具有相當的影響力。他與陳耀光（Jeffrey Chan）和徐忠雄（Shawn Wong）等的作品往往流露出華裔處在白人社會與華人傳統社會之間的矛盾心態與所感受的文化衝突與種族歧視，得到青年讀者的共鳴。主流社會的讀者卻更欣賞湯婷婷（Maxine Hong Kingston）取材自中國民間故事而攙雜自己見解的半自傳式小說《女戰士》（*The Woman Warrier*）。這本書在一九七六年獲得全國圖書評論家獎。另一作品《華人》（*Chinamen*）又得一九八一年美國圖書獎。在兒童文學方面，最突出的是葉添祥（Laurence Yep）。他根據華僑飛行家馮如的故事而編寫的小說《龍翼》（*Dragonwings*，1975年）也曾得獎。

　　在表演藝術領域，由六十年代末至七十年代，亞裔先後在洛杉磯成立東西演員劇團（East West Players），在舊金山成立美亞裔戲劇工作室（Asian American Theater Workshop），在紐約成立汎亞戲劇劇場（Pan－Asian Repertory Theater），推廣亞裔劇作家的作品。在一九七二年趙健秀的《雞籠支那人》（*Chickencoop Chinaman*）成為第一齣進入主流劇場的亞裔作品，在紐約演出。跟着在一九七五年他的《龍年》（*Year of the Dragon*）又在公共電視廣播系統向全國播送。另一名劇作家黃哲倫（David Herry Hwang）有更卓越的成就，這年青的劇作家寫了幾齣頗為成功的劇本後，劇本《新蝴蝶夫人》（*M. Butterfly*）終於在紐約國際馳名的百老滙戲院區上演，在一九八八年獲得最佳戲劇、最佳導演及最具特色演員三項大獎。這後者的得主也是華裔，名叫黃亮榮。

在舞蹈方面，在美國東西岸江青（Chiang Ching）和王仁璐（Yen Lu Wong），在七十年代以中國民間舞蹈、中國戲劇與美國現代舞蹈相結合而創作出新的舞蹈，自成獨特的風格。舞蹈家唐志雄（Winston Tong）所創作的《纏足》（*Bound Feet*），則在一九七八年獲得奧比（O. B. I. E）獎。

在七十年代也有一些華裔開始製作電影和電視片。到八十年代，其中個別人已經在國際影壇頗負盛名，較早的是王穎（Wayne Wang）。他先後以華人社會的小人物為題材，製作《老陳失蹤了》（*Chan is Missing* 一九八二年）和《點心》（*Dim Sum*，一九八五年）得到美國和香港影評家的好評。王正芳（Peter Wang）和孫小玲（Shirley Sun）則合作拍攝以中西文化不同與衝突為主題的喜劇片《北京故事》（*A Great Wall*，一九八四年），這影片在香港、美國上映都很賣座。此外，還有製作教育和紀錄片的丁碧蘭（Loni Ding）、劉詠嫦（Felicia Lowe）、曾奕田（Arthur Dong）和崔明惠（Christine Choy）等製作者。由於亞、華裔電影電視片製作者人數不斷的增加，促使他們在一九八〇年成立有"全國美亞裔傳媒協會"（National Asian American Telecommunications Association, 簡稱NAATA）推廣自製節目及宣揚亞裔的文化藝術。

其他，在音樂、美術等領域也有些華裔活動，他們試圖將中國傳統文化一些要素與西方藝術相結合。因此，在這期間華裔文化藝術逐漸形成獨特的風格，在美國多元文化社會裏大放異彩。

三、中國政治的餘波

(一)台灣海峽兩岸的政爭

華人在美國落地生根，逐漸成爲美國民族組成的一部份。但很多第一代移民，對於故鄉或祖國仍然懷有濃厚的感情，因此他們關心中國局勢的發展，但由於華人社會趨向多元化，社會上各個不同的羣體卻會產生各種不同的表現。

在粵籍人佔多數的華埠裏，國民黨自五十年代以來，就積極利用美國社會的反共氣氛，以及美國與中國大陸政權在國際上的對立，全面支配了社會上的輿論，從而顯現出華埠一面倒向台灣的現象。但從六十年代開始，新興的中產階級逐漸成長，成爲華人社會裏一股力量，這集團的權益基礎是建立在美國社會，所以他們對中國北京政府的看法抱較靈活和實事求是的態度，從而接近主流社會。當時美國朝野越來越多人士體會到美國與中國建立友好的關係，才是符合美國的長遠利益，所以到六十年代末，恢復美中正常關係的呼聲已經日益高漲。美中關係解凍，已經是意料中事。這趨勢也就決定華人社會對中國的態度必然發生變化。

在這變化過程，激進的土生華裔青年起了先鋒作用，他們能夠在反共勢力控制下的紐約及舊金山華人社區佔據一角，向國民黨及保守勢力挑戰，打頭陣的是舊金山的"紅衛兵黨"。一九六九年，他們在舊金山華埠舉辦"五‧四"運動五十週年紀念會，講台上高懸中國的五星旗及中國共產黨主席毛澤東畫像，是一九四九年以來華人社區首次出現支持中華人民共和國的有組織行動。⑩

　　跟着，蟄伏了多年的進步開明人士也漸趨活躍。一九六九年，一些工商界人士集資在舊金山創辦《華聲報》週刊，是五十年代《金門僑報》及《中西日報》停刊以來在這地區第一份擁護中華人民共和國的報紙。到一九七〇年，紐約及舊金山的進步青年組織與進步西人聯合舉辦慶祝中華人民共和國"十一"國慶節，這是二十一年來第一次。⑰開明的《東西報》，這年也在十一月十一日發表一篇措辭謹慎的社論，指出美中關係改善的必然性。

　　在這期間，美中關係繼續迅速改善。在一九七一年三月，美國國務院撤消美國公民到中國旅行的禁令，到六月，撤消對中國的禁運。七月，美中發表公告，尼克松總統被邀請在一九七二年訪問中華人民共和國。八月，美國各族裔民主人士正式成立了"美中人民友好協會"(U. S－China People's Friendship Association)，致力於促進美中兩國人民的友誼。到九月，舊金山的"華裔民主黨協進會"發表聲明，要求聯合國恢復中華人民共和國的一切權利。⑱這形勢的發展，鼓舞華人社區人士，學生，進步青年及西人進步人士，在紐約及舊金山聯合舉辦一九四九年以來最盛大的集會，慶祝中華人民共和國成立二十二週年。⑲跟着，聯合國在十月底表決承認中華人民共和國代表應有中國的席位。到一九七二年一月，舊金山社區人士組織一個以周銳、劉貴明、及黃德慶 (Ernest Wong) 為主持人的"中美邦交協進會"(Chinese Americans For Better U. S.－China Relations Committee)，發動社區人士在請願書上簽名, 要求改善美中關係, 在尼克松總統訪華之前呈交給白宮。⑳

　　不過，美中關係不斷緩和改善，卻使《華聲報》的主事人對形勢作過度樂觀的判斷，一九七一年十月改為日報。不久報館的財政陷入困境，內部發生糾紛，到一九七二年便夭折了，成為美中關係發展過程中的一次挫折。在停刊前，黃運基脫離了《華聲報》，另外創辦《時代報》，立場與《華聲報》相近。

緊跟着尼克松總統的訪華，中國乒乓球代表團在這年四月到美國訪問，建立了美中人民之間的橋樑。一九七三年秋，美中商定每一方在對方的首都建立聯絡處，加強了美中的往來。一九七四至一九七五年中國的出土文化展覽又在美國的幾個主要博物館展出，轟動一時，大受歡迎。這期間，訪問中國的美國代表團絡繹不絕，美國工商界對打進中國市場有很大的期望。由於美中關係隔絕多年，社會人士對中國有很高的好奇心。有關中國的事物，成為熱門話題，在美國掀起一場"中國熱"。在這大好形勢的影響下，華人社會對中國大陸政權的看法也開始有所改變。一九七六年秋，中共主席毛澤東逝世。隨後，江青為首的"四人幫"集團倒台，結束了中國的"文化大革命"，開始了艱巨複雜的撥亂反正工作。一九七八年十二月，美中兩國發表公報，宣佈在一九七九年一月一日恢復正常外交關係，美中跟着交換大使，並先後在紐約，舊金山，休士頓，芝加哥及洛杉磯設中國領事館。

美中建交公報之後兩天，中國共產黨召開第十一屆三中全會，全面糾正"文化大革命"中及其以前的左傾政策。緊接着召開全國僑務會議，要求認真落實僑務政策，建設現代化的社會主義強國。

這時期，中國逐漸對外開放，美中交往日趨頻繁，中國經濟文化日益活躍發展，人民生活大大改善。但在開放的過程也產生許多弊端，"走後門"，以權謀私，投機倒把，貪污舞弊等作風蔓延。這些現象冷卻了部份人士對中國社會主義制度的熱忱，尤其是使一些理想主義者失望。他們一些人消沉下去，退出美中友好活動，所以七十年代初曾在華人社區活躍的各左派青年團體，到八十年代只剩下"華人進步會"還在華埠美中友好領域裏繼續活躍而已。

中國的開放政策卻鼓勵了傾向中國大陸的工商界開明人士及知識分子更加活躍，成立各種團體。一九七七年，美國華裔高級知識分子成立“全美華人協會”（National Association of Chinese Americans，簡稱“NACA”或“華協”）。其宗旨是保護華人權利，謀求華人福利，介紹中華文化，以及促進美中友好關係。第一屆會長是楊振寧。其他的領導成員都由美國社會知名人士及學者所承擔，而且分會遍佈全國。主要活動是屬於促進美中友好的範疇。[51]

不過，高級知識分子多不是粵籍，與華埠人士在語言、生活方式、工作作風存有不少隔膜，所以到一九八一年在紐約華埠又出現宗旨與“華協”相同，但成員主要是華埠人士的“華人聯合會”，首任會長是梅子强。[52]

遠在太平洋中心的檀香山，也在一九七七年成立與這些團體宗旨相同的“夏威夷華人促進會”（Chinese Community Service Association of Hawaii）。

由於國民黨已經控制很多社團，傾向中國大陸的人士有時也不得不另起爐灶與現存的組織並行，例如幾個華埠的“中華商會”被親台灣勢力把持，一些有意促進美國與中國大陸貿易的商人就在七十年代末到八十年代中先後在舊金山、紐約、費城、及洛杉磯另成立“華商總會”。

八十年代中也開始出現親國民黨的中華會館系統之外，而傾向中國大陸的一些同鄉組織。例如華盛頓有“廣東同鄉會”，奧克蘭有“五邑同鄉聯誼會”等。

為了適應政治形勢的發展《美州華僑日報》在一九七七年一月一日恢復每日出版。美西的《時代報》跟着在一九八三年五月四日改為日報，但改版後卻沒法打開局面發展業務，掙扎了幾年，到一九八六年底不得不宣佈停刊，剩下《美洲華僑日報》為美國華人左派唯一華文喉舌報紙。

儘管美中關係及華人社區裏美中友好活動在發展中有不少波折，但總的方面是向前進展的。七十年代之後，美國華人與中國的交往頻頻增加，很多人對中國大陸的現實得出了比以前較爲客觀的認識，對中國的看法漸漸由敵視害怕轉向接受現實或肯定態度。例如舊金山一九八四年慶祝中華人民共和國成立三十五週年的大會，有七八千人參加，打破歷年來紀錄。中國實施開放政策之後，美國華人與中國進行貿易或學術交流，在中國投資企業或在僑鄉捐贈支持建設等行動也不斷增加。

　　到一九八九年，在中國北京發生的學生運動卻使華人社會對中國政府的態度發生很大的變化。在當年四月中，北京學生趁中共前總書記胡耀邦逝世的追悼活動期間發動示威運動，要求政治改革，實現民主、自由、人權等權利，而且佔據天安門廣場歷時五十幾天，示威活動不斷擴大，市民也開始參加，中國政府將這些行動定爲“一場有計劃的陰謀，是一次動亂”。跟着在五月二十日發佈戒嚴令，調動人民解放軍入京，到六月三日晚及四日凌晨武裝部隊開始清理天安門廣場，與羣衆發生衝突，死傷多人。隨後很多異議分子被通緝，被逮捕或逃亡海外。

　　這次運動自始至終被歐、美、日本、香港的新聞電視媒介向海外廣爲傳播。世界各地人心深受影響，很多人對學生深表同情。在運動過程中，支援學生的組織如雨後春笋，羣起發動示威和募捐活動，並發表聲明抨擊中國當局對學生運動採取措施的不當。這些組織成員複雜，有訪問學者和留學生，有與中國經常交往的美籍華人，也有親國民黨的反共人士。

　　北京六月四日流血事件之後，華人社會大爲震動。親中華人民共和國的陣容發生分裂。部份人將這事件等同於自己本身在美國爭取民權的鬥爭而紛紛譴責北京政府的行動，這些很多是自由主義知識分子。部份人，尤其是老一輩，卻較強調民族主義立場。他們雖然不一定完全同意北京當局鎮壓這次運動所採取的強硬手段，但他們卻沒有忘記舊中國的落後，腐敗與黑暗，被外國欺凌的年代。他們繼續肯定中華人民共和國數十年來的建設成就，而對中國政府表示支持。更多人則對中國局勢的發展採取保留和觀望態度。如前文叙述，《美洲華僑日報》和《中報》都受形勢波及而停刊。華人社會的輿論差不多回復到七十年代前的一邊倒狀況。在當時同情學生的高度情緒化氣氛籠罩着華人社會和留學界的情況下，親國民黨人士也四出活動，企圖利用這機會將支援學生運動各組織的主要目標由支持民主、人權轉為反共，否定中華人民共和國。不過，隨着中國局勢繼續保持穩定，這種否定的氣氛也就稍為緩和。

美中關係正常化之後，台灣政府卻沒有消極地承受因美中關係的改變而損害台灣在美國的利益。它通過親台灣的政客，在美國能夠維持非官方的"外交"關係，中華民國駐美國的大使館改組為"北美事務協調委員會"。

在華人社會裏，國民黨分子採取積極步驟，排斥不肯表示擁護台灣政府，或對中國大陸政府抱開明或友善態度的組織。

正當美中關係繼續改善，國民黨控制下的社團裏的成員也開始改變對中國大陸政權的看法。因此，政治上的衝突在所難免。在這情況下，國民黨人就千方百計拉攏社團裏的成員，極力排斥中立或對中國政府友善的人士，不容許他們在僑團裏擔任要職。例如一九七二年，國民黨分子的壓力使舊金山的肇慶會館商董拒絕接納擁護北京政府的周銳出任會館主席；[53]這同一因素也令到同年昭倫公所懇親大會排斥元老謝僑遠在主席團之外。[54]

北京政府在美國設聯絡處及使領館，而且通過中國外交人員積極爭取僑社的支持。然而這新的因素便引起一些僑團裏產生一連串的糾紛，例如會所應該懸掛五星旗還是青天白日滿地紅旗呢？宴會應該邀請中國大陸的官員還是台灣的官員呢？到選舉職員期間，雙方都四出拉票，務求必勝。由於親大陸力量較弱，所以這些人士往往與中立派聯盟對付親台派。不過國民黨有組織而且在很多僑團根深蒂固，所以在八十年代還是稍勝一籌。一些社團爲了避免台灣海峽兩岸的政治問題的干擾就主張在會所只懸掛美國國旗或會旗，成員也趨向擁護在政治上較中立而願意專心爲社團福利努力的人士來把持會務。另一些社團對台灣海峽兩岸的人士採取一視同仁的態度。例如一九八四年舊金山同源會舉行七十二週年紀念和檀香山中華會館舉行一百週年紀念，中國領事館和台灣北美事務協調處的人員都在同一個場合出席。⑤採取這種中立政策的主要是土生華裔有較大勢力的團體。

台灣政權對華人社會是軟硬兼施的，這政權不遺餘力爭取美國華人，定期委任一些親台灣的忠貞人士爲僑務委員或僑務委員會顧問，作爲台灣政權的耳目，同時也滿足一些人追求虛榮的心理。台灣政權每年用於美國"僑務"方面有可觀的經費。台灣僑務委員會每年邀請華人社區領導人物免費到台灣參加"雙十"慶典，發動配合台灣外交政策的示威遊行及抗議運動，定期遣派歌星歌舞團"宣慰僑胞"，經常免費向華文學校贈送華文教材，及在台灣舉辦青年教師研習班等等。八十年代中，僑務委員會又在全球各地區成立"華僑文教服務中心"，到一九八八年已經在十一個地區成立。美國最早成立的是在舊金山，在一九八五年春開幕，跟着洛杉磯（一九八五年夏），紐約法拉盛區（一九八六年春）及休士頓（一九八七年夏）和芝加哥（一九八九年春）也先後成立同類機構，但佔地最大的是台灣僑務委員以六十萬美元在舊金山半島南部矽谷的森尼韋爾市購置的中心，這設備在一九八八年春開始公開使用。⑤一九八七年僑務委員會又宣佈準備在美國設"華僑貸款信用基金"幫助華人與留學生在美國創立事業。⑤以此籠絡人心，達到爭取團結美國華人的目的。

(二)來自中國大陸的異議分子

中國實施開放政策之後，到美國留學的學生和訪問學者迅速增加，到一九八七年至一九八八年，達二萬五千一百多名，僅次於台灣的二萬六千多名。其中有些是不滿中國現狀的異端分子，一九八二年底，王炳章、李森、梁恆及黃立等發動成立"中國之春"並出版《中國之春》月刊，要求在中國實現"眞正民主、法治、自由和人權"，但不及兩個月，其他三名發起人就與王炳章分手，並指控他的行動是"與民主運動根本主張背道而馳的"。王炳章等人則在一九八三年又發起成立"中國民主團結聯盟"(Chinese Alliance for Democracy, 簡稱"民聯")。《中國之春》成爲這組織的機關刊物，向來自中國大陸的留學生和知識分子進行宣傳，揭發和攻擊中共政權的流弊。不過這組織內部卻不斷發生權力鬥爭，構成不穩定的因素。

然而，一九八九年北京的學生運動卻對留學界有更大的影響，不少中國訪問學者和留學生都同情學生運動而積極參加支援學運的各種活動。六月四日天安門事件之後，不少人產生彷徨迷惘的心態，對中國局勢的發展採取觀望態度。留學界中的異議分子卻更趨活躍。在六月九日，三十一名訪問學者和留學生在洛杉磯成立"旅美中國新聞從業者協會"，並出版《新聞自由導報》支持學運，總編輯是前《深圳靑年報》副總編輯曹長靑。跟着在七月底，來自美國二百零二所大學的訪問學者和留學生在芝加哥開會成立"全美中國學生學者自治聯合會"(Independent Federation of Chinese Students and Scholars in the U.S.A., 簡稱"IFCSS")。其宗旨是"以和平、理性、和非暴力的手段"，促進"民主、自由、平等、法治的理想在中國實現"。跟着，學自聯的一些積極分子也參加了民主運動流亡海外分子嚴家其、吾爾開希、萬潤南、蘇紹智、劉賓雁等發起於九月下旬在法國巴黎成立的"民主中國陣線"。不過，隨着中國局勢趨向較穩定，加上這些組織經費不足，和內部爭權，所以聲勢也稍戢。

(三)台灣獨立、台灣民主運動

由台灣到美國定居的留學生及移民，對中國大陸及台灣的態度，基本上與其他美國華人一樣，存在各種不同的意見，但他們卻因爲曾在台灣長期生活，在那裏還有家屬親友，所以對台灣局勢特別關心。其中一些留學生與知識分子不滿台灣島內的不民主現象，他們來到開放的美國社會，就積極參加政治活動，抨擊台灣國民黨顢頇專制統治，其中不少人擁護中國大陸政權，但佔相當高比重的一部份人卻反對共產主義或對共產黨有極端疑懼的心態。這加上濃厚的地域觀念，就形成排斥外來壓迫者（即反對以國民黨爲首的"外省"統治集團）的政治活動。各個不同的社會羣體有不同的政治主張，一些人要求島裏更民主，反對國民黨一黨專政。一些人卻鼓吹台灣獨立，甚至提出台灣民族有異於中華民族作爲論據。這一切言論，當然不見容於台灣國民黨政權，所以在一個長的時期，主要的反對活動還是在海外進行，美國就是一個重要的中心。台灣獨立運動的發展過程錯綜複雜，派系林立，以下只舉其中的梗概以作參考。

台灣獨立運動發起人是一些因爲"二·二八"事件，⑱逃亡海外台灣人。這運動的初期中心是日本，但不久就轉移到美國。

一九五六年，台灣學生陳以德，林榮勳，李天福等在美國東部成立"台灣人的自由台灣委員會"（The Committee for Formosan's Free Formosa），成爲美國台獨運動的先河。到一九五八年初，這組織衍變爲秘密組織"台灣人獨立同盟"（United Formosans for Independence），成員開始在美國的政論雜誌鼓吹獨立。到一九六一年，"台灣人獨立同盟"才由陳以德公開以主席身份在紐約召開英文記者會。

六十年代中，美國各地的台灣留學生逐漸增加，政治運動也逐漸提升，各地開始出現台灣同鄉會，建立台灣人意識，認同台灣。先後成立有費城的"台灣人獨立同盟"、紐約的"台灣讀書會"、麥迪遜的"台灣問題研究會"等組織。

　　這期間，在台灣彭明敏教授與學生謝聰敏及魏廷朝在一九六四年草擬《台灣人自救宣言》，主張台灣獨立。這些言論觸犯了國民黨政權的大忌，結果彭明敏等以"叛亂"罪被捕，判刑八年。彭明敏被當局鎮壓的消息傳到美國，推動"台灣人獨立同盟"，"台灣問題研究會"及洛杉磯一些台籍人士聯合發起，在費城成立"全美台灣獨立聯盟"（United Formosans in America for Independence）。

　　彭明敏入獄一年之後，獲到特赦出獄。一九七〇年，他逃離台灣到美國，促使台獨運動更進一步發展，成立了"世界台灣獨立聯盟"（World United Formosans for Independence），由彭明敏出任總本部主席，蔡同榮負責美國本部。這年台獨盟員黃文雄及鄭自才在紐約行刺蔣經國未遂被捕。在這時期，台獨運動受國際恐怖集團的影響，確立暴力革命路線，被美國政府列為恐怖組織。但在這同一期間，美國台籍人士的社會結構卻已經有了重大的變化，非學生的移民激增，台灣本土反對國民黨的各派人士一一移民到美國，南加州成為美國台籍人士最集中，在政治上最活躍的地區。很多留學生也已經完成學業，在美國得到永久居留權，離開校園在社會置家立業，"台美人（即台籍華裔）意識"開始滋長。這些因素促使這些屬於社會的中上層的台籍人士對政治運動採取較穩健的態度，他們主張加強對美國政界的影響，強調合法及民主的政治活動。

　　早在一九七一年中華民國代表退出聯合國之後，台灣長老教會總幹事高俊明就乘這機會發表《對國是的聲明與建議》宣言，提出台灣人民有權決定他們自己的命運。一九七二年，台灣長老教會在美國的黃彰輝，黃武東，宋泉盛，林宗義等在紐約宣佈成立"台灣基督徒自決協會"，是"台灣自決派"在美國活動的開始。

一九七七年，島內民主運動領導人物郭雨新離開台灣到美國。在一九七八年，他聯合"台灣多數人政治促進會"、"世界台灣同鄉聯合會"及"台灣基督徒自決協會"成立"台灣民主運動海外同盟"。到一九八二年，民主運動派，台灣自決派及台獨較穩健分子進一步合作，在新澤西州成立"台灣人公共事務協會"（Formosan Association for Public Affairs，簡稱"FAPA"）。在八十年代末，這會在美國共有二十五個分會，會員逾千人，成員包括學人及商人，是溫和派最具政治影響力的機構。這組織利用和平游說外交手腕及雄厚的財力，促美國政客推動台灣島內更民主，它的活動對國民黨駐美組織構成很大的壓力。但這組織裏的各派卻不斷進行權力鬥爭，所以經常呈現不穩定狀態。

另一個有影響力的組織是"台灣同鄉會"，這會原本是較鬆散，政治性不強的聯誼性質同鄉組織。但在一九七四年，歐洲、美國、日本、巴西、加拿大等國的同鄉會組織聯合成立"世界台灣同鄉聯合會"（簡稱"世台會"）之後，政治色彩濃厚多了。由於"世台會"初期會務被台獨分子張燦鍙，陳唐山，蔡同榮等人把持，所以台灣當局也將同鄉會列為台獨組織，國民黨則在一九七八年推出保守親國民黨的台灣人士另外組織"台灣同鄉聯誼會"與"台灣同鄉會"分庭抗禮。

國民黨政府在八十年代後半期開始放鬆黨禁，台灣島內的"黨外"（國民黨之外）人士更趨活躍，台灣成為台籍人士重新可以公開推動民主的政治舞台，這局勢改變了台灣與美國及其他海外各地台籍人政治組織的關係。這變化對台灣自決派及台獨派在美國將來採取的策略會有很大的影響。

台灣人在島內及在美國的政治活動，也推動他們創辦報刊傳播政見，在一九五八年成立的"台灣人獨立同盟"開始出版不定期的《福爾摩薩通訊》(*Formosagram*)。一九六九年，台籍留學生又創辦《望春風》，這後來就成為"全美台灣同鄉會"的會刊。到七十年代，雜誌更多，但到八十年代，才開始有台籍人士辦的報紙出現。一九七九年，台灣《美麗島》事件在高雄爆發後，[59]十多名南加州的台灣人就發起辦《亞洲商報》，一九八〇年創刊，首次"為海內外台胞發出心聲"。這報紙呼籲在台灣推行民主政治，報導在台灣報禁不能報導的新聞，並批評國民黨政權不當的措施。主要股東王桂榮、楊加猷 (Charles Chai You Yang)、丁紹昇、許丕龍等都是南加州的富有台灣人。這報紙壽命不長，到一九八三年就因為財政上遭遇困難而停辦。[60]"台灣民族民主同盟"領導人物許信良也於一九八〇年在南加州創辦《美麗島週報》(*Formosa Weekly*)，自稱是一九七九年在高雄被禁的《美麗島》的承繼刊物。一九八五年，"台灣民主黨組黨促進會"在美京華盛頓成立，《美麗島》也與《台灣民報》(*Taiwan Times*) 合併出版，鼓吹回台灣組黨。這週刊在一九八七年停刊後，又出現《太平洋時報》(*Pacific Journal*) 週刊。[61]在美東的紐約則有一九八一年創刊的《台灣公論報》(*Taiwan Tribune*) 半週刊，是"台獨聯盟"的喉舌報紙。[62]。

國民黨政權對台灣來的留學界及知識界之中的異己分子，早在六十年代已經派員監視他們的活動，向台灣當局作小報告，甚至不惜採用暴力，打擊這些"叛逆"分子。陳玉璽案就是一個例子，陳玉璽是在夏威夷大學攻讀博士學位的留學生，在留學期間，曾經參加反對越南戰爭的遊行，他又經常在學校閱讀中國大陸的書刊。一九六六年，台灣當局吊銷了他的護照，後來他到日本，台灣政府與日本移民局串通，一九六八年將陳氏強制劫持回台灣，警備總部以"叛亂"起訴，判他監禁四年，後來國際關心人士提出抗議，他才獲釋放。

釣魚台事件之後，這些監視打擊活動更變本加厲。一九七六年，親台灣政府的組織在紐約哥倫比亞大學召開座談會，在會上攻擊中國大陸，反對者在會場上與主講人針鋒相對展開辯論，主事人竟指使流氓向他們下手，有一名打手還揮舞着亮晃晃的武士刀，撲向聽眾。一九七八年，在舊金山也發生動武的事件。當時一些台灣留學生反對蔣經國在台北登基，舉行示威。台灣駐舊金山的黨政官員竟率領打手，棍棒相加，打傷示威者。同年，明尼蘇達大學女學生葉島蕾（Rita Yeh Tao Lay）返台灣，被當局逮捕，控她企圖推翻台灣政府，並為共產黨宣傳，判坐監十四年。匹茲堡大學副教授陳文成的遭遇更慘。這名知識分子在美國經常發表言論要求一個更民主的台灣，他在一九八一年回台灣省親，就被台灣特務扣留審問多時，後來離奇慘死。⑥

另一宗引起國際輿論睨視台灣政權作風的是江南命案。一九八四年，台灣移民作家劉宜良（筆名"江南"，原籍江蘇省靖江縣）在舊金山灣區家中被暗殺。事後經過華人社會人士組織的"江南事件委員會"各方面奔走運動美國政府各部門，終於揭露這是台灣情報高級官員指使黑社會"竹聯邦"成員所幹的行刺勾當。據揣測劉宜良的罪名是出版了《蔣經國傳》以及台灣當局可能認為他知道台灣政權太多內幕秘聞。一九八五年，台灣警備總司令部又拘留南加州一向採取保守立場的《國際日報》發行人李亞頻，罪名是她涉嫌迎合中共統戰陰謀，連續發表有利於中共的文字，觸犯了"懲治叛亂"條例第七條罪嫌。美國聆知這件事輿論嘩然，美國國務院向台灣當局提出強烈抗議後，台灣當局才釋放她回美國。⑥

台灣當局採取這種恐怖暴力行動希望能夠起殺雞儆猴的作用，但這些行動對台灣政府在美國社會的形象也起了很大的負面作用。

中國政治的影響，往往在華人的社區裏起到分裂的作用。無可否認這是妨礙華人社會團結因素之一，不過到這個階段，積極參加任何一方面中國政治活動的人士已經佔極少數，大部份華人還是朝着美國主流的方向前進。

注釋:

① 見《世界日報》，1960年6月22日。

② 見《世界日報》英文版，1963年6月22日;《太平洋週報》，1963年3月7，14日。

③ 見《太平洋週報》，1963年7月18日。

④ 《金山時報》，1987年6月11日。

⑤ Betty Murphy, "Boston's Chinese: They Have Problems Too!" 見《機會雜誌》(*Opportunity*)，1971年5月;《華美福利會1986年報告書》。

⑥ 見《東西報》，1968年1月24日。

⑦ 《少年中國晨報》，1968年9月1日。

⑧ 見《太平洋週報》，1971年9月16日;《東西報》1971年10月20日。

⑨ 曲浩然，《回顧"五‧四"與展望保衛釣魚台運動》，見《明報月刊》(1971年5月)，第2—10頁; 姚立民《中國人的怒吼——記4月10日美京華盛頓大遊行》，見同上第11—16頁; 姚立民《保衛釣魚台運動的回顧與前瞻》，見《明報月刊》(1971年6月)，第9—12頁; 沛然《保釣運動說從頭》，見《台灣與世界》(1986年6月)，第14—18頁。

⑩ 姚立民，《海外中華兒女大結合——美國密西根安娜堡〈國是大會〉簡記》，見《明報月刊》(1971年10月)，第86—93頁。

⑪ 謝寄心，《這僅是一個開始——訪問北加州保衛釣魚台話劇社》。

⑫ 《大埠"紅衛兵黨"政治史略》，見《團結報》，1973年2月17日，3月3、17日。

⑬ "國際旅館"是舊金山華埠邊緣的一座陳舊樓宇，住客多是貧老的菲律賓人和華人。當時業主擬拆毀這樓房，另起新建築物，在1968年底傳下逐客令。由於華埠一帶很缺乏廉租住房，住客在無可奈何的情況下拒絕遷出。他們並得到"菲律賓人聯合會"(United Filipino Association)代表他們出頭跟業主進行談判，要求延續租約。到1969年3月，旅館突然發生火災，部份蒙受相當損失。跟着業主就宣佈取消擬訂的租約，下令住客限

518

期遷出，在這緊急關頭，多名社區人士和青年學生加入這場鬥爭，展開保衛國際旅館運動。他們糾察市政廳和業主的辦事處，爭取社會人士的同情。在社會輿論壓力下，業主被迫在7月簽訂新租約，據這新協約，住客要負責改建這陳舊建築物的設備，達到符合法定的規格。這夏天，很多青年學生（主要是柏克萊加州大學的學生。）和社區人士熱情地投入修葺國際旅館的工作。不久這旅館也成為舊金山華人左派活動的中心，設有"為民社"、"義和拳"、"大眾書店"，"乾尼藝術工作室"（Kearny St. Workshop）等機構。

保衛"國際旅館"的鬥爭堅持了9年，但在美國社會裏，私有財產的權利是神聖不可侵犯的基本原則; 所以這也注定這運動最終會被取締。

在1977年8月4日，舊金山市政府動員了400名武裝警察、騎警、縣警和消防隊員來執行迫遷令。這天晚上警察衝破了旅館前2000多名支持者組成的"人牆"，強迫住客遷出。左派團體也失了一個活動中心。

⑭　大眾書店前負責人黃達口述，1984年5月9日，1988年7月1日;《亞洲人民聯合中心》宣傳小冊子，約1974年編印。

⑮　見《團結報》，1970年1月;《中美時報》，1970年6月。

在1969年10月份的《中美時報》曾報導華裔青年騷擾華埠觀光團的事件; 在11月，該報又發表署名"黃拳頭"（The Yellow Fist）的傳單，攻擊觀光公司。"黃拳頭"可能就是"義和拳"分子。

⑯　見《團結報》，1970年2、7、10、11月; 1971年4月。

⑰　見《團結報》，1977年8, 10月。

⑱　鄺治中教授口述，1985年12月22日。

⑲　見《街坊報》，1974年1月;《亞洲人平等就業會會刊》，1975年11月;《爭取平等就業記事》，見《橋刊》，1974年6月26日，7月20日。

⑳　見《亞洲人平等就業會會刊》，1975年6、7月。

㉑　見《平等報》，1977年9／10月。

㉒　陳水，《華人餐館工運的發展》，見《美洲華僑日報》，1980年7月12、14、15日。

㉓　見《美洲華僑日報》，1980年7月28日。

㉔　1982年夏，底特律華裔青年陳果仁在酒吧與失業的白人工人發生口角，繼而動武，最後白人工人出外找到兒子，一同追蹤陳果仁，用棒球

棍子作武器打死他。這案上法院，法官竟判這對兇手三年緩刑，另罰款3700美元。這荒謬的判決激起華人的公憤，熱心人士組成"美國公民正義協會"為陳果仁力爭公道，得到全國各亞裔團體響應，紛紛展開支援陳案的抗議活動。不過最後還是敗訴。

㉕　見《中國時報》，1983年12月20日。

㉖　"美國公民伸張正義聯合會"傳單："It Isn't Fair" Vincent Chin, June 19，1982;《舊金山觀察報》1983年5月17日;《時代報》5月25日。

㉗　見《東西報》，1971年12月15日。

㉘　見《東西報》，1973年2月28日。

㉙　見《東西報》，1973年2月28日，11月21日;1977年11月16日;1979年11月14日;《舊金山紀事報》，1986年8月28日;《中報》，1988年8月15日;《世界日報》，1988年11月13日。

㉚　見《聯合日報》，1972年5月20日;《金山時報》，1973年11月26日;1974年11月22日;《美洲華僑日報》，1983年9月17日;1984年10月18日。

㉛　見《美洲華僑日報》，1974年5月22日;1984年9月27日;1986年5月21日;1985年9月13日。

㉜　見《新光大報》，1976年2月14日;《國際日報》，1986年12月26日;《中國時報》，1984年8月27日;《新光大報》，1987年5月15日。

㉝　見《舊金山紀事報》，1983年11月29日;《正言報》，1981年6月15日;《立報》，1985年7月5日。

㉞　見《金山時報》，1973年3月26日;1975年3月8日。

㉟　見《西華報》，1982年11月6日;1983年3月5日，4月9日。

㊱　見《美洲華僑日報》，1987年9月9日。

㊲　見《少年中國晨報》，1987年2月24日。

㊳　見《華聲報》，1988年1月5日。

㊴　見《奧克蘭論壇報》，1972年5月28日。

㊵　見《時代報》，1986年6月17日;《亞洲人週報》，1984年11月30日，1988年11月11日。

㊶　見《中美時報》，1969年7／8月。

㊷　見《新光大報》，1982年6月25日;《世界日報》，1989年2月21日。

㊸ 見《時代報》，1974年1月12日。

㊹ 見《文滙報·北美洲版》，1987年1月21日;《少年中國晨報》，1987年3月14日。

㊺ 見《國際日報》，1987年8月31日;《舊金山紀事報》，1984年12月6日。

㊻ 見《東西報》，1969年5月7日。

㊼ 見《團結報》，1970年10月。

㊽ 見《東西報》，1971年9月22日。

㊾ 見《美洲華僑日報》，1971年10月6、13日。

㊿ 見《東西報》，1972年1月19日。

(51) 見《時代報》，1977年9月28日，10月5日。

(52) 見《美洲華僑日報》，1981年2月12、13日。

(53) 見《時代報》，1972年11月22日。

(54) 見《正言報》，1972年8月10日;謝僑遠口述，1988年10月27日。

(55) 見《時代報》，1984年5月15日，1984年6月28日。

(56) 高淑芬，《中華文化的播種者:華僑文教服務中心》，見《海華雜誌》，1988年7月，第29—39頁。

(57) 見《美洲華僑日報》，1987年7月2日。

(58) 第二次世界大戰結束後，國民黨政府派陳儀接收台灣，國民黨人員待台灣如征服的土地，其統治手段之專制比起日本統治時期有過之而無不及。加上國民黨統治貪污腐敗，使台灣人民對蔣介石政權失望與憤恨。

1947年2月27日，國民黨官員查緝私烟小販，毒打重傷賣紙烟的貧苦婦女，跟着又開槍殺死抗議羣衆，這就激起台北民衆在28日結隊遊行，全市商店罷市，其他城市的民衆也先後起來響應，席捲全省，佔領了很多地方的軍政機關，實際上控制了全島。但蔣介石在3月8日，用飛機軍艦調動大批美式裝備的軍隊先後在基隆、高雄登陸，鎮壓這起義，被屠殺的男女老少估計至少在2萬人以上，留下台籍人難忘的一筆血債。

(59) 在1979年，台灣“黨外”雜誌《美麗島》違抗禁止集會的命令，在12月10日召集約萬人在高雄開會紀念“人權日”。當演講正在進行中，當局派大批軍警用催淚彈及武力擬驅散集會，有些參加人士不服，與軍警搏鬥，致雙方傷人。數日後，國民黨政府禁止《美麗島》繼續出版，並拘捕8名人士，指控他們主謀叛亂行動。

⑥ 見《論壇報》，1983年10月26日。

⑥ 胡志平，《海外台灣人籌辦新報》，見《中報》，1987年6月6日。

⑥ 見《美洲華僑日報》，1981年8月3日。

⑥ 見《美洲華僑日報》，1976年3月4日；1981年7月23、29日；《明尼蘇達日報》，1981年7月10日。

⑥ 見《國際日報》，1985年9月16、27日；《中報》，1985年9月20、26日。

紐約市拉拉盛是一個新興的華人商業區（圖片來源：麥禮謙拍攝）

八十年代印支華人等集資興建在奧蘭治縣威斯敏特市的亞洲商業中心（圖片來源：麥禮謙拍攝）

八十年代印支華人在聖荷塞創設的超級市場
（圖片來源：麥禮謙拍攝）

舊金山華人經營的菊花圃（圖片來源：麥禮謙
拍攝）

八十年代抗議對華裔不公平措施的示威（圖片來源：李揚國拍攝）

金山灣天使島的移民拘留所已成為歷史遺蹟，圖為天使島西裔捐贈修建紀念華人移民的石碑 （圖片來源：麥禮謙拍攝）

第十三章 八十年代的美國華人

華人在美國已經有了二百多年的歷史。在十九世紀後半葉，他們是美西居民一個重要構成部份，佔加州的人口約十分之一。但後來由於排華苛例禁止華工入境，在二十世紀上半葉，人口增長率很緩慢。這情況到六十年代中，美國放寬移民法例之後才被扭轉。七十年代以來，進入美國的華人人數激增，有些華人社區也迅速擴大發展。但由於過去長期被排斥的歷史過程，所以華人仍然是一個為數極少數的少數族裔集團。

在八十年代，美國華人人口已經代替了日裔，取得美國亞裔人口的首位，佔亞裔的百分之二十三點四，（其他亞裔按人口排序如下：菲律賓裔、日本裔、印度裔、越南裔）。

據美國聯邦人口普查統計數字，一九八〇年有華人八十萬零六千零二十七名，約佔全國人口的百分之零點四。到八十年代末，由於美國移民法給予中國大陸，台灣和香港每年共四十五萬名的移民攤額，同時加上從中南半島而來的華裔難民，以及來美留學而留下的留學生，所以華人人口估計已經超過一百六十萬，是美國增長速度最高族團之一。

全美國五十個州和哥倫比亞特區都有華人的蹤迹，在一九八〇年最多華人的三個州是加州、紐約和夏威夷，佔美國華人總人口的百分之六十五點四。華人最多的大都市地區（以一個或幾個大都市為核心，聯帶附近與它有密切經濟社會關係的衛星市鎮和地區。Standard Metropolitan Statistical Area, SMSA）是舊金山—奧克蘭，紐約—新澤西，洛杉磯—長提市，火奴魯魯。以上佔美國華人總人口的百分之五十二。

大部份華人雖然是城市居民，但已經遷出擠迫的中心城市（central city）到較寧靜的郊區市鎮（suburbs）定居。中心城市的華埠有很大的變化，它們不再是華人主要居住區，而且已經轉變為商店及社團集中地區，所以華埠在六十年代曾一度衰落。七、八十年代移民難民的湧入，卻扭轉了這種趨勢，最大的華埠是在舊金山，紐約及洛杉磯。其他如奧克蘭，芝加哥、波士頓、費城、美京華盛頓、西雅圖、休士頓、火奴魯魯等華埠也受移民因素的刺激而興旺起來，新的華人商業區又在蒙特利公園、威斯敏斯特、聖地亞哥、聖荷西、紐約市法拉盛等地方相繼出現。其他如波爾的摩、底特律、克里夫蘭、薩克拉門托、斯托克頓、瑪麗斯維爾（Marysville）、弗雷斯諾、聖地牙哥（舊華埠），波特蘭也曾有小型華埠。其中有些華埠因為所在區域環境變化，缺乏發展的條件，因此而呈現停滯或走向下坡的現象。

美國華人社會的複雜發展歷史，使華人人口與社會的結構多少有別於美國其他族裔的人口與社會結構。在教育水平方面，華人社會有兩極化的趨向。由於第二次世界大戰後香港、台灣留學生學業完成後大量在美國定居，加上很多華裔也得到高等教育，所以在一九八○年完成了四年或以上大學教育的人佔二十五歲以上華人的百分之三十六點六，在亞裔之中僅次於印度裔的百分之五十一點九，但比城市地區白種人的百分之十九點三高得多。但在其他方面，教育程度低的華人也佔很高的比例，受過八年或不及八年教育（即小學程度）的人佔百分之二十一點三，比城市白人的百分之十四點八高。這些華人很多都是沒有機會入學的外國出生移民或難民。

華人所受教育水平與他們的職業有密切的關係，他們偏重於專業、腦力工作、商業和服務行業。

華人在教育及職業領域的兩極趨向也反映在他們的收入。一九八〇年每年收入五萬美元以上的華人戶口佔華人總人口的百分之七點九，比城市居住白人戶口的百分之五點六高。在主要亞裔族團中，僅次於印度裔的百分之八點九，但低收入的華人家庭也很多，在貧窮界線下（poverty threshold，按在一九七九年，一家四口的貧窮界線是每年收入等於七千四百一十二美元）的家庭有百分之十點五，多過城市居住白人家庭的百分之六點二；在亞裔中只有韓裔的百分之十三點一及越南裔的百分之三十五點一更高。這情況反映有大量不懂英語，而缺乏專業知識的移民，他們多集中在低薪的職業。由於這因素，華人每人的平均收入有七千四百七十六美元，低過城市居住白人的八千二百九十二美元，也比日裔的九千零六十八美元及印度裔的八千六百六十七美元低。華人家庭參加勞動的人數也相當高，有六成五家庭是有二個或以上成員參加工作，多過白人家庭的五成五。

華人實業家冠各亞裔。在一九八二年有五萬二千八百三十九個單位，佔亞裔實業的百分之二十六。華人實業的營業額也最高。在一九八二年的一百五十七點三億美元佔這年亞裔總營業額的百分之三十九。這一方面反映一些大企業如王安公司，華昌公司的存在，另方面也反映很多華人，尤其是移民，採取進入工商業做些小本生意，作為他們上進的途徑。

美國華人社會是舊移民，新移民（包括難民）及土生華裔構成的組合體。在一九六五年前來美的華人可以稱為舊移民，在這年以後入境的是新移民。

舊移民佔九成左右由珠江三角洲和四邑的農村出身，他們有濃厚的鄉土及宗族觀念，由於美國限制亞洲移民，很多舊移民都被迫冒籍或偷關入境。在美國境內，他們也多年來飽受種族偏見的折磨。第二次世界大戰以前到美國的一輩很少有機會繼續學業深造，所以這些華人很多是工人或小店東。大戰結束後，部份青年人才有機會得到高等教育，成為專業科技人才。

在早年，華埠是舊移民生活的中心。現在很多人已經散居各地區，但華埠仍然是這些人進行社交和商業活動的場所。他們在華埠參加的邑界、姓界和堂界團體也是華埠與舊移民密切關係的標誌。

舊移民也包括少數客籍、瓊籍、閩籍（主要福州附近），江浙（主要上海，寧波）和其他省份的人。不少原來是海員出身，也有商人。這些人多集中在東西兩岸的華埠，他們也有自己組織的社團。

在四十年代末，中國的國民黨政權崩潰，一些國民黨官僚及他們的侍從，工商界及學術界人士，都先後跑到美國。同一時期，幾千名留學生也決定留在這裏。這些人大部份來自中國廣東以外各省，出身於中國上層社會，家境比較富裕，教育水平高過一般舊移民。他們在美國成為社會裏的中上階層。這些人後來在美國學術、工商、金融界有了不少建樹。由於他們的社會背景與華埠居民不同，言語又有隔閡，所以互相之間的交往較少，但到七、八十年代，部份人卻已經開始與一些舊移民、土生華裔合作，爭取華人中產階級更多權益，在美國政壇上漸趨活躍。

一九六五年以後入境的華人，可以根據來源地分為幾個不同的社會集團。

一、香港、澳門移民：這些移民大部份祖籍是珠江三角洲四邑一帶，但也有少數來自中國其他省份，尤其是華東地區。其中一部份人是從農村出身，解放後才到香港、澳門逗留了若干年。老的一輩跟舊移民的意識形態沒有很大的差別。年青人卻往往在港澳生活的時間還比較在農村的時間長，或者在港澳出生長大。這些人習慣現代大都市的生活，他們往往懂一些技藝，有小部份有英文基礎。所以這些移民比較容易適應美國社會。其中有部份人是帶來大量資金，在美國投資商業或地產。在六、七十年代，也有不少港澳人士以旅遊或留學身份入境，然後到美國移民局調整身份，得到美國居留權，為親屬來美鋪路。

香港移民一般懂粵語，不難與華埠居民打成一片，他們對華埠有很大的影響，使社會風氣漸染上香港色彩。香港式的粵語，也漸漸代替了四邑話，成了華埠最流行的共通語言。

二、台灣移民: 在六、七十年代，很少台灣居民有親屬在美國，所以不容易循着正常移民途徑到美國。但當時申請到美國留學卻是可行的捷徑，因此在這期間大量青年人到美國留學。其中有大陸籍的子弟，也有台灣本地人。他們完成學業之後，絕大部份都調整身份，領得在美國長期居留權，為以後來美的親人開闢了門戶，所以到七十年代，台灣移民激增。八十年代初由於台灣每年移民額增加到二萬，容許更多人來自台灣。如果加上親屬入境以及探親或留學而留在美國的人，那就不止二萬數字了。

這些移民說普通話或台灣方言（閩南方言的一種），台灣人佔很高的比例。由於語言上的隔閡，他們跟以粵語為主的華埠沒有很密切的往來，一般在其他地區發展。洛杉磯郊區蒙特利公園，德克薩斯州的休士頓市，和紐約市法拉盛都是這些移民集中的地區。他們一般是台灣的精英，很多受過高等教育，不少在美國成為名學者及科技專業人才。另一部份是擁有大量資金的富裕移民，這些移民有較高的比例屬於華人社會的中上層。

三、中國大陸移民: 七十年代後期中國實施開放政策以後，來自中國大陸的移民人數驟增。被批准來美國的人大部份是美國華人的直系親屬。來自中國各省，但原籍廣東珠江三角洲四邑一帶的人仍佔最高的比例。後者很自然就成為華埠居民的一部份。也有小部份人以留學或探親身份到美國，入境之後才設法領得永久居留證。

四、中南半島移民及難民: 七十年代中臨近越南戰爭結束的時候，一部份越南居民就挾帶資金逃亡海外。到七十年代末，更多難民被迫離開越南，乘船漂流出海。束埔寨和寮國政局的變化，也使大量難民流亡國外。這些難民包括很多華人、華裔，但迄今還沒有準確的統計數字。這些華人很多祖籍是在廣東省講粵語方言或潮汕方言的地區，但閩南，客籍，海南人也不少。很多難民懂粵語，所以不難與華埠居民交往。像舊移民一樣，他們很多是經營小本生意及當勞工。這些難民及移民的社會卻自成體系，設有社團，報紙，華文學校等社會機構。加州（尤其是南部）和德克薩斯是這些難民最多定居的地區。

世界其他一些國家的政治局勢不利或不穩定，也促使當地華人跑到美國。幾個例子就是古巴、菲律賓和緬甸。不過他們的人數遠不及中南半島的華人難民，但每個集團也成立有自己的社交圈子。

美國另一個華人社會羣體是土生華裔，這是指在美國出生或自幼年在美國長大的華人。他們是從移民集團衍變出來，是在美國的第一代或第二代華人，但有少數卻已經進入第六代了。他們深受西方文化教育的影響，生活方式及思想作風與移民迥然不同。他們通常對華文的認識有限，或完全不懂。交談寫作是以英語英文為主；很多對中華文化及風俗習慣陌生，對中國的感情也比較一般移民淡薄得多。

土生華裔熟悉英語，生活方式接近美國主流社會。他們大部份有中學或以上的教育水平，很多是公務員、文員或科技專業人員，屬於中產階級。這集團與美國主流社會有密切的關係，他們亟欲在主流社會發展，享有平等的地位，因此，他們為了積極爭取本身權益，是美國政壇上最活躍的華人。

從上可見華人社會是一個多麼複雜的組合體，各社會集團之間存在有很大的差距。一些移民還是遵守中國的風俗習慣，但在另外一個極端，有些土生卻對中華文化是門外漢。在社區裏，廣東人和外省人，土生和移民往往由於語言上的隔閡，就不能夠溝通；對中國政治，對美國政治的分歧又常導致社區人士不能團結。

華埠裏房屋擠迫, 青年犯案不會使大學城裏學者的恬靜生活受影響; 同樣, 難民和移民在美國社會求適應所遭遇的種種困難, 也不會令到郊區的華裔專業人員覺得是他們的切膚之痛。那麼, 在這些差別之中, 是否能夠去異存同, 團結華人, 謀求共同利益, 確是華僑社會領導人物的一個難題。

在西半球這角落的炎黃子孫, 飽經兩百年的滄桑, 行了一條多麼坎坷不平的路途, 才達到今天的境地。在這兩世紀中, 中國和美國的社會都經歷很大的變化, 美國華人社會不自主地也隨着發生了變化。它由一個以珠江三角洲一帶移民及其後裔佔九成以上的社會, 發展成爲一個包括本地出生及來自中國各省, 世界各地的華人組成的複雜社會。在美國經濟領域, 他們由十九世紀提供物質及勞動力支援開闢邊疆的華商華工發展成爲現代美國社會不可缺少的工商界及專業人才。在這過程, 他們成爲美國多元社會的一個重要成員。中華文化也豐富了美國的文化。

華人的心態由"落葉歸根"發展到"落地生根"; 他們由"旅美華僑"演變爲"美國華人"。儘管他們在八十年代還有不少等待解決的社會問題, 但美國已經成爲他們的家, 這些問題也屬於美國社會問題的範疇。他們要與美國各族裔人民一同努力才能夠找到解決途徑, 從而在美國建設更民主平等的社會。

附錄: 本書其他參考書籍論文

(一)英文部份

——, *A Survey of Chinese Students in American Universities and Colleges in the Past One Hundred Years* (New York: National Tsing Hua University Research Fellowship Fund and China Institute in America, 1954).

——, The Chinese Students' Monthly, *"1906 — 1931: A Grand Table of Contents"* (Washington D.C.: Center for Chinese Research Materials, Association of Research Libraries, 1974).

Asian American Studies Center and Chinese Historical Society of Southern California, *Linking Our Lives: Chinese American Women of Los Angeles* (Los Angeles: Chinese Historical Society of Southern California, 1984).

Bancroft, H. H., *History of California 1860—1890,* Vol. 7 of The Works of Hubert Howe Bancroft, 39 Vols. (San Francisco: The History Co., 1890).

Barth, Gunther, *Bitter Strength: A History of the Chinese in the U.S., 1850—1870* (Cambridge, Mass.: Harvard Univ. Press, 1964).

California State Assembly Document, No. 78, "Report of the Committee on Mines and Mining Interests" (Sacramento: Mar. 9 1853).

Cassady, L. W., "Labor Unrest and the Labor Movement in the Salmon Industry of the Pacific Coast" , Ph. D. diss. (Univ. of California, Berkeley, 1937).

Cayton, Horace R., and Anne O. Lively, *The Chinese in the United States and the Chinese Christian Churches* (New York: National Council of the Churches of Christ in the U.S.A., 1955).

Chan, Sucheng, *This Bittersweet Soil: The Chinese in California Agriculture, 1860—1910* (Berkeley: Univ. of California Press,1986).

Chapin, Frederic L.,"Homer Lea and the Chinese Revolution", A.B. honors thesis (Harvard Univ., 1950).

Char, Tin Yuke, ed., *The Sandalwood Mountains: Readings and Stories of the Early Chinese in Hawaii* (Honolulu: Univ. Press of Hawaii, 1975).

Char, Tin Yuke, ed., *Bamboo Path: Life and Writings of a Chinese in Hawaii* (Honolulu: Hawaii Chinese History Center, 1977).

Chen, T.Y., et al, *Survey of Social Work Needs of the Chinese Population of San Francisco, California* (San Francisco: California State Relief Administration, 1934).

Chen, Wen — hsien, "Chinese under Both Exclusion and Immigration Laws" Ph.D. diss. (Univ. of Chicago, 1940).

Chinese Sabbath School Association, comp., "Statistics of the Chinese Churches, Missions, Schools and Institutions of North America" (1892).

Chinn, Thomas W., Him Mark Lai and Philip P.Choy, eds., *A History of the Chinese in California: A Syllabus* (San

Francisco: Chinese Historical Society of America, 1969).

Chiu, Ping, *Chinese Labor in California,1850 – 1880: An Economic Study* (Madison, Wis.: State Historical Society of Wisconsin, 1963).

Chong, Kay Ray, *Americans and Chinese Reform and Revolution, 1898–1922: The Role of Private Citizens in Diplomacy* (New York: Univ. Press of America, 1984).

Chu, Doris C.J., *Chinese in Massachusetts, Their Experiences and Contributions* (Boston: Chinese Culture Institute, 1987).

Chung, Kun Ai, *My Seventy Nine Years in Hawaii* (Hong Kong: The Cosmorama Pictorial, 1960).

Cohen, Lucy M., *Chinese in the Post—Civil War South: A People Without A History* (Baton Rouge: Louisiana State Univ. Press, 1984).

Coolidge, Mary R., *Chinese Immigration* (New York: Henry Holt & Co., 1909).

Cooper, George, and Gavan Daws, *Land and Power in Hawaii* (Honolulu: Benchmark Books, 1985).

Coulter, John W. and Chee Kwon Chun, *Chinese Rice Farmers in Hawaii* (Univ. of Hawaii Research Publications, No. 16, Honolulu: 1937).

Dobie, Charles C., *San Francisco's Chinatown* (New York: Appleton—Century, 1936).

Drumright, Everett F., "Desp. No 931: Report on the Problem of Fraud at Hong Kong" (Hong Kong: U.S. Consulate General, 1955).

Eng, Ying Gong and Bruce Grant, *Tong War!* (New York:

Nicholas L. Brown, 1930).

Fong, Walter T., "Chinese Labor Unions", *Chautaquan* 23 (1896): 399—402.

Fuchs, Lawrence H., *Hawaii Pono: A Social History* (Honolulu: Harcourt, Bruce,and World, 1961).

Glick, Clarence E., *Sojourners and Settlers: Chinese Migrants in Hawaii* (Honolulu: Univ. Press of Hawaii, 1980).

Goldstein, Jonathan, ed., *West Georgia College Studies in the Social Sciences: Georgia's East Asian Connection, 1733—1983,* 22 (June 1983).

Hoexter, Corinne K., *From Canton to California: The Epic of Chinese Immigration* (New York: Four Winds Press. 1976).

Hom, Gloria Sun, ed., *Chinese Argonauts: An Anthology of the Chinese Contributions to the Historical Development of Santa Clara County* (Los Altos Hills, Calif.: Foothill Community College, 1971).

Hong, Y. C., *A Brief History of the Chinese American Citizens Alliance* (San Francisco: Chinese American Citizens Alliance, 1955).

Kao, Charles H. C., *Brain Drain: A Case History of China* (Taipei: Mei Ya Publications, 1971).

Kung, S. W., *Chinese in American Life: Some Aspects of Their History, Status, Problems, and Contributions* (Seattle: Univ. of Washington Press, 1962).

Kuo, Chia—ling, *Social and Political Change in New York's Chinatown: The Role of Voluntary Associations* (New York: Praeger Publishers, 1977).

Kwong, Peter, *Chinatown, N.Y., Labor & Politics, 1930—1950* (New York: Monthly Review Press, 1979).

LaFargue, Thomas E., *China's First Hundred: Education Mission Students in the United States, 1872—1881* (Pullman, WA: State College of Washington, 1942).

LaFargue, Thomas, "Some Early Visitors to the United States", *T'ien Hsia Monthly*, (Dec.1940—Jan.1941), 128·39.

Lai, Him Mark, "A Historical Survey of the Chinese Left in America" , In *Counterpoint: Perspectives on Asian Americans*, edited by Emma Gee et al, 63 — 80 (Los Angeles: Univ. of California Asian American Studies Center, 1976).

Lai, Him Mark, "Historical Development of the Chinese Consolidated/ Huiguan System" , *Chinese America: History and Perspectives* (1987), 13—51.

Leong Gor Yun, *Chinatown Inside Out* (New York: Barrows Mussey, 1936).

Lin, Yueh-mei, *The Past, Present and Future of the Chinese Language Schools in the United States*, draft manuscript, Syracuse University, 1986.

Lind, Andrew W., *Hawaii's People*, 4th ed. (Honolulu: Univ. Press of Hawaii, 1980).

Liu, Jean Moon, *Lew Hing: A Family Portrait* (Berkeley, Calif.: 1981).

Lo, Jung-pang, *K'ang Yu-wei: A Biography and a Symposium* (Tucson: Univ. of Arizona Press, 1967).

Lo, Karl and H.M. Lai, comps., *Chinese Newspapers Published in North America, 1854—1975* (Washington, D.C.: Center for Chinese Research Materials, 1977).

Loewen, James W., *The Mississippi Chinese: Between Black and White* (Cambridge, Mass.: Harvard Univ. Press, 1971).

Look, Chester, ed., *Cathay Chimes* (San Francisco: Cathay Club, 1930).

Low, Victor, *The Unimpressible Race, A Century of Educational Struggle by the Chinese in San Francisco* (San Francisco: East/West Publishing Co., 1982).

Lukes, Timothy J. and Gary Y. Okihiro, *Japanese Legacy: Farming and Community Life in California's Santa Clara Valley* (Cupertino, Calif.: California History Center, 1985).

Lydon, Sandy, *Chinese Gold: The Chinese in the Monterey Bay Region* (Capitola, Calif.: Capitola Books, 1985).

Lyman, Stanford M., *The Asian in the North America* (Santa Barbara: California Press, 1977).

McKee, Delber L., *Chinese Exclusion Versus the Open Door Policy, 1900—1906: Clashes over China Policy in the Roosevelt Era* (Detroit: Wayne State Univ. Press, 1977).

Matyas, Jennie, interviewed by Corinne Gibb, "Jennie Matyas and the I.L.G.W.U." (Berkeley: Institute of Industrial Relations Oral History Project, Univ. of California at Berkeley, 1957).

Mears, Eliot Grinnell, *Resident Orientals on the American Pacific Coast: Their Legal and Economic Status* (Chicago: Univ. of Chicago Press, 1928).

Nee, Victor and Brett, *Longtime Californ'; A Documentary Study of An American Chinatown* (New York: Pantheon Books, 1973).

Rhoads, Edward J.M., "The Chinese in Texas", *Southwestern Historical Quarterly,* 81, No. 1 (July 1977): 1−36.

Riggs, Fred W., *Pressures on Congress: A Study of the Repeal of Chinese Exclusion* (New York: King's Crown Press, 1950).

San Francisco Chinese Community Citizens' Survey and Fact Finding Committee Report (San Francisco: 1969).

Sung, Betty Lee, *A Survey of Chinese American Manpower and Employment* (New York: Praeger Publishers, 1976).

Sung, Betty Lee, *Mountain of Gold: The Story of the Chinese in America* (New York: Macmillan, 1967).

U.S. Industrial Commission, "Immigration and Education: Alien Labor in Mountain and Pacific States," In *Report of the Industrial Commission,* vol. 15: 745 − 803 (Washington, D.C.: Government Printing Office, 1901).

U.S. Immigration Commission, "Japanese and Other Immigrant Races in the Pacific Coast and Rocky Mountains States", In *Immigrants in Industries,* pt. 25 (Washington, D.C.: Government Printing Office, 1910).

U.S. Dept. of Commerce and Bureau of the Census, "Decennial population censuses, 1820−1980".

U.S. Dept. of Justice, "Immigration and Naturalization Service. Annual Reports".

Yung, Judy, *Chinese Women of America: A Pictorial History* (Seattle: Univ. of Washington Press, 1986).

Yee, George and Elsie Yee, "The Chinese and the Los Angeles Produce Market", *Gum Saan Journal* 9,No. 2 (Dec. 1986): 5−17.

(二)中文部份

朱夏著,《美國華僑概史》(紐約:《中國時報》,1975年)。

劉伯驥著,《美國華僑史》(台北:行政院僑務委員會,1976年)。

劉伯驥著,《美國華僑史續編》(台北:黎明文化事業公司,1981年)。

李東海著,《加拿大華僑史》(溫哥華:加拿大自由出版社,1967年)。

古今輝著,《檀島紀事》(上海:華美書局,1907年)。

施應元編,《1969世界華僑年鑒》(香港:《世界華僑年鑒》,1970年)。

《華僑經濟年鑒》(台北:僑務委員會,1958年;華僑經濟年鑒編輯委員會,1959至1969年;世界華商貿易會議聯絡處,1970年及以後)。

陳匡民編,《美洲華僑通鑒》(紐約:美洲華僑文化社,1950年)。

劉令編,《華僑人物誌》(洛杉磯:東西文化出版社,1949年)。

陳汝舟編,《美國華僑通鑒》(紐約:中國國民外交協會駐美辦事處,1946年)。

陳汝舟編,《美國華人誌及華商名錄》(圖森:美國華人出版社)。

鄭東夢、李明獻編,《檀山華僑》(火奴魯魯:檀山華僑編印社,1929年)。

劉振光、賴金佩編,《檀山華僑第二集》(火奴魯魯:檀山華僑編印社,1936年)。

馮或龍、曾進鋆編,《檀山華僑第三集》(火奴魯魯:檀山中華編印社,1957年)。

《全美華僑代表大會》(華盛頓:1957年)。

《全美華人福利總會成立三十週年暨第十二屆代表大會紀念特刊》(舊金山:1987年)。

區寵賜等編，《旅美三邑總會館簡史》（舊金山：三邑總會館，
　　1974年）。

劉偉森編，《美國三藩市全僑公立東華醫院四十週年紀念專刊》（舊
　　金山：1963年）。

《美國檀香山中華總商會成立二十週年紀念特刊》（火奴魯
　　魯：1932年）。

《明倫學校二十五週年紀念册》（火奴魯魯：1936年）。

林伉新編，《檀山華僑辦理外語校案特刊》（火奴魯魯：檀山中
　　華總工會及華僑敎育聯合會，1950年）。

劉粤聲編，《美洲華僑敎會》（舊金山：全美華僑基督敎大會，
　　1933年）。

黃期田，《美華長老自理傳道總會百年史略：1871—1971年》（舊
　　金山：美華長老自理傳道總會，1972年）。

麥禮謙著，《十九世紀美國華文報業小史》，見《華僑歷史學會通
　　訊》（北京：1983年第2期，第26—33頁）。

《美洲國民日報第六週年紀念特刊》（舊金山：1934年）。

《中流劇社二十週年紀念專刊》（舊金山：1978年）。

華僑協會總會編，《華僑名人傳》（台北：黎明文化事業公司，
　　1984年）。

葉莉莉編著，《僑心與國運》（台北：僑聯出版社，1967年）。

葉莉莉編著，《活躍在金山僑社的人物》（舊金山：《中山報》
　　1980年）。

《陳陰先生壽集》（火奴魯魯：1947年）。

楊立正編著，《華人百商》（蒙特利公園：楊氏企業公司，1985年）。

鄧海珠編著，《矽、矽谷、矽谷人》（台南：金川出版社，1987年）。

王晉民、鄺白曼編著，《台灣與海外華人作家小傳》（福州：福
　　建人民出版社，1983年）。

李喜所著，《近代中國的留學生》（北京：人民出版社，1987年）。

《清華學校叢書・人物志・第一輯》（北京：清華大學出版社，1983年）。

林路，《遺失戰場的鬥士：海外台灣人運動史大綱》，見《前進週刊》1988年8月20日第5—9頁。

王建生著，《早期台灣留美學生的政治運動：回顧與評估》，見《台灣新社會》第二十八號（1987年10月1日），第4—14頁。

曾德興著，《"台獨"的起因與發展》，見《透視與展望》（1984年8月1日），第26—31頁。

《晚清海外筆記選》（北京：海洋出版社，1983年）。

黃遵憲著，《上鄭玉軒欽使稟文》，見《近代史資料》總第55號（北京：中國社會科學出版社，1984年），第31—72頁。

傅雲龍著，《遊歷美利加圖經・餘紀》（1902年）。

戴鴻慈著，《出使九國日記》（長沙：湖南人民出版社，1982年重印）。

梁慶桂著，《式洪室遺稿》（約1931年）。

《國父全集》（台北：中國國民黨中央委員會黨史委員會，1973年）。

羅家倫編，《國父年譜》（台北：中國國民黨中央委員會黨史史料編纂委員會，1969年）。

羅剛編，《中華民國國父實錄初稿》第一冊（台北：國民圖書出版社，1965年）。

廣東省哲學社會科學研究所歷史研究所，中國社會科學院近代史研究所中華民國史研究室，中山大學歷史系合編《孫中山年譜》（北京：新華書店，1980年）。

《國父九十誕辰紀念文集》（台北：中華文化出版事業委員會，1955年）。

杜元載編，《中國同盟會革命史料》第一、二冊（《革命文獻》第六十六期）（台北：中國國民黨中央委員會黨史委員會，1974年）。

《華僑與辛亥革命》（北京：中國社會科學出版社，1981年）。

《孫中山與辛亥革命史料專輯》（廣州：廣東人民出版社，1981年）。

馮自由編著，《革命逸史》第一至五集（台北：商務印書館，1953至1965年）。

黃三德著，《洪門革命史》（舊金山：1936年）。

崔通約著，《滄海生平》（上海：1935年）。

《中國國民黨在海外》第一、二冊（台北：中國國民黨中央委員會第三組，1961年）。

黃季陸編，《中華革命黨史料》（《革命文獻》第四十五輯）（台北：中國國民黨中央委員會黨史委員會，1969年）。

《中國國民黨駐三藩市總支部第二次代表大會始末記》（舊金山：1928年）。

蕭强、李德標著，《國父與空軍：我國初期革命空軍史話》（台北：1983年）。

伍憲子著，《中國民主憲政黨黨史》（舊金山：中國民主憲政黨，1963年）。

李福基著，《憲政會紀始事略》（缺出版地和出版社，1909年）。

康文佩編，《康南海先生年譜續編》（台北：文海出版社，1972年）。

丁文江編，《梁任公先生年譜長編初稿》（台北：世界書局，1962年）。

張存武著，《光緒卅一年中美工約風潮》（台北：中央研究院近代史研究所，1966年）。

《金山二埠華僑救國籌餉會徵信錄》（薩克拉門托：1947年）。

馮洪達、余華心著，《馮玉祥將軍魂歸中華》（北京：文史資料出版社，1981年）。

廈門大學南洋研究所歷史組編，《近代華僑投資國內企業史資料滙編（初稿）》（廈門：廈門大學南洋研究所，1960年）。

林金枝著，《近代華僑投資國內企業概論》（廈門：廈門大學出版社，1988年）。

林金枝著，《近代華僑投資國內企業的幾個問題》，見《近代史研究》1980年第1期，第199—230頁。

林金枝著，《解放前華僑在廣東投資的狀況及其作用》，見《學術研究》1981年第5、6期，第45—51，79—82頁。

林金枝著，《近代華僑在上海企業投資歷史的若干問題》，見《廈門大學學報：哲學社會科學版》1984年第1期，第69—80頁。

劉玉遵、成露茜、鄭德華著，《華僑、新寧鐵路與台山》，見《中山大學學報：哲學社會科學版》1980年第4期，第24—47頁。

林國賡、黃榮熙編，《新寧縣志》（新寧：1893年）。

陳田軍、黃仁夫、黃仲楫編，《台山縣僑鄉志》，（台山：1985年）。